PORTRAIT DE

Heinrich Böll (né à Cologne ... ...
dans toute l'Europe comme l'écrivain le ... ...
génération. Issu d'une famille bourgeoise catholique qui lui inculque
la haine du nazisme et l'antimilitarisme, il obéit néanmoins à la
convocation de l'armée pour une « courte période » au printemps de
1939, qui ne s'achèvera qu'en 1945.
De retour dans sa ville natale, il s'impose rapidement comme le chef
de file des romanciers allemands. Animé d'une sincérité totale, il a su
traduire dans son œuvre l'angoisse des hommes qui, nés au lendemain
de la Grande Guerre (1914-1918), ont dû à leur tour en affronter une
autre après avoir cru à la paix.
En plus des nombreux prix qui lui ont été décernés dans son pays, il
a obtenu le Prix du Meilleur Livre étranger en 1955 pour Les Enfants
des morts *et le Prix international Charles Veillon en 1960 pour* Les
Deux Sacrements. *Élu président du Pen Club international en 1971,*
Heinrich Böll a reçu en 1972 le Prix Nobel de littérature.
Il vit en Allemagne près de Cologne, collabore à la radio et écrit de
nombreux articles.
Entre autres titres : Rentrez chez vous, Bogner ! *(1954),* Le Pain des
jeunes années *(1962),* La Grimace *(1964),* Loin de la troupe *(satires et
nouvelles, 1966),* Journal irlandais *(nouvelles, 1969),* L'Honneur perdu
de Katarina Blum *(1975).*

Léni Pfeiffer, née Gruyten — quarante-huit ans — belle et
énigmatique — issue de la bourgeoisie mais vivant en marge de celle-
ci — exerce sur son entourage immédiat, qui ne peut se faire d'elle
une image rassurante et conventionnelle, une violente attraction dont
l'auteur va s'efforcer de percer le mystère. A cette fin, il entreprend
une minutieuse enquête auprès de tous ceux qui la connaissent, l'ont
connue, ou en ont entendu parler. Tandis que le personnage est
éclairé de l'extérieur et sort de l'ombre à mesure que progressent les
interrogatoires, se déploie une grande fresque de la société allemande,
de l'ère wilhelminienne à nos jours, au travers des témoignages de
tous ceux qui, en évoquant leurs rapports avec Léni, sont amenés à
révéler leur propre destin.
Ainsi se précise le thème si cher à Heinrich Böll : face à une société
régie par une morale conformiste et étroite, il en existe une autre qui
recueille toutes les faveurs de l'auteur, celle des êtres purs et
indestructibles chez qui l'amour du prochain inspire seul les actes et
qui, tenus pour asociaux, n'en détiennent pas moins ce que Heinrich
Böll ne refuserait pas d'appeler « la grâce ».

ŒUVRES DE HEINRICH BÖLL

Dans Le Livre de Poche :

LES ENFANTS DES MORTS.
JOURNAL IRLANDAIS.
L'HONNEUR PERDU DE KATHARINA BLUM.

HEINRICH BÖLL

PRIX NOBEL

Portrait de groupe avec dame

ROMAN

TRADUIT DE L'ALLEMAND
PAR S. ET G. DE LALÈNE

ÉDITIONS DU SEUIL

Titre original :

GRUPPENBILD MIT DAME

I

Le personnage central de cette première partie est une Allemande de quarante-huit ans. Elle mesure 1,71 m et pèse (en négligé) 68,800 kg, donc, à 300 ou 400 grammes près, le poids idéal correspondant. La couleur de ses yeux varie du bleu foncé au noir. Son épaisse chevelure lisse et blonde, à peine grisonnante, qu'elle laisse flotter sur ses épaules, la coiffe comme un casque doré. Cette femme se nomme Léni Pfeiffer, née Gruyten. Trente-deux ans durant, avec bien entendu quelques coupures, elle s'est soumise à ce singulier processus dénommé processus du travail : pendant cinq ans d'abord comme assistante non qualifiée dans les bureaux de son père puis vingt-sept ans durant comme horticultrice non qualifiée. Après s'être défaite à l'étourdie, en pleine période d'inflation, d'un bien immobilier important constitué par un exccllent immeuble de rapport situé dans la ville neuve et qui ne vaudrait pas moins aujourd'hui de quatre cent mille marks, elle a depuis abandonné son travail sans motif valable — ni l'âge ni la maladie ne pouvant être invoqués — si bien qu'elle se trouve dorénavant presque sans ressources. Mariée trois jours durant, en 1941, à un sous-officier de carrière de l'armée allemande, elle touche une pension de veuve de guerre qu'aucune autre rente n'est encore venue améliorer. On peut dire à coup sûr pour l'instant — et pas du point de vue financier seulement — que Léni est plutôt mal lotie, surtout depuis que son fils bien-aimé est en prison.

Si Léni portait les cheveux plus courts et les rendait carrément plus gris, elle passerait pour une femme de quarante ans bien conservée; tandis qu'en les portant longs et flottants, elle rend trop évidente l'opposition entre sa coiffure juvénile et un visage qui ne l'est plus; si bien qu'on lui donne à peine moins de cinquante ans. Sans doute est-ce là son âge véritable, mais elle ne s'en prive pas moins ainsi d'une chance qu'elle devrait mettre à profit, au lieu d'avoir l'air d'une blonde fanée qui mène ou cherche à mener une vie licencieuse. Léni est l'une des très rares femmes de son âge qui pourrait encore se permettre de porter la mini-jupe : jambes et cuisses sont restées fermes, sans veines apparentes. Elle s'en tient pourtant à la longueur qui était de mode vers 1942, ceci essentiellement parce qu'elle continue à porter ses vieilles jupes. Elle préfère en outre les gilets de tricot et les corsages aux pull-overs qui, eu égard à sa poitrine, lui paraissent — à juste titre — indiscrets. Pour ce qui est des manteaux, elle vit encore sur le stock, de bonne qualité et bien conservé, qu'elle s'était constitué dans sa jeunesse lorsque ses parents avaient temporairement connu une certaine aisance : manteaux de beau tweed gris et rose, vert et bleu, noir et blanc, bleu ciel (uni). Et lorsqu'elle juge opportun de se couvrir la tête, elle se noue tout bonnement un fichu sous le menton. Quant à ses chaussures, elles sont de celles dites « inusables » qu'on pouvait se procurer entre 1935 et 1939 à condition d'être suffisamment argenté.

Privée pour l'instant de toute protection comme de tous conseils masculins, Léni est victime, côté coiffure, d'une illusion permanente. La faute en incombe à son miroir, un vieux miroir datant de 1894 et qui, malheureusement pour elle, a survécu à deux guerres mondiales. Léni ne va jamais chez le coiffeur, pas plus qu'elle ne fréquente les supermarchés pourtant si bien pourvus de glaces, faisant ses emplettes chez un petit détaillant bien près d'ailleurs de succomber aux changements de structures. Aussi dépend-elle uniquement de ce miroir dont sa grand-mère Gerta Barkel, née Holm, disait déjà qu'il la flattait vraiment beaucoup trop. La coiffure de Léni est pour une bonne part à l'origine de ses ennuis, mais bien qu'elle se regarde souvent dans son miroir, l'idée ne lui est jamais venue de faire le rapprochement. Ce qu'elle ressent violemment en revanche, c'est l'hostilité sans cesse croissante qu'elle suscite dans son entourage, tant à la maison qu'au-dehors. Au cours de ces derniers mois, Léni a reçu force visiteurs du sexe masculin : délégués des établissements de crédit venus en personne — leurs lettres étant restées sans réponse — lui remettre leurs toutes dernières sommations; huissiers; clercs d'avoués; et finalement les envoyés des huissiers venus enlever les biens saisis. Et comme par ailleurs elle loue trois chambres meublées dont l'occupant change de temps à autre, Léni a aussi reçu la visite d'hommes plus jeunes en quête d'un toit. Certains de ces visiteurs masculins se sont montrés fort entreprenants... sans succès bien entendu. Mais nul n'ignore combien les soupirants éconduits aiment justement à se vanter de leurs prétendus succès; on comprendra donc qu'en un rien de temps la réputation de Léni en ait été ruinée.

L'auteur ne dispose d'aucun moyen d'investigation personnelle et directe sur la vie physiologique, psychique et amoureuse de Léni mais il a tout, absolument tout entrepris pour obtenir à son sujet ce que l'on appelle une information objective (ses informateurs seront même nommément désignés en temps opportun!). Aussi peut-on qualifier d'exact — avec une probabilité frisant la certitude — l'en-

7

semble des faits rapportés ici. Léni est une femme silencieuse et discrète, et puisque voici précisées deux de ses qualités non physiques, il serait bon de leur en ajouter deux autres : pas plus qu'elle n'est aigrie, Léni n'éprouve la moindre sorte de repentir; elle ne se repent même pas de n'avoir jamais déploré la mort de son mari. A vrai dire, sa carence est en l'occurrence si totale qu'il serait déplacé d'user de termes comme « plus » ou « moins » pour mesurer son incapacité en matière de repentir. Il est probable qu'elle ignore tout bonnement en quoi consiste un tel sentiment. Sur ce point — comme sur d'autres — son éducation religieuse a dû être un fiasco; du moins se voit-on contraint d'en juger ainsi et probablement tout à son avantage.

Il ressort clairement des déclarations des divers informateurs que Léni ne comprend plus le monde et doute même de l'avoir jamais compris. Elle ne comprend pas en tout cas l'hostilité qu'elle suscite dans son entourage, ni pourquoi les gens lui en veulent tant et sont si méchants à son égard. Elle n'a jamais rien fait de mal ni fait de mal à personne. Or depuis quelque temps, dès qu'elle sort de chez elle pour se livrer aux indispensables emplettes, elle se fait ouvertement insulter; des expressions comme « minable créature » ou « paillasse usagée » sont encore parmi les plus inoffensives. Resurgissent même des injures dont l'origine remonte à près de trente ans : « fille à soldats des Russes ! », « putain à communistes ! » Léni ne réagit pas à ces grossièretés. Le mot « salope » murmuré sur son passage fait pour elle partie du train-train quotidien. On la considère comme indifférente, voire même insensible, or c'est absolument faux car, d'après des témoignages dignes de foi (témoin : Marja van Doorn), assise dans sa chambre, elle passe des heures à pleurer, contraignant ainsi ses sacs et canaux lacrymaux à une intense activité. Même les enfants du voisinage, avec lesquels ses relations étaient jusque-là amicales, se sont laissé monter contre elle et l'abreuvent désormais d'injures que pas plus qu'eux-mêmes, Léni ne comprend tout à fait. Cela dit, d'après de nombreux témoignages circonstanciés et qui épuisent jusqu'à l'ultime source d'informations, il est permis de consigner avec une probabilité frisant la certitude que jusqu'ici Léni n'a dans la vie couché avec un homme que deux douzaines de fois environ en tout et pour tout, dont deux avec Aloïs Pfeiffer son mari (une fois avant et une fois pendant leurs trois jours d'épousailles) et toutes les autres avec un même homme qu'elle aurait d'ailleurs épousé si les circonstances l'avaient permis. Quelques minutes après que Léni aura été autorisée à prendre directement part à l'action (moment qui n'est pas encore venu), elle aura pour la première fois fait ce que l'on pourrait appeler un faux pas, en exauçant le vœu d'un travailleur turc qui, dans une langue qu'elle ne comprend d'ailleurs pas, la suppliera à genoux de lui accorder ses faveurs, et elle ne l'aura exaucé — ce sera le prétexte invoqué — que parce qu'elle ne peut supporter que quiconque s'agenouille devant elle (il est à présumer qu'elle est tout à fait incapable de s'y plier elle-même). Il conviendrait peut-être d'ajouter qu'orpheline de père et de mère, Léni dispose par alliance de quelques parents plutôt désagréables, qu'elle en a d'autres, directs et moins désagréables, vivant à la campagne, et enfin un fils de vingt-cinq ans portant son nom de jeune fille et qui, pour l'heure, séjourne en prison. Un caractère physique particulier mérite encore d'être mentionné car son importance explique les assiduités masculines dont Léni est l'objet. Elle a en effet les seins quasi indestructibles d'une femme autrefois tendrement aimée et dont la gorge inspira des poèmes. Son entourage préférerait certainement écarter ou supprimer Léni. On va jusqu'à lui crier dans le dos : « Hors d'ici ! » ou « Fous le camp ! » Il est même prouvé qu'on réclame de temps à autre pour elle la chambre à gaz. S'il peut certifier l'authenticité de ce vœu, l'auteur en ignore par contre les possibilités de réalisation; il peut toutefois garantir la véhémence de son expression.

Il convient de fournir quelques détails encore sur les habitudes de vie de Léni. Elle mange volontiers quoique modérément. Son petit déjeuner constitue son principal repas, pour lequel il lui faut absolument deux petits pains frais et croustillants, un œuf à la coque, un peu de beurre, une ou deux cuillerées à soupe de confiture (très exactement de confiture de prunes) et un café au lait bien fort avec très peu de sucre. Elle ne s'intéresse guère à son déjeuner : un potage et un petit dessert lui suffisent. Le soir, elle mange froid : deux ou trois tranches de pain avec un peu de saucisse (ou de viande quand ses moyens le lui permettent) et de la salade. Léni attache la plus grande importance à la fraîcheur de ses petits pains qu'elle ne se fait pas livrer mais choisit elle-même, non en les tâtant mais tout simplement en s'inspirant de leur couleur. Elle ne déteste rien tant — dans le domaine alimentaire du moins — que des petits pains ramollis. Son petit déjeuner constituant son repas de fête quotidien, la quête des petits pains frais l'oblige à se mêler dès le matin à ses voisins et donc à subir leurs vilains propos, leurs injures et leurs grossièretés.

Côté tabac, il convient de dire que depuis l'âge de dix-sept ans Léni fume environ huit cigarettes par jour, jamais plus et souvent moins. Pendant la guerre, elle a provisoirement renoncé à fumer pour refiler ses cigarettes à l'homme qu'elle aimait (pas son mari !). Léni fait partie de ceux qui aiment bien de temps à autre un petit coup de vin, mais sans en boire jamais plus d'une demi-bouteille, gens qui selon les conditions atmosphériques se permettent aussi un verre de schnaps et selon leur état d'âme et celui de leurs finances un verre de sherry. Autre information : Léni a obtenu en 1939 son permis de conduire (par autorisation spéciale; de plus amples détails seront ultérieurement fournis), mais depuis 1943 ne dispose plus d'une voiture. Dire qu'elle aimait conduire serait très insuffisant : elle en raffolait !

Léni habite toujours l'immeuble qui l'a vue naître. Par une suite de hasards inexplicables, son quartier a été épargné par les bombes, *relativement* du moins; détruit à 35 p. 100 seulement, on peut donc dire qu'il a été favorisé par le sort. Récemment, un petit incident a tellement ému Léni qu'il a réussi à la rendre loquace : le jour même, d'une voix surexcitée elle en a rapporté la nouvelle toute chaude à sa meilleure amie et principale confidente qui est aussi le principal témoin de l'auteur : ce matin-là, comme elle traversait la rue pour aller chercher ses petits pains, son pied droit a reconnu sur le pavé une légère inégalité qu'il — le pied droit — avait pour la dernière fois perçue quarante ans plus tôt, au temps où Léni jouait là à la marelle avec d'autres fillettes de son âge. Il s'agit de la minuscule cassure d'un pavé de basalte, probablement due au marteau d'un paveur et datant donc des environs de 1894, époque où fut créée la rue. Le pied de Léni transmit immédiatement l'information à son cerveau qui la communiqua à l'ensemble de ses organes sensoriels et centres sensitifs. Car, extrêmement sensuelle, Léni aussitôt transpose tout, absolument tout, sur le plan érotique. Elle vécut donc avec ravissement, mélancolie et émotion ce processus que les dictionnaires théologiques pourraient — quoique en lui attribuant un sens tout différent — qualifier de *total épanouissement de l'être* alors qu'érotologues balourds et dogmaticiens de la sexothéologie le réduisent à sa plus minable expression en le qualifiant d'orgasme.

Avant de laisser naître l'impression que Léni vit en solitaire, il convient d'énumérer la liste de ses amis dont la plupart lui ont témoigné une assez grande fidélité, et deux un attachement à toute épreuve. L'isolement de Léni tient uniquement à son tempérament silencieux et discret, on pourrait même dire taciturne. Le fait est qu'elle sort très rarement de sa réserve, fût-ce avec ses plus vieilles amies Margret Schlömer née Zeist et Lotte Hoyser née Berntgen qui ne l'ont jamais laissé tomber, même dans les pires moments. Margret, du même âge que Léni, est veuve comme elle, mais cette façon de présenter les choses risque de provoquer quelque malentendu. Margret, pour des raisons qui seront indiquées plus loin, a en effet fréquenté beaucoup d'hommes, jamais par calcul, mais parfois sans doute — quand elle était vraiment dans la mouise la plus totale — contre rétribution. La meilleure façon de caractériser Margret serait de spécifier que ses seuls rapports érotiques calculés visèrent l'homme qu'elle épousa à dix-huit ans. C'est d'ailleurs de cette époque que date son unique réflexion putassière — la seule véritable du moins — recueillie par Léni lorsqu'elle lui déclara (c'était en 1940) : « Je me suis dégotté un richard qui tient absolument à me mener à l'autel. » Margret est actuellement à l'hôpital, dans une chambre isolée. Elle souffre d'une grave maladie vénérienne probablement incurable; tout son système endocrinien déréglé, elle se dit elle-même « complètement fichue ». On ne peut lui parler qu'au travers d'une vitre. Elle vous est reconnaissante du moindre petit paquet de cigarettes, de la moindre ration de schnaps, fût-ce la plus petite fiole du schnaps de la plus basse qualité existant dans le commerce. Le système endocrinien de Margret est dans une telle pagaïe qu'elle ne s'étonnerait pas, dit-elle, « de chialer soudain de l'urine au lieu de larmes ». Elle vous est également reconnaissante du don de n'importe quelle sorte de stupéfiant et ne reculerait sûrement pas devant l'opium, la morphine ou le haschisch.

Situé hors de la ville en pleine verdure, l'hôpital se compose de petits pavillons indépendants. Pour avoir accès auprès de Margret, l'auteur a dû recourir à divers moyens également répréhensibles : corruption, escroquerie et usage abusif de titre (ne s'est-il pas fait passer pour professeur de sociologie et de psychologie ès prostitution ?).

Il convient d'ajouter ici, à valoir sur les informations relatives à Margret, qu'elle est « en soi » infiniment moins sensuelle que Léni. Sa dépravation ne venait pas de sa propre convoitise des plaisirs de l'amour mais du fait qu'on lui demandait des plaisirs qu'elle avait par nature le don de dispenser. Il conviendra de revenir plus tard sur ce point. Quoi qu'il en soit, une chose est certaine : Léni souffre et Margret aussi.

Un autre personnage du sexe féminin, qui ne souffre pas « dans sa chair » mais des souffrances de Léni à laquelle elle est vraiment très attachée, est Marja van Doorn déjà mentionnée plus haut. Agée de soixante-dix ans, autrefois au service des parents de Léni, les Gruyten, elle s'est retirée à la campagne où une pension d'invalidité, un jardin potager, quelques arbres fruitiers, une douzaine de poules plus la moitié d'un porc et d'un veau (à l'engraissement desquels elle participe), lui assurent une fin de vie passablement agréable. Marja, toujours prête à soutenir Léni, recula néanmoins quand l'affaire « prit vraiment trop mauvaise tournure » : elle éprouva alors des scrupules, non pas d'ordre moral — il est important de le souligner — mais, si surprenant que cela soit, d'ordre national. Marja est une femme qui, voici quinze ou vingt ans encore, avait « le cœur à la bonne place »; depuis lors cet organe, au demeurant très surestimé, a dû aller se loger ailleurs — si tant est bien sûr qu'il soit toujours agissant — mais certainement pas « dans les foies », car elle n'a jamais été lâche. Elle est indignée de la façon dont on traite sa Léni qu'elle connaît si bien, beaucoup mieux que ne l'a jamais fait l'homme dont elle porte le nom. En effet, au service des Gruyten de 1920 à 1960, Marja van Doorn a assisté à la naissance de Léni, a pris part à toutes ses aventures et partagé son destin. Elle songe sérieusement à retourner vivre auprès d'elle mais pour l'heure déploie toute son énergie (encore considérable) à essayer de la convaincre de venir vivre chez elle à la campagne. Ce qui arrive à Léni et les maux qui la menacent l'épouvantent. Elle est même prête à croire à la véracité de certaines atrocités historiques que, sans les tenir jusque-là pour tout à fait impossibles, elle mettait néanmoins en doute sur le plan quantitatif.

Parmi les informateurs, le docteur Herweg Schirtenstein, critique musical, occupe une place à part. Il loge depuis quarante ans à l'arrière d'une maison qui aurait passé pour fastueuse voici quatre-vingts ans mais qui, sitôt après la première guerre mondiale, perdit de son prestige lorsqu'elle fut divisée en appartements. Celui qu'il occupe au rez-de-chaussée donne sur la cour commune séparant sa maison de celle de Léni, ce qui lui a permis de suivre attentivement, plusieurs décennies durant, les études de piano de celle-ci, ses progrès et plus tard sa relative maestria, quoique sans avoir jamais su qui jouait. Il la connaît certes de vue et, depuis quarante ans qu'il vit là, l'a plus d'une fois rencontrée dans la rue (il est même hautement probable qu'il a regardé Léni jouer à la marelle car il s'est toujours passionnément intéressé aux jeux des enfants; n'avait-il pas pris pour sujet de sa thèse de doctorat : « Le rôle de la musique dans les jeux enfantins » ?) Comme il est loin par ailleurs d'être insensible aux charmes féminins, il a dû attentivement suivre au cours des années l'évolution de l'aspect extérieur de Léni, avec de temps à autre un hochement de tête appréciateur et qui sait peut-être quelques pensées concupiscentes. Il faut dire pourtant que, comparée à toutes les femmes qu'il a intimement connues jusqu'alors, Léni lui eût paru « un rien trop vulgaire » pour qu'il songeât sérieusement à elle. S'il se doutait que c'est elle qui, après des années d'efforts plus ou moins maladroits, a réussi à jouer à la perfection ne serait-ce que deux morceaux de Schubert, sans jamais pourtant l'avoir ennuyé au cours de toutes ces années d'inlassables répétitions, peut-être Schirtenstein réviserait-il son jugement sur elle, lui qui non seulement faisait trembler une Monique Haas mais encore lui inspirait du respect. Il conviendra de reparler de ce Schirtenstein qui plus tard entrera involontairement en rapport érotique avec Léni, d'une manière non point télépathique mais plus exactement télésensuelle. Il faut ajouter, par souci d'équité, que Schirtenstein eût été susceptible de s'aventurer fort loin avec Léni sans en avoir pourtant jamais eu l'occasion.

S'il a pu fournir de nombreux renseignements sur les parents de Léni et presque tout révéler de la vie extérieure de celle-ci, un certain informateur de quatre-vingt-cinq ans n'a pu en revanche dire grand-chose sur sa vie intérieure. Il s'agit du chef comptable Otto Hoyser, retraité depuis vingt ans et vivant dans un confortable asile de vieillards qui allie les avantages d'un hôtel de luxe à ceux d'une fastueuse maison de repos. Il rencontre assez régulièrement Léni, soit qu'il vienne chez elle, soit qu'elle aille le voir à l'asile.

Sa bru, Lotte Hoyser née Berntgen, est un témoin éloquent dont cependant les fils, Werner et Kurt, respectivement âgés aujourd'hui de trente-cinq et trente ans, sont moins dignes de foi. Lotte Hoyser est aussi amère qu'éloquente, mais son amertume ne s'est jamais retournée contre Léni. Agée de cinquante-sept ans et, comme Léni, veuve de guerre, elle est employée de bureau.

Lotte Hoyser, à la langue bien affilée, qualifie sans la moindre restriction ni le moindre égard pour les liens du sang son beau-père Otto (voir ci-dessus) et son fils cadet Kurt de véritables gangsters, et jette presque exclusivement sur eux la responsabilité de l'actuelle infortune de Léni. Elle n'a appris que depuis peu « certaines choses que je n'ai pas eu le courage de révéler à Léni, n'ayant pas encore réussi à les digérer moi-même. C'est proprement inconcevable ! ». Lotte habite dans le centre-ville un deux pièces-salle de bain-cuisine dont le loyer lui coûte le tiers environ de ses gains. Elle songe à aller vivre auprès de Léni, par sympathie certes mais aussi, comme elle l'a ajouté d'un ton menaçant (pour des raisons provisoirement mystérieuses) « afin de voir s'ils m'expulseront moi aussi. Je crains bien d'ailleurs que oui ». Lotte travaille dans un syndicat, « non par conviction » (a-t-elle ajouté de son propre chef) « mais tout simplement parce qu'il faut bien gagner sa croûte ».

Au nombre des informateurs il en est deux, et pas nécessairement des moindres, l'un et l'autre spécialistes des questions slaves.

L'un, le docteur Scholsdorff, est entré dans la vie de Léni par suite d'un enchevêtrement de circonstances fort confus; mais le processus, quelle que soit sa complexité, sera dévoilé. Pour de multiples raisons qui seront à leur tour expliquées en temps voulu, Scholsdorff est pour l'instant haut fonctionnaire aux Finances quoique avec l'intention de demander très bientôt sa mise à la retraite anticipée.

L'autre, le docteur Henges, ne joue qu'un rôle subalterne. De toute façon c'est un témoin douteux, même s'il en est conscient et se plaît à le souligner, voire à s'en délecter. Il se considère lui-même comme « totalement déchu », mais du fait précisément que ce jugement est porté par l'intéressé, l'auteur de cet ouvrage se refuse à l'entériner. Henges a de son propre chef déclaré que lorsque, au service d'un comte et diplomate (récemment assassiné), il pourvoyait en Union soviétique occupée au « recrutement » de main-d'œuvre pour l'industrie de guerre allemande, il avait « trahi la langue russe... mon superbe russe! ». Désormais « à l'abri des soucis financiers » (déclaration personnelle du même Henges), il vit à la campagne aux environs de Bonn tout en exerçant la profession de traducteur au bénéfice de divers services et revues politiques de l'Est.

Dresser dès à présent la liste détaillée de tous nos informateurs nous entraînerait trop loin. Nous les présenterons et dépeindrons dans leur cadre le moment venu. Il convient néanmoins d'en mentionner encore un, ancien bouquiniste qui s'estime suffisamment identifié par les initiales B.H.T. et dont les informations ne concernent pas directement Léni mais une religieuse qui a joué un rôle important dans la vie de celle-ci.

Un autre informateur de peu de poids mais encore vivant, qu'on ne saurait écarter pour prévention que lorsqu'il s'agit de lui-même, est le beau-frère de Léni, Heinrich Pfeiffer, quarante-quatre ans, époux d'une certaine Hetti née Irms et père de deux garçons, Wilhelm et Karl, respectivement âgés de dix-huit et quatorze ans.

Seront encore présentés le moment venu (avec un

coefficient de détails proportionnel à leur importance) trois personnages haut placés du sexe masculin : le premier conseiller municipal, le second gros industriel, le troisième fonctionnaire de l'armement à l'échelon le plus élevé; et aussi deux anciennes ouvrières retraitées, deux ou trois Soviétiques, la propriétaire d'une chaîne de boutiques de fleuriste, un vieux maître jardinier, l'ancien propriétaire (un peu moins vieux) d'un établissement horticole qui, de son propre aveu, « se consacre entièrement à la gestion de ses biens immobiliers », plus enfin quelques autres. La présentation des informateurs *importants* s'accompagnera de l'énoncé exact de leurs taille et poids.

Le mobilier de Léni, où du moins ce qu'il en reste après de nombreuses saisies, est un mélange des années 1885 et 1920-25, dont quelques meubles de style nouille hérités par ses parents en 1920 et 1922 et venus ensuite échouer chez elle, à savoir une commode, une bibliothèque et deux chaises dont la valeur réelle a jusqu'ici échappé aux huissiers pour lesquels elles ne constituent qu'un « bric-à-brac » indigne d'être saisi. Furent en revanche saisis et enlevés par leurs agents d'exécution : dix-huit toiles originales de peintres locaux contemporains des années 1918-1935 (des sujets religieux pour la plupart) dont en raison de leur authenticité la valeur fut surestimée par l'huissier, mais dont la perte n'a pas du tout peiné Léni. Celle-ci a décoré ses murs de reproductions en couleur d'organes du corps humain. C'est son beau-frère Heinrich Pfeiffer qui les lui a procurées : employé au service de l'hygiène, il est entre autres chargé de la gestion du matériel d'apprentissage et d'information. « Bien que cela me pose un cas de conscience » (dixit H. Pfeiffer), il apporte à Léni les planches détériorées destinées à être mises au rebut. Pour respecter les formes sur le plan comptable, Pfeiffer se rend acquéreur desdites planches à un prix modique. Comme il est également chargé de l'acquisition des planches de remplacement, Léni de temps à autre peut par son truchement en obtenir directement une neuve chez le fabricant qu'elle paie naturellement de sa poche (maigrement garnie). Elle restaure de ses propres mains les planches détériorées en les nettoyant avec soin à la lessive caustique ou à l'essence, puis en retraçant leurs lignes au crayon noir et en ravivant leurs couleurs avec celles d'une petite boîte d'aquarelle datant de l'enfance de son fils. Sa planche préférée, un agrandissement scientifiquement exact de l'œil humain, est accrochée au-dessus de son piano. (Pour dégager ledit piano déjà plusieurs fois saisi, comme pour lui éviter un nouvel enlèvement par les agents d'exécution, Léni s'est abaissée à mendier auprès de vieilles relations de ses défunts parents, à demander une avance sur leur terme à ses sous-locataires, à taper son beau-frère Heinrich et surtout à rendre visite au vieux Hoyser dont elle n'apprécie pourtant guère les caresses apparemment trop familières. Au dire des trois témoins les plus dignes de foi — Margret, Marja et Lotte — elle a même un jour déclaré que pour l'amour de son piano elle irait au besoin jusqu'à « faire le trottoir », déclaration d'une stupéfiante audace de sa part.) Les murs de Léni s'ornent aussi d'organes humains moins bien considérés, les intestins par exemple. Quant aux organes génitaux, ils y figurent en bonne place sous forme de reproductions agrandies portant la description exacte de leurs fonctions; ils ornaient d'ailleurs déjà ses murs bien avant que la pornothéologie les ait rendus populaires, source alors de vives discussions avec Marja, celle-ci les qualifiant d'immorales et elle refusant obstinément de s'en séparer.

Puisqu'il faudra bien, un jour ou l'autre, aborder la question des rapports de Léni avec la métaphysique, disons dès à présent que celle-ci ne lui pose absolument aucun problème. Elle vit avec la Vierge Marie sur un pied d'intimité, la recevant presque chaque soir sur son écran de télévision sans jamais cesser de s'étonner qu'elle soit, elle aussi, blonde et nettement moins jeune qu'on ne le souhaiterait. Leurs rencontres ont lieu en silence, le plus souvent à une heure avancée de la nuit alors que tous les voisins dorment et que les programmes de télévision habituels — le hollandais compris — ont mis un point final à leurs émissions. La Vierge Marie et elle se contentent alors de se sourire mutuellement, ni plus ni moins. Léni ne serait nullement étonnée et encore moins épouvantée qu'un jour, après la fin de l'émission, lui soit présenté le fils de la Vierge Marie. Attend-elle cet événement, le chroniqueur l'ignore mais n'en serait pas autrement surpris après tout ce qu'il a déjà appris sur elle. Léni connaît deux prières qu'elle marmonne de temps à autre : le *Pater* et l'*Ave*. Elle ne possède pas de missel et ne va jamais à la messe, mais croit l'espace peuplé d' « êtres animés ».

Avant que ne soient fournies des informations plus ou moins incomplètes sur le degré d'instruction de Léni, jetons encore un coup d'œil sur sa bibliothèque. L'essentiel des ouvrages qui y tombent tristement en poussière consiste en un lot de volumes acheté un jour à forfait par son père, tout comme sa série de tableaux à l'huile originaux, avec cette différence que les livres, eux, ont jusqu'ici échappé à la saisie. A part cela, quelques années complètes d'une vieille revue mensuelle illustrée de caractère religieux (catholique) que Léni feuillette de temps à autre; cette collection, qui constitue pourtant un document de valeur, ne doit sa survie qu'à l'ignorance de l'huissier abusé par la pauvreté de son apparence. N'ont malheureusement pas échappé à son attention les années 1916-1940 de la revue *Hautes Terres* pas plus que les poèmes de William Butler Yeats, que Léni avait hérités de sa mère. Des observateurs plus attentifs, telle Marja van Doorn qui a passé des années à l'épousseter ou Lotte Hoyser qui fut pendant une grande partie de la guerre la seconde confidente de Léni, découvrent dans cette bibliothèque de style nouille sept à huit titres surprenants : poèmes de Brecht, de Hölderlin et de Trakl, deux volumes en prose de Kafka et de Kleist, deux volumes de Tolstoï (*Résurrection* et *Anna Karénine*). Loin d'être inconvenant, l'état de délabrement de ces sept ou huit ouvrages est extrêmement flatteur pour leurs auteurs; après avoir été sans grande compétence cent fois rafistolés à grand renfort de papier collant et rubans adhésifs divers, certains ne sont plus maintenus que par des élastiques. Mais Léni n'en repousse pas moins avec une détermination presque offensante toute offre tendant (à l'occasion de Noël, de son anniversaire ou de sa fête) à remplacer lesdits ouvrages par de plus récentes éditions. L'auteur se permet ici une remarque sur un sujet qui dépasse sa compétence : il est intimement convaincu que certains volumes en prose de Beckett auraient aussi leur place dans la bibliothèque de Léni si, à l'époque où son conseiller littéraire avait encore de l'influence sur elle, ils avaient déjà été publiés ou connus de lui.

Au nombre des faibles de Léni figurent non seulement ses huit cigarettes par jour, son intense plaisir de manger, fût-il volontairement réfréné, l'exécution de deux pièces pour piano de Schubert, la contemplation ravie des reproductions d'organes humains (intestins compris), mais encore les tendres pensées qu'elle consacre à son fils Lev, présentement incarcéré. Elle aime aussi danser et a d'ailleurs toujours adoré ça. (Passion qui *une fois* lui a été fatale car Léni lui doit d'être irrévocablement entrée en possession de ce nom de Pfeiffer qui lui déplaît tant.) Mais où donc une femme seule de quarante-huit ans, que les gens alentour enverraient volontiers se faire gazer, pourrait-elle aller danser ? Dans des établissements pour jeunes gens passionnés de danse, au risque d'y être prise pour une vieille en quête d'un gigolo et de s'y voir plus ou moins malmener ? D'un autre côté, toute participation aux réunions dansantes organisées par la paroisse est également hors de question pour une femme qui dès sa quatorzième année a cessé de pratiquer. Et si elle cherchait à organiser quelque chose avec des amies de jeunesse — à l'exception de Margret qui se verra vraisemblablement interdire la danse jusqu'à la fin de ses jours — la réunion dégénérerait sans doute en surprise-partie avec strip-tease et permutation de partenaires, où elle-même qui n'en a pas rougirait pour la quatrième fois de sa vie (jusqu'à ce jour elle n'a en effet rougi que trois fois). Alors que fait Léni ? Elle danse seule, souvent à peine vêtue, dans sa chambre à coucher-salle de séjour et parfois même toute nue dans sa salle de bain devant son miroir trop flatteur. Or il lui arrive d'être observée ou surprise au beau milieu de ses évolutions... ce qui n'est pas fait pour servir sa réputation. Un soir, elle a dansé avec l'un de ses locataires, un certain Erich Köppler, assesseur affligé d'une calvitie précoce; si les avances de ce monsieur n'avaient été aussi franchement pataudes, il s'en serait fallu de peu qu'elle ne rougît cette fois-là. Quoi qu'il en soit, elle s'est vue contrainte de lui donner congé parce que, non dépourvu d'intelligence ni d'instinct, il avait décelé sa formidable sensualité, si bien que, depuis « cette petite danse imprudente », (Léni) tout simplement consécutive au fait que, venu payer son loyer, il l'avait surprise en train d'écouter de la musique de danse, elle l'entendait chaque soir geindre devant sa porte. Comme Léni avait refusé de lui céder parce qu'il ne lui plaisait pas, Köppler après s'être procuré une chambre dans le voisinage est devenu l'un de ses plus violents détracteurs. Au cours d'entretiens confidentiels avec la détaillante en passe de succomber aux changements de structures, il la régale de détails intimes sur sa prétendue liaison avec Léni, et ladite dame (inexpressive beauté dont le mari travaille toute la journée dans une usine d'automobiles) s'excite alors si terriblement qu'elle finit par entraîner l'assesseur au crâne chauve (depuis lors promu conseiller) dans son arrière-boutique pour l'y mettre aussitôt largement à contribution. Cette femme de vingt-huit ans du nom de Käte Perscht, véritable langue de vipère, ne manque jamais l'occasion de calomnier Léni. Et pourtant, quand les visiteurs de la foire annuelle — essentiellement masculins — submergent la ville, elle ne craint pas, avec la bénédiction de son mari, de s'engager contre forte rétribution comme strip-teaseuse dans une boîte de nuit et d'y faire annoncer avant son entrée en scène par un présentateur onctueux qu'elle est prête à apaiser en bonne et due forme les spectateurs trop excités par son numéro.

Depuis quelque temps pourtant, Léni a parfois l'occasion de danser. A la suite de certaines expériences fâcheuses, elle ne loue plus ses chambres qu'à des couples mariés ou à des travailleurs étrangers, et c'est ainsi qu'elle a loué deux pièces à un prix de faveur — malgré l'état de ses finances! — à de charmants jeunes mariés que, pour simplifier les choses, nous appellerons Hans et Grete. Or ce sont eux justement qui, écoutant un jour de la musique de danse en compagnie de Léni, ont su interpréter correctement ses tressaillements rythmiques tant externes qu'internes, raison pour laquelle elle bénéficie de temps à autre d'une « petite danse en tout bien tout honneur ». Hans et Grete essayent même parfois, fort prudemment, d'analyser pour elle sa situation, lui conseillant alors de moderniser sa garde-robe, de changer de coiffure et de se trouver un amant. « Léni, si tu voulais bien t'arranger un peu... avec une chic robe rose sur le dos et tes ravissantes jambes dans de jolis bas, tu ne tarderais pas à t'apercevoir combien tu es toujours séduisante ! » Mais Léni secoue alors la tête, trop profondément meurtrie. Pour ne plus mettre les pieds dans le magasin d'alimentation elle charge Grete de faire ses emplettes tandis que pour lui épargner sa course quotidienne chez le boulanger, Hans avant d'aller au travail (il est agent technique des Ponts et Chaussées ; quant à Grete, esthéticienne, elle a — sans succès jusqu'ici — proposé à Léni ses soins gratuits), Hans donc court lui chercher ses deux indispensables petits pains frais et croustillants qui ont plus d'importance à ses yeux que pour d'aucuns un quelconque sacrement.

La décoration murale de Léni ne se compose évidemment pas exclusivement de planches biologiques mais aussi d'un certain nombre de photos. A l'exception d'une seule, toutes représentent des disparus.

La mère de Léni, morte en 1943 à l'âge de quarante et un ans et photographiée peu avant sa mort, offre l'image d'une femme souffreteuse aux cheveux gris peu fournis, avec de grands yeux. Enveloppée dans une couverture, elle est assise au bord du Rhin, à Hersel, sur un banc voisin d'un embarcadère où s'inscrit précisément le nom de la localité, tandis qu'à l'arrière-plan se dressent les murs d'un couvent. La pauvre femme a vraiment l'air de grelotter. Ce qui frappe en elle c'est, dans un visage rien moins qu'animé, la lassitude du regard et la surprenante fermeté de la bouche. Elle donne vraiment l'impression d'être dégoûtée de la vie. Evaluer son âge serait difficile, car on ne saurait dire s'il s'agit d'une femme d'une trentaine d'années qu'une souffrance secrète a considérablement vieillie ou d'une sexagénaire menue ayant conservé une certaine jeunesse. Sur cette photo la mère de Léni sourit, d'un sourire non pas exactement laborieux, mais tendu.

Le père de Léni, également photographié peu avant sa mort — en 1949, à l'âge de quarante-neuf ans —, sourit lui aussi, mais sans le moindre effort apparent. Vêtu d'une salopette de maçon souvent mais soigneusement reprisée, il est planté devant une maison en ruine; de la main gauche il tient une sorte de pince monseigneur que les initiés dénomment « pied-de-biche » et de la droite un gros marteau que les initiés désignent sous le nom de « masse ». Tout autour de lui, devant et derrière, à gauche et à droite, gisent des poutrelles métalliques de différentes tailles auxquelles s'adresse peut-être son sourire, comme celui d'un pêcheur à la ligne à ses prises de la journée. Or, comme nous le verrons ultérieurement plus en détail, il s'agit bel et bien de son butin du jour. Il travaillait alors pour le compte de l'ancien propriétaire d'un établissement horticole, déjà mentionné plus haut, qui subodora de bonne heure la « hausse de la ferraille » (déclaration de Lotte H.). Sur la photo, le père de Léni, nu-tête, exhibe une masse de cheveux à peine grisonnants. Il est très difficile d'apposer une étiquette sociale sur cet homme grand et svelte qui tient ses outils avec un si parfait naturel. Fait-il l'effet d'un prolétaire ou d'un bourgeois? A-t-il l'air d'un homme non accoutumé à ce genre de besogne ou au contraire familiarisé avec un travail aussi manifestement pénible? L'auteur incline à juger également vraies ces deux propositions. Impression que vient fortifier le commentaire de Lotte H. au vu de cette photo : « Monsieur le prolo. » Le père de Léni ne semble nullement avoir perdu le goût de vivre. Il ne paraît ni plus jeune ni plus vieux que son âge, avec son air de « quasi-quinquagénaire bien conservé » qui, dans une annonce matrimoniale, pourrait s'engager à « rendre heureuse une compagne enjouée n'ayant si possible pas dépassé la quarantaine ».

Sur chacune des quatre photos suivantes figure un garçon d'une vingtaine d'années dont un seul est toujours de ce monde (le fils de Léni). Deux d'entre eux présentent une certaine tare uniquement liée toutefois à leur vêture : bien qu'en principe leurs visages seuls aient été photographiés, on distingue assez leur buste pour identifier sans erreur possible l'uniforme de la Wehrmacht orné de l'aigle sur croix gammée, combinaison d'emblèmes que les initiés dénomment « charognard de malheur ». Il s'agit de Heinrich Gruyten, frère de Léni, et de leur cousin Erhard Schweigert qu'il faut tous deux compter — comme aussi le troisième disparu — au nombre des victimes de la deuxième guerre mondiale. Heinrich et Erhard ont « d'une manière ou d'une autre l'air allemand » (l'auteur) car « d'une manière ou d'une autre » (du même) ils ressemblent à la masse de portraits, si répandus à l'époque, du jeune Allemand modèle. Pour clarifier les choses, il serait peut-être utile de citer à leur propos la réflexion de Lotte H. : « deux chevaliers de Bamberg », jugement qui, comme nous le verrons plus tard, n'est pas exclusivement flatteur, tant s'en faut. Il convient encore de préciser que E. est blond, H. brun, et que tous deux sourient. Le sourire du cousin est « sincère, nullement étudié » (l'auteur), et qui plus est tout à fait charmant. Celui du frère paraît moins spontané; on y découvre à la commissure des lèvres une trace de ce nihilisme, d'ordinaire et bien à tort pris pour du cynisme, et qui vu l'année où ces deux photos ont été tirées (1939) peut être au contraire considéré comme vraiment précoce sinon même progressiste.

La photo du troisième disparu nous montre un Soviétique du nom de Boris Lvovitch Koltowski qui, lui, ne sourit pas. Il s'agit de l'agrandissement d'une photo non officielle format identité, prise à Moscou en 1941 et qui fait un peu l'effet d'une gravure. Le visage est pâle et sérieux, les cheveux si étonnamment haut plantés qu'on serait tenté de conclure de prime abord à une calvitie précoce, mais l'abondance de la chevelure blonde ondulée prouve qu'il s'agit simplement d'une particularité. La façon dont les yeux, foncés et assez grands, miroitent à travers une paire de lunettes à monture d'acier pourrait passer à tort pour une subtilité d'ordre graphique. Au premier coup d'œil on s'aperçoit que cet homme au visage maigre et sérieux et au front immense, était encore jeune à l'époque où le cliché fut pris. Il est en civil, chemise à col ouvert, sans veston, d'où l'on peut conclure que la température était ce jour-là estivale.

La sixième photo représente un vivant, le fils de Léni. Bien qu'il ait eu lorsqu'elle fut prise sensiblement le même âge que E., H. et B. sur les leurs, il paraît nettement le plus jeune des quatre. Peut-être cela tient-il à l'amélioration de la qualité du matériel photographique (sa photo date de 1965 alors que les autres furent prises en 1939 et 1941). Il est malheureusement incontestable que sur ce cliché le jeune Lev est franchement hilare; à sa vue personne n'hésiterait à le qualifier de « joyeux luron ». Sa ressemblance avec son père Boris, mais aussi avec le père de Léni est indéniable. « Ses cheveux sont Gruyten » et comme il a d'autre part « les yeux des Barkel » (la mère de Léni était née Barkel — l'auteur), cela explique aussi une certaine ressemblance avec Erhard. Son rire et son regard permettent d'en déduire sans risque d'erreur que deux des traits caractéristiques de sa mère lui font défaut : il n'est certainement ni taciturne ni réservé.

Il convient encore de mentionner un vêtement auquel Léni tient tout autant qu'à ses photos, reproductions d'organes humains, piano et petits pains frais : son peignoir de bain qu'elle s'obstine, à tort, à qualifier de robe de chambre. C'est un article en tissu-éponge « qualité d'avant-guerre » (Lotte H.) qui fut bordeaux (couleur encore visible sous le col et en bordure des poches) mais qui depuis lors — en trente ans ! — a pris une teinte assez comparable à celle d'un jus de framboise passablement délayé. Il est en maints endroits raccommodé avec du coton orange, et ce très soigneusement, force nous est de le constater. Léni se sépare rarement de son peignoir, on peut même dire qu'elle ne le quitte pour ainsi dire plus. Elle aurait déclaré : « Le moment venu, je voudrais qu'on m'enterre dedans. » (Hans et Grete Helzen, lesquels sont à l'origine de toutes les informations relatives aux affaires intérieures.)

Peut-être faudrait-il encore mentionner brièvement l'implantation des actuels locataires de Léni. En plus des deux pièces où logent Hans et Grete Helzen, elle en a loué deux autres à des Portugais, la famille Pinto composée des parents Joaquim et Ana-Maria et de leurs trois enfants, Etelvina, Manuela et José, et enfin une dernière à trois travailleurs turcs plus tellement jeunes, Kaya Tunç, Ali Kiliç et Mehmet Sahin.

II

Il est bien évident que Léni n'a pas toujours eu quarante-huit ans, aussi devons-nous nécessairement jeter un regard en arrière.

Sur ses photos de jeunesse, on n'hésiterait pas à la qualifier de fraîche et jolie. Même sous l'uniforme des jeunesses hitlériennes — à treize, quatorze et quinze ans — Léni a l'air charmante. Aucun observateur masculin n'aurait émis sur ses attraits physiques un jugement inférieur à « Fichtre, elle n'est vraiment pas mal ! ». Le besoin humain d'accouplement va du coup de foudre causé par le désir spontané de commerce charnel (ne fût-ce qu'une fois et sans songer encore à un lien durable) avec une personne de l'autre sexe ou du sien propre, jusqu'à la passion la plus intense et la plus tumultueuse qui ne laisse en repos ni l'âme ni le corps et dont chacune des multiples formes aux manifestations aussi anarchiques qu'injustifiées — de la plus superficielle à la plus profonde — aurait pu être suscitée par Léni et l'a d'ailleurs été. A l'âge de dix-sept ans elle fit le bond décisif : de jolie elle devint belle, étape que les blondes aux yeux foncés franchissent plus facilement que les blondes aux yeux clairs. Aucun homme à ce stade n'aurait porté sur elle un jugement inférieur à « ravissante ».

Il convient encore de fournir quelques indications sur le déroulement des études de Léni. Elle allait sur ses dix-sept ans quand son père, qui n'avait pas manqué de remarquer comme de jolie elle devenait belle, la prit avec lui au bureau et, en raison surtout de l'effet qu'elle produisait sur les hommes (nous sommes en 1938), la fit assister à d'importantes réunions d'affaires où, bloc-notes sur les genoux et crayon en main, elle consignait quelques observations en style télégraphique. Elle ignorait la sténographie et n'aurait d'ailleurs au grand jamais voulu l'apprendre. Non que toute abstraction lui fût totalement étrangère, mais elle n'avait aucune envie d'apprendre « les hiéroglyphes » (ainsi qualifiait-elle la sténographie). Ses études ne se sont pas déroulées sans souffrances, celles de ses maîtres d'ailleurs plutôt que les siennes propres. Après avoir par deux fois non pas exactement redoublé sa classe mais « volontairement rétrogradé dans la classe inférieure », elle termina le cycle primaire avec un livret scolaire passable aux abondantes interpolations. L'un des membres encore vivant de l'administration de son école, l'ancien directeur M. Schlocks, aujourd'hui âgé de soixante-cinq ans et que l'auteur a réussi à dénicher dans sa retraite campagnarde, a déclaré qu'il avait même été question d'envoyer Léni dans une classe de rattrapage, mais que deux circonstances l'en avaient préservée; primo, les moyens financiers de son père qui — Schlocks a expressément tenu à le souligner — ne jouèrent cependant qu'un rôle indirect, et secundo, le fait que Léni avait remporté deux années de suite, à onze et douze ans, le titre de « fille la plus allemande de l'école », distinction conférée par une commission d'experts ès pureté raciale qui faisait le tour de tous les établissements. Une fois même, sélectionnée pour disputer le titre de « fille la plus allemande de la ville », Léni fut tout juste coiffée sur le poteau par la fille d'un pasteur protestant aux yeux encore plus clairs que les siens qui avaient alors déjà sensiblement foncé. Pouvait-on décemment envoyer en classe de rattrapage la « fille la plus allemande de l'école » ? A douze ans, Léni entra dans un établissement secondaire dirigé par des religieuses, dont à quatorze ans elle dut être retirée faute d'y avoir obtenu des résultats suffisants. En l'espace de deux ans, elle avait redoublé une fois et passé une fois dans la classe supérieure mais à la seule condition que ses parents promissent solennellement de ne jamais mentionner cette faveur. Promesse qui fut d'ailleurs tenue.

Avant que ne naissent des malentendus, il convient de fournir ici, à titre d'information objective, l'explication des fâcheuses circonstances dont Léni fut victime au cours de ses études. Il n'est pas question en l'occurrence de faire état d'une quelconque culpabilité ni même — tant à l'école primaire que dans l'établissement secondaire que Léni fréquenta par la suite — de difficultés majeures, mais simplement de méprises. Léni était non seulement parfaitement éducable mais même à la fois affamée et assoiffée d'instruction. Or si tous les enseignants s'efforcèrent d'assouvir cette faim et d'étancher cette soif, les aliments et les boissons qu'ils lui offrirent ne répondaient malheureusement ni à sa forme d'intelligence, ni à son optique, ni à ses dons. Dans la plupart des cas — presque tous, pourrait-on dire — manquait à la matière offerte la faculté de solliciter les sens, faute de quoi Léni était incapable de rien comprendre. Toutefois, et alors qu'on aurait pu croire tout le contraire d'un processus aussi abstrait, l'écriture ne lui causa jamais la moindre difficulté et ce parce que liée pour elle à des sensations visuelles, gustatives et même olfactives (qu'on songe aux odeurs variées des diverses sortes d'encres, de crayons et de papiers !) qui lui permettaient de réussir des dictées compliquées, truffées de subtilités grammaticales. Son écriture, dont elle ne fait malheureusement plus qu'un maigre usage, était et est restée vigoureuse, sympathique et — à en croire Schlocks son ex-directeur, témoin digne de foi et principale source d'informations en matière d'éléments pédagogiques de base — apte précisément à « susciter une excitation érotico-sexuelle ». Léni fut victime d'une malchance particulière dans deux disciplines étroitement apparentées, la religion et le calcul (ou plus exactement les mathématiques). Si seulement l'un ou l'une de ses professeurs avait eu l'idée d'expliquer à la petite Léni, dès l'âge de six ans, que le ciel étoilé qu'elle aimait tant offrait des possibilités d'approche mathématiques et physiques, elle ne se serait pas rebiffée contre cette table de multiplication qui lui inspirait la même aversion qu'à certaines gens les araignées. Quant aux noix, pommes, vaches et autres petits pois utilisés dans les livres pour tenter — avec quelle platitude ! — d'atteindre à un certain réalisme arithmétique, ils la laissaient absolument froide. Elle n'avait certes pas l'âme d'une calculatrice, mais en revanche un don évident pour l'histoire naturelle et si, au lieu des sempiternelles fleurs rouges, blanches et roses de Mendel qu'on retrouvait dans tous les livres et sur tous les tableaux, elle s'était vu proposer des mécanismes génétiques un peu plus compliqués, elle aurait à coup sûr — comme on dit si joliment — « embrassé » cette discipline avec un zèle ardent. Du seul fait de l'indigence du cours de biologie, bien des joies lui furent donc refusées qu'elle découvre seulement à présent en retouchant, grâce à sa petite boîte d'aquarelle, des mécanismes organiques complexes. Au dire d'un autre témoin non moins digne de foi, Marja van Doorn, il est un détail de l'existence préscolaire de Léni qu'elle (Marja) n'oubliera jamais et qui lui paraît tout aussi suspect que les planches d'organes génitaux accrochées aux murs. Dès sa petite enfance en effet, Léni s'est passionnément intéressée à son asservissement excrémentiel dont elle demandait — en vain, hélas! — le pourquoi : « Bon sang! qu'est-ce que c'est que ce truc qui me sort de par là? » Explication que ni sa mère ni Marja van Doorn ne lui fournirent jamais!

Ce n'est qu'au second des deux hommes qui, du moins jusqu'ici, ont eu avec elle des relations charnelles (un étranger de surcroît, et soviétique qui plus est) que fut réservée la découverte des stupéfiantes performances dont Léni était capable tant sur le plan de la sensibilité que de l'intelligence. C'est à lui aussi qu'elle raconta ce qu'elle devait plus tard répéter à Margret (entre la fin de 1943 et le milieu de 1945 elle était beaucoup moins taciturne qu'aujourd'hui), sur sa première expérience du *total épanouissement de l'être* : A l'âge de seize ans, juste après sa sortie de l'internat et tandis qu'elle roulait à bicyclette par une belle soirée de juin, elle s'était arrêtée pour s'allonger un moment sur la bruyère; « étendue sur le dos dans un total abandon » (Léni à Margret), le regard fixé sur le ciel étoilé encore empourpré par le soleil couchant, elle avait atteint ce point de béatitude auquel, de nos jours, on aspire beaucoup trop souvent. En ce soir d'été de l'année 1938 — elle l'avait raconté à Boris, comme plus tard à Margret —, étendue de tout son long sur la chaude bruyère et entièrement *offerte,* Léni avait eu réellement l'impression d'être à la fois *prise* et de *se donner,* tant et si bien — comme elle l'expliqua plus tard à Margret — qu'elle n'aurait pas été autrement surprise de se retrouver enceinte. Voilà d'ailleurs pourquoi la conception de Jésus par une vierge ne lui paraît nullement inintelligible.

Léni quitta l'établissement secondaire avec un piètre livret scolaire soulignant ses lacunes ès religions et mathématiques. Elle passa alors deux ans et demi dans un pensionnat où elle suivit des cours d'enseignement ménager, d'allemand, de religion, d'histoire (un minimum et jusqu'à la Réforme seulement) et enfin de musique (piano).

Avant d'élever un monument à une défunte religieuse qui joua dans l'éducation de Léni un rôle aussi déterminant que le Soviétique dont il sera encore souvent et abondamment question, il convient de citer comme témoins trois autres religieuses toujours en vie qui, bien que n'ayant pas revu Léni depuis trente-deux ou trente-quatre ans, se souvenaient encore très bien d'elle et qui, quand l'auteur, crayon et bloc-notes en main, leur rendit visite en trois lieux différents, sitôt le nom de Léni prononcé, poussèrent toutes trois la même exclamation : « Ah ! oui, la jeune Gruyten. » Cette réaction identique apparaît à l'auteur des plus significatives, car elle prouve l'intensité de l'impression que devait nécessairement produire Léni.

Outre leur commune exclamation, certaines identités relevées chez ces trois religieuses autorisent sur plusieurs points une synchronisation propre à économiser des lignes. Toutes trois d'abord ont, comme l'on dit, la peau parcheminée, jaunâtre et un peu fripée, sauf sur leurs pommettes légèrement saillantes où elle se tend avec délicatesse. Toutes trois ont ensuite offert (ou fait offrir) du thé à leur visiteur ; celui-ci, non par ingratitude mais par souci d'objectivité, doit ajouter que dans les trois cas ledit thé était plutôt faiblard. Toutes trois lui ont aussi offert (ou fait offrir) des gâteaux secs. Toutes trois se sont mises à tousser dès que l'auteur eut allumé une cigarette (de crainte qu'elle ne lui fût refusée, il avait eu l'impolitesse de ne pas leur demander la permission de fumer). Toutes trois l'ont reçu dans des parloirs presque identiques aux murs ornés de reproductions religieuses, d'un crucifix, des portraits du pape régnant et du cardinal du lieu. Un tapis de peluche recouvrait les trois tables des trois différents parloirs et toutes les chaises étaient inconfortables. Ces trois religieuses ont enfin entre soixante-dix et soixante-douze ans.

La première, sœur Colombe, était directrice de l'établissement que Léni fréquenta pendant deux ans avec un si maigre succès. C'est une femme éthérée aux yeux las et intelligents qui a passé presque toute la durée de l'interview à hocher la tête tant elle se reprochait de n'avoir pas fait éclore ce que recelait Léni. Elle ne cessait de répéter : « Cette petite avait quelque chose en elle, quelque chose de fort même, mais nous n'avons pas su le mettre en valeur. » Sœur Colombe — docteur ès sciences qui aujourd'hui encore (à l'aide d'une loupe !) consacre ses lectures à des ouvrages spécialisés — est le type même de la femme émancipée et avide d'instruction que son habit de nonne empêche malheureusement d'être reconnue et, plus encore, estimée comme telle. L'auteur l'ayant poliment interrogée sur son existence, elle lui raconta qu'en 1918, allant et venant dans sa robe de grosse toile, elle avait essuyé plus de sarcasmes, de dédains et d'injures qu'aucun hippy n'en récolterait aujourd'hui. Quand l'auteur lui rapporta quelques détails de la vie de Léni, une lueur s'alluma dans ses yeux las et elle déclara avec un soupir mais aussi un brin d'exaltation : « Eh oui, seule la démesure pouvait lui convenir ! » Remarque qui ne manqua pas de déconcerter l'auteur. Au moment de prendre congé, il accorda un regard honteux aux quatre mégots d'une provocante vulgarité gisant sur leur lit de cendres dans un cendrier de céramique en forme de feuille de vigne, objet qui ne sert sans doute que rarement, lorsque parfois peut-être y refroidit le cigare d'un prélat.

La deuxième religieuse, sœur Prudence, alors professeur d'allemand, avait eu Léni pour élève. Avec ses joues un tantinet plus rouges que celles de sœur Colombe, elle était moins distinguée que celle-ci. Ce qui bien entendu ne signifie pas qu'elle avait les joues rouges mais simplement que l'ancienne rougeur de ses joues transparaissait encore, alors que le visage de sœur Colombe révélait une pâleur chronique remontant à ses jeunes années. Sœur Prudence (rappelons son exclamation en entendant prononcer le nom de Léni) apporta sa contribution sous la forme de quelques détails surprenants. « J'ai tout fait, dit-elle, pour la garder chez nous, mais ce fut malheureusement impossible. Je l'avais pourtant gratifiée d'un 18 en composition allemande, note tout à fait méritée d'ailleurs. Elle m'avait fait une remarquable dissertation sur *La Marquise d'O*[1]..., ouvrage très mal vu comme vous le savez peut-être, et même défendu en raison de son contenu, disons, scabreux. Mais j'estimais et estime encore que des jeunes filles de quatorze ans doivent le lire sans crainte pour s'en faire une opinion personnelle. Or, je le répète, la jeune Gruyten avait rédigé une remarquable dissertation, prenant la défense passionnée du comte F..., ce qui dénotait une étonnante intuition de, disons, la sexualité masculine. Pour un peu je lui aurais donné un 20. Mais il y avait malheureusement le revers de la médaille : un 1 en religion — on ne pouvait tout de même pas lui infliger un 0 ! — et en mathématiques une note également très insuffisante et certainement justifiée que sœur Colombe ne lui attribua qu'à contrecœur parce qu'il fallait bien la noter impartialement. Alors adieu ! la jeune Gruyten fut contrainte de nous quitter. »

Parmi les sœurs et enseignantes du pensionnat où Léni poursuivit ensuite ses études de quatorze à près de dix-sept ans, l'auteur ne réussit à dénicher que la troisième des religieuses ici présentées : sœur

1. Nouvelle de Heinrich von Kleist (N.d.T.).

Cécile. C'est elle qui deux ans et demi durant donna à Léni des leçons particulières de piano. Soupçonnant dès l'abord le sens musical de Léni, mais épouvantée sinon désespérée par son incapacité de lire les notes ou de reconnaître dans la note lue le son correspondant, elle commença pendant six mois par lui faire écouter des disques en lui demandant ensuite de jouer ce qu'elle venait d'entendre. Expérience hasardeuse mais finalement réussie puisqu'elle prouva — dixit sœur Cécile — « que Léni pouvait non seulement reconnaître les mélodies et les rythmes, mais encore les structures ». Comment parvenir toutefois — innombrables soupirs de la sœur ! — à lui enseigner l'indispensable lecture des notes sur la portée ? C'est alors que sœur Cécile eut l'idée — quasi géniale — d'appliquer la même méthode que pour la géographie. Car le cours de géographie avait beau se réduire à peu de chose (essentiellement à apprendre, situer puis réciter inlassablement les noms de tous les affluents du Rhin en même temps que ceux des bassins et massifs montagneux délimités par ces cours d'eau), il n'empêche que Léni avait tout de même appris à lire une carte ; ainsi la ligne noire qui serpente entre le Hunsrück et l'Eifel, la Moselle, loin de ne représenter à ses yeux qu'une simple ligne noire sinueuse, caractérisait en fait une rivière réellement existante. Et l'expérience fut couronnée de succès ! Léni commença à apprendre à lire ses notes, péniblement, à contrecœur, avec souvent des larmes de rage, mais pour parvenir finalement au bout de ses peines. Recevant du père de Léni une assez forte rétribution qui passait dans les caisses de l'ordre, sœur Cécile s'était sentie tenue de donner ne fût-ce qu'un petit bagage musical à son élève et y avait réussi. « Ce que j'ai admiré en elle, ajouta-t-elle, c'est qu'elle sut immédiatement reconnaître ses limites. Pas question d'aller au-delà de Schubert. D'ailleurs toutes ses tentatives pour franchir ce seuil échouèrent si piteusement que, malgré l'insistance de son père qui tenait à ce qu'elle jouât aussi Mozart, Beethoven et autres, je lui conseillai moi-même de s'en abstenir. »

Une petite remarque supplémentaire relative à la peau de sœur Cécile : quelques portions d'un blanc laiteux moins desséchées que le reste y étaient visibles. L'auteur reconnaît très franchement avoir éprouvé pour la peau de cette si aimable vieille demoiselle le désir d'en voir davantage, dût cet aveu le rendre suspect de gérontophilie. Mais hélas ! sitôt interrogée sur une consœur qui joua un rôle important dans la vie de Léni, sœur Cécile devint d'une froideur glaciale tout à fait désespérante.

On ne saurait ici que suggérer ce que la suite du récit prouvera peut-être, à savoir que Léni est un génie méconnu de la sensualité. Elle resta malheureusement longtemps classée dans une catégorie si pratique qu'on ne se prive guère de l'utiliser, celle des petites dindes. Le vieux Hoyser a même reconnu qu'aujourd'hui encore il la rangeait toujours dans cette catégorie.

Sans doute pourrait-on penser que Léni, qui toute sa vie durant fut une si remarquable mangeuse, s'est forcément montrée une excellente élève ès arts culinaires, avec une préférence marquée pour cette discipline ? Or rien n'est plus faux. Bien que dispensé devant fourneau et table de cuisine, avec utilisation de produits perceptibles par l'odorat, le toucher, le goût et la vue, le cours de cuisine (si l'auteur interprète correctement certaines remarques de sœur Cécile) lui paraissait plus abstrait encore que les mathématiques, et aussi dépourvu de sensualité que l'instruction religieuse. Il est difficile de savoir si on a laissé perdre en Léni un véritable cordon-bleu, et plus difficile encore de déterminer si, en raison de la crainte quasi métaphysique inspirée aux religieuses par les condiments, elle jugeait par trop insipides les plats préparés au cours de cuisine. Il n'en reste pas moins incontestable que Léni *n'est pas* bonne cuisinière, mais tout juste capable de réussir certains potages et quelques desserts. Elle prépare en revanche — ce qui ne va nullement de soi — d'excellent café et a su mijoter avec amour les bouillies de son bébé (témoignage de Marja van Doorn). Jamais pourtant elle ne saurait réaliser un menu dans toutes les règles de l'art. De même que la fortune d'une sauce peut dépendre du tour de main aussi personnel qu'indéfinissable dont on use pour y introduire un ingrédient, de même et pour la même raison l'instruction religieuse de Léni se solda par un échec total (heureusement, faudrait-il ajouter). Tant qu'il n'était question que de pain ou de vin, d'embrassements ou d'imposition des mains, bref de choses terrestres et matérielles, tout allait bien. Aujourd'hui encore Léni n'a absolument aucun mal à croire qu'on puisse guérir quelqu'un en l'enduisant de salive. Mais qui donc a jamais enduit qui que ce soit de salive ? Or elle a non seulement guéri de sa salive le Soviétique et son fils mais a encore réussi, par simple imposition des mains, à plonger ce même Soviétique en pleine béatitude et à calmer son fils en cas de besoin (Lotte et Margret). Mais qui a jamais imposé les mains à qui ? Qu'était-ce que ce pain qu'on lui avait donné le jour de sa première communion (dernière cérémonie religieuse à laquelle elle ait participé) et où diantre était passé le vin ? Pourquoi ne lui en donnait-on pas ? Tandis que la fréquentation de femmes déchues et autres par le fils de la Vierge, voilà qui lui plaisait infiniment et aurait pu la plonger dans le même ravissement que la contemplation du ciel étoilé.

On imaginera sans peine que Léni, qui toute sa vie durant aima ses petits pains frais du matin au point de s'exposer pour l'amour d'eux aux sarcasmes du voisinage, attendit avec une impatience fébrile le jour où elle communierait pour la première fois. Il convient toutefois de noter qu'à l'établissement secondaire où elle passa deux ans Léni ne fut pas autorisée à faire sa première communion, ceci pour avoir plusieurs fois perdu patience pendant la retraite préparatoire au point de s'en prendre directement au professeur — homme à cheveux blancs très ascétique, mort malheureusement depuis vingt ans — auquel à plusieurs reprises, après la fin du cours, elle demanda avec une naïve véhémence : « Je vous en prie, donnez-moi donc tout de suite ce pain de la vie ! Pourquoi me le faire attendre si longtemps ? » Ledit professeur d'instruction religieuse dont nous ont été transmis le nom (Erich Brings) et quelques publications, trouva « criminelle » une telle manifestation spontanée de sensualité, s'indignant de cette volonté déclarée qui pour lui n'avait d'autre nom que « désir sensuel ». Il refusa bien sûr catégoriquement de satisfaire les exigences de Léni qu'il fit rétrograder de deux classes pour « immaturité manifeste et incapacité de comprendre les sacrements ». Nous avons deux témoins de cet incident. Primo, le vieux Hoyser qui s'en souvient fort bien et souligne qu'à l'époque « on avait à grand-peine évité le scandale », seule la situation délicate des religieuses en regard de la politique intérieure (1934 !), dont Léni ne soupçonnait d'ailleurs rien, ayant entraîné la décision d'étouffer l'affaire. Secundo, le vieux professeur lui-même qui avait pour marotte la théorie des particules, laquelle consiste à s'étendre, des mois et si nécessaire des années durant, compte tenu de toutes les circonstances imaginables fournies par la casuistique, sur ce que peuvent, pourraient ou auraient pu devenir des particules d'hostie. Ce monsieur donc, auquel sa qualité de spécialiste des particules continue de valoir une certaine notoriété, publia plus tard périodiquement dans une revue théologico-littéraire des articles ayant pour titre « esquisses de ma vie », où il dévoilait entre autres l'histoire de Léni (qu'avec un manque de pudeur et d'imagination flagrant il caractérise par ces simples mots : « une certaine L.G. alors âgée de douze ans »). Il y décrit le « regard flamboyant » de Léni, sa « bouche sensuelle », note avec condescendance sa prononciation teintée de dialecte, qualifie la maison de ses parents d'« intérieur vulgaire et typiquement nouveau riche » pour conclure enfin par cette sentence : « Je me vis naturellement contraint de refuser l'approche de la sainte table à une enfant dont le désir s'exprimait de manière aussi prolétarienne que matérialiste. » Sans doute les parents de Léni n'étaient-ils ni profondément religieux, ni particulièrement pratiquants mais, conditionnés par leur province et leur milieu, ils n'en considéraient pas moins comme une grave lacune, voire même un déshonneur, que Léni fût « restée sur la touche ». Ils veillèrent donc à ce qu'elle fît sa première communion dès son entrée au pensionnat, à l'âge de quatorze ans et demi. Mais comme entre-temps celle-ci était devenue entre-temps — selon le témoignage digne de foi de Marja van Doorn — la fête religieuse fut un fiasco, et la séculière itou. Léni avait en effet si farouchement désiré ce morceau de pain que tout son système sensoriel était prêt à tomber littéralement en extase. « Mais alors (c'est ainsi que Léni le raconta à l'époque à une Marja van Doorn épouvantée), quand on m'a posé sur la langue ce truc si mince, desséché, incolore et sans saveur, j'ai été à deux doigts de le recracher ! » Marja se signa plusieurs fois et s'étonna que toute la sensualité par ailleurs tangiblement offerte — cierges, encens, orgue et chœurs — n'ait pu aider Léni à surmonter sa déception, pas plus d'ailleurs que n'y réussit le rituel repas de communion avec asperges, jambon et glace à la vanille nappée de crème fraîche. Que Léni soit elle-même « particulariste », elle le prouve chaque jour en ramassant dans son assiette toutes les miettes de ses petits pains pour se les fourrer dans la bouche (Hans et Grete).

Ce compte rendu doit, autant que possible, s'interdire toute obscénité; mais afin d'éviter une regrettable lacune, il est pourtant nécessaire d'expliquer le type d'éducation sexuelle que le professeur d'instruction religieuse du pensionnat — un certain Horn, plus jeune mais tout aussi ascétique qu'Erich Brings, et qui n'admit Léni à la première communion que sous la pression de la directrice — donnait, avant qu'elles ne quittassent l'établissement, à des jeunes filles dont l'âge oscillait entre seize et vingt et un ans. Usant, la voix suave, d'une symbolique exclusivement culinaire il comparait, sans la moindre allusion à des détails biologiques précis, le résultat de l'union charnelle qu'il dénommait « nécessaire processus de reproduction » à « des fraises nappées de crème fouettée », se perdant en parallèles improvisés, censés décrire les embrassements permis comme ceux qui ne le sont pas et où les *escargots* jouaient un rôle que ses jeunes auditrices ne réussirent jamais à élucider. Il convient de signaler que, tandis qu'en une symbolique indescriptible et exclusivement culinaire la voix suave fournissait des détails non moins indescriptibles sur l'embrassement et l'union charnelle, Léni rougit pour la première fois de sa vie (Margret). Et comme elle était incapable de la moindre honte — en vertu de quoi la confession se réduisait pour elle à un acte de routine durant lequel elle débitait n'importe quoi —, cette tentative d'initiation avait donc dû toucher en elle certains centres sensitifs non encore décelés. Si l'on veut essayer d'expliquer de façon quelque peu croyable sa sensualité spontanée, prolétarienne et quasi géniale, il convient de préciser que Léni était alors fort pudique, d'où le caractère sensationnel de cette première érubescence qui vaut d'être souligné. Et le fait est que Léni ressentit ce phénomène spontané, survenu hors de son contrôle, comme quelque chose d'extraordinaire, mais d'inquiétant et douloureux à la fois. Qu'une fiévreuse appétence érotique et sensuelle sommeillât en elle, plus n'est besoin de le souligner. Mais qu'un professeur d'instruction religieuse lui expliquât de la manière que l'on sait un phénomène classé tout comme la confirmation dans la catégorie des sacrements, ne fit qu'accroître son indignation ainsi que le désarroi dans lequel la plongeait le processus, jusque-là inconnu d'elle, de l'érubescence. Cramoisie, bredouillant de rage, elle quitta la salle de cours, ce qui valut à son livret scolaire une mauvaise note supplémentaire (en religion). Lui furent également enseignés au cours d'instruction religieuse, mais sans jamais éveiller en elle le moindre enthousiasme, les noms de ces trois célèbres monts d'Occident : Golgotha, Acropole et Capitole. Tout en sachant parfaitement que le Golgotha n'était pas un mont, mais une simple colline et de surcroît nullement située en Occident, il ne lui était pas antipathique. Et si l'on songe que Léni n'en a pas moins retenu le Pater et l'Ave, qu'elle récite même encore ces prières et que la fréquentation de la Vierge Marie lui est toute naturelle, peut-être le moment serait-il venu d'observer que, tout autant que sa sensualité, on a méconnu chez elle des dispositions à la piété qui auraient peut-être permis de faire éclore puis s'épanouir l'âme d'une grande mystique.

Le moment est enfin venu d'ébaucher pour le moins le monument qu'il conviendrait d'élever à la mémoire d'une femme incapable hélas ! de comparaître en qualité de témoin. Elle est morte en effet fin 42 dans des circonstances jusqu'alors demeurées obscures, non pas de mort violente mais sous la menace directe de la violence, tandis que son entourage la laissait dans le plus total abandon. Léni et B.H.T. furent probablement les seules personnes que cette femme ait jamais aimées. En dépit de minutieuses recherches, il ne fut alors possible de découvrir ni son nom patronymique, ni son lieu de naissance, ni son milieu d'origine. On ne connaissait d'elle — mais là les témoins ne manquent pas : Léni, Margret, Marja et aussi cet ancien bouquiniste qui s'estime suffisamment identifié par les initiales B.H.T — que son nom en religion, sœur Rachel, et son sobriquet, Aruspice. Elle devait avoir quarante-cinq ans environ lorsqu'en 1937/38 elle entra simultanément en rapport avec Léni et B.H.T. Petite et mince comme un fil, elle a révélé à B.H.T. (mais à lui seul, pas même à Léni) avoir été en son temps championne d'Allemagne junior du 80 mètres haies ! Sans doute — mais en 1937/38 elle devait avoir de bonnes raisons de ne vouloir fournir aucun détail sur ses origines ni sa formation — était-elle ce qu'on nommait alors une « personne fort instruite », ce qui ne saurait exclure qu'elle eût peut-être passé son doctorat sinon son agrégation (sous son vrai nom bien entendu). Sans malheureusement pouvoir être plus précis, les témoins estiment qu'elle devait mesurer 1,60 mètre environ et peser aux alentours de 50 kilos. Cheveux noirs mêlés de quelques fils blancs. Yeux bleu clair. L'origine celtique n'est pas exclue, la juive non plus. Ce B.H.T. qui procède à présent, en qualité de bibliothécaire non diplômé, à la mise à jour du catalogue des ouvrages d'une bibliothèque municipale de moyenne importance où il exerce une certaine influence sur la politique des achats, homme relativement usé pour son âge, de commerce agréable malgré son manque d'initiative et de tempérament, a dû s'éprendre de cette religieuse en dépit de ce qu'elle était de vingt ans au moins son aînée. Le fait qu'il ait réussi à se soustraire à la mobilisation jusqu'en 1944, cinquième année de la guerre (si bien qu'il constitue une sorte de *missing link* entre Léni et sœur Rachel), alors qu'âgé de vingt-six ans il jouissait à l'entendre d'une robuste santé, milite en faveur d'une intelligence méthodique et opiniâtre.

En tout cas, sitôt interrogé sur sœur Rachel, il manifesta une animation proche de l'exaltation. C'est un non-fumeur célibataire et, à en juger par les fumets qui s'exhalaient dans son deux pièces et demie-salle de bain, excellent cuisinier. A ses yeux, seuls les livres d'occasion sont des livres et il méprise les nouveautés : « Un livre neuf n'est pas un livre. » (B.H.T.) Affligé d'une calvitie précoce, comme il se nourrit vraisemblablement bien mais de façon inadéquate, son organisme incline à sécréter un excès de matière sébacée, ainsi que le prouvent à l'évidence son nez aux pores dilatés et une tendance à la formation derrière les oreilles de petits kystes remarqués par l'auteur au cours de ses différentes visites. Bien que peu loquace de nature, il ne peut pourtant résister au besoin de s'épancher dès qu'on évoque Rachel-Aruspice. Quant à Léni, qu'il ne connaît à travers les récits de la sœur que sous les traits d'une « splendide jeune fille blonde qu'attendent encore de grandes joies mais aussi de grandes peines », il manifeste à son égard un enthousiasme juvénile et idéaliste qui pourrait inciter l'auteur, si cela l'arrangeait et s'il n'était lui-même épris de Léni, à accoupler aujourd'hui ces deux êtres avec un retard d'environ trente-quatre ans. Quelles que puissent être par ailleurs les qualités cachées ou visibles de ce B.H.T., il en est une qu'il possède à coup sûr : la fidélité. Peut-être aussi la fidélité envers soi-même.

Il y aurait beaucoup à dire sur ce garçon, mais à quoi bon puisqu'il n'a directement à peu près rien à voir avec Léni vis-à-vis de laquelle il ne peut rendre certains services qu'en qualité de réflecteur.

Ce serait une lourde erreur de croire que Léni ait souffert de ses deux ans et demi d'internat. Il lui y est au-contraire arrivé des choses merveilleuses, car elle eut la chance réservée précisément aux favoris du sort d'y tomber en de bonnes mains. Si ce qu'elle apprit en classe fut plus ou moins inintéressant, en revanche les leçons particulières que lui donna la douce et gentille sœur Cécile furent à la fois fructueuses et du plus haut intérêt. Rôle déterminant encore (au moins aussi déterminant que celui du Soviétique destiné à apparaître dans la vie de Léni) fut celui de sœur Rachel qui, n'étant pas autorisée à enseigner (en 1936!), n'exerçait au dire des pensionnaires qu'une fonction considérée comme très inférieure, celle de « sœur-servante » et se trouvait ainsi à peu de chose près dans la situation sociale d'une simple femme de ménage. Elle était chargée de réveiller les filles à l'heure dite, de surveiller leurs ablutions matinales et de leur expliquer — à quoi se refusait obstinément la sœur professeur de biologie — ce qui leur arrivait lorsqu'elles devenaient soudain femmes. Lui incombait aussi une tâche que les autres sœurs tenaient toutes pour répugnante et n'auraient jamais accepté d'accomplir, mais que sœur Rachel remplissait d'enthousiasme avec une affectueuse sollicitude : l'examen des résidus tant solides que liquides de la digestion des jeunes pensionnaires. Celles-ci n'avaient pas le droit de les faire disparaître avant que sœur Rachel les eût examinés. Contrôle qu'elle exerçait sur les filles de quatorze ans dont elle avait la charge, avec une sûreté de diagnostic époustouflante. Est-il besoin de souligner que Léni, dont la curiosité à l'égard de sa digestion était jusque-là restée inassouvie, devint une adepte enthousiaste de Rachel? Dans la plupart des cas, un simple coup d'œil suffisait à la sœur pour déterminer de façon précise la condition physique et psychique de l'intéressée; et en raison de ce qu'au vu des excréments elle réussissait même à prédire le rendement scolaire, elle était littéralement assiégée par les filles avant leurs compositions. C'est ce qui explique qu'elle ait conservé d'année en année (à partir de 1933) le sobriquet dont l'avait affublée l'une de ses anciennes élèves qui devait plus tard tâter du journalisme, celui d'Aruspice d'autant mieux accepté d'elle qu'elle le considérait comme un terme d'affection. On pensait (supposition que Léni, ultérieurement devenue la confidente de sœur Rachel, devait confirmer) qu'elle tenait une comptabilité détaillée de ses examens. Si l'on prend comme moyenne annuelle deux cent quarante jours de classe à raison de douze filles durant cinq années de service (en quelque sorte en qualité de sous-officier de semaine conventuel), on peut aisément calculer que sœur Rachel a statistiquement recensé et analysé sous une forme abrégée vingt-huit mille huit cents phénomènes de digestion; étonnant compendium qui constituerait sans doute un document scato-urinologique d'inestimable valeur. Mais il a vraisemblablement été détruit de la plus vile façon! L'analyse des comptes rendus directs de B.H.T. et Margret, ainsi que de ceux, indirects, de Léni (filtrés par Marja) permet à l'auteur de supposer que les connaissances scientifiques de sœur Rachel étaient de trois ordres : médicales, biologiques et philosophiques, le tout accommodé d'une sauce théologique d'essence exclusivement mystique.

Rachel intervenait aussi dans un domaine pourtant hors de sa responsabilité, celui de l'esthétique : cheveux, peau, yeux, oreilles, coiffures, robes, chaussures, dessous. C'est ainsi qu'elle conseilla le vert bouteille à la brune Margret et le rouge orangé à la blonde Léni à laquelle elle recommanda aussi, à l'occasion d'une soirée dansante avec les pensionnaires d'un foyer d'étudiants catholique, des chaussures vermillon; si l'on songe enfin qu'elle l'engagea aussi à se soigner la peau à l'huile d'amandes douces, ne tenant l'eau glacée pour salutaire que sous certaines réserves, il devient permis en peu de mots de traduire négativement ainsi sa tendance générale : elle n'était pas pour le savon de Marseille. Si l'on ajoute à cela que, loin de déconseiller le rouge à lèvres, elle en préconisait au contraire l'usage (avec tact et mesure, et selon le type de chacune s'entend), on s'aperçoit alors qu'elle était très en avance sur son temps et certainement aussi sur son milieu. Elle se montrait surtout exigeante quant aux soins de la chevelure dont elle entendait qu'elle fût longuement et vigoureusement brossée au moins chaque soir.

Sa situation au couvent n'était pas très claire. La plupart de ses consœurs la considéraient comme un personnage intermédiaire entre une dame des lavabos et une femme de ménage, jugement qui, eût-il même été justifié, n'en eût pas moins traduit un sentiment répréhensible. Certaines d'entre elles la respectaient pourtant et quelques autres la craignaient même. Ses rapports avec la mère supérieure avaient un caractère de « respect constamment tendu » (B.H.T.). Cette dernière, beauté blond cendré intelligente et sévère qui, un an après le départ de Léni du pensionnat, devait jeter son habit de nonne aux orties pour militer dans les rangs d'une organisation féminine nazie, ne repoussait d'ailleurs pas les conseils de Rachel relatifs aux soins de beauté, pourtant si contraires à l'esprit conventuel. Si l'on songe que ladite mère supérieure portait le surnom de « tigresse », qu'elle enseignait principalement les mathématiques, accessoirement le français et la géographie, on comprendra que la « mystique excrémentielle » d'Aruspice lui ait paru seulement ridicule et donc inoffensive. Elle considérait comme indigne d'une dame d'honorer ses déjections fût-ce d'un simple regard (B.H.T.), ne voyant là qu'un rite plus ou moins « *païen* » bien que (encore selon B.H.T.) ce fût précisément le côté païen de l'organisation nazie précitée qui la poussa ensuite à y adhérer. Il convient néanmoins (toujours selon B.H.T.) d'ajouter par souci d'équité que même après avoir quitté le couvent, elle n'a jamais trahi Rachel. Léni,

Margret et B.H.T. la dépeignent sous les traits d'une « femme fière ». Bien que très belle (tous les témoignages concordent sur ce point) et certainement « accessible sur le plan érotique » (Margret), elle ne s'est jamais mariée, probablement par fierté, dans sa volonté de n'accuser nulle faiblesse comme de ne prêter le flanc à aucune critique. Elle avait à peine cinquante ans lorsqu'à la fin de la guerre elle disparut quelque part entre Lemberg et Czernowitz où elle occupait une importante fonction officielle dans les services de politique culturelle, avec rang de conseillère supérieure du gouvernement. Disparition combien regrettable, l'auteur l'aurait si volontiers entendue comme témoin !

Rachel avait beau n'être officiellement chargée au pensionnat d'aucune fonction pédagogique ni médicale, elle n'en exerçait pas moins l'une et l'autre. Elle n'était en principe tenue que de faire un rapport sur les cas sérieux — forte diarrhée ou possible danger d'infection — de signaler aussi les cas de malpropreté flagrante liée au phénomène de la digestion et enfin — ce dont elle s'abstenait toujours — les manquements aux bonnes mœurs ou présumées telles. Elle accordait en revanche une grande valeur au petit exposé qu'elle faisait dès le premier jour aux pensionnaires sur les méthodes de nettoyage après défécation. Insistant tout d'abord sur la nécessité de conserver à tous ses muscles et en particulier à ceux de l'abdomen leur élasticité et contractilité par l'exécution d'exercices de gymnastique, elle en venait rapidement à son thème favori : la possibilité pour tout individu sain et, soulignait-elle, intelligent, d'accomplir ses fonctions organiques sans devoir recourir au moindre petit bout de papier; mais comme une telle perfection ne pouvait toutefois que rarement sinon jamais être atteinte, elle expliquait aussi en détail la façon d'utiliser ledit papier.

Elle avait — et dans ce domaine B.H.T. est une

source d'information irremplaçable — lu beaucoup
d'ouvrages consacrés à ces questions, presque toute
la littérature des bagnes et des prisons, et scrupu-
leusement étudié les Mémoires de tous les détenus
(politiques ou de droit commun). Les rires étouffés
et les réflexions stupides des filles pendant son
exposé la laissaient imperturbable.

Il convient de signaler ici, parce que le fait a été
confirmé à la fois par Margret et par Léni, que la
vue des premières selles de Léni qu'elle eut à contrôler plongea sœur Rachel dans une sorte de ravissement. Elle déclara à l'intéressée qui n'était guère
habituée à ce genre de confrontation : « Ma fille, tu
es une favorite du sort... tout comme moi ! »

Et lorsque, quelques jours plus tard, Léni réussit
à se passer de papier, tout simplement parce que
cette « affaire de muscles » l'amusait (propos de
Léni à Marja, confirmé par Margret), naquit entre
elles deux une indestructible sympathie qui devait
consoler Léni par avance de tous les déboires qui
l'attendaient encore dans le domaine des études.

Il ne faudrait pas laisser naître ici l'impression
que le génie de sœur Rachel se soit manifesté dans
le seul domaine excrémentiel. Après une succession
d'études assez compliquée, elle s'était d'abord
consacrée à la biologie, puis à la médecine et plus
tard encore à la philosophie. Après sa conversion au
catholicisme, elle était entrée au couvent pour
« enseigner à la jeunesse » un amalgame biologico-
médico-philosophico-théologique. Mais dès la première année de son activité professionnelle, soupçonnée de biologisme et de matérialisme mystique,
elle se vit retirer par le conseil général de Rome
l'autorisation d'enseigner ; cette punition qui consistait à la ravaler au rang de domestique devait en
principe servir à la dégoûter assez de la vie ecclésiastique pour qu'en tout bien tout honneur on pût
la rendre à la vie laïque (propos tenus par Rachel à
B.H.T.). Or elle avait non seulement considéré mais

encore ressenti cet abaissement comme une éléva-
tion car le rôle de domestique avait l'avantage sur
celui d'enseignante de lui offrir de beaucoup plus
grandes possibilités d'application de ses théories. Et
comme ses difficultés avec l'ordre survinrent en
1933, on dut renoncer à l'exclure purement et simplement, si bien qu'elle passa cinq ans encore au
pensionnat en qualité de « dame des lavabos »
(Rachel à B.H.T. sur elle-même). Ne fût-ce que pour
se procurer produits de nettoyage, papier hygiénique, antiseptiques, voire même draps et taies, elle
partait à bicyclette pour la ville voisine, ce qui lui
permettait d'y passer de longues heures à la bibliothèque de l'université et plus tard des journées
entières dans cette bibliothèque municipale si bien
fournie où elle noua avec B.H.T. une amitié uniquement platonique mais néanmoins fervente. Il
l'autorisait à fouiner dans le stock de son supérieur,
mettant à sa disposition — en infraction avec le
règlement — le catalogue réservé au seul personnel,
la laissant lire tranquillement dans quelque recoin,
lui offrant du café de sa bouteille thermos et lui
glissant même parfois une tartine de pain beurré
lorsqu'elle s'absorbait trop longuement dans sa lecture. Elle s'intéressait surtout aux ouvrages de phar-
macologie, de mystique, de biologie et de botanique,
si bien qu'en l'espace de deux ans elle devint une
véritable spécialiste dans un domaine épineux, celui
des excès scatologiques, ceci dans la mesure où la
littérature mystique, richement représentée dans la
bibliothèque, lui permettait de les étudier.

Bien qu'il ait tout, absolument tout entrepris pour
connaître les origines et les antécédents de sœur
Rachel, l'auteur n'a cependant rien pu apprendre
d'autre que ce que B.H.T., Léni et Margret savaient
d'elle. Sœur Cécile, à qui il rendit visite une seconde
puis une troisième fois, ne lui révéla rien sur son
ancienne consœur; l'obstination de l'auteur ne réussit qu'à la faire rougir — il faut sincèrement recon-

51

naître que l'érubescence d'une femme de plus de soixante-dix ans dont la peau du visage présente quelques îlots d'un blanc laiteux est un spectacle rien moins que déplaisant. Une quatrième tentative de l'auteur — fort entêté comme on voit — échoua à la porte même du couvent : il ne fut pas autorisé à y pénétrer. Réussira-t-il à en apprendre davantage à Rome par l'analyse des archives de l'ordre et les registres de ses membres ? Cela dépendra de plusieurs facteurs : trouvera-t-il d'abord le temps et les fonds nécessaires à un tel voyage, ensuite et surtout lui donnera-t-on accès aux documents de l'ordre ? Reste à rappeler ce qu'était la situation en 1937/38 : une petite religieuse pleine de zèle, passionnée de mystique comme de biologie, soupçonnée de scatologie, accusée de biologisme et de mysticisme matérialiste, est assise dans le coin sombre d'une librairie et se fait offrir café et tartines par un jeune homme dont à l'époque on ne peut même pas soupçonner la calvitie future ni l'excès de sécrétion sébacée. Ce tableau de genre, digne d'être fixé sur la toile par quelque maître hollandais de la classe d'un Vermeer, devrait pour s'harmoniser avec la situation politique intérieure et extérieure d'alors être doté d'un fond écarlate et de nuages teintés de sang, si l'on songe en effet qu'en tout lieu la S.A. défilait au pas cadencé, que le danger de guerre était plus grand en 1938 qu'il ne le fut l'année suivante, lorsqu'elle éclata pour de bon, et dût-on trouver par trop mystique la passion de Rachel pour les problèmes de digestion, déconcertant l'intérêt qu'elle portait à la sécrétion interne (au point de désirer ardemment apprendre l'exacte composition de cette substance qu'on nomme le sperme), il n'en reste pas moins vrai que c'est elle qui, grâce à ses expériences personnelles (et interdites) sur l'urine, donna à B.H.T. le conseil qui devait lui permettre de se soustraire à la mobilisation, et ce en lui expliquant par le menu, pendant qu'elle sirotait son café (au risque d'en renverser parfois quelques gouttes sur des ouvrages rarissimes, car elle n'éprouvait que peu de respect pour l'aspect extérieur d'un livre) ce qu'il devait boire et manger et avaler comme teintures et pilules pour que l'examen de son urine au conseil de révision le fît déclarer « inapte », ceci à titre non seulement provisoire mais définitif. Bref, ses connaissances et les résultats de ses lectures permirent à sœur Rachel de soumettre l'urine de B.H.T. à un « traitement échelonné » (expression textuelle de Rachel, confirmée par l'intéressé) lui garantissant, dût-il même rester deux ou trois jours en observation à l'hôpital militaire, un taux d'albumine suffisant quels que soient les réactifs employés. Information qui n'a pour but que de consoler celles et ceux qui déplorent ici l'absence d'aperçus politiques. B.H.T. n'eut malheureusement pas le courage de faire bénéficier d'autres jeunes gens mobilisables de ce « traitement échelonné ». Le fonctionnaire qu'il était craignait des ennuis avec ses supérieurs.

On aurait vraisemblablement (hypothèse de l'auteur) procuré à Rachel une immense joie si l'on avait réussi à lui obtenir l'autorisation, ne fût-ce qu'une semaine durant, de remplir dans un pensionnat de jeunes gens une fonction analogue à celle qu'elle exerçait chez les jeunes filles. La littérature consacrée aux différences entre les processus de digestion masculin et féminin était alors si insignifiante que Rachel en était réduite à des supputations qui finirent par entraîner chez elle un préjugé selon lequel les hommes étaient en majorité constipés. Si l'on avait eu connaissance à Rome ou ailleurs des aspirations de sœur Rachel, nul doute qu'on l'eût excommuniée et rejetée sur-le-champ.

Le regard passionné de sœur Rachel n'était d'ailleurs pas réservé aux seules cuvettes de cabinets; elle le plongeait aussi chaque matin dans les yeux des filles dont elle avait la charge, leur prescrivant si besoin était des bains d'yeux pour lesquels elle disposait d'un petit choix d'œillères et d'une cruche d'eau de source. Elle savait déceler sans délai le moindre symptôme d'inflammation ou de conjonctivite et éprouvait unc joie sans mélange — beaucoup plus intense que lorsqu'elle leur décrivait les mécanismes de la digestion — à expliquer à ses filles que la rétine, sensiblement épaisse ou plutôt mince comme une feuille de papier à cigarette, ne comportait pas moins de trois couches cellulaires, celle des cellules visuelles, celle des cellules dipolares, celle des cellules ganglionnaires et qu'à elle seule la première de ces trois couches — un tiers environ de l'épaisseur ou de la minceur d'une feuille de papier à cigarette — renfermait environ six millions de cônes et cent millions de bâtonnets non uniformément mais inégalement répartis sur la surface de la rétine. Vos yeux, prêchait-elle à ses filles, sont un trésor extraordinaire, irremplaçable; la rétine, qui ne constitue que l'une des quatorze couches de l'œil, en possède à elle seule sept ou huit, chacune des trois couches cellulaires étant séparée des autres par une nouvelle couche. Et quand, sur sa lancée, elle s'aventurait à décrire capillaires, papilles, ganglions et muscles ciliaires, alors çà et là commençait à sourdre son second sobriquet : La nonne papille.

Il convient de ne pas oublier que Rachel n'avait que rarement l'occasion et, le cas échéant, à peine le temps d'exposer ses idées à des filles dont l'emploi du temps était extrêmement strict, alors que beaucoup de celles-ci ne voyaient guère plus en elle qu'une pourvoyeuse de papier hygiénique. Elle leur décrivait naturellement aussi la sueur, le pus, le sang menstruel et assez abondamment la salive. Il est presque superflu d'observer que, violemment hostile à un brossage de dents par trop frénétique, elle ne l'autorisait au lever que contre sa propre conviction et uniquement en raison de véhémentes protestations parentales. Sœur Rachel n'inspectait pas seulement les yeux de ses filles mais aussi leur peau, pas celle malheureusement de la poitrine ni du ventre (certains parents l'ayant accusée d'attouchements impudiques), uniquement donc celle des bras. Elle en vint plus tard à leur expliquer qu'une fois en possession d'une certaine expérience, un coup d'œil à ses propres excréments ne devait en fait servir qu'à confirmer le sentiment éprouvé au saut du lit, celui du degré de son bien-être, de telle sorte qu'il devenait alors presque superflu — toujours une fois l'expérience acquise — de les regarder sauf en cas d'hésitation sur son état, ce coup d'œil servant alors à le préciser (Margret et B.H.T.).

Quand Léni — ce qui avec le temps arriva de plus en plus souvent — se faisait porter malade, sœur Rachel l'autorisait parfois à venir fumer une cigarette dans sa petite chambre. Elle lui expliquait alors que pour une personne de son âge et de son sexe il n'était pas bon de fumer plus de trois à cinq cigarettes par jour et qu'une fois adulte elle ne devrait jamais en fumer plus de sept ou huit, en tout cas ne jamais aller jusqu'à dix. Qui pourrait encore nier la valeur de l'éducation, alors qu'à quarante-huit ans Léni s'en tient toujours à cette règle et qu'elle a commencé, sur une feuille de papier brun d'emballage d'un mètre cinquante sur un mètre cinquante (l'état actuel de ses finances ne lui permettant pas de s'offrir du papier blanc de cette taille), à concrétiser un beau rêve à la réalisation duquel elle n'avait pas eu jusqu'ici le temps de se consacrer : peindre fidèlement la coupe transversale d'*une* couche de la rétine. Elle est bien décidée à y loger six millions de cônes et cent millions de bâtonnets, le tout en usant de l'ancienne petite boîte d'aquarelle de son fils, qu'elle complète de temps à autre par l'achat de quelques peu coûteuses pastilles de rechange. Si l'on songe qu'elle exécute chaque jour un maximum de cinq cents cônes ou bâtonnets, soit environ deux cent mille par an, on peut d'abord en déduire qu'elle est encore pleinement occupée pour les cinq prochaines années et ensuite comprendre qu'elle ait sacrifié son travail de bouquetière pour s'adonner à la peinture des cônes et bâtonnets. Son tableau s'intitule « partie de la rétine de l'œil gauche de la Vierge Marie nommée Rachel ».

Qui pourrait s'étonner d'apprendre que Léni aime à chanter en peignant? Elle mêle sans réfléchir Schubert, fragments de chansons populaires et passages de disques entendus çà et là (Hans), avec une variété de rythmes et de lignes mélodiques qui provoquent chez un Schirtenstein « non seulement attendrissement, mais attention et respect » (Schirtenstein). Son répertoire est manifestement plus étendu en matière de chant que de piano. L'auteur est en possession d'une bande magnétique enregistrée pour lui par Grete et qu'il ne peut guère écouter sans que des larmes roulent le long de ses joues (l'auteur). Léni chante assez bas, d'une voix nette et vigoureuse que seule assourdit sa timidité. Elle chante comme un prisonnier du fond de son cachot. Que chante-t-elle?

Son reflet d'argent dans le miroir
La regarde, étranger, dans le clair-obscur
Et s'efface pâle dans le miroir
Et elle s'effraie de sa pureté.

J'ai fait vœu d'impudicité et de pauvreté
Souvent mon innocence adoucit mon impudicité
Ce que l'on a accompli sous le soleil de Dieu
C'est cela même qu'on expie sous la terre de Dieu...

C'était la voix du plus noble des fleuves, du Rhin né sans entraves... mais où se trouve celui qui peut ainsi rester libre toute sa vie durant et réaliser les désirs de son cœur... né comme le Rhin sur

des sommets bénis et comme lui d'une source
aussi sainte?
Et lorsqu'au premier printemps la guerre n'offrit
aucune perspective de paix, le soldat en tira les
conséquences et mourut au champ d'honneur.

Mais je t'ai mieux connu
que je n'ai jamais connu les hommes.
Je comprenais le silence de l'éther,
je n'ai jamais compris les paroles des hommes...
Et j'ai appris à aimer parmi les fleurs...

Ce dernier vers revient assez souvent; sur la
bande magnétique, Léni le chante sur quatre
rythmes différents, une fois même sur un rythme
pop'.

Comme on peut le voir, prenant une certaine
liberté avec des textes consacrés, elle amalgame non
seulement les éléments musicaux mais aussi les
paroles :

La voix du Rhin né sans entraves — kyrie eleison
Et j'ai appris à aimer parmi les fleurs — kyrie
eleison
Brisez le joug des tyrans — kyrie eleison
J'ai fait vœu d'impudicité et de pauvreté — kyrie
eleison
J'ai eu, jeune fille, une liaison avec le ciel — kyrie
eleison
Splendidement empourpré, il m'aime d'amour
d'homme — kyrie eleison
Le marbre des ancêtres est devenu gris — kyrie
eleison
Jusqu'à ce que soit livré, comme je le pense, le
secret de mon âme — kyrie eleison...

La preuve est ainsi faite que non seulement Léni
est occupée, mais encore par une activité créatrice.

Sans tomber dans une symbolique déplacée, Rachel expliqua en détail à Léni, que chacune de ses menstruations plongeait dans une grande frayeur, le processus des relations charnelles, et ce sans que ni l'une ni l'autre en eussent le moins du monde à rougir. Il est bien évident que de tels propos devaient rester secrets car Rachel outrepassait singulièrement là les limites de sa compétence. Peut-être cette initiation explique-t-elle pourquoi, en entendant un an et demi plus tard son professeur d'instruction religieuse comparer l'union charnelle à « des fraises nappées de crème fouettée », Léni s'empourpra, soudain folle de rage. Il convient d'ajouter que, pour définir les diverses formes des matières fécales, Rachel ne craignait même pas d'utiliser la notion d'« architecture classique » (B.H.T.).

Dès son premier mois de pensionnat Léni se fit aussi une amie pour la vie en la personne de la jeune Margret Zeist, déjà réputée alors pour son « dévergondage » bien que fille d'un couple extrêmement pieux qui, pas plus que ses professeurs, n'avait réussi à la mater. Toujours de bonne humeur, cette petite brune passait pour une « joyeuse luronne » terriblement bavarde (comparée à Léni surtout). Margret n'était pas depuis quinze jours au pensionnat qu'à l'examen de sa peau (épaules et bras) Rachel constata qu'elle connaissait déjà l'homme. Ne pouvant en l'occurrence recourir qu'au seul témoignage de Margret elle-même, l'auteur se sent donc tenu à une certaine prudence tout en étant presque certain cependant de l'absolue sincérité de l'intéressée. Elle pense que la découverte de Rachel ne découlait pas seulement de son instinct « chimique » quasi infaillible mais aussi de la qualité « physique » de cette peau dont la sœur devait lui dire plus tard, en tête-à-tête, qu'elle « irradiait les caresses reçues... et données », sur quoi — et c'est tout à son honneur — Margret avait piqué un fard, ni pour la première ni de loin pour la dernière fois de sa vie. Elle avait en outre avoué, sans vouloir toutefois dévoiler par quel moyen, qu'elle se glissait la nuit hors du couvent pour aller retrouver au village non pas des hommes mais de jeunes gars. Elle n'éprouvait alors qu'aversion pour les hommes faits qu'elle accusait de puer, ainsi que le lui prouvait une expérience précisément effectuée avec ce professeur qui se plaignait de ne pouvoir venir à bout d'elle. « Or, ajouta-t-elle avec son dur accent rhénan, il a très bien su venir à bout de moi ! » Les gars de son âge, c'était à son avis ce qu'il y avait de mieux, d'abord parce qu'ils ne puaient pas et ensuite (aveu dénué d'artifice) parce que c'était si merveilleux de voir leur état d'exaltation, certains poussaient même des cris de joie... et du coup elle aussi; elle était d'ailleurs persuadée que ce n'était pas bon pour les garçons de « faire ça tout seul », et quel plaisir pour elle que de leur en donner... Il convient de noter ici que pour la première fois nous voyons Rachel éclater en sanglots : « Elle se mit à pleurer si fort que j'en fus effrayée, et c'est maintenant seulement, à quarante-huit ans, clouée dans mon lit par la syphilis et toutes sortes d'autres saletés, que je sais pourquoi elle se lamentait ainsi » (Margret à l'hôpital). Une fois ses larmes taries — ce qui, d'après le récit de Margret avait dû prendre un bon moment —, Rachel l'avait regardée pensivement, sans la moindre animosité, avant de déclarer enfin : « Oui, tu es une fille de joie... Allusion qu'à l'époque je n'ai naturellement pas comprise. » Elle avait dû solennellement promettre à Rachel de ne pas entraîner Léni sur les mêmes sentiers ni lui dévoiler comment sauter le mur du pensionnat. C'est que pour Rachel, si Léni était sans doute destinée à dispenser de grandes joies, ce ne serait en tout cas pas comme fille de joie. Margret avait promis et tenu sa promesse. « Léni ne courait d'ailleurs aucun danger car elle savait déjà très bien ce qu'elle voulait » (Mar-

59

gret). Par ailleurs Rachel avait raison, c'était sa peau qu'on aimait tendrement et désirait avidement, celle de sa poitrine surtout; incroyable, la façon dont les garçons s'acharnaient sur elle! Rachel lui ayant demandé si elle faisait ça avec un seul ou plusieurs partenaires, Margret avait rougi pour la seconde fois en l'espace de vingt minutes et finalement répondu : « Jamais qu'avec un seul à la fois. » Sur ce, Rachel avait de nouveau fondu en larmes et murmuré à travers ses sanglots que ça n'était pas bien, pas bien du tout, ce que Margret faisait là, et qu'un jour ça finirait mal. Le séjour de Margret au pensionnat fut d'ailleurs de courte durée. L'affaire de son trafic avec les jeunes gars du village (dont presque tous servaient régulièrement la messe) ne tarda pas à s'ébruiter. Il y eut du grabuge avec les parents des garçons, avec le curé, avec les parents des filles. Une enquête eut lieu et bien que pas un jeune ne se fût laissé aller au moindre aveu, Margret dut néanmoins quitter le pensionnat dès la fin de sa première année. Léni ne s'en était pas moins acquis pour la vie une amitié qui plus tard, dans des situations délicates et parfois même périlleuses, aurait maintes occasions de faire ses preuves.

Sans la moindre amertume, mais avec une curiosité encore inassouvie, Léni se soumit un an plus tard au processus du travail en qualité d'apprentie (désignation officielle de sa fonction : « employée de bureau ») et ce dans l'entreprise de son père à la demande pressante duquel elle entra dans l'organisation nazie dont l'uniforme lui seyait si bien (Dieu n'en soit pas loué!). Léni, il convient de le dire, participait sans entrain aux réunions vespérales, et il convient d'ajouter aussi, pour éviter tout malentendu, qu'elle n'avait aucune vue d'ensemble sur les dimensions politiques du nazisme. Les chemises brunes lui déplaisaient souverainement, celles de la

S.A. surtout, et quiconque se sent à même de partager tant soit peu l'intérêt qu'elle portait aux phénomènes scatologiques tout en possédant les connaissances que sœur Rachel lui avait inculquées dans ce
domaine, saura ou du moins devinera pourquoi
cette couleur brune lui répugnait tellement. L'apathie qu'elle manifestait durant ces réunions —
qu'elle put finalement laisser tomber puisqu'à dater
de septembre 1939 l'entreprise de son père fut déclarée « indispensable à l'effort de guerre » — cette
apathie donc avait un autre motif : il régnait dans
ces veillées une pieuse atmosphère conventuelle
bien peu faite pour l'enthousiasmer. Le groupe
auquel on l'avait affectée était en effet tombé sous la
coupe d'une jeune catholique pleine d'allant, bien
décidée à en infléchir l'orientation selon ses vues, si
bien qu'une fois assurée — insuffisamment hélas ! —
du consentement tacite des douze filles dont elle
avait la charge, elle leur fit passer des soirées entières à chanter des hymnes à la Vierge, psaumes et
autres cantiques religieux. Léni, on s'en doute,
n'avait rien contre les hymnes, psaumes et autres
cantiques religieux, sinon qu'à cette époque de sa vie
(elle avait dix-sept ans à peine), après deux années et
demie passées à endurer de pesantes pratiques religieuses, ce genre de manifestations ne pouvait plus
guère l'intéresser mais lui paraissait au contraire
fort ennuyeux; pas surprenant : ennuyeux. Les activités tendancieuses de la jeune personne — une certaine Gretel Mareike — ne passèrent évidemment
pas longtemps inaperçues, dénoncée qu'elle fut par
une fille de son groupe, une dénommée Paula
Schmitz. Léni fut même entendue comme témoin
mais, soigneusement chambrée auparavant par le
père de Gretel Mareike, elle nia sans sourciller
(comme dix des autres filles sur douze) qu'on eût
jamais chanté des hymnes à la Vierge. Ainsi Gretel
Mareike put-elle échapper à de graves ennuis,
quoique sans pouvoir toutefois éviter deux mois

d'emprisonnement sous les auspices de la Gestapo avec force interrogatoires à l'appui, ce qui — seul commentaire qu'elle se permit — lui « avait amplement suffi » (résumé de plusieurs entretiens avec Marja van Doorn).

Nous voici à présent arrivés à l'été 1939. Léni entre dans la période la plus loquace de son existence et qui durera pas loin de deux ans. Alors considérée comme une beauté, elle obtient par autorisation spéciale son permis de conduire, adore rouler en voiture, joue au tennis et accompagne son père à des conférences ou dans ses voyages d'affaires. Elle attend l'homme... « que je désire aimer, auquel je souhaite me donner sans restrictions et pour le plaisir duquel j'imagine déjà d'audacieuses caresses — car nous devrons nous dispenser mutuellement de la joie » (Margret). Elle ne laisse jamais échapper une occasion de danser, s'attable volontiers le soir (cet été-là) aux terrasses des cafés pour y déguster un café frappé et joue un peu à la « femme élégante ». Il existe de cette époque d'étonnantes photos d'elle permettant de penser qu'elle aurait fort bien pu concourir encore pour le titre de « fille la plus allemande de la ville » voire du district sinon même de la province ou encore de cette création géographico-historico-politique connue sous le nom de Reich allemand. Elle aurait pu interpréter le personnage d'une sainte (fût-ce Marie-Madeleine) dans un mystère, servir de réclame à une crème de beauté et sans doute même faire du cinéma. Ses yeux sont déjà tout à fait foncés, presque noirs, et elle porte ses épais cheveux blonds comme il est dit page 5. Quant au petit interrogatoire que lui a fait subir la Gestapo et au fait que Gretel Mareike ait passé deux mois sous les verrous, ils n'ont même pas réussi à ébranler son assurance.

Estimant que sœur Rachel ne lui en a pas assez

appris sur la différence biologique entre les deux sexes, elle cherche passionnément à recueillir à ce sujet de plus amples informations. Les dictionnaires une fois compulsés sans grand résultat, elle fouille alors, quoique sans plus de succès, les bibliothèques de son père et de sa mère. Le dimanche après-midi, elle va parfois rendre visite à sœur Rachel avec laquelle elle se promène longuement dans l'immense parc du couvent sans cesser de la supplier de lui en apprendre davantage. Après quelques tergiversations, Rachel se laisse enfin fléchir et lui explique, une fois encore sans que l'une ou l'autre ait le moins du monde à en rougir, certains détails qu'elle lui avait celés deux ans plus tôt. Ainsi lui décrit-elle l'instrument de la sexualité masculine, son excitation et son excitabilité avec leurs joies et conséquences. Et comme Léni désire en voir des illustrations que Rachel lui refuse parce qu'il n'est pas bon à son avis de regarder de telles images, elle téléphone en déguisant sa voix (précaution bien inutile) à un libraire qui lui conseille d'aller au « musée municipal de l'hygiène ». Or, sous la rubrique « vie sexuelle », n'y sont guère exposées que les maladies vénériennes, depuis la vulgaire blennorragie jusqu'au collier de Vénus en passant par le chancre mou, puis toutes les phases de la syphilis, avec représentation réaliste ad hoc sur moulages dûment colorés. Léni fait là la connaissance de ce sinistre univers... et se révolte. Non qu'elle ait jamais été bégueule mais ce qui dans ce musée l'a mise en fureur, c'est qu'on ait voulu y donner l'impression que sexe et maladies vénériennes allaient de pair. Ce naturalisme pessimiste la révolta tout autant que le symbolisme de son professeur d'instruction religieuse, et le musée de l'hygiène lui apparut comme une variante des « fraises nappées de crème fouettée » (témoin de la scène : Margret qui — rougissant une fois de plus — refusa de contribuer à l'éducation de son amie). L'impression pourrait naître alors que Léni n'avait d'yeux que pour un monde pur. Nullement; son réalisme sensuel était suffisant pour qu'à force de repousser de moins en moins fermement les nombreuses tentatives d'approche auxquelles elle était exposée, elle finît, cédant aux supplications concupiscentes d'un jeune et sympathique architecte de l'entreprise paternelle, par lui accorder un rendez-vous. Eté, week-end, hôtel de luxe au bord du Rhin, danse vespérale sur la terrasse, elle blonde, lui blond, elle dix-sept ans, lui vingt-trois, tous deux parfaitement sains... tout semblait donc réuni pour une « happy end » ou tout au moins une « happy night »; or il n'en fut rien. La seconde danse à peine achevée, Léni alla régler la note de la chambre à un lit inutilisée où elle avait seulement déballé en hâte sa robe de chambre (=peignoir de bain) et ses affaires de toilette, puis quitta l'hôtel pour aller rejoindre Margret à qui elle confia que, dès la première danse, elle avait senti « l'absence de tendresse des mains de ce type », si bien que la vague inclination qui l'avait attirée vers lui s'était aussitôt volatilisée.

L'auteur se rend fort bien compte que le lecteur, jusqu'ici plus ou moins patient, commence à se demander : crénom de nom! cette Léni serait-elle donc parfaite? Réponse : presque. D'autres lecteurs — selon leur base de départ idéologique — poseront autrement la question : crénom de nom! quel genre de petite garce est-ce là? Réponse : ça n'en est pas une, elle attend seulement l'homme qui répondra à ses vœux, lequel ne se montre toujours pas. Elle continue d'être importunée, invitée à des rendez-vous à deux et à des week-ends à la campagne, jamais dégoûtée mais seulement importunée et pas même indignée de la vulgarité dont certains usent parfois pour lui exprimer leur désir de coucher avec elle; elle secoue alors simplement la tête en signe de refus. Elle porte volontiers de jolies robes, nage, rame, joue au tennis, dort d'un calme sommeil et... « c'était une vraie joie de la regarder savourer son petit déjeuner, oh oui ! une vraie joie de la voir manger ses deux petits pains frais, deux tranches de pain noir, un œuf à la coque, un peu de miel, parfois une tranche de jambon, le tout avec son café au lait brûlant bien sucré... ah ! si vous saviez quelle joie, quelle joie quotidienne de la voir se régaler ainsi ! » (Marja van Doorn).

Elle aime aussi aller au cinéma « pour pleurer un peu toute seule dans le noir » (Marja van Doorn). C'est ainsi par exemple qu'après avoir vu le film *Les Mains libres* elle est rentrée avec deux mouchoirs tellement trempés que Marja a cru qu'elle s'était enrhumée au cinéma. En revanche des films comme *Raspoutine, mauvais génie des Femmes, Le Choral de Leuthen* ou *Sang Chaud* l'ont laissée complètement froide. « Loin d'être mouillés, ses mouchoirs étaient restés aussi secs que si l'on venait de les repasser » (Marja van Doorn). *La Fille de Fanö* lui a derechef arraché des larmes, mais pas autant que *Les Mains libres*.

Elle apprend à connaître son frère, son aîné de deux ans, qu'elle a rarement vu jusque-là car il a passé onze ans de sa vie dans le pensionnat où il est entré dès sa huitième année, et quant à ses vacances scolaires, il en a passé l'essentiel à parfaire son éducation à l'étranger : Italie, France, Angleterre, Autriche, Espagne. Ses parents tenaient en effet à faire de lui ce qu'il est effectivement devenu, « un garçon nanti d'une solide instruction ». Toujours d'après Marja van Doorn, la mère du jeune Heinrich Gruyten trouvait son propre milieu « trop vulgaire »; élevée en France par des religieuses, elle en a conservé toute sa vie durant un certain « raffinement parfois même excessif » dont elle souhaitait probablement doter son fils. Or les quelques renseignements recueillis à cet égard semblent prouver qu'elle y a réussi. Nous allons devoir nous arrêter un court instant sur ce jeune Heinrich Gruyten qui a passé tant d'années loin des siens, tel un fantôme, presque un dieu, mélange de jeune Goethe et de jeune Winckelmann avec une touche de Novalis, alors qu'il n'a fait chez lui que de soudaines et brèves apparitions — quatre fois environ en l'espace de onze ans — et dont Léni savait seulement qu'il était « merveilleusement bon et gentil ». Peu de chose en vérité, presque autant de mystère qu'autour de l'hostie. Marja van Doorn n'en sait guère plus long sur lui (« un garçon très instruit, très distingué, mais pas du tout fier »); aussi Margret, quoique ne l'ayant officiellement vu que deux fois chez les Gruyten à l'heure du café au cours de l'année 1939, plus une autre fois mais officieusement en 1940 au cours d'une nuit d'avril assez fraîche et juste avant qu'on ne l'expédie avec son unité antichar conquérir le Danemark au bénéfice du Reich Allemand susmentionné, reste-t-elle — en raison de la réserve de Léni et de l'ignorance de Marja van Doorn — notre seul témoin non ecclésiastique. Ce n'est pas sans une certaine gêne que le chroniqueur va décrire maintenant les circonstances qui ont permis à une femme de près de cinquante ans atteinte de maladies vénériennes de lui fournir certaines informations sur le jeune Heinrich. Les propos de Margret, enregistrés sur bande magnétique, sont textuellement reproduits sans la moindre altération. Et d'abord ceci : une expression de ravissement et de ferveur ingénue s'est peinte sur le visage (déjà sérieusement altéré) de Margret lorsqu'elle a commencé par déclarer tout uniment : « Celui-là, oui, je l'ai aimé, vraiment aimé! » A la question de savoir s'il l'avait aimée aussi, elle a répondu en secouant la tête, non en signe de dénégation mais plutôt de doute et en tout cas — sur ce point l'auteur est formel — sans s'être sentie le moins du monde offensée par la question. « Il avait les cheveux bruns, voyez-vous, et les yeux clairs et puis aussi... comment dire... une grande noblesse, oui c'est bien cela, une grande noblesse. Il ne se doutait pas du charme qui émanait de lui, et s'il l'avait fallu, j'aurais carrément fait le trottoir pour lui permettre de se livrer à ses occupations favorites : lire des bouquins, visiter des églises, étudier des chorals, écouter de la musique... Il savait le latin et le grec, connaissait tout de l'architecture... Voyez-vous, il ressemblait à Léni en brun, et je l'ai aimé. Au cours du mois d'août 39, je l'ai rencontré deux fois chez les Gruyten à l'heure du café, et le 7 avril 40 il m'a téléphoné — j'étais déjà mariée avec le richard que je m'étais dégotté — il m'a donc téléphoné et je suis immédiatement partie le rejoindre à Flensburg et quand j'y suis arrivée — c'était le 8 — il faisait un froid de canard et les militaires étaient bouclés dans leur cantonnement, une école, fin prêts déjà à faire mouvement dans la nuit; sont-ils partis en avion ou en bateau ? je l'ignore. En tout cas, interdiction de sortir ce soir-là. Nul n'a jamais su que j'étais allée le retrouver, pas plus Léni que ses parents ni personne. Il a quand même réussi à faire le mur en passant par les cabinets des filles. Mais alors, impossible de trouver une chambre, ni à l'hôtel, ni chez l'habitant. Seule une boîte était encore ouverte et nous y sommes entrés. Là, une des filles a fini par nous céder sa chambre, mais du coup, tout mon argent y est passé, deux cents marks et ma bague, un rubis, et aussi tout son argent à lui, cent vingt marks, plus son étui à cigarettes en or. Il m'a aimée, je l'ai aimé, et l'atmosphère de bordel qui régnait dans cette chambre n'y a rien changé. C'est sans importance, c'est vraiment sans importance. » (L'auteur a repassé deux fois la bande magnétique pour s'assurer que Margret avait bien utilisé deux fois le présent — c'est sans importance, c'est vraiment sans importance — vérification positive.) « Et peu après... il était mort. Quel gaspillage démentiel ! » Interrogée sur le point de savoir pourquoi elle employait dans ce contexte un terme aussi surprenant que gaspillage, Margret a textuellement répondu (la bande magnétique en fait foi) : « Eh bien, voyez-vous, tant d'instruction, de beauté et de force virile perdues, à tout juste vingt ans... quand je pense comme nous aurions encore pu nous aimer, et pas seulement dans des chambres à putain mais dehors aussi, à la belle saison... et tout ça pour rien, alors moi j'appelle ça du gaspillage ! »

Margret, Léni et Marja van Doorn entretenant toutes trois des rapports pareillement iconolâtriques avec Heinrich G., l'auteur s'est encore une fois efforcé de recueillir une information plus objective. Il n'y a réussi qu'auprès de deux pères jésuites à la peau parcheminée, l'un et l'autre âgés de plus de soixante-dix ans, corrigeant l'un comme l'autre dans des salles de rédaction pareillement enfumées (par leur pipe) des manuscrits qui, fussent-ils destinés à des revues différentes, n'en traitaient pas moins le même sujet (ouverture à droite ou à gauche ?), l'un Français, l'autre Allemand (ou peut-être Suisse), le premier ex-blond, le second ex-brun, et tous deux fins, sages, affables, humains et qui, à peine interrogés, s'exclamèrent pareillement : « Ah ! le jeune Heinrich, le jeune Gruyten ! » (concordance absolue jusque dans les détails grammaticaux et syntaxiques, jusque dans la ponctuation, car le Français s'exprimait en allemand). Tous deux posèrent leur pipe, se carrèrent dans leur fauteuil, repoussèrent leur manuscrit, secouèrent la tête puis l'inclinèrent, lourde de souvenirs, et après avoir exhalé un profond soupir commencèrent à parler. Là s'arrête la totale concordance qui ne sera plus dès lors qu'épisodique. L'un habitant Rome et l'autre les environs de Fribourg, la nécessité de préparer ses entrevues par des entretiens téléphoniques à longue distance entraîna pour l'auteur d'importants débours dont il convient de dire qu'en fin de compte ils ne se justifièrent pas, abstraction faite de la « valeur humaine » de telles rencontres dont on devrait cependant pouvoir bénéficier à moindres frais. Les deux hommes en effet ne firent qu'apporter leur pierre à l'édifice d'« idolisation » dont feu Heinrich G. était l'objet. L'un, le Français, dit : « Il était si allemand, si allemand et si noble. » L'autre dit : « Il était si noble, si noble et si allemand. » Pour simplifier son compte rendu, et aussi longtemps que besoin, l'auteur désignera ces deux ecclésiastiques par J. (ésuite) i et J. ii J. i : « Nous n'avons jamais retrouvé en l'espace de vingt-cinq ans un élève aussi intelligent et doué. » J. ii : « En l'espace de vingt-huit ans nous n'avons jamais retrouvé un pensionnaire aussi doué et intelligent ». J.i : « Il y avait du Kleist en lui. » J. ii : « En lui se cachait un Hölderlin. » J. i : « Nous n'avons jamais essayé de le pousser vers le sacerdoce. » J. ii : « Rien n'a été tenté pour le pousser vers la prêtrise. » J. i : « C'eût été du gaspillage. » J. ii : « Même les plus fanatiques de nos confrères ont écarté cette idée. » Interrogés sur les performances scolaires du jeune Heinrich, J. i répondit : « Il excellait dans toutes les disciplines, gymnastique incluse, mais d'une façon qui n'était jamais ennuyeuse, et tous ses professeurs sans exception redoutaient le moment où il lui faudrait choisir une carrière », et J. ii : « Ses bulletins étaient parfaits de bout en bout, on en vint même à créer pour lui la mention excellent. Mais quelle carrière devrait-il embrasser ? C'était là notre préoccupation constante. » J. i : Il aurait pu être diplomate, architecte ou juriste, et en tout cas poète. » J. ii : « Il aurait pu devenir un grand professeur, un grand artiste, un... en tout cas et toujours un poète. » J. i : « Il n'existait qu'un seul métier pour lequel il n'avait certainement aucune aptitude, celui des armes; il

était beaucoup trop bien pour être soldat. » J. ıı :
« Mais sûrement pas un militaire, ça non. » J. ı : « Et
c'est ce qu'il est devenu. » J. ıı : « Et c'est ce qu'ils
ont fait de lui. »

Il se confirme que le jeune Heinrich, bien que
nanti du brevet d'instruction nommé baccalauréat,
n'a pu entre avril et fin août 1939 faire qu'un maigre
usage de ses connaissances et ne l'a peut-être pas
souhaité d'ailleurs. Avec un de ses cousins, il faisait
alors   partie   d'une   organisation   dénommée
« Reichsarbeitsdienst[1] » où, à partir du mois de mai,
il bénéficia une semaine sur deux d'une permission
allant du samedi à treize heures jusqu'au dimanche
à minuit. Sur les trente-cinq heures qui lui étaient
ainsi dévolues, il en passait huit dans le train et une
vingtaine à aller danser avec sa sœur et son cousin,
jouer un peu au tennis et partager un ou deux repas
familiaux, quatre à cinq heures environ étant consacrées au sommeil et deux ou trois autres à ses querelles avec son père qui voulait tout faire et aurait
d'ailleurs tout fait pour lui éviter cette épreuve qui
l'attendait et que l'on nomme service militaire. Mais
Heinrich ne l'entendait pas de cette oreille. Il est
prouvé que derrière la porte verrouillée de la salle
de séjour se déroulaient de violentes discussions
dont Léni était exclue et au cours desquelles
Mme Gruyten gémissait doucement. Seule peut être
certifiée une déclaration de Heinrich clairement
entendue par Marja van Doorn à travers la porte :
« Merde, merde et merde, je veux être dans la merde
comme les autres ! » Or Margret étant absolument
certaine d'avoir pris le café chez les Gruyten en présence de Heinrich deux dimanches après-midi du
mois d'août, et le fait étant d'autre part établi
(exceptionnellement par Léni) que Heinrich n'eut

1. Service du Travail (N.d.T.).

70

son premier congé que fin mai, on peut en déduire sans risque d'erreur qu'il est revenu sept fois en tout chez lui pour y passer cent quatre-vingt-neuf heures environ, dont à peu près vingt-quatre à dormir et quatorze à se disputer avec son père. C'est au lecteur qu'il convient de décider si Heinrich doit compter ou non au nombre des favoris du sort. Quoi qu'il en soit, il a pris deux fois le café en compagnie de Margret avec laquelle il devait, quelques mois plus tard, partager une nuit d'amour. Dommage qu'on ne puisse garantir aucune déclaration de sa part, hormis le « merde, merde et merde, je veux être dans la merde comme les autres ». Ce garçon, également remarquable en latin, grec, rhétorique et histoire de l'art, n'a-t-il donc jamais écrit de lettres ? Si ! Sensible aux affectueuses supplications de l'auteur et subornée à l'aide de nombreuses tasses de café et de quelques paquets de cigarettes américaines sans filtre (à soixante-huit ans elle s'est mise à fumer et trouve ça merveilleux), Marja van Doorn a pour quelques heures prélevé dans la commode de Léni (celle-ci l'ouvre rarement) trois lettres qui ont pu être ainsi promptement photocopiées.

Sa première lettre, datée du 10/10/1939, deux jours après la fin de la campagne de Pologne, ne comporte aucune formule de politesse, ni au début, ni à la fin. Rédigée en caractères romains[1], d'une écriture très lisible, extraordinairement sympathique et intelligente, digne des meilleurs sujets, elle dit textuellement ceci :

« Le principe veut qu'on n'inflige pas à l'ennemi plus de souffrance que ne l'exige l'atteinte d'un objectif militaire donné.

1. Alors que les caractères gothiques avaient la faveur du régime (N.d.T.).

Il est en conséquence *interdit* :

1. D'utiliser du poison et autres armes toxiques.
2. D'assassiner.
3. De blesser ou d'abattre des prisonniers.
4. De refuser d'accorder la vie sauve.
5. D'utiliser des projectiles ou des armes causant d'inutiles souffrances, telles les balles dum-dum.
6. D'abuser du drapeau blanc, comme du drapeau national, des insignes militaires et uniformes de l'ennemi, de l'insigne de la Croix-Rouge (attention : sauf en cas de ruse de guerre !).
7. De détruire ou confisquer sans motif des biens ennemis.
8. De faire pression sur des ressortissants ennemis pour qu'ils combattent contre leur propre pays (voir : les Allemands de la Légion étrangère française). »

Dans la deuxième lettre datée du 13 décembre 1939, il est dit : « Un bon soldat se comporte vis-à-vis de ses supérieurs avec aisance, empressement, prévenance et attention. L'*aisance* de son maintien se manifeste par le naturel, la vivacité d'esprit et la joie dans l'accomplissement du devoir. Voici quelques exemples typiques d'une attitude *empressée, prévenante* et *attentionnée* : Si un supérieur entre dans votre chambrée pour demander un homme momentanément absent, ne pas se contenter de répondre que l'intéressé n'est pas là, mais courir à sa recherche. Si un supérieur laisse échapper un objet, se précipiter pour le ramasser (ne sortir toutefois du rang que sur autorisation). Si un supérieur s'apprête à allumer son cigare, lui tendre une allumette allumée. Lorsqu'un supérieur s'apprête à quitter votre chambrée, lui ouvrir la porte, puis la refermer doucement derrière lui. Lorsqu'un supérieur va enfiler son manteau ou mettre son ceinturon, monter en voiture ou en descendre, monter à cheval ou mettre pied à terre, lui venir en aide avec prévenance et attention. Une prévenance et une attention *exagérées* étant indignes d'un bon soldat (servilité), il ne doit jamais donner l'impression d'en faire trop et ne jamais se permettre d'offrir un cadeau à un supérieur ni de l'inviter. »

La troisième lettre, datée du 14 janvier 1940, est ainsi conçue : « Les ablutions doivent se faire torse nu. Le soldat se lave à l'eau froide. L'usage du savon est un critère de propreté. Doivent être lavés chaque jour : mains (plusieurs fois), visage, cou, oreilles, poitrine et aisselles. Les ongles seront nettoyés avec un cure-ongles (pas un couteau). Les cheveux seront portés aussi courts que possible et coiffés avec une raie. Une tête de caniche n'est pas martiale (voir image). (Remarque de l'auteur : l'image n'était pas jointe à la lettre.) Si besoin est, le soldat se rasera chaque jour. Il devra se présenter rasé de frais : à son tour de garde, aux inspections, à ses supérieurs et en toutes occasions exceptionnelles.

« Après chaque ablution, il doit se sécher *immédiatement* (se frictionner la peau jusqu'à ce qu'elle rougisse), ceci afin d'éviter les risques de refroidissement et de gerçures en cas de basse température. Ne pas mélanger serviette pour le visage et serviette pour les mains. »

Léni parle rarement de son frère. Elle l'a si peu connu qu'elle ne sait ni n'a jamais su en dire beaucoup plus sur son compte que : « Il me faisait un peu peur avec son immense savoir, aussi ai-je été très surprise de voir comme il était gentil, extraordinairement gentil » (propos garanti par Marja van Doorn).

M.v.D. avoue s'être aussi sentie intimidée par Heinrich en dépit de son « extrême gentillesse » envers elle. Il allait jusqu'à l'aider à remonter charbon et pommes de terre de la cave, toujours prêt aussi à lui donner un coup de main pour la vaisselle ou autres besognes domestiques; et « pourtant... il avait quelque chose en lui, voyez-vous, quelque chose... comment dire... peut-être... eh bien, oui, justement, quelque chose de très noble... et qui plus est il ressemblait à Léni ». Ce « qui plus est » mériterait un commentaire circonstancié dont l'auteur doit malheureusement faire son deuil.

« Noble », « allemand », « extraordinairement gentil », « d'une extrême gentillesse », cela nous avance-t-il beaucoup ? La réponse est assurément : non. Il ne nous reste finalement de lui qu'une image, pas même un portrait, et s'il n'y avait eu sa nuit d'amour avec Margret dans la petite mansarde d'une boîte de Flensburg et sa seule déclaration garantie (merde, etc.), s'il n'y avait ses lettres et puis aussi sa fin : fusillé à l'âge de vingt et un ans à peine en même temps que son cousin pour désertion, haute trahison (contacts avec des Danois) et « tentative de vente d'armes, propriété de la Wehrmacht » (un canon antichars), que nous resterait-il sinon le souvenir de deux jésuites fumeurs de pipe à la peau parcheminée presque jaune, « une fleur, une petite fleur qui fleurit toujours dans le cœur de Margret » et l'effroyable année de deuil 1940-41. Laissons alors à Margret le soin de prononcer sur lui le mot de la fin (bande magnétique) : « Je lui ai proposé de filer, de partir ensemble, nous aurions bien réussi à nous en tirer et même si j'avais dû faire le trottoir..., mais il ne voulait pas abandonner son cousin sous prétexte que celui-ci serait perdu sans lui et que nous n'avions d'ailleurs nulle part où aller. Et puis le décor bordélique de cette chambre avec ses abominables lampes rouges, ses sièges de peluche, sa literie rose et ses photos dégueulasses, c'était quand même répugnant. Il n'a pas pleuré... et qu'est-il arrivé ? Hélas ! Ça fleurit toujours en moi, ça fleurit...

et s'il avait atteint l'âge de soixante-dix ou de quatre-vingts ans, j'aurais continué à l'aimer tendrement. Et qu'est-ce qu'ils lui ont donné à bouffer ? L'Occident. Il est mort avec tout l'Occident dans le ventre — le Golgotha, l'Acropole, le Capitole (rire dément) — et le chevalier de Bamberg par-dessus le marché. C'est pour une telle connerie qu'a vécu un si merveilleux garçon. Une telle connerie... »

Lorsque, à la vue de la photo accrochée au mur, quelqu'un interroge Léni sur son frère, elle a coutume de prendre un air froid et distant et de se contenter de cette surprenante remarque : « Voici trente ans qu'il repose en terre danoise. »

Le secret de Margret a été évidemment bien gardé. Personne n'en a rien su, ni les jésuites, ni Léni, ni Marja van Doorn. L'auteur songe toutefois à engager Margret à le dévoiler elle-même à Léni un de ces jours. Ce pourrait être pour celle-ci une petite consolation de savoir que son frère, avant de mourir, a passé une nuit d'amour avec la jeune Margret. Elle sourirait probablement, et ce sourire lui ferait du bien. L'auteur ne possède aucune preuve des dons poétiques de Heinrich Gruyten, à moins que sa déclaration précédemment citée ne puisse éventuellement passer pour un exemple précoce de poésie concrète.

III

Pour connaître l'arrière-plan sur lequel se détache Léni, il nous faut à présent aborder un personnage devant lequel l'auteur éprouve un certain désarroi car, s'il a pu à son sujet mettre la main sur une abondante moisson de photos et un très grand nombre de témoins (plus nombreux même que pour Léni), il n'en reste pas moins qu'en dépit ou en raison de la profusion desdits témoins, l'image du personnage demeure imprécise. Il s'agit du père de Léni, Hubert Gruyten, mort en 1949 à l'âge de quarante-neuf ans. Outre en effet les personnes qui furent directement liées à l'existence de celui-ci — tels Marja van Doorn, le vieux Hoyser, Lotte Hoyser, Léni, les beaux-parents et le beau-frère de Léni — l'auteur a réussi à dénicher vingt-deux témoins qui l'ont connu dans les circonstances les plus diverses, la plupart ayant travaillé pour lui à une exception près en qualité de subordonnés, soit dix-huit architectes, juristes et autres rattachés à l'industrie du bâtiment et quatre à la fonction publique parmi lesquels figure un retraité du personnel pénitentiaire. Puisque, à l'exception d'un seul, tous ces témoins aujourd'hui âgés de quarante-cinq à quatre-vingts ans lui étaient subordonnés, peut-être vaudrait-il mieux ne pas les entendre avant d'avoir pris connaissance de quelques éléments de la biographie de Hubert Gruyten. Né en 1899 et maçon de son état, il participa un an durant à la première guerre mondiale « sans grade ni entrain » (dixit Hoyser senior), passa contremaître dès la fin des hostilités, fit en 1919 un mariage « au-dessus de sa condition » en épousant la mère de Léni, fille d'un architecte voyer d'assez haut rang (directeur du Département des travaux de bâtiment). Hélène Barkel lui apporta en dot un paquet de titres des chemins de fer turcs qui ne valaient plus un clou mais en revanche un excellent immeuble de rapport fort bien situé, celui précisément où Léni devait voir le jour. Ce fut elle en outre qui, pressentant « ce qu'il avait dans le ventre » (Hoyser sen.), l'incita à suivre les cours d'une école de travaux publics; trois ans d'études dont le père Gruyten entendait sans plaisir sa femme les qualifier d'« années d'étudiant », car elle aimait évoquer sa « vie estudiantine » comme une période « dure mais belle », chose que son mari était loin d'apprécier, ne s'étant manifestement jamais senti dans la peau d'un étudiant. Ses études terminées, il fut de 1924 à 1929 un conducteur de travaux très recherché, parfois même pour d'assez importants ouvrages (non sans l'appui de son beau-père). En 1929 il fonda une entreprise de construction, louvoya jusqu'en 1933 pour éviter la faillite mais à dater de là entama une courbe ascendante dont le point culminant se situe au début de 1943. De là et jusqu'à la fin de la guerre, il passa deux ans en prison ou plus exactement dans un camp de travail. De retour chez lui en 1945, vidé de toute ambition, il se contenta de mettre sur pied une petite entreprise de maçonnerie qui lui permit de « se maintenir confortablement à la surface » (Léni) jusqu'à sa mort en 1949. Il s'occupa en outre de travaux de « démolition » (dito).

Interrogés sur les éventuels motifs de l'ambition professionnelle de Hubert Gruyten, les témoins extra-familiaux divergent d'opinion, dix d'entre eux contestant cette ambition alors qu'à l'inverse les douze autres la considèrent comme un « trait fondamental de son caractère ». Mais *tous* font bloc avec le vieux Hoyser pour contester que Hubert Gruyten ait jamais été si peu que ce soit doué pour l'architecture; ils vont même jusqu'à lui dénier le moindre don pour « les choses du bâtiment en général ». En revanche et de l'avis de tous, il semble avoir été un excellent organisateur et coordinateur qui, même à l'époque où son entreprise comptait près de dix mille salariés, « n'en a jamais perdu la vue d'ensemble » (Hoyser). Mais, fait assez remarquable, sur les vingt-deux témoins extra-familiaux, cinq (dont deux du parti « sans-ambition » et trois de celui du « trait fondamental ») l'ont, indépendamment les uns des autres, qualifié de « rêveur ». Interrogés sur le pourquoi d'une aussi surprenante définition, trois d'entre eux se contentèrent de répondre : « Eh bien oui, c'était un rêveur... un rêveur est un rêveur. » Seuls deux témoins daignèrent fournir quelques précisions complémentaires sur la nature de la « rêverie » du père Gruyten. Heinken, ancien architecte et conservateur des bâtiments publics, aujourd'hui retraité et retiré à la campagne où il se consacre à la culture des fleurs et à ses abeilles (chose curieuse, il n'a cessé tout au long de l'entrevue d'affirmer sa haine des poules, la même remarque « J'ai horreur des poules » revenant dans une phrase sur deux), la qualifie de rêverie existentielle caractérisée : « Si vous voulez mon avis, c'était un rêveur existentiel en conflit permanent avec une quelconque morale qui lui barrait la route. » Le second témoin, spécialiste de la statique âgé d'une cinquantaine d'années et toujours en pleine activité (à présent au service du gouvernement fédéral), s'est exprimé en ces termes : « Nous le considérions tous à juste titre comme un être doué d'énormément d'entregent. Etant moi-même exactement tout le contraire (aveu spontané, mais non moins véridique — l'auteur), je le respectais et l'admirais d'autant plus. La façon dont cet homme, d'origine pourtant fort modeste, savait négocier avec les gens les plus haut placés, les traitant d'égal à égal sans jamais perdre son assurance, m'émerveillait par-dessus tout. Et bien souvent pourtant, en allant le trouver — et j'avais très fréquemment besoin de le faire — je le surprenais assis à son bureau, le regard fixe, perdu dans un rêve... oui, j'en suis sûr, dans un rêve sans rapport aucun avec ses affaires. C'est lui qui m'a fourni l'occasion de méditer sur l'injustice que nous autres, gens dépourvus d'entregent, commettons souvent à l'égard de ceux qui en possèdent. »

Interrogé à son tour sur ce qu'il pensait de cette épithète de « rêveur » accolée au père Gruyten, le vieux Hoyser leva un regard surpris avant de déclarer : « L'idée ne m'en serait jamais venue, mais maintenant que vous me le dites, je dois avouer qu'il y a là non seulement du vrai mais que ça me semble même très pertinent. Je l'ai bien connu, voyez-vous, il était mon cousin et c'est moi qui l'ai tenu sur les fonts baptismaux. Après la guerre (il s'agit de la première guerre mondiale — l'auteur) je l'ai un peu aidé, et plus tard c'est lui qui m'a soutenu de la plus généreuse façon. Quand il a fondé son entreprise et bien que j'eusse alors près de quarante ans déjà, il m'a aussitôt pris avec lui. J'ai commencé par être son chef comptable, puis son fondé de pouvoir avant de devenir finalement son associé. Il riait rarement, c'est vrai. Il y avait aussi en lui beaucoup d'un joueur. Et quand la catastrophe s'est produite, je n'ai pas compris ses raisons d'agir comme il l'a fait, mais peut-être l'épithète de rêveur peut-elle l'expliquer. N'empêche (rire mauvais) que ce qu'il a fait plus tard avec notre Lotte n'avait vraiment rien d'une rêverie ! »

Aucun des vingt-deux anciens collaborateurs

encore en vie de Hubert Gruyten ne conteste sa bonté. « Il était d'un commerce agréable, peu expansif mais toujours aimable. »

Rapporté par deux témoins interrogés séparément, un certain propos tenu par Gruyten en 1932, probablement quelques semaines après la chute du chancelier Brüning alors qu'il se trouvait lui-même au bord de la faillite, peut être considéré comme authentique. Voici comment le rapporte Marja van Doorn : « Mes enfants, ça sent le béton, le ciment par milliards de tonnes, le bunker et la caserne! » Tandis que Hoyser le rapporte en ces termes : « Ça sent le bunker et la caserne, mes enfants, la caserne pour deux millions de soldats au moins. Alors, à condition de tenir six mois encore, nous sommes bons! »

Vu la profusion des renseignements recueillis sur le père Gruyten, il n'est pas possible de désigner ici nommément chacun de nos informateurs. Mais il va de soi que l'auteur n'a pas marchandé sa peine en vue d'obtenir sur ce personnage pourtant de second plan une information aussi objective que possible.

C'est avec une certaine prudence qu'il faut considérer les témoignages de Marja van Doorn relatifs au père Gruyten. Comme elle avait (a) sensiblement le même âge et venait (vient) du même village que lui, il n'est pas exclu en effet que l'ayant aimé ou ayant eu pour le moins des vues sur lui, elle soit donc de parti pris. Toujours est-il qu'à l'âge de dix-neuf ans, elle entra comme bonne à tout faire au service de Hubert Gruyten jeune marié qui, six mois plus tôt, avait enflammé le cœur d'Hélène Barkel (dix-sept ans) au bal des architectes auquel l'avait invité le père de celle-ci. Etait-il aussi passionnément épris d'elle qu'elle l'était de lui? L'auteur n'a pu s'en assurer. Gruyten avait-il bien fait d'introduire dans son tout jeune ménage cette petite paysanne de dix-neuf ans connue pour sa vitalité aussi indomptable qu'indomptée ? La chose peut paraître douteuse. Ce qui en revanche ne l'est pas, c'est que Marja décrit presque toujours la mère de Léni en termes négatifs, alors qu'elle voit constamment son père sous un éclairage iconolâtrique voisin de celui diffusé par la petite lampe à huile, le cierge, la bougie électrique ou le tube de néon disposé devant une image du Sacré-Cœur de Jésus ou de saint Joseph. Certains propos de Marja van Doorn permettent même de penser qu'elle eût été prête, le cas échéant, à vivre avec Hubert Gruyten un amour adultère. Lorsqu'elle a par exemple déclaré qu'à partir de 1927, quand « leur union était devenue précaire », elle s'était sentie prête à offrir à cet homme tout ce que son épouse ne pouvait ou ne voulait plus lui donner, l'allusion est quand même assez précise, et lorsqu'elle s'accompagne de cette remarque, si timidement murmurée soit-elle, « J'étais encore une jeune femme à l'époque », rien ne laisse plus à désirer sur le plan de la précision. Aussitôt interrogée d'ailleurs sur le point de savoir si elle entendait par là que c'en était fini entre les époux de ces rapports intimes considérés comme la pierre de touche de l'entente conjugale, Marja van Doorn répondit avec sa stupéfiante spontanéité : « Oui, c'est ainsi que je l'entends. » Et ce que l'auteur put lire alors dans ses yeux bruns encore tellement expressifs l'autorise à penser qu'elle n'avait pas seulement acquis cette certitude en observatrice de la vie familiale mais aussi comme responsable du linge de maison. A la question suivante : Hubert Gruyten avait-il, à son avis, « cherché ailleurs un réconfort » ? elle le nia formellement, ajoutant (l'auteur est presque certain d'avoir décelé dans sa voix un sanglot étouffé) : « Il a vécu dès lors comme un moine, comme un moine, et Dieu sait pourtant qu'il n'en était pas un ! »

L'examen des photos de feu Hubert Gruyten — l'auteur a laissé de côté celles de sa prime jeunesse et la première sur laquelle il ait porté son attention est une photo de groupe datant de la fin de sa scolarité — nous le montre en 1913 sous l'aspect d'un adolescent grand, svelte et blond à l'air décidé, au long nez et aux yeux foncés, bien moins raide que ses condisciples qui ont tous l'air de jeunes recrues, si bien qu'on n'a aucun mal à croire en ce qui le concerne à l'hypothèse formulée en termes identiques — de vive voix seulement et de façon presque mythique — par son professeur, son curé et sa famille : « Ce garçon-là arrivera sûrement à quelque chose. » A quoi ? La photo suivante, datant de 1917, nous le montre à dix-huit ans à la fin de son apprentissage; l'épithète de « rêveur » qu'on allait lui appliquer plus tard trouve sur ce cliché matière à exercer notre psychologie. Car il est visible au premier coup d'œil que le jeune Gruyten est un garçon sérieux et que sa bonté si aisément décelable n'est qu'en apparente contradiction avec un esprit de décision et une force de caractère tout à fait évidents. Comme toutes les photos — jusqu'aux ultimes, prises en 1949 avec son minable appareil par Heinrich Pfeiffer, beau-frère de Léni dont nous avons déjà eu l'occasion de parler — nous le montrent de face, la longueur disproportionnée du nez par rapport au reste du visage n'est jamais visible ni vérifiable, et comme le fameux peintre naturaliste qui a fait son portrait en 1941 (huile sur toile; pas mal du tout, en dépit d'une certaine platitude — tableau que l'auteur a réussi à dénicher dans la collection privée de gens si parfaitement antipathiques qu'il n'a pu le regarder qu'un court instant), comme ce peintre donc n'a même pas su profiter d'une occasion peut-être unique de représenter Gruyten légèrement de trois quarts, on en est réduit à supposer qu'une fois dépouillé de ses frusques à la mode du jour, il aurait probablement eu l'air de sortir tout droit d'un tableau de Jérôme Bosch.

Si Marja n'a fait qu'une allusion discrète aux secrets du linge de maison, elle a en revanche dévoilé sans vergogne ceux de la cuisine : « Elle n'aimait pas les plats relevés alors qu'il en raffolait... ça a tout de suite provoqué des difficultés car j'étais obligée de faire deux assaisonnements différents, léger pour elle et épicé pour lui. Finalement, il en est venu à rajouter lui-même à table les condiments manquants. Au village déjà, quand il était enfant, chacun savait lui faire un plus grand plaisir en lui offrant un cornichon au vinaigre plutôt qu'un morceau de gâteau. »

Une autre photo digne d'attention nous montre le jeune ménage en voyage de noces à Lucerne. Sans aucun doute possible, Hélène Gruyten née Barkel est ravissante, fine, gracieuse et distinguée. Il suffit de la regarder pour se convaincre d'un certain nombre de choses qu'aucun des initiés ne conteste d'ailleurs, pas même Marja : elle possède bien son Schumann et son Chopin, parle assez couramment le français, sait broder, faire du crochet, etc. Et l'on s'aperçoit aussi, il faut en convenir, qu'elle aurait eu peut-être l'étoffe d'une intellectuelle de gauche. Elle n'a évidemment jamais — selon les bons préceptes — « touché » à Zola, aussi peut-on aisément imaginer ce que dut être son indignation lorsque, huit ans plus tard, sa fille Léni l'interrogea sur sa *digestion*. Il est probable que pour elle Zola et les excréments participaient du même domaine. Peu faite sans doute pour la médecine, elle n'aurait en revanche certainement éprouvé aucune difficulté à passer un doctorat d'histoire de l'art. Soyons juste toutefois : eût-elle bénéficié d'éléments de base qui lui furent refusés, eût-elle reçu une instruction conçue de façon moins élégiaque et plus analytique, lui eût-on enfin épargné toutes les afféteries qui émaillaient sa vie de pensionnaire, peut-être après tout eût-elle pu faire un bon médecin. Il est certain que si des ouvrages aussi frivoles que ceux de Proust ou de Joyce s'étaient trouvés à portée de sa main, elle aurait plus volontiers lu le premier que le second. Cela dit, elle lisait Enrica von Handel-Mazetti, Marie von Ebner- Eschenbach ainsi que l'hebdomadaire catholique illustré (celui qui a depuis lors pris de la valeur et ne doit sa survie qu'à l'ignorance des huissiers) *alors* le plus moderne des plus modernes de sa catégorie; si l'on sait par ailleurs que ses parents lui offrirent pour ses seize ans un abonnement à la revue *Hautes Terres,* on s'aperçoit finalement qu'elle se nourrissait de lectures non pas quelque peu mais extrêmement progressistes. La revue *Hautes Terres* devait la renseigner au mieux sur le passé et le présent de l'Irlande; des noms comme ceux de Pearse et de Connoly, voire de Larkin et de Chesterton ne lui étaient certainement pas inconnus; et par sa sœur Irène Schweigert née Barkel, qui à l'âge de soixante-quinze ans « attend tranquillement la mort » (sa propre formule) dans une maison de retraite pour dames comme il faut en compagnie de perruches à la voix flûtée, il est prouvé que la mère de Léni fut dans sa jeunesse « l'une des premières sinon toutes premières lectrices de traductions allemandes des poèmes de William Butler Yeats et très certainement — je le sais d'autant mieux que c'est moi qui les lui ai offertes — des œuvres en prose de Yeats et bien sûr de Chesterton parues en 1912 ». Il n'est évidemment pas question d'utiliser pour ou contre qui que ce soit sa culture ou son manque de culture littéraire, il s'agit simplement d'éclairer par là un arrière-plan qui vers 1927 présente déjà des ombres tragiques. Un examen attentif de la photo prise en 1919 à Lucerne prouve irréfutablement que, quoi qu'on ait pu refouler chez la mère de Léni, ce ne fut sûrement pas l'hétaïre. Elle ne paraît en effet ni très sensuelle ni regorgeante d'hormones, alors que lui en déborde visiblement. Il se pourrait fort bien que ces deux jeunes gens — de l'amour réciproque desquels il serait inadmissible de douter — se soient lancés sans la moindre expérience érotique dans l'aventure du mariage et il n'est nullement exclu qu'au cours des premières nuits Hubert Gruyter se soit montré sinon brutal, du moins un peu trop impatient.

Quant à la culture littéraire de ce dernier, l'auteur ne voudrait pas se fier au seul jugement d'un concurrent connu pour être en matière de construction un « géant de la profession » et qui a textuellement déclaré : « Lui et les livres ?... Ma foi, il se peut que son grand-livre l'ait intéressé ! » Il n'en demeure pas moins certain que Hubert Gruyten a fort peu lu, sinon par nécessité quelques ouvrages spécialisés pendant ses études d'ingénieur et une biographie de Napoléon à grand tirage. A part cela (ainsi qu'en témoignent les déclarations identiques de Marja et de Hoyser) « le journal et plus tard la radio lui suffisaient ».

Le fait d'avoir enfin réussi à dénicher la vieille Mme Schweigert permit de tirer au clair une formule de Marja qui, voltigeant de-ci de-là, demeurait inexplicable et inexpliquée quoique figurant depuis si longtemps sur le bloc-notes de l'auteur qu'il faillit bien l'y biffer d'impatience. Ladite formule accusait Mme Gruyten d'avoir été « complètement folle de ses Finnois ». Or aucun des témoignages entendus n'ayant permis de découvrir le moindre rapport de cette femme avec la Finlande, c'était donc certainement des « Fenians » que Marja voulait parler, car l'amour de Mme Gruyten pour l'Irlande revêtit plus tard des formes romantiques et parfois même sentimentales. Yeats en tout cas fut et resta son poète préféré.

Aucune lettre de Gruyten à sa femme ou vice-versa ne nous étant parvenue qui pût nous éclairer sur leur amour, mais seulement les déclarations très sujettes à caution de Marja van Doorn, nous en sommes par force réduits à l'analyse nécessairement superficielle de la photo prise lors du voyage de noces au bord du lac de Lucerne. Analyse dont le résultat ne peut guère s'exprimer que sous une forme négative : voilà un couple qui ne semble pas vivre en parfaite harmonie sur le plan érotique ni même simplement sexuel. Vraiment pas. On découvre déjà sur cette photo ce que bon nombre de clichés ultérieurs confirmeront : si Heinrich tenait surtout de sa mère, Léni tient plutôt de son père même si, côté condiments, petits pains, goûts poétiques et musicaux, elle semble se rapprocher de sa mère. A la question hypothétique de savoir quel genre de progéniture eût pu naître d'une union éventuelle entre Marja van Doorn et Hubert Gruyten, il est plus facile de répondre là aussi sous une forme négative que positive : sûrement pas des enfants dont, après plusieurs décennies, des religieuses et des jésuites à la peau parcheminée se seraient immédiatement souvenus.

Quels qu'aient pu être entre les deux époux les malentendus, voire les erreurs commises, tous ceux qui les ont intimement connus, la pourtant jalouse Marja van Doorn comprise, sont formels sur deux points : lui de son côté n'a jamais manqué à l'égard de sa femme de correction, de galanterie ni même simplement de délicatesse, tandis que du sien, la chose semble prouvée, celle-ci le « portait aux nues ».

La vieille Mme Schweigert née Barkel, qui n'évoque vraiment en rien ni Yeats ni Chesterton, a franchement admis qu'elle n'avait guère tenu à entretenir de relations avec son beau-frère ni même avec sa sœur, après leur mariage. Elle aurait de beaucoup préféré voir Hélène épouser un poète, un peintre, un sculpteur ou pour le moins un architecte. Sans déclarer ouvertement qu'elle trouvait Gruyten trop vulgaire, elle a eu recours aussi à la forme négative : « Pas assez raffiné. » Interrogée sur Léni, elle n'a prononcé que deux tout petits mots : *ma foi!* et bien qu'instamment priée d'en dire davantage, elle s'en est tenue à son *ma foi!* alors qu'elle n'a pas hésité à qualifier Heinrich, lui, de vrai Barkel. Et bien qu'il ait été... « pratiquement responsable de la mort de mon fils Erhard qui ne se serait jamais lancé de son propre chef dans pareille aventure », la chose n'a pas réussi à diminuer la sympathie qu'il lui inspire encore. C'était, dit-elle, « un garçon excessif, très excessif, mais si doué, presque génial » ! Et l'auteur eut l'impression confuse qu'elle ne déplorait pas outre mesure la mort prématurée de son fils, s'en tenant de préférence à des expressions comme « période fatidique », sans compter qu'elle usa même à l'égard des deux garçons d'une formule extrêmement bizarre qui entraîna l'auteur dans toute une série de recherches et vérifications historiques. Elle déclara en effet textuellement : « On les eût dit tous deux tombés à Langemarck. » Si l'on songe à la problématique de Langemarck, à la problématique du mythe de Langemarck, si l'on songe aussi à la différence entre 1914 et 1940 et si l'on songe enfin à quatre douzaines environ de malentendus fort complexes qui ne sauraient tous être exposés ici, peut-être comprendra-t-on que l'auteur ait poliment mais fraîchement pris congé de Mme Schweigert tout en se réservant bien entendu la possibilité de la revoir. Et ayant plus tard appris à travers les témoignages de Hoyser que M. Schweigert, jusque-là demeuré dans une ombre suspecte, après avoir été grièvement blessé à Langemarck — « absolument criblé de balles » (Hoyser) — dut passer trois ans dans un hôpital militaire, qu'il épousa en 1919 Irène Barkel qui l'avait soigné comme infirmière bénévole, que de cette union naquit leur fils Erhard, mais que ledit Schweigert — « morphinomane invétéré et si amaigri que c'était à peine s'il pouvait encore trouver un endroit où planter son aiguille » (Hoyser) — mourut en 1923 à l'âge de vingt-sept ans (profession : étudiant), l'auteur a donc de bonnes raisons de penser que cette très grande dame a plus d'une fois souhaité dans le secret de son âme que son mari fût tombé à Langemarck. Elle a gagné sa matérielle comme courtière en terrains à bâtir.

A partir de 1933 l'affaire de Gruyten suit une ligne ascendante régulière qui devient soudain abrupte à partir de 1935 et enfin verticale dès 1937. Au dire de ses anciens collaborateurs et de quelques experts, il avait gagné des sommes astronomiques dans la construction du mur de l'Atlantique; mais il faut dire que, d'après Hoyser, il s'était dès 1935, longtemps donc avant de pouvoir les mettre à l'œuvre, « assuré à prix d'or le concours des meilleurs spécialistes disponibles en matière de forteresses et bunkers. Nous avons toujours travaillé avec des crédits dont aujourd'hui encore l'importance me donne le vertige. Gruyten avait tout bonnement misé sur ce qu'il nommait le complexe Maginot dont souffraient tous les hommes d'Etat. Même quand le mythe Maginot aura été depuis longtemps détruit, me disait-il, il continuera d'agir sur les esprits, encore et toujours. Luxe dont les Russes sont seuls exempts, l'étendue de leurs frontières le leur interdisant; mais est-ce pour leur bonheur ou leur malheur? L'avenir seul le dira. Hitler en tout cas en souffre, même s'il prône et pratique la guerre de mouvement; et il a *pour lui-même* le complexe du bunker et de la forteresse, tu verras! » (Propos tenu au début de l'année 1940, donc avant la conquête du Danemark et de la France).

Quoi qu'il en soit, dès 1938 l'importance de l'entreprise Gruyten avait sextuplé par rapport à 1936 après avoir déjà sextuplé par rapport à 1932; en 1940 elle avait doublé depuis 1938 et « en 1943 il n'aurait même plus été possible d'en évaluer le volume » (Hoyser).

Le père Gruyten possédait une qualité confirmée par tous, fût-ce au moyen de deux vocables différents, les uns le disant « courageux » et les autres « intrépide ». Une infime minorité de deux ou trois personnes l'accusent de mégalomanie. Les experts relèvent aujourd'hui encore qu'il avait sans nul doute embauché longtemps à l'avance les meilleurs spécialistes des bunkers et plus tard fait appel sans le moindre scrupule à certains ingénieurs et techniciens français ayant participé à la construction de la Ligne Maginot. « Il était persuadé qu'en période d'inflation une politique d'économie en matière de salaires et d'appointements était une absurdité » (d'un ancien haut fonctionnaire de l'armement désireux de conserver l'anonymat). Gruyten payait bien. Il avait à l'époque considérée quarante et un ans. Des complets sur mesure taillés « dans des étoffes coûteuses quoique jamais d'un prix exorbitant (Lotte Hoyser) avaient fait d'un homme de belle apparence un monsieur de belle prestance »; il n'avait même pas honte de sa qualité de nouveau riche, allant jusqu'à déclarer à l'un de ses collaborateurs (Werner von Hoffgau, architecte de vieille souche) : « Toute fortune a eu son commencement, même la vôtre. » Mais jamais Gruyten n'accepta de se construire une villa dans le quartier jugé de bon ton à l'époque par tous les nouveaux riches.

Il serait inexcusable de considérer le Gruyten de

cette époque comme un ambitieux simplet et balourd. Il possède entre autres une faculté qui ne peut ni se transmettre ni s'apprendre : il sait juger les hommes. Tous ses collaborateurs, architectes, ingénieurs ou cadres commerciaux l'admirent et pour la plupart le respectent aussi. Il conçoit soigneusement l'instruction comme l'éducation de son fils et surveille de près qu'elles soient assurées selon ses vues. Il va souvent voir l'enfant qu'il ramène pourtant rarement à la maison car il ne veut pas — surprenante déclaration, toutefois garantie par Hoyser — qu'il se salisse au contact du monde des affaires. « Il songeait pour lui à une carrière d'érudit, pas de simple professeur, mais plutôt du genre de celle de cet homme pour lequel nous avions construit une villa » (Hoyser — d'après lequel il s'agissait d'un spécialiste des langues romanes assez connu et dont la bibliothèque, les relations, « les rapports humains directs et cordiaux » ont dû en imposer au père Gruyten). Il constate non sans agacement qu'à l'âge de quinze ans son fils... « ne sait pas encore aussi bien l'espagnol que je le souhaiterais ».

S'il est une pensée qui ne l'a jamais effleuré, c'est bien celle de considérer sa fille comme une petite dinde. La flambée de colère de Léni le jour de sa première communion, loin de l'avoir irrité, l'a fait rire aux éclats (phénomène extrêmement rare chez lui); il a ensuite commenté l'incident par ces simples mots : « Cette enfant sait très bien ce qu'elle veut » (Lotte H.).

Tandis que sa femme se fane de jour en jour et devient quelque peu pleurnicheuse, un tantinet bigote même, lui aborde ses « meilleures années ». Il n'a jamais souffert ni ne souffrira jusqu'à la fin de ses jours d'un complexe d'infériorité. Il se peut qu'il ait poursuivi des rêves, c'est même certain en ce qui concerne son fils (voir son impatience devant l'insuffisance de ses progrès en espagnol). Treize ans après la cessation (selon Marja van Doorn) de tous rapports conjugaux entre sa femme et lui, il ne la trompe toujours pas. Il éprouve par ailleurs pour les grivoiseries une surprenante aversion qu'il n'hésite pas à manifester ouvertement à ces fameuses « soirées entre hommes » auxquelles, de temps à autre, il est bien obligé de participer, lorsque vers deux ou trois heures du matin est inévitablement atteint le stade où l'un des convives réclame une « Circassienne au sang chaud ». En matière de grivoiseries et de « Circassiennes », lorsque sa réserve lui vaut quelques sarcasmes, Gruyten les encaisse sans broncher (Werner von Hoffgau qui, pendant un an, l'a plusieurs fois accompagné à ce genre de soirées).

Quel genre d'homme est-ce donc là, se demande certainement le lecteur de plus en plus impatienté, quel genre d'homme est-ce donc là qui, vivant pour ainsi dire comme un moine, gagne de l'argent dans les préparatifs de guerre et continue d'en gagner une fois celle-ci déclarée, cet entrepreneur dont le chiffre d'affaires (d'après Hoyser) est passé d'environ un million par an en 1935 à un million par mois en 1943, et qui en 1939 — alors que ledit chiffre d'affaires devait bien en être déjà au million par trimestre — a tout essayé pour soustraire son fils à un événement qui faisait sa fortune ?

En 1939 et 1940 règne un climat d'irritation voire même de hargne entre père et fils. Celui-ci, descendu des trois monts d'Occident et de retour au pays, trouve bien quelques instants — à la demande instante de son père qui à cette fin a versé de substantiels honoraires à un jésuite espagnol — pour lire Cervantes dans le texte, mais n'en passe pas moins le plus clair de son temps à assécher des marais quelque part à quatre heures de chemin de fer de chez lui. Entre juin et septembre 1939 Heinrich passe environ sept permissions en famille et environ cinq entre fin septembre 1939 et début avril 1940. Il refuse obstinément de profiter de ce que son père a *le bras long* bien que celui-ci le lui ait ouvertement proposé et « donc n'aurait eu aucun mal à le faire affecter à un emploi adéquat » (les citations sont de Hoyser et Lotte) ou à obtenir sa libération définitive comme étant au service d'une entreprise indispensable à l'effort de guerre. Qu'est-ce donc que ce fils qui, lorsque son père l'interroge au petit déjeuner sur ses conditions d'existence à l'armée, tire de sa poche le petit livre de Reibert *Instruction militaire, édition pour les unités antichars,* revue et corrigée par un certain commandant Allmendiger, pour en lire à haute voix un extrait qu'il n'ait pas encore communiqué par lettre, long de près de cinq pages et intitulé « Marques de Respect », lequel décrit par le menu toutes les façons de saluer selon que le militaire est assis, couché ou debout, à pied, à cheval ou en voiture, non sans indiquer de façon précise qui doit saluer qui et comment ? Il faut se rappeler que le père en question ne passe pas son temps à attendre tranquillement chez lui la venue de son fils mais que, disposant désormais pour ses déplacements d'un avion officiel (Léni adore voler !), c'est un homme fort occupé, voire surchargé de tâches écrasantes et qui, pour ne pas manquer les visites de son fils bien-aimé, doit s'évertuer à se libérer en renonçant le cas échéant à d'importants colloques ou en décommandant une entrevue avec quelque ministre (!) sous divers prétextes souvent cousus de fil blanc (rendez-vous chez le dentiste, etc.)... et ce pour s'entendre finalement lire les instructions relatives au salut militaire rédigées par un certain Reibert, revues et corrigées par un certain Allmendiger, par la voix d'un fils bien-aimé qu'il verrait de préférence directeur de l'Institut d'histoire de l'art ou au besoin d'archéologie à Rome ou à Florence.

Est-il encore besoin de souligner que ces « pauses café, petits déjeuners et déjeuners étaient pour tous leurs participants non seulement inconfortables mais aussi de plus en plus éprouvants et finalement intolérables » (Lotte Hoyser)? Alors âgée de vingt-six ans, Lotte Hoyser née Berntgen, belle-fille du fondé de pouvoir et chef comptable Otto Hoyser déjà souvent cité, était la secrétaire de Hubert Gruyten qui employait aussi, mais sporadiquement, son mari Wilhelm Hoyser, dessinateur industriel. Du fait que Lotte occupait déjà ses fonctions auprès de Gruyten au cours des mois décisifs de l'année 1939 et assistait parfois aux petites pauses café en même temps que le fils venu en permission, peut-être convient-il de mentionner en passant le jugement qu'elle porte sur le père Gruyten : « Absolument fascinant mais néanmoins, à l'époque, un criminel. » Le vieux Hoyser s'enorgueillit volontiers d'une relation érotique, quoique naturellement platonique, entre sa belle-fille et Gruyten : « D'à peine quatorze ans sa cadette, elle avait tout à fait sa place dans la sphère érotique de Gruyten. » Une certaine théorie a même fait son chemin (chose curieuse, lancée par Léni, s'il faut en croire un témoin toutefois douteux, Heinrich Pfeiffer) selon laquelle Lotte « était vraisemblablement alors pour mon père la vivante image de la séduction, ce qui ne veut pas dire *séductrice* ». Quoi qu'il en soit, Lotte qualifie d'« absolument épouvantables et même insupportables » ces réunions familiales autour d'une tasse de café vers lesquelles le père Gruyten avait parfois dû « s'envoler » de Berlin ou Munich sinon même Varsovie. Quant à Marja van Doorn, elle dit des repas pris en commun qu'ils étaient « effrayants, tout bonnement effrayants », tandis que Léni se contente de ce commentaire : « C'était vraiment moche. »

Même les dires d'un témoin aussi partial que Marja van Doorn nous prouvent que les brefs séjours de Heinrich à la maison « ravageaient madame Gruyten, incapable de faire face à une telle situation ». Lotte Hoyser parle sans ambiguïté d'une « variante intellectuelle du parricide » et affirme que l'intentionnelle subversion politique dissimulée sous les citations du dénommé Reibert avait « d'autant plus affecté Gruyten qu'il était lui-même mêlé à la politique par ses contacts avec des dirigeants (prenant ou ayant pris connaissance de décisions politiques ultra-secrètes, telle celle de bâtir des casernes en Rhénanie bien avant sa remilitarisation ou le projet de construction de gigantesques abris antiaériens) et donc désirait surtout ne pas entendre parler de politique chez lui ».

Ces trois douloureux trimestres furent moins pesants pour Léni que pour son entourage, sans doute parce qu'elle ne leur accorda pas la même attention. Il faut dire qu'à cette époque — vers juillet 1939 — elle exauça un homme... non, l'*aurait* exaucé s'il l'en avait priée. Sans doute ignorait-elle s'il était vraiment *celui* qu'elle appelait aussi ardemment de ses vœux, mais elle était sûre en revanche de ne pouvoir l'apprendre que le jour où il lui aurait demandé de l'exaucer. L'homme en question était son cousin, Ehrard Schweigert, fils de la victime de Langemarck et de cette grande dame qui nous a dit de lui qu'il avait l'air d'y être tombé lui-même. Après avoir, « en raison d'un tempérament extrêmement sensible et nerveux » (sa mère), échoué devant la paroi abrupte du baccalauréat, Erhard s'était même vu temporairement refuser l'accès d'une institution pourtant aussi impitoyable que le « Reichsarbeitsdienst »; il avait alors décidé d'embrasser une carrière « pour laquelle il n'éprouvait pourtant que répugnance » (déclaration personnelle d'Erhard rapportée par Marja van Doorn), celle d'instituteur; il se préparait en privé à l'examen d'aptitude professionnelle lorsque, contre toute attente, il fut soudain requis par la susdite institution où il retrouva son cousin Heinrich; celui-ci le prenant alors sous son aile essaya, assez ouvertement même à l'occasion de leurs permissions, de l'accoupler avec sa sœur Léni. « Il leur offrait le cinéma en invoquant quelque prétexte pour ne pas les y accompagner, leur fixait rendez-vous après la séance en s'arrangeant pour leur faire faux bond » (Marja van Doorn). Passant ainsi l'essentiel sinon la totalité de ses permissions chez les Gruyten, Erhard ne rendait que de rares et brèves visites à sa mère, laquelle en ressent aujourd'hui encore une vive amertume. Elle rejette avec indignation l'idée d'un éventuel lien amoureux « assorti d'intentions sérieuses » entre Léni et son fils. « Non, non et non ! » (pas cette fille *ma-foi*). Il n'en demeure pas moins incontestable que dès sa première permission — en mai 1939 — Erhard a voué un véritable culte à Léni. Nous possédons à ce propos de solides témoignages, celui de Lotte Hoyser en particulier; elle admet sans ambages que « ce garçon-là aurait certainement mieux valu que ceux qui sont venus par la suite, que celui de 1941 en tout cas. Mais peut-être pas mieux après tout que celui de 1943 ». Elle a, de son propre aveu, tenté à plusieurs reprises d'attirer Léni et Erhard chez elle pour les y laisser seuls « afin que, bon sang, ça finisse par se faire ! Que diable, ce garçon de vingt-deux ans était parfaitement sain et si gentil ! Quant à Léni — je vous le dis très franchement — elle était mûre pour l'amour; elle était déjà femme à l'époque et même splendidement femme... mais vous n'imaginez pas la timidité de ce jeune Erhard ! »

Pour éviter que ne surgissent de nouveaux malentendus, il convient de brosser sans tarder un portrait de Lotte Hoyser. Née en 1913, taille 1,64 m, poids 60 kg, cheveux bruns grisonnants, un peu pète-sec, douée pour la dialectique quoique sans formation adéquate, elle est remarquablement franche, plus franche encore que Margret. Entretenant déjà au temps d'Erhard d'assez étroites relations avec les Gruyten, elle apparaît comme un témoin beaucoup plus sûr que Marja van Doorn, laquelle, pour tout ce qui touche à Léni, incline à l'iconolâtrie. Interrogée sur ses rapports, si controversés, avec le père Gruyten, Lotte s'est là aussi montrée d'une extrême franchise. « Eh bien, je l'avoue, quelque chose aurait pu se passer entre nous à l'époque. Gruyten aurait déjà pu être alors pour moi ce qu'il est devenu en 1945. Bien que désapprouvant presque tout ce qu'il faisait, je le comprenais pourtant, voyez-vous ? Sa femme se laissait vraiment trop affoler par la course aux armements d'alors ; la frousse qu'elle en avait la paralysait littéralement. Si elle avait bénéficié d'un tempérament plus actif, moins rêveur, elle aurait planqué son fils dans un couvent, en Espagne ou ailleurs, peut-être même chez ses chers Fenians dont elle aurait alors pu visiter le pays de A jusqu'à Z. Et naturellement nous aurions pu soustraire aussi mon mari et le jeune Erhard au destin de l'Allemagne. Pourtant, ne vous méprenez surtout pas, Hélène Gruyten n'était pas seulement gentille, mais aussi profondément bonne et intelligente ; seulement, comprenez-vous, elle n'était pas à la hauteur des événements, pas plus de la politique générale que des affaires de son mari et encore moins de l'effroyable volonté d'autodestruction de son fils. Ce que d'autres vous ont dit de lui (l'auteur avait pris soin de taire le nom de Margret) est parfaitement exact : il avait avalé tout l'Occident... et pour quel résultat ? Se trouver dans la merde, si vous voulez mon avis, et en confrontation directe avec toute cette indescriptible connerie. Trop *chevalier de Bamberg*, ce garçon, et pas assez pauvre Jacques. En 1927, à l'âge de quatorze ans, j'ai suivi un cours sur les dessous politiques et sociaux des jacqueries, je prenais même consciencieusement des notes et sais donc bien que ledit chevalier n'a rien à voir avec ces guerres de paysans; coupez-lui donc ses boucles et rasez-le, qu'est-ce que ça donnera alors, voulez-vous me le dire? Un pauvre type plutôt minable. Bref, trop de chevalier de Bamberg chez ce garçon et trop de *Rose Chymique*[1] chez sa mère (un jour elle me l'a donné à lire et c'est vraiment beau). Femme extraordinaire que celle-ci, croyez-moi, il lui a seulement manqué quelques bonnes injections d'hormones. Le jeune Heinrich, lui, était la séduction même : pas une femme à la ronde dont, à sa vue, le visage ne reflétât un étrange sourire. Mais seuls quelques homosexuels et quelques femmes très intelligentes flairaient en lui le poète. Quant à l'affaire du Danemark, c'était naturellement un véritable suicide, et je me demande pourquoi il y a entraîné Erhard, mais peut-être celui-ci le souhaitait-il, qui sait? Bref, deux chevaliers de Bamberg qui ont voulu mourir ensemble et y ont réussi. On les a collés au mur, et savez-vous ce que Heinrich a crié juste avant d'être fusillé : « Votre Allemagne, je l'emmerde! » Voilà donc l'aboutissement d'une instruction et d'une éducation exceptionnelles... Mais dès l'instant qu'il était coincé dans cette putain d'armée, peut-être était-ce mieux ainsi, car les occasions de mourir n'allaient pas manquer entre avril 1940 et mai 1945. Le père Gruyten avait alors suffisamment de relations pour obtenir la communication du dossier de son fils; c'est par un quelconque général qu'il l'a eu; mais sans vouloir le lire lui-même, il m'a seulement priée de lui en résumer l'essentiel. Les deux garçons avaient tout bonnement offert aux Danois de leur vendre un canon antichar, mais tout juste au prix de la ferraille, soit cinq marks environ. Et savez-vous ce que le calme et timide Erhard a déclaré au cours du procès : « Nous mourrons pour une honorable profession, celle de marchands de canons! »

1. Titre d'un ouvrage de William Butler Yeats (N.d.T.).

L'auteur a jugé nécessaire de retourner voir M. Werner von Hoffgau (cinquante-cinq ans) qui, « après avoir quelque temps travaillé au service de la Bundeswehr... à la disposition de laquelle j'ai mis mon expérience de bâtisseur nanti d'une fonction officielle », gère à présent dans une aile du château de ses ancêtres un petit bureau d'architecte « aux buts exclusivement pacifiques, à savoir la construction de maisons ouvrières ». Il faut se représenter Hoffgau (qui ne s'est pas spontanément déclaré dépourvu d'entregent mais aurait aussi bien pu le faire) comme un doux célibataire aux cheveux gris dont le « bureau d'architecte » ne sert, de l'humble avis de l'auteur, que de paravent à son désir de passer des heures à contempler l'évolution des cygnes sur l'étang du château, de surveiller la production de ses terres affermées, de se promener à travers ses champs (de betteraves, pour être précis) et de ne lever enfin vers le ciel un regard courroucé qu'au passage d'un « Starfighter ». Il évite toute relation avec son frère qui habite le corps principal du château « en raison de certaines transactions qu'il a manigancées au sein du département que je dirigeais alors en utilisant mon nom à mon insu ». Son visage fin, légèrement empâté, reflète une amertume non pas personnelle mais plutôt abstraitement universelle; il la noie — semble-t-il — dans une boisson qui, absorbée en grande quantité, compte parmi les plus nocives : du vieux sherry. En tout cas, l'auteur a découvert sur un tas d'ordures une quantité surprenante de bouteilles de sherry vides et dans « l'armoire à dessins » de son hôte un nombre inquiétant de bouteilles pleines. Pour obtenir sur ses démêlés avec son frère, ne fût-ce que sous forme de rumeurs, des renseignements que Hoffgau refusait de lui fournir (« j'ai les lèvres scellées »), l'auteur a dû se rendre à plusieurs reprises à l'auberge du village.

Ce qui va suivre est le résumé d'entretiens de l'auteur avec une dizaine de villageois de Hoffgausen, au cours de trois visites successives à ladite auberge. La sympathie de ces gens allait nettement à l'indolent Werner et leur respect, exprimé d'une voix presque tremblante, à son frère Arnold apparemment doué d'un fantastique entregent. Au dire des villageois, Arnold a obtenu du département chargé de l'implantation des aérodromes militaires — celui précisément que dirigeait son frère — et ce avec l'appui de députés C.D.U., de banquiers, de membres influents des divers groupes de la commission de la Défense nationale et aussi grâce à la pression exercée par le ministre de la Défense nationale lui-même, que fussent choisis comme aire d'implantation d'un aérodrome de l'O.T.A.N. « la forêt de Hoffgausen de renommée séculaire » et maints champs d'alentour. Il s'est agi là — au dire des villageois — d'une affaire de « cinquante, peut-être quarante, mettons trente millions de marks au moins » et qui s'est traitée (dixit un paysan du nom de Bernhard Hecker) « *dans* le département de W., *contre* son gré et *avec* l'accord de la commission de la Défense nationale ».

Bien que Hoffgau ait déclaré : « J'ai contracté une dette de reconnaissance éternelle vis-à-vis de Gruyten qui, quand j'étais jeune, m'a sauvé de la mobilisation en faisant de moi son conseiller personnel, dette dont j'ai d'ailleurs pu m'acquitter partiellement à l'époque où les choses ont mal tourné pour lui », il a néanmoins hésité un long moment avant de fournir à l'auteur des informations sur la mystérieuse affaire Heinrich-Erhard. « Puisque vous semblez y attacher une telle importance, je vais vous la dévoiler. Mme Hoyser n'a eu connaissance ni de toutes les pièces du dossier ni du problème dans son ensemble. Elle n'a reçu que les documents relatifs aux débats judiciaires et encore plus ou moins tronqués, accompagnés du rapport du lieutenant qui commandait le peloton d'exécution. L'affaire est en réalité si compliquée que j'aurais du mal à entrer dans le détail. En résumé, Heinrich Gruyten eut beau refuser la protection de son père, celui-ci le protégea aisément malgré lui en veillant à ce que son cousin Erhard et lui fussent tous deux mutés à la paierie de Lübeck, et ce deux jours environ après l'occupation du Danemark. Mais le père Gruyten n'avait pas compté avec l'obstination de son fils qui rejoignit certes Lübeck avec son cousin mais, voyant où il échouait, repartit instantanément pour le Danemark sans feuille de route ni ordre de mutation, ce qui dans le meilleur des cas pouvait passer pour un « éloignement de la troupe » et dans le pire pour une désertion. On aurait encore pu à la rigueur arranger les choses, mais dès l'instant où nos deux gaillards ont tenté de vendre à un Danois un canon antichar, même si le Danois n'a pas marché — ç'aurait été de sa part non seulement une absurdité mais un véritable suicide — il s'est agi d'un forfait devant lequel toute protection cessait de jouer... alors est arrivé ce qui devait arriver. Je veux être franc avec vous et vous avouer qu'en dépit des grands travaux que notre entreprise était chargée de réaliser au Danemark et des relations qu'en ma qualité de conseiller personnel de Gruyten j'entretenais alors avec l'ensemble des généraux, j'ai eu un mal inouï à me procurer des documents dont, après les avoir lus, je n'ai transmis à Mme Hoyser, la secrétaire de Gruyten, qu'une version, disons, épurée ou, si vous le préférez, revue et corrigée. Ce dossier contenait en effet un tas de « saletés » que je préférais épargner à ce pauvre père. »

Lotte H. — qui n'envisage pas sans une profonde mélancolie d'abandonner son joli petit appartement avec terrasse au dernier étage d'un immeuble en plein centre de la ville — ne pouvait parler de « cette affaire » sans pousser force soupirs, fumer cigarette sur cigarette, passer une main nerveuse sur ses cheveux gris, lisses et courts, ni cesser de tremper ses lèvres dans sa tasse de café. « Oui, oui, ils sont morts, et que ce soit pour désertion ou pour avoir essayé de brader leur canon antichar, ils sont bien morts, ça ne fait aucun doute, mais j'ignore s'ils l'ont réellement voulu. J'ai toujours eu l'impression qu'on avait fait beaucoup de littérature autour de cette affaire et serais assez encline à les imaginer tous deux plutôt surpris et effrayés de se retrouver collés au mur et d'entendre crier : « En joue ! » N'oubliez pas qu'Erhard avait sa Léni et que Heinrich... bah ! il aurait pu avoir toutes les femmes qu'il aurait voulues. Je trouve ça assez allemand ce que ces deux garçons ont fait, et justement au Danemark où notre entreprise projetait de très grands travaux. Parlons, si vous voulez, de symbolllique... avec trois l. Pour mon mari, sacrifié quelques jours plus tard à Amiens, il en allait différemment. Il aurait volontiers vécu et pas symboliquement seulement, de même qu'il n'aurait jamais souhaité mourir symboliquement. Il avait peur, un point c'est tout. C'était un homme bourré de qualités mais qu'on lui avait malheureusement gâchées au séminaire où, se destinant au sacerdoce, il était resté jusqu'à l'âge de seize ans pour s'apercevoir finalement que tout cela était de la connerie... trop tard pourtant. Si bien qu'il n'a jamais pu se débarrasser du sale complexe qu'ils avaient réussi à lui coller là-bas : celui de ne pas être bachelier. Nous nous sommes connus plus tard aux Jeunesses communistes : « Debout les damnés de la « terre » et ainsi de suite, et nous savions même la dernière strophe : « C'est la lutte finale, groupons- « nous et demain l'Internationale fera le genre « humain. » Mais on ne nous a évidemment pas appris que le communisme des années 27-28 n'était déjà plus celui de 1897... et mon Wilhelm, qui n'aurait jamais songé à toucher un fusil, y a été contraint par cette bande d'idiots qui l'ont sacrifié à

Amiens sur l'autel d'une autre indescriptible connerie... Il y a même eu des gens de l'entreprise pour prétendre que son propre père, poussé par Gruyten, avait rayé Wilhelm de la liste des collaborateurs indispensables et certains m'ont tout bas traitée de Bethsabée. Je n'aurais pourtant jamais pu trahir un homme aussi fidèle que mon Wilhelm. Même après sa mort, je n'ai pu m'y décider avant plusieurs années... Mais pour en venir au père Gruyten, il est vrai en effet qu'à l'époque quelque chose aurait pu se passer entre nous. Ce qui me fascinait en lui, c'était la façon dont ce jeune paysan grand et sec, avec sa tête de prolétaire, était devenu un vrai monsieur toujours aussi grand et sec. Je dis bien : un vrai monsieur, ni maître d'œuvre ni architecte, mais plutôt stratège, si vous voulez mon avis. Et c'était bien, outre son allure, son talent de stratège qui me fascinait en lui. Il aurait tout aussi bien pu être banquier sans rien « comprendre » à l'argent, si vous voyez ce que je veux dire. Sur une carte de l'Europe fixée au mur de son bureau il piquait des épingles et de temps à autre un petit drapeau, et il lui suffisait alors d'un simple coup d'œil... sans se perdre jamais dans le détail. Et puis il possédait un truc très efficace qu'il avait tout bonnement chipé à Napoléon — une assez stupide biographie de lui était, je crois bien, le seul livre qu'il eût jamais lu — un truc très simple, peut-être même pas un truc mais seulement un brin de sentimentalité vraie. En 1929, voyez-vous, il avait, non sans quelque présomption, débuté avec un effectif de quarante ouvriers, contremaîtres et autres. Or en dépit de la crise économique, il a réussi à les conserver tous sans en licencier un seul, ne reculant devant aucun stratagème bancaire, aucune traite de complaisance, allant même jusqu'à se faire allouer des crédits à des taux usuraires. Et c'est ainsi qu'en 1933 il avait sous la main une quarantaine de salariés qui, communistes en tête, n'eussent jamais permis qu'on touchât à un seul de ses cheveux. Tout comme lui-même n'eût pas toléré qu'on leur causât le moindre ennui. Il les aidait à surmonter toutes leurs difficultés, fussent-elles politiques, si bien que vous pouvez sans peine imaginer pourquoi au cours des années suivantes tous ont joliment fait carrière, comme les sergents de Napoléon. Il leur confiait des projets entiers, connaissant chacun d'eux par son prénom et aussi celui de ses femme et enfants; il ne les rencontrait jamais sans leur demander des nouvelles de toute leur famille, sachant par exemple que tel gosse avait dû redoubler sa classe ou autre détail du même ordre. A son arrivée sur un chantier, il se saisissait au besoin de la pelle ou de la pioche, tout comme il se mettait s'il le fallait au volant d'un camion pour un transport urgent, bref il ne craignait jamais de mettre la main à la pâte en cas de nécessité. Vous pouvez imaginer le reste. Mais je vais vous livrer un autre de ses secrets : il ne faisait aucun cas de l'argent. Il lui en fallait bien sûr pour le décorum — vêtements, voitures, maison — et pour donner de temps à autre une réception, mais dès que des fonds importants rentraient, il les réinvestissait sur l'heure, allant même jusqu'à contracter des dettes. Il m'a un jour avoué : « Etre débiteur, Lotte, gros débiteur, c'est ça « la vraie formule ! » Quant à sa femme, oui, c'est bien elle qui a deviné ce qu'il « avait dans le ventre », mais le jour où il a montré ce qu'il y avait « réellement », elle en fut épouvantée. Elle voulait faire de lui un homme important pour pouvoir mener un grand train de vie, etc., mais elle ne désirait pas être l'épouse d'un chef d'état-major ! Si vous me permettez cette expression dont je pense que vous pouvez la comprendre, je vous dirai qu'en dépit d'apparences contraires, c'était lui qui vivait dans l'abstrait et elle dans le concret. Dieu sait que je jugeais ses entreprises criminelles : construire pour ces gens-là des bunkers, des aérodromes, des quartiers généraux... et quand il m'arrive d'aller faire un tour en Hollande ou au Danemark et que j'aperçois sur leurs plages les bunkers que nous y avons construits, ils me donnent envie de vomir... et pourtant l'époque se prêtait à la puissance et il était un homme fait pour elle bien que sans lui attacher d'importance en soi; car il ne faisait pas plus de cas de la puissance que de l'argent. Ce qui l'attirait, c'était le jeu. Il avait l'âme d'un joueur, mais trop vulnérable sur un point : son fils bien-aimé qui refusait de se laisser soustraire à ce merdier. »

La tentative de l'auteur pour ramener Lotte à l'autre sujet de leur entretien : les rapports de Léni avec Erhard Schweigert, commença par échouer. Une nouvelle cigarette, un nouveau mouvement d'impatience, puis : « Nous y viendrons, mais laissez-moi finir ! Pour que les choses soient claires, je tiens à vous dire ceci : Hubert Gruyten et moi nous entendions déjà fort bien à l'époque, il avait même pour moi des cajoleries ou, si vous préférez, des manifestations de tendresse somme toute assez touchantes de la part d'un homme de quarante ans pour une femme de vingt-sept. Il m'offrait des fleurs naturellement et m'a deux fois baisé l'avant-bras, mais le plus inouï c'est qu'il m'ait fait danser presque toute une nuit dans un hôtel de Hambourg alors que ça n'était pas du tout son genre. N'avez-vous jamais remarqué que les « grands hommes » sont toujours de piètres danseurs ? Sachez d'autre part que j'ai toujours été assez prude   sauf bien sûr vis-à-vis de mon mari — et que je possède une maudite qualité dont j'ai mis longtemps à me défaire : la fidélité. Pour sûr une vraie malédiction; et pas méritoire, plutôt affligeante... Imaginez donc ça : une fois les enfants endormis, moi toute seule la nuit dans mon lit après qu'ils eurent sacrifié mon Wilhelm à Amiens pour leur connerie ! Et pas un seul homme, pas un qui ait eu le droit de me toucher jusqu'en 45. Et cela contre ma propre conviction, car je ne crois pas plus à la chasteté qu'à tout

leur saint-frusquin. En 45, cinq ans avaient passé...
alors là oui, Gruyten et moi... Et maintenant, si vous
y tenez, parlons de Léni et d'Erhard. Je vous ai déjà
dit combien la timidité de ce garçon était proprement inimaginable... tout comme celle de Léni d'ailleurs, si vous voulez le savoir. Il lui a dès le premier
instant voué un véritable culte; elle représentait
pour lui une *Bionda* florentine mystérieusement
ressuscitée ou quelque chose dans le genre, et ni le
dur parler rhénan de sa belle ni sa façon ultra-sèche
de s'exprimer n'ont réussi à le dégriser. Il n'attachait en outre aucune importance à ce qu'elle fût, de
son point de vue à lui, totalement inculte, et lui
eût-elle déballé son brin de mysticisme de la défécation (elle l'avait alors et l'a toujours en tête) qu'il
n'en eût pas été autrement impressionné. Que
n'avons-nous pas tenté — et quand je dis nous, j'entends Heinrich, Margret et moi — pour que ça colle
entre ces deux-là! N'oubliez pas que le temps leur
était compté : entre mai 39 et avril 40, il est peut-être
venu huit fois en tout. Heinrich et moi n'avions bien
entendu rien combiné entre nous, échangeant simplement des clins d'œil à la vue de nos jeunes tourtereaux. C'était touchant, vraiment touchant de les
voir si épris l'un de l'autre, mais peut-être après tout
ne faut-il pas tellement déplorer qu'ils n'aient pas
couché ensemble. Je leur ai procuré des billets pour
des putains de films comme *Camarades en mer* ou
des conneries comme *Attention, les oreilles ennemies nous écoutent*; je les ai même envoyés voir le
film sur Bismarck en me disant : crénom de nom ! la
séance dure trois heures, il fait sombre et chaud
dans la salle comme dans le ventre d'une mère, ils
se tiendront sûrement par la main et peut-être
auront-ils l'idée (rire très amer — remarque de l'auteur) d'échanger un petit baiser, et une fois le départ
pris ils finiront bien par aller plus loin... mais rien,
manifestement rien ! Il l'a emmenée au musée pour
lui expliquer comment différencier un tableau attri-

bué à Jérôme Bosch d'un authentique Jérôme
Bosch. Il a essayé de la sortir de son sempiternel
Schubert et de lui faire jouer du Mozart, il lui a
donné à lire des poèmes, de Rilke probablement, je
ne sais plus au juste, puis s'est lancé dans une auda-
cieuse entreprise, celle d'écrire sur elle des poèmes
qu'il lui a envoyés. Voyez-vous, Léni était une si
ravissante créature — et l'est demeurée, si vous voulez mon avis — que j'étais moi-même un peu éprise
d'elle. Ah ! si vous l'aviez vue danser avec Erhard
quand nous sortions tous ensemble, eux deux, Heinrich, Margret, mon mari et moi... on aurait aimé
leur préparer un beau lit à baldaquin dans lequel ils
se seraient mutuellement dispensé de la joie. Je
disais donc qu'il lui avait adressé des poèmes, mais
le plus étonnant de l'affaire, c'est qu'elle me les a
montrés en dépit d'un contenu, il faut bien le dire,
plutôt hardi. Il y parlait en effet assez crûment de sa
poitrine qu'il appelait « la grande fleur blanche du
silence » et dont il affirmait qu'il « l'effeuillerait » !
Il avait aussi écrit sur la jalousie un excellent poème
qu'on aurait peut-être même dû faire imprimer :
« Je suis jaloux du café que tu bois, du beurre que
« tu étales sur ton pain, je suis jaloux de ta brosse à
« dents et du lit dans lequel tu dors. » C'était assez
clair, ne trouvez-vous pas ? Oui, mais voilà, sur le
papier, rien que sur le papier... »

Interrogée sur le point de savoir si Léni et Erhard
n'en seraient peut-être pas quand même venus à une
intimité que ni elle ni Heinrich ni autre n'aurait
découverte, Lotte piqua un fard (quelle qu'ait été sa
surprise, l'auteur n'en reconnaît pas moins qu'au
milieu de toutes ses tribulations l'érubescence de
Lotte lui procura une grande joie) avant de
déclarer : « Non, je suis à peu près sûre que non, car
lorsqu'un peu plus d'un an plus tard elle sauta le
pas avec cet Aloïs Pfeiffer qu'elle commit ensuite la
bêtise d'épouser, celui-ci se vanta sans ambages
auprès de son frère Heinrich — qui me l'a naïve-

ment rapporté — d'avoir « eu Léni vierge. » L'érubescence de Lotte disparut. A la question de savoir si peut-être cet Aloïs Pfeiffer ne se serait pas vanté d'un trophée qui ne lui revenait pas, Lotte pour la première fois répondit en hésitant : « Qu'Aloïs ait « été un hâbleur, c'est assez indiscutable... et je dois « dire que vous me donnez là une idée... » Mais après un bref mouvement de tête, elle reprit : « Non, je considère la chose comme tout à fait « exclue, même si les occasions n'ont pas manqué... « non, non ! » et de nouveau ses joues se couvrirent d'une surprenante rougeur. « A la mort d'Erhard, « Léni ne s'est pas comportée comme une vraie « veuve, comprenez-vous... je dirai que son attitude « fut celle d'une veuve platonique. » L'auteur considéra cette déclaration comme suffisamment claire, en admira le caractère direct, mais sans être pour autant absolument convaincu de son exactitude, dût-il même déplorer de n'avoir découvert qu'aussi tardivement chez le témoin Lotte Hoyser née Berntgen un véritable don du mot qui fait mouche. L'auteur s'étant alors déclaré surpris de l'humeur communicative, voire de la loquacité de Léni à cette époque de sa vie, Lotte Hoyser, soudain plus calme, nettement moins volubile et par moments presque songeuse même, lui en proposa l'explication suivante : « Il était clair qu'elle aimait Erhard, qu'elle l'aimait d'un amour *impatient,* voyez-vous, et j'avais parfois le sentiment qu'elle était à deux doigts de prendre l'initiative des opérations. Vous me comprendrez mieux quand je vous aurai raconté une curieuse anecdote : j'ai eu une fois l'occasion de voir Léni déboucher un cabinet obstrué, et j'avoue que ce jour-là elle m'a franchement épatée. C'était en 1940, un dimanche, et nous passions la soirée chez Margret — mon Wilhelm en était aussi — à bavarder, boire, danser... lorsque nous nous sommes soudain aperçus que le cabinet était bouché. Une vraie saloperie, croyez-moi. Quelqu'un avait

107

jeté quelque chose dans la cuvette — comme nous l'avons vu par la suite, une assez grosse pomme gâtée — qui obstruait le conduit de vidange. Les hommes entreprirent alors d'évacuer cette cochonnerie. D'abord Heinrich qui farfouilla dans la cuvette avec un tisonnier, mais sans résultat. Puis ce fut au tour d'Erhard d'essayer, ce qui n'était pas bête, avec un morceau de tuyau d'arrosage trouvé dans la buanderie; fourrant carrément un bout du tuyau dans l'immonde bouillie, il se mit à souffler de toutes ses forces dans l'autre bout pour déboucher la conduite sous l'effet de la pression, mais rien à faire. Et comme Wilhelm, mon mari, qui avait pourtant été plombier puis agent technique avant de devenir dessinateur, faisait des manières et que Margret et moi frissonnions de dégoût, savez-vous qui a finalement résolu le problème? Léni. Elle plongea carrément la main dedans, la main droite — je revois encore son beau bras blanc devenir d'un jaune sale jusqu'au-dessus du coude — et attrapa la pomme qu'elle alla ensuite jeter dans la poubelle. L'immonde saloperie se vida alors d'un seul coup en gargouillant, et Léni entreprit de se nettoyer, se savonnant plusieurs fois à fond puis se frictionnant les mains et les bras à l'eau de Cologne... et ça me revient maintenant, elle fit une remarque qui me frappa comme la foudre : « Nos deux jeunes poètes « ont été les plus courageux des vidangeurs ! » Alors, vu la façon dont en cas de besoin elle était capable d'y mettre le paquet, je me dis qu'en fin de compte elle a peut-être quand même agrippé son Erhard qui n'aurait certainement rien eu là contre. Mais j'y pense tout à coup : aucun de nous n'a jamais rencontré le mari de Margret ! »

Les déclarations de Lotte Hoyser et celles de ladite Margret ne concordant pas tout à fait, l'auteur estima nécessaire d'aller à nouveau interroger cette dernière. Etait-il d'une part exact qu'elle fût allée danser avec le groupe d'amis cité par Lotte et qu'elle les eût plusieurs fois reçus chez elle ? N'aurait-elle pas eu d'autre part des rapports intimes avec Heinrich bien avant l'événement que nous désignerons sous le nom de « épisode de Flensburg » ? Plongée par une large rasade de whisky dans une douce euphorie teintée de mélancolie, Margret répondit : « Il m'est facile de contester ce dernier point. Je suis en effet bien placée pour savoir ce qu'il en est et n'aurais vraiment aucune raison de le nier si c'était vrai. J'avais commis une erreur, voyez-vous, celle de présenter mon mari à Heinrich. Schlömer était rarement à la maison et je n'ai jamais réussi à savoir s'il travaillait pour l'armement ou n'était qu'un indicateur; il ne manquait en tout cas jamais d'argent sans rien me demander d'autre que de « me tenir à sa disposition » lorsqu'il m'annonçait sa venue par télégramme. Plus âgé que moi — trente-cinq ans environ à l'époque — il était plutôt bien de sa personne, élégant, très homme du monde comme on dit... et ils se sont fort bien entendus tous les deux. Heinrich était un merveilleux amant, mais pas nécessairement un briseur de couple, en tout cas pas encore à l'époque. Je n'ai, pour ma part, jamais craint les amours adultères, mais Heinrich, depuis qu'il avait rencontré mon mari, avait des scrupules, et voilà pourquoi rien ne s'est alors passé entre nous. Quant au premier point, seule Lotte a pu vous raconter que j'avais vu Heinrich plus de deux fois, que nous étions allés danser ensemble et que je l'avais reçu chez moi avec les autres... C'est exact, mais je puis vous assurer que nous ne nous sommes pas rencontrés plus de quatre fois en tout. »

Interrogée sur la nature des rapports entre Léni et Erhard, Margret répondit en souriant : « Je ne veux pas le savoir et ne le voulais pas davantage à l'époque. En quoi cela me regardait-il ? Je n'avais pas à fouiner dans leur vie privée. Pourquoi voudrais-je ou aurais-je voulu savoir s'ils s'étaient embrassés, si leurs mains s'étaient réjouies au contact de l'autre, s'ils avaient couché ensemble chez moi, chez Lotte ou chez les Gruyten? Il me suffisait amplement de les voir si éperdument amoureux l'un de l'autre. Quant aux poèmes qu'il a écrits sur elle et lui a envoyés, Léni n'a pu en garder le secret, si bien que durant ces quelques mois elle est sortie de sa réserve habituelle, mais pour ensuite se replier d'autant plus sur elle-même. Est-il donc si important de savoir lequel d'Erhard ou de cet imbécile d'Aloïs a été le premier? A quoi bon? Vous feriez mieux de laisser tomber. Une chose est sûre : elle a aimé Erhard tendrement, passionnément, et s'il ne s'était encore rien passé entre eux, ça n'aurait pas manqué de se produire à la prochaine permission, je vous le garantis. Or vous savez comment tout cela s'est terminé... Au Danemark, devant le mur d'un cimetière. Point final. Mais pourquoi n'interrogez-vous pas Léni? »

Interroger Léni? C'est vite dit! Elle ne se laisse guère approcher et quand on la questionne elle ne répond pas. Le vieux Hoyser, lui, qualifie l'affaire Erhard de « touchante mais purement romanesque et dont la fin fut évidemment très douloureuse. Rien de plus ». Les fréquentes visites de Léni au couvent étant prouvées, Rachel aurait certainement su quelque chose, mais elle est morte. Quant à B.H.T., il ne sait évidemment rien de ce qui touche à Erhard. De leur côté, les Pfeiffer ne sont entrés qu'ensuite dans la vie de Léni et ce n'est certainement pas à *eux* qu'elle aura révélé quoi que ce soit de son *trésor*. « Le trésor de Léni », c'est ainsi que Marja van Doorn qualifia l'affaire Erhard devant l'auteur venu l'appeler à son secours.

Celui-ci dut reviser certains jugements trop hâtifs portés sur Marja après ses déclarations visant

Mme Gruyten. Quand il ne s'agit pas de celle-ci ou de son mari, Marja est capable de fournir des informations extrêmement subtiles, presque raffinées pourrait-on dire. Dénichée dans sa retraite campagnarde au milieu de ses asters, géraniums et autres bégonias, jetant des graines à ses pigeons et caressant son chien, assez vieux bâtard de caniche et de barbet, elle s'écria : « Ah ! n'allez pas toucher à ce trésor dans la vie de Léni ! Ce fut comme un conte, l'histoire de ces deux-là, un véritable conte. Ils étaient si éperdument épris l'un de l'autre, si intimes. Je les ai plusieurs fois vus assis ensemble dans le salon — la pièce que Léni loue à présent à la famille portugaise — en train de boire du thé dans la plus belle porcelaine de la maison. Léni n'a jamais aimé le thé, mais avec lui elle en buvait. Et tout en ne se plaignant pas expressément de la vie militaire, il montrait cependant à son égard une aversion si manifeste que Léni, pour le réconforter, lui posait la main sur le bras, et ce simple contact, c'était visible, suscitait en lui une véritable révolution des sens ou, si vous préférez, de sa sensibilité. Ils ont disposé d'un nombre suffisant de tête-à-tête pour lui permettre de la conquérir, d'autant qu'elle était prête, toute prête à se donner. Et puisque vous me demandez mon avis, je vous dirai que Léni commençait même à s'impatienter... biologiquement aussi. Elle n'était ni agacée, ni fâchée contre lui, mais simplement impatiente. S'il avait seulement pu passer deux ou trois jours consécutifs auprès d'elle, les choses auraient évolué tout autrement. Vieille fille, je n'ai pas d'expérience directe des hommes, mais je les ai quand même bien observés et, je vous le demande, quelle situation est-ce là pour un homme qui arrive en permission avec son billet de retour en poche, l'horaire des trains en tête et la porte de la caserne qu'il sait devoir franchir avant une heure donnée ? Je vous le dis, moi qui ai pu observer la chose comme jeune fille pendant la première guerre mondiale puis comme femme mûre pendant la seconde, toute permission est une épreuve aussi terrible pour l'homme que pour la femme. Personne n'ignore en effet ce que le permissionnaire et son épouse vont faire — c'est chaque fois une sorte de nuit de noces publique — et chez nous au village les gens que le tact n'étouffe guère — tout comme ceux de la ville d'ailleurs — ne se privent jamais d'allusions plus ou moins délicates... Wilhelm, le mari de Lotte, en rougissait chaque fois comme une tomate, le pauvre, précisément parce qu'il était la délicatesse même. Et croyez-vous donc que j'ignorais ce qui allait se passer quand, durant la première guerre mondiale, mon père venait en permission ? Mais revenons-en à Erhard : il lui aurait justement fallu un peu de temps pour conquérir Léni alors qu'il se trouvait toujours pris entre l'enclume et le marteau, et quand à y aller à la hussarde, ça n'était pas son genre. Ses poèmes étaient pourtant suffisamment clairs, tout juste décents même. « C'est toi la terre à laquelle je retournerai « un jour... » peut-on être plus clair ? Non, voyez-vous, ce qui lui a manqué, c'est du *temps,* uniquement du temps. Pensez donc qu'il n'a guère passé au total plus de vingt heures seul avec Léni et, je vous l'ai dit, le garçon n'avait rien d'un fonceur. Léni ne lui en a pas voulu, mais elle en fut attristée, vraiment attristée parce qu'elle se sentait *prête.* Sa mère elle-même le savait et *souhaitait* l'événement, croyez-moi. Je l'ai bien vue veiller à ce que sa fille mît sa plus jolie robe, la jaune safran avec un décolleté rond, lui prêter des boucles d'oreilles de corail — on eût dit des cerises fraîchement cueillies —, de ravissantes chaussures, du parfum... elle la parait comme une *mariée.* Oui, sa mère elle-même l'a souhaité... mais le temps a manqué, le temps seulement. Un jour de plus, et elle serait devenue sa femme au lieu de... enfin ! Pauvre Léni, ce fut dur pour elle. »

112

L'auteur ne put se dispenser d'une seconde visite à la mère d'Erhard. La concierge ayant demandé par téléphone à Mme Schweigert si elle pouvait le recevoir, celle-ci répondit par l'affirmative sans trop de mauvaise grâce quoique d'un ton légèrement impatienté. Ensuite, tout en buvant son thé sans d'ailleurs en offrir à son visiteur, elle accepta de répondre à quelques questions. Oui, son fils lui avait un jour amené cette *fille-ma-foi.* Elle tint à souligner la différence entre *présenter* et *amener.* Une présentation eût d'ailleurs été superflue puisqu'elle connaissait Léni depuis pas mal de temps déjà, ayant même suivi de loin le déroulement de ses études. Elle reconnut sans difficulté que les deux jeunes gens s'étaient amourachés l'un de l'autre mais rejeta une fois encore énergiquement l'idée d'un possible lien durable, disons d'un mariage, comme ce fut le cas entre sa propre sœur et le père de Léni. Elle déclara aussi, et cette fois de son propre chef, que la jeune fille était un jour venue la voir seule, qu'elle avait — soyons juste — bu son thé avec une parfaite correction, tandis que la conversation — étrange peut-être, mais vrai — avait exclusivement roulé sur la bruyère. Léni lui avait demandé où et quand trouver de la bruyère en fleur... à ce moment-là par exemple ? « Or cela se passait vers la fin mars 1940 et j'ai eu l'impression d'avoir affaire à une simple d'esprit. Rendez-vous compte ! Elle voulait savoir si, fin mars, il y avait de la bruyère en fleur au Schleswig-Holstein ! » La pauvre enfant ignorait totalement la différence entre la bruyère atlantique et la bruyère de rocher, tout comme aussi la nature des divers types de sol qui leur sont nécessaires. Au dire de Mme Schweigert, tout s'était finalement bien passé; à croire que la mort de son fils sous les balles d'un peloton d'exécution de la Wehrmacht lui avait paru manifestement moins grave que son éventuel mariage avec Léni.

Il faut cependant reconnaître qu'en dépit du cruel laconisme de ses propos, la mère d'Erhard a tout de même apporté quelque lumière sur des points jusqu'alors restés dans l'ombre; elle a, sinon élucidé, du moins grandement contribué à éclaircir la mystérieuse affaire des « Finnois ». Car si l'on songe que fin mars 1940 Léni condescendit à rendre visite à la mère d'Erhard pour s'entretenir avec elle de la bruyère au Schleswig-Holstein et si l'on y ajoute qu'au dire de Marja van Doorn elle était *prête* et même, selon Lotte Hoyser, décidée à prendre l'initiative des opérations, si l'on se souvient enfin de l'expérience qu'elle a vécue, étendue sur la bruyère sous le ciel étoilé d'un soir d'été, il est permis de conclure, en toute objectivité, qu'elle a nourri la pensée d'aller rejoindre Erhard là-haut à Flensburg pour y réaliser leur communion dans la bruyère. Et même si, en raison des conditions botaniques et climatiques d'alors, on peut estimer que l'humidité et le froid eussent empêché la réalisation d'un tel projet, il n'en reste pas moins vrai — l'auteur en a personnellement fait l'expérience — que certaines régions de bruyère du Schleswig-Holstein sont parfois déjà chaudes et sèches au mois de mars, ne fût-ce que pour un temps très court.

Pressée de questions, Margret finit quand même par admettre que Léni lui avait demandé conseil sur la façon de s'y prendre pour « se rencontrer » avec un homme. Margret commença par lui faire remarquer (en rougissant) que la spacieuse maison de ses parents était parfois très calme, mais Léni (sans rougir) secoua la tête. Elle lui conseilla alors de s'enfermer à clef dans sa chambre pour en interdire l'accès à quiconque, mais Léni secoua de nouveau la tête. Et lorsque, enfin, légèrement impatientée, Margret lui fit observer qu'il existait après tout des hôtels, Léni commença par lui rappeler l'échec (encore relativement récent) de son aventure avec le jeune architecte avant de lui révéler une conception que Margret considère comme la confidence la plus intime que Léni lui eût jamais faite jusqu'alors, à savoir que « cela » ne devrait pas se passer « dans un lit », mais dehors. « En plein air, en plein air! Nous mettre ensemble au lit n'est pas ce que je souhaite. » Elle reconnut néanmoins que dans l'éventualité d'une vie conjugale, l'utilisation d'un lit serait parfois inévitable. Mais elle ne voulait pas commencer de cette façon-là avec Erhard. A deux doigts de partir alors pour Flensburg, elle décida finalement d'attendre le mois de mai... et c'est ainsi que sa rencontre avec Erhard demeura un rêve dont les événements militaires empêchèrent la réalisation. A moins que... Mais personne n'en sait rien au juste.

Au dire de tous les témoins, familiaux ou autres, la période située entre avril 1940 et juin 1941 ne mérite qu'une seule épithète, celle de lugubre. Léni perd non seulement alors sa bonne humeur mais aussi sa récente loquacité et même son appétit. Le plaisir qu'elle éprouvait à conduire s'évanouit temporairement ainsi que sa joie de voler (elle a pris trois fois l'avion pour Berlin avec son père et Lotte Hoyser). Une seule fois par semaine elle se met au volant de sa voiture pour parcourir les quelques kilomètres qui la séparent de sœur Rachel auprès de laquelle elle passe parfois de longues heures. De ses entretiens avec la religieuse, nous n'avons rien pu savoir, pas même par B.H.T. auquel Rachel, à partir de mai 1941, ne rend plus visite dans sa bibliothèque, tandis que de son côté, par paresse ou manque d'imagination, lui n'a pas l'idée d'aller la voir. Dans l'immense parc d'un couvent de religieuses au cours de l'été, de l'automne puis de l'hiver 1940-41, chemine une jeune fille de dix-huit ans toujours de noir vêtue, et dont la seule sécrétion externe consiste en un produit complexe : des larmes. Et comme quelques semaines plus tard survient aussi l'annonce de la mort de Wilhelm Hoyser, le mari de Lotte, le cercle des âmes en peine s'élargit, impliquant désormais le vieux Hoyser et sa femme (alors encore en vie), Lotte et son fils Werner âgé de cinq ans; quant à son fils cadet, Kurt, qu'elle portait alors dans son sein, a-t-il pleuré lui aussi ? Qui peut le savoir ?

L'auteur s'estimant totalement inapte à méditer sur le phénomène des larmes, mieux vaut recourir à un dictionnaire où s'informer de leur origine et de leurs propriétés physico-chimiques. L'encyclopédie en sept volumes (édition de 1966) d'un éditeur plus ou moins discuté donne sur les larmes les indications suivantes :

« *Larmes* (lat. lacrimae), humeur liquide sécrétée par les glandes lacrymales. Elles se répandent uniformément à la surface de la cornée puis s'écoulent dans les fosses nasales qu'elles humidifient. Elles servent à lubrifier les paupières et aussi à empêcher un contact direct entre le globe oculaire et les poussières ou corps étrangers qu'elles entraînent vers la caroncule lacrymale; elles s'opposent également à la dessiccation des milieux transparents de l'œil. Une émotion violente, une vive douleur, le froid, l'action de certains gaz ou vapeurs, l'inflammation de la conjonctive augmentent la sécrétion des larmes (pleurs). Au mot *pleurs,* la même encyclopédie nous dit : les pleurs sont comme le rire (voir ce mot) la manifestation d'un état de crise, c'est-à-dire l'expression du chagrin, de l'émotion, de la colère ou de la joie. *Psychologiquement* (l'italique n'est pas de l'auteur) les pleurs constituent une tentative de libération morale. Se manifestant par des larmes accompagnées de sanglots ou mouvements convulsifs, ils sont en étroite relation avec le système nerveux végétatif et le bulbe rachidien. Pleurs et sanglots irrépressibles se manifestent dans les cas de dépression foncière, de psychose maniaque dépressive et de sclérose généralisée. »

A l'intention des lecteurs que l'exposé de ces simples faits pourrait faire éclater de rire et qui souhaiteraient peut-être alors une explication à leur réflexe, il convient, ne fût-ce que pour leur éviter l'achat ou simplement la consultation d'un dictionnaire, de reproduire aussi le paragraphe correspondant :

« Le *rire* est *anthropologiquement* (aucune italique n'est de la main de l'auteur) la manifestation, sous forme de résonance corporelle, d'une disposition de l'âme en période de crise (voir pleurs). *Philosophiquement* le sourire du sage, de Bouddha, de Mona Lisa est l'expression de la paix intérieure. *Psychologiquement,* il faut distinguer du rire engendré par la joie celui provoqué par le plaisant ou le comique. Selon qu'il est enfantin, blasé, ironique, tendre, libérateur, désespéré, mauvais ou minaudier, le rire reflète les qualités du cœur et du caractère. *Pathologiquement,* à l'occasion d'affections du système nerveux et de certaines formes de psychose, on distingue le rire instinctif, forcé ou sardonique accompagné de grimaces, du rire hystérique ou convulsif. *Socialement* le rire est un phénomène contagieux (action idéo-motrice par laquelle la représentation d'un mouvement tend à le produire). »

Puisque nous allons devoir pénétrer dans une phase plus ou moins émotionnelle et inévitablement tragique, mieux vaut compléter notre bagage en matière de concepts. Si notre encyclopédie ne fournit aucune explication de la notion de bonheur, la *félicité* en revanche y est définie comme un épanouissement de l'être, parfait et durable. Tout être humain y aspirant par nature, la forme sous laquelle il cherche à atteindre à cet épanouissement final est soumise à un choix qui conditionnera tous les aspects de son comportement. Selon la doctrine chrétienne, la vraie félicité ne peut résider que dans la béatitude (voir ce mot).

« *Béatitude,* état totalement exempt de souffrance et d'impureté se traduisant par un perpétuel bonheur parfait. Toutes les religions la considèrent comme le but suprême de l'histoire universelle. Selon la doctrine *catholique,* il s'agit d'abord de la béatitude de Dieu en éternelle possession de la qualité suprême de l'être, puis de celle de l'homme (et de l'ange) en communion avec Dieu dont il reçoit la grâce de participer à son existence dispensatrice de bonheur et qui commence déjà sur terre sous forme de ferveur chrétienne (dévotion) pour s'achever dans la béatitude éternelle avec la résurrection (voir ce mot) et la transformation eschatologique de la réalité. Selon la conception *évangélique,* union parfaite avec la volonté de Dieu, véritable vocation de l'homme, son salut et sa rédemption. »

Larmes et pleurs, rire et félicité ayant ainsi reçu une description suffisante, il ne sera pas nécessaire de s'étendre longuement sur celle des divers états d'âme correspondants, quitte à renvoyer de temps à autre le lecteur à leur définition dans le dictionnaire. Larmes, rire et pleurs ne survenant que dans les situations critiques, peut-être serait-il opportun d'adresser des félicitations à tous ceux qui ont réussi à traverser la vie à l'abri de toutes crises (ou en leur restant du moins invulnérables), sans avoir jamais versé une seule larme ni jamais pleuré quiconque et qui, respectant totalement la règle, se sont toujours aussi abstenus de rire. Bienheureux celui dont le sac lacrymal n'a jamais eu à entrer en fonction et qui, sans avoir jamais utilisé son canal lacrymal, a su garder l'œil sec à travers tous les périls. Bienheureux aussi celui qui contrôle fermement son bulbe rachidien et dont la paix intérieure permanente n'a jamais engendré qu'un sourire de sagesse. Un grand vivat donc en l'honneur de

Bouddha et de Mona Lisa, éternels possesseurs de cette paix intérieure !

Comme nous allons nécessairement nous trouver confrontés à la *douleur,* citons le passage essentiel du paragraphe que notre encyclopédie consacre à ce terme, sans nous astreindre toutefois à le recopier tout entier : « Le degré de sensibilité à la douleur varie selon les individus, surtout lorsque à la douleur physique s'ajoute la douleur morale. La coexistence de ces deux phénomènes engendre la douleur subjective. »

Léni et tous les intéressés n'ayant pas seulement connu la douleur mais aussi la *souffrance,* citons encore, pour compléter notre bagage, l'essentiel du texte qui lui est consacré. « Elle (la souffrance) sera d'autant plus vivement ressentie par l'individu que ses biens essentiels seront plus touchés et sa nature plus sensible. »

Il est certain que chez tous les intéressés des familles Gruyten et Hoyser, auxquels il convient d'ajouter Marja van Doorn pareillement liée aux uns et aux autres, de tels biens ont été touchés. Une série de phénomènes alarmants s'est manifestée chez Léni : elle a entre autres maigri et acquis auprès des gens de l'extérieur une réputation de pleurnicheuse. Sans aller jusqu'à tomber, ses superbes cheveux ont néanmoins perdu leur éclat, tandis que rien, pas même les exploits culinaires de Marja qui, des *larmes* plein les yeux, s'efforçait pourtant de faire défiler devant elle toute la gamme de ses succulents potages sans omettre de lui procurer aussi les plus frais de tous les petits pains frais, rien donc n'a pu lui rendre son appétit. Des photos prises alors en cachette par quelque employé du père Gruyten nous montrent une vraiment pitoyable Léni, blême de *douleur* et de *souffrance,* minée par les *larmes,* sans le plus petit indice de la moindre velléité de *rire*. Lotte Hoyser n'a-t-elle pas eu tort de contester le veuvage de la jeune fille et celle-ci n'était-elle pas, au tréfonds caché de son être, une veuve plus que platonique ? La *douleur* subjective de Léni dut être considérable, celle des autres aussi. Son père, non content de se perdre dans ses rêveries, sombra dans une profonde mélancolie ; au dire de tous ceux qui l'approchaient, « il n'était plus à ce qu'il faisait ». Or, le vieux Hoyser étant brisé lui aussi, tandis que Lotte (de son propre aveu) « n'était plus depuis longtemps la même » et que Mme Gruyten, cloîtrée dans sa chambre et « n'avalant de-ci, de-là que quelques cuillerées de soupe et la moitié d'un toast » (Marja van Doorn), dérivait doucement vers la mort, il semble bien que la seule explication plausible de la prospérité et même du développement de l'entreprise Gruyten soit celle proposée par le vieux Hoyser : « L'affaire était si bien organisée, les experts-comptables, planificateurs et architectes engagés par Hubert se sont montrés si loyaux, qu'elle a tout bonnement continué sur sa lancée, du moins pendant l'année où Hubert et moi sommes restés sur la touche. Mais surtout : l'heure des vétérans avait sonné ! Ils étaient alors plusieurs centaines et ce sont eux qui ont pris la boutique en main ! »

Pour jeter quelque lumière sur cette période assez obscure de la vie du père Gruyten, il eût été trop hasardeux de ne se fier qu'au seul témoignage de Lotte Hoyser. D'où la nécessité de renoncer, hélas ! à ses formules lapidaires comme à son merveilleux laconisme.

Selon la formule consacrée, nous dirons qu'« en tout bien tout honneur » elle fut en effet d'avril 1940 à juin 1941 environ l'inséparable amie du père Gruyten. Peut-être celui-ci fut-il en retour l'inséparable ami de Lotte, tous deux ayant besoin d'un réconfort qu'en fin de compte ni l'un ni l'autre ne put trouver.

Ils voyagèrent par monts et par vaux, la veuve enceinte avec l'homme sombre et mélancolique qui avait refusé de lire lui-même les documents relatifs au malheur ayant frappé son fils et son neveu, mais s'était contenté de s'en faire donner un bref aperçu par Lotte et Werner von Hoffgau. Cet homme qui murmurait parfois : « Votre Allemagne, je l'emmerde » était censé aller d'un chantier à l'autre et d'hôtel en hôtel, alors qu'il n'accordait en fait jamais le moindre coup d'œil aux dessins, registres comptables, documents ou même chantiers. Il voyage en voiture ou en train, quelquefois en avion, choie tristement le petit Werner Hoyser alors dans sa cinquième année et qui aujourd'hui, à trente-cinq ans, habite un élégant appartement ultra-moderne dont il est propriétaire et raffole d'Andy Warhol dont il se mord les doigts de n'avoir pas acheté les œuvres plus tôt; c'est aussi un fanatique de la musique pop' et du sexe. Il possède une agence de paris. Werner se souvient fort bien de longues promenades le long des plages de Scheveningen, Mers-les-Bains, Boulogne, au cours desquelles « grand-père Gruyten » agitait les mains tandis que Lotte pleurait. Il se souvient de chantiers, de poutrelles métalliques, d'ouvriers « bizarrement vêtus » (probablement des prisonniers — l'auteur). De temps à autre, sans jamais se séparer de Lotte, Gruyten passe une ou deux semaines chez lui; prenant la relève de Léni, il s'assied alors au chevet de sa femme, et, tout comme Léni, cherche désespérément à la réconforter en lui lisant des contes, légendes ou poèmes irlandais, mais sans y réussir plus que sa fille; Mme Gruyten secoue la tête et sourit d'un air las. Le vieux Hoyser — qui semble avoir surmonté plus rapidement sa *douleur,* ne verse plus de *larmes* et depuis le mois de septembre s'est remis au travail — s'entend poser de temps à autre une surprenante question : « Comment, la boutique n'est pas encore fichue? » Non. Elle continue même de croître et prospérer. Les vétérans sont là qui tiennent bon.

A quarante et un ans, Gruyten serait-il donc un homme déjà fini ? Ne peut-il se remettre de la mort de son fils alors qu'autour de lui quantité d'autres fils sont tués sans que leurs pères en soient brisés ? Se met-il à la lecture ? Oui, celle d'un livre retrouvé, un missel de l'année 1913 qu'on lui avait alors offert pour sa première communion et « il cherche un réconfort dans la religion à laquelle il est cependant toujours demeuré indifférent » (Hoyser senior). Seule conséquence de cette lecture : à en croire Hoyser et sa belle-fille Lotte, il distribue son argent « à profusion ». Marja van Doorn confirme leur témoignage en remplaçant toutefois « à profusion » par « à la pelle ». (« A moi aussi il en a donné à la pelle, ce qui m'a permis de racheter la petite ferme de mes parents et même d'y rajouter un bout de terrain. ») Il entre parfois dans une église, « mais n'y reste guère plus d'une ou deux minutes » (Lotte). « Il paraît soixante-dix ans alors que sa femme, qui vient d'en avoir trente-neuf, n'en paraît guère que soixante » (Marja van Doorn). Il embrasse sa femme, quelquefois Léni, jamais Lotte.

Est-ce le commencement de la fin ? Son ancien médecin de famille, un certain docteur Windlen aujourd'hui âgé de quatre-vingts ans et qui habite une vieille maison dans laquelle subsistent encore certains vestiges de son ancienne activité (armoires et chaises blanches) s'est depuis longtemps affranchi du mythe du secret professionnel et passe le plus clair de son temps à dénoncer l'actuel engouement pour les médicaments, qu'il qualifie de fétichisme. Or ce médecin affirme que Gruyten « jouissait d'une parfaite santé; tout était en ordre : cœur, foie, reins, sang, urine. Il ne fumait pour ainsi dire pas, un cigare par jour peut-être, tandis qu'une bouteille de vin lui faisait toute la semaine. Malade, lui ? Non, pas du tout. Il savait d'ailleurs parfaitement à quoi s'en tenir, croyez moi. Qu'il ait eu parfois l'air d'un homme de soixante-dix ans ne signifie rien. Il était certes psychiquement et moralement brisé, mais ses organes demeuraient intacts. De la Bible il n'avait retenu qu'une seule phrase : « Faites-vous les amis « de l'injuste Mammon », ce qui, avouons-le, a de quoi vous taper sur le système ».

Léni consacre-t-elle toujours autant d'attention aux produits de sa digestion ? Probablement pas. Ses visites à sœur Rachel sont devenues plus fréquentes; elle les relate d'ailleurs à son amie Margret qui déclare : « Elle me racontait des choses tellement bizarres que je n'arrivais pas à y croire. Alors un beau jour, j'ai décidé de l'accompagner au couvent où j'ai pu constater que tout était vrai. Aruspice n'exerçait plus aucune fonction, même plus celle de « dame des lavabos ». L'accès de la chapelle ne lui était permis qu'en dehors des heures d'office. Contrainte même de quitter sa petite chambre, elle occupait désormais sous les combles une minuscule mansarde ayant autrefois servi de remise à balais, brosses, torchons et produits d'entretien. Et savez-vous ce qu'elle nous a demandé ? Des cigarettes ! Je ne fumais pas à l'époque, mais Léni a pu lui en refiler deux ou trois. Elle en a aussitôt allumé une sur laquelle elle a un instant consciencieusement tiré en inhalant la fumée avant de l'éteindre avec grand soin... plusieurs fois déjà j'avais vu des gens le faire, mais jamais comme elle ! Inouï ! Un vrai travail de précision, comme les types le font dans les toilettes des prisons ou des hôpitaux. Avec une paire de ciseaux elle a minutieusement coupé le bout incandescent de sa cigarette dans lequel elle a encore fourragé pour s'assurer qu'il ne recélait plus le moindre petit brin de tabac non consumé; après quoi elle a fourré son mégot dans une boîte d'allumettes vide. Et pendant ce temps, elle ne cessait de murmurer : « Le Seigneur est proche, le Seigneur est proche, il est là. » Tout cela avec le plus grand sérieux, sans la moindre trace d'ironie ni de démence. Elle était absolument saine d'esprit, seulement un peu souillon, comme si on lui mesurait le savon. Je n'y suis jamais retournée, j'avais la frousse, je l'avoue. Depuis la mort de Heinrich et de son cousin, j'avais les nerfs en capilotade. Quand Schlömer était absent, je faisais les boîtes à soldats pour en lever un, le premier venu. A dix-neuf ans, j'étais déjà une femme finie... et pourtant je ne pouvais supporter de voir sœur Rachel dans cet état; toute ratatinée, elle avait l'air d'une souris enfermée dans une cellule de condamnée à mort. En mordillant dans le pain que Léni lui avait apporté, elle ne cessait de me répéter : « Margret, laisse tomber, « laisse tomber. — Quoi donc ? — Ce que tu fais « là. » Je n'ai pas pu le supporter, j'avais les nerfs détraqués et n'y suis jamais retournée, tandis que Léni a continué à la voir des années durant... La pauvre sœur disait des choses bizarres : « Pourquoi « ne pas me supprimer tout bonnement au lieu de « me cacher ? » Et à Léni, elle répétait sans cesse : « Il faut que tu vives, entends-tu, que tu vives ! » Et Léni pleurait, elle aimait beaucoup sœur Rachel... On a fini par apprendre plus tard qu'elle était juive et que l'ordre n'avait pas déclaré sa présence en la prétendant disparue au cours d'un transfert. Ses consœurs l'ont donc tenue cachée dans le couvent, mais sans lui donner grand-chose à manger sous le prétexte qu'elle n'avait pas de carte d'alimentation... et pourtant avec un pareil verger et des porcs qu'on engraissait sur place... Non, mes nerfs n'ont pas tenu. On aurait dit une petite souris toute ratatinée là-haut dans son cagibi. Et Léni n'était autorisée à y monter que parce qu'on la savait si volontaire et si naïve à la fois. Elle croyait simplement que Rachel purgeait une punition, ne sachant même pas ce que c'était qu'un juif ou une juive. Et si elle l'avait su, si elle avait pris conscience du danger encouru, elle aurait tout bonnement dit : « Et alors ? » sans cesser pour autant ses visites, j'en suis convaincue. Léni avait du courage, elle en a toujours... Ce qu'il y avait d'affreux, c'était d'entendre sœur Rachel répéter : « Le Seigneur est proche, le Seigneur est proche », tout en regardant vers la porte comme si elle s'attendait à le voir entrer d'un instant à l'autre. Ça me flanquait la frousse, tandis que Léni, sans la moindre crainte, fixait la porte d'un regard avide, comme si la venue du Seigneur n'eût été aucunement faite pour la surprendre. Nous étions alors au début de 1941, je travaillais déjà à l'hôpital militaire et sœur Rachel m'a dit en me regardant fixement : « Ce que tu fais là n'est pas bien, mais ce que tu « prends est pire encore. Depuis quand en « prends-tu ? — Depuis quinze jours », ai-je répondu. Alors elle : « Dans ce cas, il est encore temps. » Mais moi : « Non, je n'y renoncerai « jamais. » A la morphine bien sûr. Peut-être ne le saviez-vous pas, mais vous deviez bien vous en douter, non ? »

Mme Schweigert est bien la seule à paraître n'avoir jamais eu besoin de réconfort. A cette époque, on la voit plus souvent chez les Gruyten où elle vient rendre visite à sa sœur mourante pour essayer de lui expliquer que, « loin de vous briser, les coups du sort doivent au contraire vous tremper » et que Hubert son mari, « en se laissant briser », prouve précisément qu'il est de mauvaise race. Elle ne craint pas d'admonester sa sœur qui dépérit pourtant visiblement : « Songe aux fiers Fenians ! » Elle parle de Langemarck et se sent offensée, mortellement offensée lorsque, s'étant enquise des causes du chagrin manifeste de Léni, elle s'entend répondre par Marja van Doorn (laquelle nous a rapporté l'ensemble de ces propos) que Léni pleure probablement son fils Erhard. Mme Schweigert trouve révoltant que cette *fille-de-bruyère* (une variante somme toute de sa *fille-ma-foi* — l'auteur) « se permette » de pleurer son fils alors qu'elle-même s'en abstient. Devant une aussi « révoltante révélation », elle cessera ses visites non sans avoir déclaré en quittant la maison : « Cette fois, ça va vraiment trop loin... celle-là et sa bruyère ! »

On continue naturellement à projeter des films cette année-là, et Léni va de temps à autre au cinéma. Elle y voit *Camarades en mer, Nuit de griserie* et revoit *Bismarck.*

L'auteur doute qu'aucun de ces films ait réussi à la réconforter ou simplement à la distraire le moins du monde.

Les rengaines à la mode, « Courageuse petite femme de soldat » ou « Nous partirons à l'assaut de l'Angleterre », l'ont-elles réconfortée ? C'est également douteux.

Les trois Gruyten, père, mère et fille, restent parfois des jours et des nuits d'affilée enfermé chacun dans sa chambre, volets clos et rideaux tirés, ne la quittant même pas quand retentissent les sirènes d'alerte aérienne, « prostrés sur leur lit, les yeux rivés au plafond » (Marja van Doorn).

Alors que les Hoyser — le vieil Otto et sa femme, Lotte et son jeune fils Werner — ont emménagé chez les Gruyten, se produit un événement certes prévisible et même aisément datable, mais qui n'en sera pas moins considéré comme un miracle en tant que source d'une guérison inespérée. Durant la nuit du 21 au 22 décembre 1940, en pleine attaque aérienne, Lotte met au monde un garçon de six livres et demie. Mais comme ce jeune homme arrive un peu plus tôt que prévu alors que la sage-femme est « occupée ailleurs » (à mettre au monde une petite fille, ainsi qu'on l'apprendra plus tard) et qu'à la surprise générale l'énergique Lotte se révèle tout à coup aussi faible et désemparée que Marja van Doorn, le miracle se produit. Mme Gruyten quitte son lit et d'un ton affectueux mais ferme donne à Léni des instructions précises. Tandis que Lotte est en proie aux dernières douleurs, Léni met de l'eau à bouillir, stérilise une paire de ciseaux, chauffe des langes et des couvertures, moud du café, sort la bouteille de cognac. Par cette nuit noire et glaciale, la plus noire de toute l'année, Mme Gruyten « si amaigrie qu'elle n'est presque plus qu'une âme » (Marja van Doorn) connaît son heure de gloire. Enveloppée dans son peignoir de bain bleu ciel, elle vérifie la présence sur la commode des accessoires nécessaires, tamponne le front de Lotte avec de l'eau de Cologne, lui tient les mains, lui écarte largement les jambes pour la mettre dans la position idoine, genoux relevés, puis sans la moindre appréhension reçoit le nouveau-né, lave la mère à l'eau vinaigrée, coupe le cordon ombilical et veille à ce que le bébé soit déposé « bien, bien au chaud » dans une corbeille à linge que Léni a bourrée de coussins. Elle ne se laisse nullement troubler par la chute, à peu de distance, de nombreuses bombes explosives et envoie promener le chef d'îlot, un certain Hoster — venu insister pour qu'on éteigne les lumières et que tout le monde descende à la cave — ceci avec une vigueur telle que tous les témoins de l'événement (Lotte, Marja van Doorn et le vieux Hoyser) s'accorderont, bien qu'interrogés séparément, pour la qualifier de « véritablement gendarmesque ».

A-t-on laissé perdre en elle un médecin de valeur ? Quoi qu'il en soit, elle nettoie consciencieusement le giron maternel et contrôle l'expulsion du placenta tout en buvant café et cognac avec Lotte et Léni. A la surprise générale, la dynamique Marja van Doorn

« ne s'est pas montrée à la hauteur de la situation » (Lotte); sous des prétextes cousus de fil blanc elle passe le plus clair de son temps dans la cuisine à servir du café aux deux hommes, Gruyten et Hoyser, et ce sans cesser de dire *nous* (« Nous y arriverons, nous nous en tirerons, nous ne nous laisserons pas abattre, etc. »), avec aussi une réserve exprimée en termes voilés à l'adresse de Mme Gruyten (« Pourvu que ses nerfs tiennent, mon Dieu, faites que ça n'en soit pas trop pour elle »); elle reste à l'écart de la chambre à coucher de Lotte, siège de l'événement, pour n'y faire son entrée que lorsque le pire est passé. Tandis que Mme Gruyten jette autour d'elle un regard étonné, comme si elle n'osait se croire capable d'avoir accompli une telle performance, Marja van Doorn entre dans la chambre avec le jeune Werner auquel elle murmure : « Et si nous allions voir un peu la tête du petit frère ? » Alors, comme si quelqu'un avait jamais pu en douter, le père Gruyten déclare au vieux Hoyser : « J'ai toujours su et dit que c'était une femme étonnante. »

Une certaine tension se manifeste quelques jours plus tard quand Lotte insiste pour que Mme Gruyten soit la marraine de son enfant qu'elle refuse néanmoins de faire baptiser et qu'elle souhaite prénommer Kurt (« selon le vœu de mon cher Wilhelm... si ç'avait été une fille, elle se serait appelée Hélène »). Lotte vitupère les Eglises, « surtout celle-là » (formule qui n'a jamais pu être tout à fait tirée au clair; on peut néanmoins admettre, avec une probabilité frisant la certitude, que Lotte sous-entendait l'Eglise catholique romaine car elle connaissait mal les autres — l'auteur). Mme Gruyten n'est pas fâchée, mais seulement « triste, très triste ». Elle accepte d'être la marraine de l'enfant et tient à mettre dans son berceau quelque chose de sérieux, de tangible et de durable. Aussi lui offre-t-elle en bordure de la ville un terrain non bâti dont elle a hérité à la mort de ses parents. Elle fait correctement les choses par-devant notaire, et le père Gruyten y ajoute une promesse qu'il aurait certainement tenue s'il l'avait pu : « Et moi, je lui construirai une maison dessus. »

La période de profonde affliction semble passée. Le père Gruyten secoue son apathie, et de passive sa mélancolie devient active. « C'est avec un sentiment de triomphe, presque de joie mauvaise » (Hoÿser senior) qu'il apprend qu'à l'aube du 16 février 1941 ses bureaux ont été touchés par deux bombes explosives. Mais aucune bombe incendiaire n'ayant été lâchée au cours de ce raid et la force uniquement explosive des autres n'ayant pas provoqué d'incendie, son espoir de constater que « tout le saint-frusquin a été la proie des flammes » se trouve réduit à néant. Après une semaine de travaux de déblaiement auxquels Léni participe sans grand enthousiasme, il appert qu'aucun document n'a été détruit, et en un mois l'immeuble est remis en état. Gruyten n'en franchit pourtant plus jamais la porte et à la surprise de tout son entourage : « il devient ce qu'il n'avait encore jamais été — pas même dans sa jeunesse — un être extrêmement sociable » (Lotte Hoÿser); et le même témoin d'ajouter : « Il se montra dès lors d'une surprenante gentillesse, tenant à ce que chaque jour, entre quatre et cinq, toute la maisonnée fût rassemblée autour de lui pour le café : Léni, ma belle-mère, les enfants, tous devaient en être. A partir de cinq heures, il restait seul avec mon beau-père qui devait alors lui communiquer tous les détails concernant « la boutique » : position des comptes, mouvements de fonds, projets à l'étude, chantiers en cours. Lorsqu'il eut ainsi acquis une vue d'ensemble de la situation financière, il alla passer de longues heures en compagnie d'avocats et de juristes pour mettre au point la façon dont il pourrait transformer en société anonyme une entreprise qui reposait encore entièrement sur lui. On dressa une « liste des vétérans ». Gruyten était suffisamment malin pour savoir qu'à quarante-deux ans — et qui plus est en parfaite santé — il pouvait encore être mobilisé, aussi tenait-il à s'assurer un poste de conseiller technique auprès de la direction. Sur le conseil de ses mandants — d'assez hautes huiles, dont quelques généraux, et qui toutes apparemment lui voulaient du bien — il troqua son titre contre celui de « Directeur de la planification ». Je devins moi-même chef du personnel et mon beau-père chef du service financier. Il aurait voulu confier un poste de direction à Léni qui venait d'avoir dix-huit ans et demi, mais elle le refusa. Il avait pensé à tout, sauf à assurer l'avenir de sa fille sur le plan financier. Plus tard, quand le scandale éclata, nous avons compris le pourquoi de toute cette combinaison, mais il n'empêche qu'il laissait sa femme et sa fille sur la paille... Bref, il devint soudain très sociable et, chose plus surprenante encore, se mit à parler de son fils. Alors que pendant près d'un an personne n'aurait osé prononcer devant lui le nom de Heinrich, voilà qu'il commença à l'évoquer. Il n'était pas assez bête pour invoquer le destin ou autre stupidité du même ordre, mais trouvait bon, disait-il, que Heinrich fût mort « activement » et non « passivement ». J'avoue n'avoir jamais très bien compris ce qu'il entendait par là car, personnellement, cette histoire danoise m'avait toujours paru assez stupide, ou disons plutôt qu'elle m'aurait paru telle si les deux garçons n'y avaient laissé leur peau. Je continue d'ailleurs à penser que le fait de mourir pour une cause ne la rend ni meilleure, ni plus grande, ni moins bête. Et je ne peux m'empêcher de trouver cette histoire idiote... Ayant enfin mis sur pied la formule nouvelle de son entreprise, Gruyten donna au mois de juin, à l'occasion du douzième anniversaire de sa fondation, la fête au cours de laquelle il comptait annoncer publiquement cette mutation. C'était le 15 du mois,

130

juste entre deux attaques aériennes... comme s'il s'en était douté. Mais nous, nous ne nous doutions de rien, absolument de rien. »

Léni se remit au piano « avec un acharnement et une application toutes nouvelles » (Hoyser senior) et le docteur Herweg Schirtenstein — déjà mentionné qui, tandis qu'il méditait à sa fenêtre, l'avait (selon ses propres dires) plus d'une fois écoutée jouer « avec une certaine curiosité mais sans le moindre enthousiasme » — dressa soudain l'oreille un certain soir de juin... « Car c'était là la plus étonnante interprétation que j'eusse jamais entendue. D'une rigueur presque glaciale, absolument nouvelle pour moi. Si vous voulez bien permettre à un vieillard, qui dans sa vie de critique musical a éreinté plus d'un exécutant, une remarque qui vous surprendra peut-être : j'ai cru entendre Schubert pour la première fois, et l'interprète, dont je n'aurais su dire si c'était un homme ou une femme, avait non seulement appris mais aussi compris quelque chose, ce qui est extrêmement rare chez un amateur. L'interprète en question ne jouait pas simplement du piano, il « faisait de la musique »! Et les jours suivants je me suis surpris à l'attendre, posté à ma fenêtre, surtout le soir entre six et huit. Mais j'ai peu après été mobilisé, d'où une assez longue absence... oui, onze ans, prisonnier des Russes... j'y ai pianoté, très au-dessous de mon niveau bien sûr, musique de danse, rengaines à la mode et autres trucs minables... oh! je n'ai pas eu la vie dure, mais imaginez ce que c'est pour un critique musical redouté que de jouer *Lili Marlène* à peu près six fois par jour! Quand j'en suis revenu, en 1952, mon appartement était occupé et lorsque, quatre ans plus tard, j'ai pu enfin le récupérer — j'aime bien, voyez-vous, ces arbres dans la cour et aussi ces hauts plafonds — qu'entendis-je soudain, reconnaissant aussitôt le toucher après quinze ans d'absence? Le moderato de la sonate en la mineur et l'allegretto de la sonate en sol majeur, d'une clarté, d'une rigueur et d'une profondeur plus étonnantes encore qu'en 1941 quand j'avais commencé à l'écouter attentivement pour la première fois. Oui, une exécution de tout premier ordre, vraiment! »

IV

Ce qui va suivre pourrait s'intituler : Léni commet une bourde, Léni quitte le sentier de la vertu, ou encore : Qu'arrive-t-il donc à Léni ?

A la fête de l'entreprise, prévue pour la mi-juin 1941, Gruyten avait également invité « tous les membres du personnel qui, bien qu'actuellement mobilisés, pouvaient alors se trouver en permission dans leurs foyers ». Ce que personne n'aurait pu soupçonner, « et que le libellé de l'invitation ne sous-entendait d'ailleurs d'aucune façon (Hoyser sen.), c'est que *d'anciens membres* du personnel aient pu se considérer comme invités, d'autant plus que pour *celui-là* l'épithète d'« ancien membre du personnel de l'entreprise » eût été vraiment excessive. Sa présence chez nous s'était en effet bornée à un stage de six semaines en 1936. Je dis bien un « stage » et non un « apprentissage » (appellation trop « pauvre » au goût dudit personnage !). Car loin de songer à s'instruire, il avait au contraire la prétention de nous enseigner l'art de la construction. Nous l'avons alors flanqué à la porte, peu avant son départ pour le service militaire. Ce n'était pas un mauvais gars mais un visionnaire, et non au bon sens du terme comme on pouvait sans doute le dire d'Erhard Schweigert, mais avec au contraire un penchant fort déplaisant à la mégalomanie. Son idée était de condamner le béton et de « redécouvrir » la

133

« souveraineté de la pierre ». Thèse peut-être défendable, sinon que nous n'avions que faire d'un garçon incapable de manipuler ladite pierre et qui d'ailleurs s'y refusait. Que diable ! j'ai passé près de soixante ans dans le bâtiment et à l'époque, ça en faisait déjà près de quarante, alors j'aime mieux vous dire que « la souveraineté de la pierre » n'était pas de l'hébreu pour moi. J'ai vu des centaines de maçons et d'apprentis maçons manipuler la pierre — vous devriez un jour aller regarder comment un véritable maçon en empoigne une ! — alors que ce garçon-là n'en avait pas la moindre idée. C'était un phraseur, rien de plus. Pas un méchant type, non, mais atteint d'une mégalomanie dont nous connaissions d'ailleurs l'origine. »

Autre composante de la fête, imprévue et funeste : Léni refusait d'y assister. Elle avait perdu le goût de la danse et « était devenue une jeune fille très sérieuse et silencieuse ». « S'entendant bien avec sa mère qui lui enseignait le français et des rudiments d'anglais, elle vouait par ailleurs un véritable culte à son piano » (Marja van Doorn). Elle connaissait en outre « suffisamment bien les membres du personnel employés sur place pour savoir qu'aucun d'eux n'eût pu lui rendre le goût de la danse » (Lotte H.). Et finalement Léni participa à cette fête uniquement pour ne pas désobliger ses parents.

Bien qu'il ne joue qu'un rôle secondaire, la nécessité s'impose hélas ! de dire quelques mots sur cet Aloïs Pfeiffer dont Hoyser a brossé un portrait si accablant, ainsi que sur sa famille, son clan. « Le père d'Aloïs, Wilhelm Pfeiffer, était un ancien camarade de classe et de guerre de Hubert Gruyten. Issus du même village ils avaient, jusqu'au mariage de ce dernier, entretenu des liens d'amitié assez lâches qui se rompirent du jour où, « Wilhelm P. lui tapant vraiment par trop sur les nerfs, Gruyten ne put tout simplement plus le supporter » (Hoyser). Tous deux avaient participé ensemble, au cours de la première guerre mondiale, à un combat sur les bords de la Lys. Or, au retour de la guerre, ledit Pfeiffer alors âgé de vingt ans (propos rapportés par Hoyser) « se mit à traîner la jambe droite comme si elle avait été paralysée. Ma foi, je n'ai rien contre le fait qu'un type cherche à resquiller une pension, mais celui-là y allait quand même un peu fort : il ne parlait plus que de cet « éclat d'obus gros comme une tête d'épingle » qui l'avait soi-disant atteint au « point critique ». Entêté comme une mule, ce gars-là... pendant trois ans il a traîné sa jambe de toubib en toubib, de service en service, tant et si bien qu'on a fini non seulement par lui octroyer une pension, mais encore par lui faciliter sa préparation à l'école normale d'instituteurs. Bien, bien... il n'est pas question de lui faire du tort et peut-être était-il — que dis-je — est-il réellement infirme, quoique personne n'ait jamais pu trouver dans sa jambe la moindre trace d'éclat. Sans doute me direz-vous que son infirmité peut résulter d'une autre cause, ou que le fait de n'avoir pas trouvé l'éclat ne prouve encore pas son absence... mais avouez que c'est quand même une drôle d'histoire. La seule vue de Pfeiffer s'amenant avec sa jambe à la traîne rendait Hubert affreusement nerveux. Il faut dire que ça ne s'arrangeait pas, bien au contraire, Pfeiffer allant parfois même jusqu'à évoquer une éventuelle amputation. Le fait est que sa jambe est plus tard devenue complètement raide, quoique personne, même avec les meilleurs appareils de radio, n'ait jamais réussi à déceler ce fameux éclat gros comme une tête d'épingle. Si bien qu'exaspéré Hubert a fini par lui lancer : « Comment peux-tu savoir que ton éclat est « gros comme une tête d'épingle alors que jamais « personne n'a encore réussi à le voir ? » C'était quand même un sacré argument, non ? Et notre Pfeiffer s'en est senti offensé sans recours. Il s'est créé une sorte de philosophie-de-la-tête-d'épingle et là-bas, à l'école de Lyssemich, a passé son temps à rabâcher à ses élèves l'histoire de son éclat d'obus et de son combat sur les bords de la Lys, et ça a duré dix ans, vingt ans... Hubert de son côté nous a un beau jour fait part d'une remarque très pertinente — il faut dire que nous avions toujours des nouvelles de Pfeiffer par les gens du village dont nous sommes tous originaires et où nous avons encore pas mal de famille — Hubert donc a déclaré : « Même si elle a reçu un éclat, c'est la jambe la plus « hypocrite que je connaisse... et dire qu'il la traîne « partout ! Or il n'a jamais été question pour nous « d'un combat et je le sais d'autant mieux que j'y « étais... car faisant partie de la troisième ou qua- « trième vague, nous n'avons jamais été directe- « ment dans le coup. Sans doute quelques obus « tombaient-ils par-ci, par-là... ma foi, que la guerre « soit une absurdité, nous le savons bien, mais « qu'elle ait été pour nous *aussi épouvantable* qu'il « l'a décrite, c'est de la blague puisque nous ne « l'avons subie qu'un jour et demi, et il n'y a vrai- « ment pas de quoi en parler toute une vie durant. » Bref (soupir de Hoyser), Aloïs, le fils de Wilhelm, est donc venu à la fête. »

Plusieurs visites au village de Lyssemich se révélè- rent indispensables pour obtenir quelques informa- tions objectives sur Aloïs Pfeiffer. Furent interrogés deux aubergistes à peu près de son âge ainsi que leurs épouses, qui tous se souvenaient encore de lui. La visite au presbytère se révéla superflue, le curé ne sachant rien de plus que ce qu'indiquait le regis- tre de la paroisse, c'est-à-dire que le nom des Pfeif- fer est apparu pour la première fois à Lyssemich en 1756. Or, Wilhelm Pfeiffer ayant finalement quitté le village (en 1940 seulement, il est vrai), « moins en raison de ses activités politiques assez fâcheuses que

parce que nous ne pouvions plus le supporter »
(Zimmermann, aubergiste à Lyssemich, cinquante-
quatre ans, homme de caractère et digne de foi), les
traces des Pfeiffer y sont en train de s'effacer. Et
dans un sens ou dans l'autre, les seuls témoins dont
nous disposions sont hélas ! de parti pris. Les témoignages des deux groupes antagonistes ne se contre-
disent jamais sur les faits mais sur leur interprétation seulement. Tous les témoins du parti anti-Aloïs,
Marja van Doorn, les Hoyser, Léni (Margret ignore
tout des Pfeiffer), déclarent qu'il a dû abandonner
ses études secondaires à l'âge de quatorze ans (sur
ce point son curriculum vitæ épouse celui de Léni),
alors que le clan Pfeiffer le prétend « victime de
certaines intrigues ». Ce que personne ne conteste,
bien qu'avec une intonation plus ou moins ironique,
c'est qu'Aloïs était « bel homme ». Si aucune photo
de lui ne figure sur le mur de Léni, les Pfeiffer par
contre en ont bien une dizaine. Il faut avouer que si
l'épithète de « bel homme » a jamais eu un sens, elle
s'applique parfaitement à Aloïs. Il avait des yeux
bleu clair sous des cheveux noir de jais. En raison
de certaines théories raciales extrêmement basses,
on a beaucoup discuté des cheveux noirs d'Aloïs.
Son père et sa mère étaient blonds, tout comme ses
aïeux paternels et maternels (informations recueil-
lies auprès des parents Pfeiffer) dans la mesure du
moins où l'on sait quelque chose de la couleur de
leurs cheveux. Or tous les aïeux identifiables des
Pfeiffer et des Tolzem (nom de jeune fille de
Mme Pfeiffer) étant nés dans le triangle géographique Lyssemich-Werpen-Tolzem (triangle d'un
périmètre de vingt-sept kilomètres), nos recherches
n'entraînèrent donc pas de considérables randon-
nées. Tout comme son frère Heinrich toujours
vivant, les deux sœurs d'Aloïs, Berta et Käthe,
mortes prématurément, avaient les cheveux blond
cendré. Chez les Pfeiffer, les discussions
« blond-brun » devaient constituer le principal sujet

de conversation. Pour expliquer la couleur des cheveux d'Aloïs, ils n'hésitaient même pas à user d'un procédé assez répugnant, en soupçonnant leurs ancêtres. A l'intérieur du triangle géographique susmentionné (probablement à peu de frais, vu sa faible étendue) ils furetèrent dans les registres des paroisses et des bureaux d'état civil pour essayer de dénicher une aïeule à laquelle pouvoir imputer l'écart de conduite qui aurait introduit ces cheveux noirs dans la famille. « Je me souviens, dit Heinrich Pfeiffer, sans la moindre ironie d'ailleurs, qu'en 1936 nous avons fini par découvrir dans le registre de la paroisse de Tolzem une aïeule qui pourrait être à l'origine des cheveux si étonnamment noirs de mon frère, une certaine Maria dont le prénom était seul consigné mais dont les parents figuraient sur le registre comme *nomades.* »

Heinrich P. habite avec sa femme Hetti, née Irms, un pavillon inclus dans un lotissement appartenant à la paroisse. Père de deux garçons, Wilhelm et Karl, il est en passe d'acquérir une petite voiture. Amputé au-dessous du genou, il n'est pas désagréable quoique un tantinet nerveux, ce qu'il attribue à ses soucis d'argent.

Cela dit, les chevelures brunes sont loin d'être rares dans le triangle géographique susmentionné. L'auteur a même pu se convaincre de visu (si rapide qu'ait dû être son recensement) qu'elles détenaient la majorité. Mais dans le cas des Pfeiffer il s'agissait d'une légende, d'un objet de fierté familiale connu sous le nom de « la fameuse chevelure Pfeiffer ». Une femme dotée de cette chevelure passait en quelque sorte pour favorisée, aimée des dieux et pour belle en tout cas. Les recherches entreprises à l'intérieur du triangle Tolzem-Werpen-Lyssemich ayant, au dire de Heinrich P., permis de découvrir de nombreux croisements entre les Pfeiffer et les Gruyten (mais non les Barkel, citadins depuis des générations), l'auteur ne juge pas impossible qu'en vertu d'une quelconque union transversale Léni ait hérité de la chevelure Pfeiffer. Mais il faut être juste; objectivement parlant — disons d'un point de vue de coiffeur — les cheveux d'Aloïs étaient fichtrement beaux : épais, sombres et naturellement ondulés. Ondulation qui à son tour motivait force spéculations, la « chevelure Pfeiffer » étant — comme celle de Léni ! — lisse et plate...

Il est aisé de prouver en toute objectivité que, dès le jour de sa naissance, Aloïs a fait l'objet de chichis outranciers. Selon une pratique chère aux Pfeiffer, on fit aussitôt de nécessité vertu : Jusqu'en 1933 le garçon eut droit à l'épithète de « notre petit gitan » mais à dater de là devint subitement « spécifiquement occidental ». L'auteur tient à souligner qu'il n'avait en rien le type celtique, déduction que l'on pourrait être tenté à tort de tirer du fait que les Celtes ont souvent les yeux clairs et les cheveux foncés. Aloïs était d'ailleurs — nous le verrons — totalement dénué de la sensibilité et de l'imagination propres aux Celtes. Si l'on voulait le classer sur le plan racial, seule l'épithète de « Germain manqué » pourrait lui convenir. Cela dit, ses parents exhibèrent avec orgueil leur « délicieux enfant » partout à la ronde, des mois sinon des années durant; avant même qu'il fût capable d'articuler un mot, fondant sur lui les plus belles espérances, ils l'avaient déjà destiné à des carrières fulgurantes et de préférence artistiques. Ils le voyaient tour à tour sculpteur, peintre, architecte (la littérature ne devait intervenir que plus tard dans les spéculations familiales — l'auteur). Tous les faits et gestes d'Aloïs furent hyperboliquement portés à son crédit. Et comme il était aussi, bien entendu, un « délicieux enfant de chœur », tantes, cousines et autres le voyaient déjà en « moine » ou, pourquoi pas, en « abbé peintre ». Il est prouvé (par la femme de l'aubergiste Commer de Lyssemich, aujourd'hui âgée de soixante-deux ans, ainsi que par sa belle-mère, la vieille Mme Commer dont, en dépit de ses quatre-vingt-un ans, l'excellente mémoire fait l'admiration de tout le village) que l'indice de fréquentation de l'église de Lyssemich ne cessa de croître aussi longtemps qu'Aloïs y fut enfant de chœur, c'est-à-dire de 1926 à 1933. « C'était une telle joie d'y voir ce ravissant petit bonhomme que nous y allions non seulement le dimanche mais souvent même en semaine » (grand-mère Commer). L'auteur eut de nombreuses entrevues avec M. Pfeiffer et sa femme Marianne née Tolzem. Peut-être, pour caractériser le niveau de vie des Pfeiffer, suffira-t-il de dire qu'il est d'un degré supérieur à celui de leur fils Heinrich : leur pavillon est un peu plus grand et ils ont déjà leur voiture. Pfeiffer senior, aujourd'hui retraité, traîne toujours la patte. Le couple se montrant tout disposé aux confidences, l'auteur n'a donc pas eu la moindre peine à les faire parler de leur fils Aloïs. Tout ce que celui-ci a jamais produit est conservé sous vitrine comme autant de reliques. Sur quatorze dessins de lui, deux ou trois ne sont pas mal du tout : panoramas aux crayons de couleur de la campagne entourant Lyssemich et dont l'extrême platitude — des différences de niveau ne dépassant pas six à huit mètres, inévitables même en plaine (affouillements dus aux ruisseaux) y passent déjà pour tout à fait remarquables — semble avoir sans cesse incité Aloïs à la représenter. Comme le ciel y repose toujours sur la terre, fertile d'ailleurs, Aloïs a cherché — consciemment ou non, qui peut le savoir — à saisir les mystérieux effets de lumière de la peinture hollandaise; sur deux ou trois feuilles il y a presque réussi, grâce à l'utilisation comme source de lumière — idée originale — d'un soleil voilé par la vapeur de la sucrerie de Tolzem rapprochée de Lyssemich pour les besoins de la cause. N'ayant pu vérifier les déclarations des Pfeiffer quant à l'existence de centaines de ces dessins, l'auteur ne les a donc accueillies qu'avec scepticisme. Quelques objets bricolés par Aloïs, une caisse à cactus, un coffret à bijoux, un râtelier à pipes pour son père, une énorme lampe (faite à la scie à chantourner) produisirent sur l'auteur — pour user d'un euphémisme — une impression plutôt pénible. Sous vitrine également, une demi-douzaine de diplômes sportifs non négligeables (athlétisme et natation) plus une lettre d'éloges du club de football de Lyssemich. L'apprentissage du métier de maçon qu'Aloïs entreprit à Werpen pour l'interrompre au bout de six semaines fut qualifié par Mme Pfeiffer de « stage que fit échouer l'incroyable rustauderie du maître maçon, incapable de rien comprendre aux initiatives de mon fils ». Bref, la famille visait manifestement « plus haut » pour Aloïs, tout comme lui-même d'ailleurs.

Quelques douzaines de ses poèmes figuraient aussi dans une vitrine des P., mais l'auteur préfère n'en point parler. Pour ce qui est de la vigueur d'expression, aucun de ces poèmes (pas même un seul de leurs vers) n'arrive à la cheville de ceux d'Erhard Schweigert que nous connaissons déjà. Son stage interrompu, « Aloïs se lança avec un génial élan d'enthousiasme » (Pfeiffer sen.) dans une profession sans doute bien peu faite pour un garçon d'aussi faible caractère : celle d'acteur. Quelques apparitions réussies sur une scène d'amateurs où il tenait le rôle principal dans « Le Lion des Flandres » lui valurent — dûment exposées dans la vitrine des P. — trois coupures de journaux hautement élogieuses. Il n'est encore jamais venu à l'idée des Pfeiffer que ces trois articles émanaient d'un seul et même critique qui les avait tout bonnement pondus pour trois journaux régionaux différents et signés d'initiales inversées. Hormis d'infimes variantes (le talent est d'abord « évident », puis « indéniable » et enfin « incontestable »), les trois comptes rendus

141

sont identiques et signés B.H.B., B.B.H. et H.B.B. Et naturellement, là encore Aloïs échoua « en raison de l'incompréhension générale pour son « intuition » et des jalousies suscitées par sa « beauté » » Mme Pfeiffer).

Au nombre des reliques dont la famille P. se montre particulièrement fière figurent quelques exemplaires de sa prose *imprimée* qui, légèrement fanés dans leur cadre doré, ornent l'étage supérieur de la vitrine. Tout en les montrant à l'auteur, Mme Pfeiffer lui fit remarquer : « Vous voyez, des textes *imprimés*, la preuve de son talent ! Quand je songe à tout l'argent qu'on aurait pu en tirer... » (Mélange de pur idéalisme et de matérialisme sordide bien typique des Pfeiffer — l'auteur).

1. Départ !

Voilà huit mois déjà que nous sommes en guerre, et nous n'avons pas encore tiré un seul coup de feu. Le long et froid hiver a été employé à nous dispenser une solide instruction militaire. Mais voici le printemps et depuis plusieurs semaines nous attendons l'ordre du Führer.

On s'est battu en Pologne pendant que nous montions la garde sur le Rhin; le Danemark et la Norvège ont été occupés sans que nous ayons pu participer aux opérations. Certains prétendaient déjà que nous n'aurions même pas l'occasion d'aller combattre hors de nos frontières.

Nous sommes stationnés dans un petit village de l'Eifel. Le 9 mai à seize heures trente nous parvient l'ordre de marche vers l'ouest. Alerte ! Les estafettes s'élancent, on harnache les chevaux, on remplit les havresacs, on prend congé des logeurs avec un mot de remerciement, les petites filles ont les yeux rouges... L'Allemagne marche vers l'ouest, à la rencontre du soleil couchant. France, prends garde à toi !

Notre bataillon fait mouvement dans la soirée. Il y a des troupes devant nous et d'autres qui nous suivent de près, tandis que sur le côté gauche de la route des colonnes motorisées ne cessent de nous dépasser. Nous avançons dans la nuit.

Alors que l'aube se devine à peine, voici que l'air tremble au passage des avions allemands qui, vrombissant au-dessus de nos têtes, apportent le bonjour au voisin occidental. Les éléments motorisés continuent de nous dépasser. — « A l'aube les troupes allemandes ont franchi les frontières de Hollande, de Belgique et du Luxembourg et poursuivent leur avance vers l'ouest. » — Cette nouvelle qui a fait l'objet d'un communiqué spécial, un soldat motorisé nous la hurle en dépassant notre colonne en marche Déferlement d'enthousiasme. Nous faisons de grands signes à nos vaillants camarades de la Luftwaffe qui ne cessent de passer au-dessus de nos têtes.

2. La Meuse 1940

La Meuse n'est plus un fleuve mais une immense bande de feu. Sur chacune des rives, les hauteurs sont transformées en volcans.

Dans cette région idéale pour la défense, chaque abri naturel est exploité. Et quand la nature n'a rien à offrir, la technique prend la relève. Partout des nids de mitrailleuses, devant les rochers, entre les failles des rochers, dans les recoins les plus profonds. Des voûtes minuscules creusées dans le sol, maçonnées, bétonnées, au-dessus desquelles se dressent en guise de toit des roches massives hautes de cinquante mètres et vieilles de plusieurs millénaires.

3. L'Aisne 1940

Cent vingt moteurs de stukas font retentir leur

chant d'airain! Cent vingt stukas franchissent l'Aisne en trombe!

Mais aucun d'eux ne trouve son objectif.

La nature a protégé la ligne Weygand en étendant sur elle un épais voile de brouillard.

Debout, fantassin anonyme! Ne pouvant aujourd'hui compter que sur toi-même, tu dois prouver ta supériorité acquise à rude école. Ton désir de vaincre doit briser la plus opiniâtre résistance.

Quand tu descendras des crêtes du Chemin des Dames, souviens-toi du sang qui y a coulé.

Songe que des milliers d'hommes avant toi ont déjà emprunté cette route.

C'est à toi, soldat de 1940, de la poursuivre jusqu'au bout.

As-tu lu l'inscription sur la plaque commémorative? « Ici se trouvait Ailette, détruite par les barbares. » Quels sentiments criminels aveuglent donc tes adversaires qui aujourd'hui encore te considèrent comme un barbare, toi qui combats pour ton droit à l'existence!

A l'aube du 9 juin, notre division est prête à passer à l'offensive. Les camarades d'un régiment frère ont pour mission d'attaquer dans notre secteur. Nous sommes gardés en réserve.

Alerte! Tout le monde dehors!

Il est quatre heures du matin. Ivres de sommeil, les hommes sortent en rampant de leur tente, à la queue leu leu. Aussitôt se manifeste une activité fébrile.

4. Un héros

L'histoire de ce héros est un modèle de courage intrépide et de l'engagement personnel total des officiers allemands. On a dit que l'officier devait donner à ses hommes l'exemple du courage devant la mort. Mais chaque soldat, dès l'instant où il foule le champ de bataille et prend l'ennemi à la gorge, fraternise avec la mort. Chassant la peur de son cœur, il bande ses forces comme la corde de l'arc; les sens soudain exacerbés, il se jette dans les bras de la capricieuse fortune et sent confusément que la chance et la grâce divine ne sourient qu'aux audacieux. Les timorés seront entraînés par l'exemple des braves, et l'image d'un seul homme au courage intrépide allume les flambeaux de l'audace dans les cœurs de ceux qui l'entourent. Tel était le colonel Günther !

5

L'ennemi se bat avec ruse et acharnement. S'il se sait encerclé, il se bat jusqu'au bout. Il ne se rend presque jamais. Passés maîtres dans l'art de la guerilla, les nègres sénégalais sont ici dans leur élément. Merveilleusement camouflés derrière des broussailles, des rideaux de feuillage naturels ou artificiels, ils se terrent dans la forêt, là où un sentier, voire un passage plus dégagé attirent l'attaquant. Ils tirent du plus près possible sans jamais rater leur coup, presque toujours mortel. Ils grimpent aussi dans les arbres où ils parviennent à se rendre invisibles. Souvent ils laissent passer l'attaquant pour le liquider ensuite par-derrière. Impossible de venir à bout de ces broussards qui harcèlent les réserves, les agents de liaison, les états-majors, les artilleurs. Depuis longtemps coupés de leur corps, à demi morts de faim, ils ont encore trouvé moyen de descendre des soldats isolés. Couchés, debout ou assis dans un arbre, blottis tout contre le tronc, souvent protégés par un filet de camouflage, ils guettent leur proie. Et lorsqu'on arrive enfin à débusquer l'un de ces sauvages, il s'en est généralement déjà aperçu et s'est laissé tomber sur le sol comme un sac pour disparaître au plus vite dans les fourrés.

En avant! Nous ne devons plus nous arrêter, surtout pas ici. Le bataillon progresse sans couverture dans la vallée. Qui sait si à droite et à gauche l'ennemi n'est pas embusqué sur les crêtes... Surtout ne pas s'arrêter! Cela tient du miracle, personne n'entrave notre avance. Les villages ont été pillés et détruits par les Français qui refluent. Près de moi, un camarade murmure : « On aperçoit là-bas le Chemin des Dames (son père y a été tué au cours de la guerre mondiale), nous devons être dans le vallon de l'Ailette, c'est là que mon père a été touché en allant au ravitaillement. »

Une large route conduit à travers le vallon de l'Ailette, vers la crête du Chemin des Dames. A droite et à gauche de la route, pas un pouce de terrain qui n'ait été plusieurs fois retourné par les obus au cours de la guerre mondiale. Pas un seul arbre un peu haut avec un vrai tronc; ils ont tous été pulvérisés en 1917. Depuis lors leurs racines ont donné des rejets et de chaque souche est né un arbrisseau.

A tout instant nous regardons l'heure. Derniers contrôles, derniers repérages. A peine nous a-t-on fait les ultimes recommandations qu'un coup de feu déchire le silence. C'est l'attaque! Des lisières de la forêt, de derrière les taillis, les canons allemands tirent. La canonnade remonte lentement la pente de la rive opposée de l'Aisne. Toute la vallée est enveloppée d'un nuage de fumée par moments si épais que nous ne pouvons alors presque plus rien observer. Au plus fort de la canonnade, les hommes du génie amènent les radeaux de caoutchouc pour transporter l'infanterie sur l'autre rive. Un dur combat s'engage pour le passage de l'Aisne et du canal. Vers midi, en dépit d'une résistance acharnée de l'adversaire, la crête opposée est atteinte. Dès lors notre poste d'observation n'est plus d'aucune utilité. L'observateur avancé et les deux radios ont déjà progressé le matin avec l'infanterie. L'après-midi nous parvient l'ordre de changer l'emplacement du poste d'observation et la position de batterie. Le soleil tape dur. Peu après nous atteignons l'Aisne. Le nouveau poste d'observation doit être installé sur la cote 163.

Quant à la qualité de cette prose, l'auteur est trop imbu de préjugés pour pouvoir se permettre le moindre commentaire.

Si l'on additionne tous les jugements *objectifs* portés sur Aloïs, avant de relever dans toutes les opinions *subjectives* les éléments correspondant auxdits jugements objectifs, on peut conclure que ce garçon eût probablement fait un bon moniteur sportif et accessoirement un professeur de dessin valable. Il y a belle lurette que le lecteur n'ignore plus où Aloïs finit par échouer après plusieurs carrières interrompues : dans l'armée.

Or chacun sait qu'à l'armée pas plus qu'ailleurs on ne vous fait de cadeaux, et d'autant moins lorsque pour devenir officier on doit nécessairement passer par l'école des sous-officiers, seule voie restant ouverte à Aloïs « après que l'interruption de ses études secondaires l'eut renvoyé au cours complémentaire » (Hoysen sen.). Il faut reconnaître en toute justice que ce garçon de dix-sept ans, d'abord engagé volontaire dans l'Arbeitsdienst avant de passer chez les vrais Prussiens, commence à faire preuve de raison. Dans des lettres qu'il adresse à ses parents (toutes exposées dans la vitrine), il écrit textuellement : « En dépit de tous les risques, je suis décidé cette fois à tenir bon et, si mon entourage adopte une attitude hostile à mon égard, à ne pas l'en rendre seul responsable. Aussi vous demanderai-je, chers papa et maman, de renoncer à me voir déjà au faîte de ma carrière, alors que je l'aborde à peine. » C'est assez bien dit, en référence à une remarque de Mme Pfeiffer qui, voyant pour la première fois son fils en uniforme, l'imagina aussitôt « attaché militaire en Italie ou quelque chose d'approchant ».

Si l'on veut bien enfin avoir un petit élan, toujours louable, de commisération et user d'un minimum disons d'équité, si l'on tient compte en outre de la très mauvaise éducation qu'il avait reçue, on peut estimer qu'Aloïs n'était somme toute pas si mauvais que ça. Et d'ailleurs, une fois séparé de sa famille, il n'en devint que meilleur, personne ne le voyant plus alors en futur amiral ou cardinal. En tout cas, un an et demi après son entrée dans l'armée, il réussit à passer caporal et même si la guerre imminente favorisait l'avancement, ce n'était pas un succès sans valeur. Il fut nommé sergent lors de l'invasion de la France et c'est en tant que tel, sous-officier frais émoulu, qu'il participa en juin 1941 à la soirée donnée par les Gruyten.

Faute de posséder un quelconque témoignage sérieux sur le brusque regain de plaisir à danser éprouvé ce soir-là par Léni, nous devons nous contenter de rumeurs et de chuchotements hétérogènes : bienveillants, sournois, jaloux ou sardoniques. En admettant qu'entre huit heures du soir et quatre heures du matin, l'orchestre joua de vingt-quatre à trente danses et qu'entre minuit et une heure Léni quitta la salle en compagnie d'Aloïs, on peut en conclure — après avoir établi une moyenne raisonnable des rumeurs et chuchotements — que

Léni a dansé une douzaine de fois. Il est en tout cas certain que de ces douze danses présumées elle n'en a dansé ni la plupart ni *presque* toutes avec Aloïs, mais bien la totalité, sans même en accorder une seule à son père ni au vieux Hoyser. Elle n'a donc vraiment dansé qu'avec lui.

Les photos d'A. exposées dans la vitrine des Pfeiffer à côté d'une décoration et de son ruban du combattant nous le montrent à l'époque sous les traits d'un gars rayonnant, bien fait en temps de guerre non seulement pour orner la page de couverture des illustrés mais aussi pour y publier des morceaux de prose tels que ceux précédemment cités... et même en temps de paix. Tout ce que Lotte, Margret et Marja savent de lui (soit directement, soit par les quelques maigres confidences de Léni), complété par les témoignages de Hoyser, nous amène à nous représenter Aloïs comme un jeune homme toujours aussi rayonnant après une marche de trente kilomètres, son pistolet-mitrailleur chargé et armé en travers de la poitrine, sa vareuse déboutonnée sur laquelle pendille sa première décoration et qui entre à la tête de son détachement dans un village français avec la ferme conviction de l'avoir conquis; après s'être assuré avec ses hommes qu'aucun franc-tireur, aucune sorcière ne se dissimule dans le village, il se lave de la tête aux pieds, change de linge et de chaussettes puis fait volontairement à pied douze kilomètres supplémentaires en pleine nuit (pas assez malin pour chercher d'abord dans le village s'il n'y aurait pas par hasard une bicyclette abandonnée quelque part, ou alors simplement effrayé par les hypocrites affiches interdisant le pillage sous peine de mort). Seul mais toujours vaillant, il se met donc en route parce qu'il a entendu dire qu'on trouvait des femmes dans un bourg distant de douze kilomètres. A y regarder de plus près, il s'agit de quelques prostituées d'âge mûr, victimes de la première vague sexuelle allemande de 1940, ivres et épuisées par une débordante activité professionnelle. Après que le sanitaire de service eut révélé à notre pseudo-héros quelques statistiques particulières puis l'eut autorisé à jeter, sans engagement de sa part, un coup d'œil à ces pitoyables créatures décrépites, il repart bredouille et refait ses douze kilomètres en sens inverse (s'apercevant alors seulement que la quête, même laborieuse, d'une bicyclette dissimulée eût été payante), songe non sans remords aux interdits que lui impose sa religion et, après une marche de vingt-quatre kilomètres au total, sombre aussitôt dans un profond mais bref sommeil; éveillé dès l'aube, il commence peut-être alors par « faire de la prose » avant de reprendre sa marche à la conquête de nouveaux villages français.

Léni dansa donc, semble-t-il, une douzaine de fois avec lui (« Il faut lui laisser ça, c'était un danseur sensationnel! » — Lotte H.) avant d'accepter, vers une heure du matin, de le suivre dans un ancien fossé de fortification aménagé en parc.

Cet événement donna naturellement lieu à des spéculations, théories, polémiques et analyses diverses. « Que Léni qui passait pour inaccessible ait justement choisi celui-là pour sauter le pas, quelle histoire, pour ne pas dire quel scandale! » (Lotte H.). Si, usant du même procédé que pour déterminer la fréquence des danses, nous faisons une moyenne des voix et tendances exprimées, notre sondage d'opinion donne alors le résultat suivant : plus de 80 p.100 des confidents, participants et observateurs considèrent à tort que seuls des motifs d'ordre bassement matériel ont incité Aloïs à séduire Léni. La majorité d'entre eux croit même à un lien entre son entreprise de séduction et la carrière d'officier qu'il ambitionnait. « Il aurait voulu — dit-on — harponner Léni pour s'assurer une solide assise financière » (Lotte). Tout le clan Pfeiffer (dont plu-

sieurs tantes, mais à l'exception de Heinrich), soute-
nait à l'inverse que c'était Léni qui avait séduit
Aloïs. Il est probable qu'aucune des deux hypothèses
n'est vraie. Quoi qu'il ait pu être par ailleurs, Aloïs
était incapable du moindre calcul au sens matérialiste du terme, en quoi il se différenciait agréablement de sa famille. Il s'est beaucoup plus vraisemblablement épris de la jeune fille pleinement
épanouie qu'elle était alors, tandis qu'il en avait
par-dessus la tête de ses fatigantes et peu réjouis-
santes incursions dans les bordels français, et sans
doute « la fraîcheur » (l'auteur) de Léni l'a-t-elle
plongé dans une sorte d'ivresse.

Quant à celle-ci, on peut lui accorder le bénéfice
du doute en estimant qu'elle s'est simplement
« oubliée » (l'auteur); après tout c'était un soir d'été,
et pourquoi ne pas accepter d'aller se promener
dans l'ancien fossé de fortification ? Et en admettant, ce qui est quasiment certain, qu'Aloïs se soit
montré tendre, voire même pressant, on en arrive
dans le pire des cas à la conclusion que Léni a commis un faux pas non point moral mais plutôt existentiel.

L'ancien fossé de fortification — toujours aménagé en parc — existe encore et la visite des lieux ne
demandant qu'un minimum d'effort, l'auteur décida
de l'entreprendre. C'est devenu une sorte de jardin
botanique, dont un espace de cinquante mètres carrés environ est planté de bruyère (atlantique). Mais
l'administration s'est déclarée « hors d'état de
retrouver le tracé général des plantations de l'année
1941 ».

Le seul commentaire connu de Léni concernant
les trois jours suivants fut des plus concis : « Indescriptiblement pénibles. » Unique confidence faite en

termes identiques à Margret, Lotte et Marja. Ce que l'auteur a réussi à découvrir par ailleurs permet d'en conclure qu'Aloïs fut un amant fort peu délicat et en tout cas dénué d'inspiration. Dès le petit matin il entraîna Léni chez une tante obscure, Fernande Pfeiffer, qui doit son prénom aux tendances à la fois francophiles et séparatistes de son père que la famille, naturellement, désavouait. Elle habitait un logement d'une pièce dans un vieil immeuble bâti en 1895, sans salle de bain ni même eau courante ailleurs que sur le palier. Cette Fernande Pfeiffer, qui occupe toujours ou plus exactement de nouveau — car elle a connu entre-temps une brève période de prospérité — une chambre dans un vieil immeuble (mais datant cette fois de 1902), se souvient « naturellement fort bien de l'arrivée inopinée des deux jeunes gens. Et croyez-moi, ils n'avaient vraiment pas l'air de tourtereaux, mais plutôt de chiens mouillés. Il aurait quand même dû emmener cette jeune fille dans un gentil petit hôtel après avoir joué avec elle aux amis de la nature... un gentil petit hôtel où elle aurait pu se laver et remettre de l'ordre dans sa toilette. Ce petit imbécile n'avait vraiment pas une once de savoir-vivre ». L'auteur a eu nettement l'impression que Mme (ou Mlle) Fernande Pfeiffer n'a jamais souffert d'un manque de savoir-vivre Elle possède la fameuse chevelure Pfeiffer et quoique plus très jeune, cinquante-cinq ans environ, et ne disposant que de modestes ressources, elle vous offre (elle aussi !) un excellent vieux sherry. Le fait que les Pfeiffer, y compris Heinrich, renient Fernande « sous prétexte qu'elle s'est plusieurs fois essayée — et toujours sans succès — au métier de tenancière de bistrot », n'en fait pas pour autant aux yeux de l'auteur un témoin moins digne de foi. Sa conclusion fut la suivante : « Et je vous le demande, quelle situation pour cette charmante jeune fille que d'être assise là dans mon unique pièce ? Devais-je sortir pour leur permettre...

eh bien, disons, de continuer à prendre du plaisir et à offenser Dieu, ou devais-je rester là? C'était pire pour elle que dans le plus minable des hôtels de passe où elle aurait eu du moins un lavabo, une serviette et la possibilité de fermer la porte derrière elle. » Enfin, vers le soir, Aloïs décida d'affronter les parents « main dans la main, regard assuré et sans le moindre égard pour cette pourriture de morale bourgeoise » (F. Pfeiffer), formule qui, à en juger non par ses paroles mais par son « air dédaigneux », déplut manifestement à Léni autant qu'à Fernande. Il est difficile d'établir de façon objective s'il ne s'agissait de la part d'Aloïs que d'un léger bluff prenant sa source dans quelques réminiscences de sa période « Lion des Flandres » ou si un trait fondamental et indéniablement idéaliste de sa nature se révélait soudain à l'occasion de leur « pure aventure » (déplorable formule qu'il utilisa pour expliquer l'affaire à sa tante en présence de Léni). Indubitablement un phraseur de premier ordre que cet Aloïs! Et il est facile d'imaginer le genre de réaction qu'une telle redondance pouvait provoquer chez une jeune fille à la fois aussi matérialiste et éthérée que Léni. Que l'on veuille ou non ajouter foi au témoignage de la tante Fernande, elle n'en a pas moins déclaré que Léni lui avait paru peu encline à passer une seconde nuit avec Aloïs, que ce fût dans un lit ou dans la bruyère et que d'ailleurs, profitant d'une brève absence du jeune homme parti faire un tour aux toilettes situées à mi-étage, elle avait prélevé dans la poche de sa vareuse son titre de permission et, déçue par sa durée, avait froncé son petit nez. Ce compte rendu comporte en tout cas une erreur : Léni n'a pas un petit nez, mais un nez bien proportionné et de forme parfaite.

Aloïs ne manifestant aucune velléité d'enlèvement ou autre, « après avoir passé la journée chez moi dans un silence oppressant et épuisé toute ma réserve de café », il ne leur restait plus en fin de soirée qu'à se présenter devant leurs familles respectives. Leur première visite fut pour les Pfeiffer qui, depuis que le père Pfeiffer avait été « muté en ville », habitaient un faubourg éloigné. Cachant mal son triomphe, le père P. réussit quand même à adresser un reproche à son fils : « Comment as-tu pu faire ça à la fille de mon vieil ami ! », tandis que Mme P. se contentait d'un inoffensif : « Ce sont des choses qui ne se font pas. » Heinrich Pfeiffer, alors âgé de quinze ans, croit bien se rappeler qu'on passa la nuit à boire du café et du cognac (commentaire de Mme P. : « On ne va pas regarder à la dépense ») tout en élaborant par le menu des projets de mariage auxquels Léni prit d'autant moins part qu'on ne lui demanda même pas son avis. Elle finit d'ailleurs par s'endormir tandis que les autres continuaient à forger des plans détaillés, allant même jusqu'à discuter de la taille de l'appartement et de son ameublement (« Il ne peut pas loger sa fille dans moins de cinq pièces, il lui doit bien ça — de l'acajou, c'est un minimum — peut-être se décidera-t-il enfin à construire une maison sinon pour lui-même, du moins pour elle »).

Au petit matin (toujours d'après Heinrich P.), « Léni chercha manifestement à les provoquer en se conduisant comme une grue : elle fuma deux cigarettes à la file, avalant la fumée et la rejetant par le nez, puis se plâtra les lèvres d'une épaisse couche de rouge. » On alla à la plus proche cabine téléphonique commander un taxi (monsieur P. cette fois : « On ne va pas regarder à la dépense ») pour se rendre chez les Gruyten — à partir de là nous dépendons du témoignage de Marja van Doorn car Léni continue obstinément à se taire — où l'on arriva « désagréablement tôt, aux alentours de sept heures et demie ». Après une mauvaise nuit (alerte aérienne et premier refroidissement de Kurt, son filleul), Mme Gruyten était encore au lit en train d'y prendre son petit déjeuner (« café, toast et marmelade d'oranges... vous imaginez le mal qu'on pouvait avoir en 1941 à dénicher de la marmelade d'oranges, mais pour elle, Hubert aurait fait n'importe quoi ! »).

« J'ai donc vu arriver Léni, « ressuscitée le troisième jour »... c'est vraiment l'impression qu'elle m'a faite. Elle s'est précipitée chez sa mère, l'a embrassée puis, gagnant sa chambre, m'a demandé de lui apporter son petit déjeuner; après quoi, le croiriez-vous, elle s'est mise au piano. Mme Gruyten — je dois le reconnaître — s'est donné le mal de se lever. Elle a tranquillement fait sa toilette puis, sa mantille sur les épaules — somptueuse pièce de dentelle ancienne, toujours transmise par héritage à la plus jeune des filles Barkel — elle est passée dans le salon où l'attendaient les Pfeiffer auxquels elle a aimablement demandé : « Que désirez-vous, je vous prie ? » S'ensuivit aussitôt une discussion autour de ce « vous » : « Mais voyons, Hélène, pourquoi nous « vouvoies-tu tout à coup ? » alors Mme Gruyten : « Je n'ai pas le souvenir de vous avoir jamais tutoyés. » Alors Mme Pfeiffer : « Nous venons vous « demander la main de votre fille pour notre fils. — « Hum », fit simplement Mme Gruyten avant d'aller téléphoner au bureau pour demander qu'on veuille bien se lancer à la recherche de son mari en le priant, sitôt trouvé, de rentrer dare-dare à la maison. »

Sur ce, pendant une heure et demie environ, se déroula la pénible tragi-comédie d'usage dans tout arrangement de mariage petit-bourgeois. Le mot « honneur » revint à peu près cinq douzaines de fois (Marja van Doorn prétend pouvoir le prouver, ayant, dit-elle, fait un trait au crayon sur le panneau de la porte chaque fois qu'elle l'entendait prononcer). « Ma foi, s'il ne s'était agi de Léni, j'aurais trouvé ça drôle car, s'apercevant que Mme Gruyten ne se souciait guère de sauver l'honneur de sa fille en la mariant avec leur Aloïs, ils renversèrent la vapeur pour invoquer alors l'honneur de leur fils. Ils le défendirent comme celui d'une fille séduite, prétendant que son honneur d'élève officier — qu'il n'était pas et ne serait jamais — ne pourrait être sauvé que par le mariage. Et quand ils se mirent par-dessus le marché à vanter ses attraits physiques, ses beaux cheveux, son mètre quatre-vingt-cinq et sa musculature, j'ai bien cru mourir de rire. »

Par bonheur, le père Gruyten, attendu avec effroi, arriva enfin et se révéla « (bien qu'ayant pourtant déjà fulminé) infiniment doux, calme et presque amical, ceci au grand soulagement des Pfeiffer qui tous avaient de lui une peur bleue ». Ecartant d'un geste le terme d'honneur (« Nous avons aussi notre honneur ! », exclamation identique et simultanée de M. et Mme Pfeiffer), il fixa sur Aloïs un regard songeur, posa en souriant un baiser sur le front de sa femme, demanda à Aloïs le numéro de sa division, « s'absorba de plus en plus dans ses pensées », puis alla chercher Léni dans sa chambre et, « sans lui adresser le moindre reproche », lui demanda d'un ton neutre : « Qu'en penses-tu, fillette... mariage ou pas ? » Sur ce et « probablement pour la première fois, Léni regarda Aloïs bien en face, l'air songeur et comme si un nouveau pressentiment venait de l'effleurer » (avait-elle donc déjà eu des pressentiments ? — l'auteur), « avec compassion aussi... et puis enfin elle avait volontairement sauté le pas avec lui... aussi répondit-elle : « Mariage. »

« Avec un accent de sympathie dans la voix » (Marja van Doorn) Gruyten dit en regardant Aloïs : « Eh bien, soit ! » et il ajouta : « Votre divi-« sion n'est plus à Amiens, elle a été transférée à « Schneidemühl. »

Il se déclara même prêt à aider Aloïs à obtenir rapidement de l'armée son autorisation de mariage,

« car le temps presse ». Il est naturellement facile de prétendre après coup que le père Gruyten était au courant des considérables transferts de troupes opérés depuis fin 40 et que dans la nuit qui précéda la décision relative au mariage de Léni il avait appris, au cours d'un entretien avec de vieux amis, l'imminence de l'attaque contre l'Union Soviétique. Dans ses nouvelles fonctions de « directeur de la planification, il apprenait ainsi bien des choses » (Hoyser sen.). Toutes les objections soulevées ensuite dans la journée par Lotte et Otto Hoyser contre ce mariage, il les balaya d'un « Bah! laissez donc... laissez faire... »

Reste à préciser qu'en même temps que le télégramme l'autorisant à se marier, Aloïs reçut l'ordre « d'interrompre immédiatement sa permission pour rejoindre le 19/6/41 sa division à Schneidemühl ».

Mariage civil, mariage religieux... est-il besoin de décrire ces cérémonies ? Peut-être convient-il toutefois de préciser que Léni refusa de porter une robe blanche, qu'Aloïs manifesta tout au long du repas de noces une extrême nervosité et qu'enfin Léni, visiblement indifférente à l'annulation de leur nuit de noces officielle, n'en accompagna pas moins Aloïs à la gare où elle le laissa l'embrasser. Comme elle devait le révéler plus tard à son amie Margret — en 1944, dans l'abri de son immeuble, pendant un bombardement aérien particulièrement violent —, une heure avant son départ, Aloïs entraîna Léni dans ce qui était alors la lingerie des Gruyten et l'obligea à lui appartenir « légitimement et en tout honneur », exigence qu'il assortit d'une référence expresse à ses devoirs conjugaux, « si bien qu'Aloïs était mort pour moi avant même de s'être fait tuer » (Léni, d'après Margret).

Dès le 24 juin 1941 au soir arriva l'avis de décès d'Aloïs, tombé à la prise de Grodno.

Ce qui importe dans ce contexte, c'est le refus de

Léni de porter le deuil comme de manifester du chagrin. Par sens du devoir, elle fixa au mur une photo d'Aloïs à côté de celles d'Erhard et de Heinrich, mais pour l'en retirer dès la fin 1942.

Suivent deux années et demie sans histoire, au cours desquelles Léni passe de dix-neuf à vingt puis vingt et un an. Elle n'accepte plus jamais d'aller danser malgré les occasions que Margret et Lotte lui offrent parfois. Elle va de temps à autre au cinéma (d'après Lotte H. qui continue de lui fournir les billets), voir des films comme *Jeunes Gars, Chevauchez pour l'Allemagne* et *Par-dessus tout au monde*. Elle voit aussi *L'Oncle Krüger* et *Les Chiens du ciel*... sans qu'aucun de ces films lui arrache la moindre larme. Elle joue du piano, s'occupe avec une touchante sollicitude de sa mère qui souffre d'une rechute et se promène pas mal dans les environs au volant de sa voiture. Ses visites à sœur Rachel se font de plus en plus fréquentes; elle lui apporte du café dans une bouteille thermos, des sandwiches dans une boîte en fer et des cigarettes. Mais l'économie de guerre devient bientôt de plus en plus serrée et l'activité de Léni dans la firme Gruyten de plus en plus fictive, si bien qu'au début de 1942, après un contrôle rigoureux de l'entreprise, se voyant menacée d'être privée de voiture, Léni se permet pour la première fois (au dire des témoins) de demander une faveur à son père : elle le supplie de lui « laisser l'engin » (entendant par là sa voiture, une **Adler**), et quand il lui explique que la chose ne dépend plus entièrement de lui, elle insiste de si pressante façon qu'il finit par « tout mettre en œuvre pour lui obtenir une prolongation de six mois » (Lotte H.).

L'auteur se permet ici une large intervention; il prend en effet la liberté d'échafauder un certain

158

nombre d'hypothèses, comme d'imaginer ce qu'aurait pu ou dû être le destin de Léni si...

— Primo, des trois jeunes gens ayant jusque-là compté dans sa vie, Aloïs avait seul survécu à la guerre.

Il est probable que, sa véritable vocation étant bel et bien le métier des armes, Aloïs se serait non seulement précipité jusqu'à Moscou mais encore bien au-delà, qu'il serait passé lieutenant, capitaine et peut-être même — si nous lui épargnons une éventuelle captivité en Union Soviétique — commandant à la fin de la guerre. Couvert de décorations, il aurait séjourné quelque temps à l'ouest dans un camp de prisonniers où il aurait, de gré ou de force, fini par perdre le reste de ses illusions; à son retour de captivité il aurait travaillé deux ans (ou un seulement, en cas de retour tardif) comme manœuvre, peut-être même en compagnie du père Gruyten qui aurait à coup sûr préféré un Aloïs humilié à un Aloïs triomphant; il aurait peu après réintégré l'armée (l'actuelle Bundeswehr) et aujourd'hui, à l'âge de cinquante-deux ans, serait à coup sûr général. Aurait-il pu redevenir le partenaire de Léni au cours de nuits conjugales, voire de nuits d'amour ? L'auteur affirme que non. Sans doute le fait que Léni se prête si peu aux hypothèses rend-il toute spéculation difficile. Peut-on estimer qu'elle n'aurait pas vécu l'intense expérience amoureuse (dont il nous faudra bien parler) si... L'auteur affirme qu'elle l'aurait quand même vécue si...

Certainement encore bel homme à l'âge de cinquante-deux ans et protégé de la calvitie par la fameuse chevelure Pfeiffer, Aloïs aurait fort bien pu, en cas de pénurie d'enfant de chœur, se proposer pour servir la messe en la cathédrale de Bonn ou de Cologne. Et pourquoi n'y aurait-il pas de beaux généraux sachant opérer à bon escient le transfert du livre de messe, présenter humblement la burette de vin et celle d'eau-du-robinet ? Admettons que, sans lui rester fidèle, Léni ne l'eût cependant pas quitté, allant même de temps à autre jusqu'à remplir son devoir conjugal. Eût-elle alors, accompagnée de trois ou quatre « délicieux » enfants, assisté le 10 octobre 1956 au premier (mais non dernier) service religieux dédié à la Bundeswehr, célébré en l'église Gereon de Cologne par le cardinal Frings, son général de mari servant la messe? L'auteur affirme que non. Il ne parvient pas à y *voir* Léni. Il y voit Aloïs et même les « délicieux » enfants, mais pas Léni. Il voit aussi Aloïs sur la page de couverture de certains illustrés ou en compagnie de nos beaux messieurs Nannen et Weidemann[1] à une quelconque réception de gens de l'Est. Il le voit encore en attaché militaire à Washington ou même Madrid... mais il ne voit Léni nulle part et surtout pas en compagnie de nos beaux messieurs Nannen et Weidemann. Peut-être faut-il imputer au manque d'imagination créatrice de l'auteur son incapacité de voir Léni, alors qu'il voit très bien Aloïs et même leurs enfants, mais pourquoi Aloïs avec une telle netteté et jamais Léni? Puisqu'il existe sans nul doute quelque part dans l'univers un corps céleste non encore identifié pourvu d'un ordinateur géant — probablement de la taille de la Bavière — qui crache à volonté d'hypothétiques existences, il nous faut donc attendre la découverte de cet engin. Il est bien certain en revanche que si Léni s'était imposé ou s'était vu imposer la poursuite de son existence auprès d'Aloïs, le chagrin aurait fait d'elle une femme corpulente et qu'au lieu de peser trois cents grammes de moins que son poids idéal, elle pèserait aujourd'hui dix kilos de plus. Il nous faudrait alors un autre ordinateur géant — de la taille du land Rhin-Septentrional-Westphalie — spécialisé dans le contrôle des sécrétions et capable de découvrir en vertu de quels pro-

---

1. Nannen : éditeur de l'illustré STERN (N.d.T.).
   Weidemann : rédacteur au même journal. (N.d.T.).

cessus internes et externes une femme comme Léni aurait pu devenir corpulente. Imagine-t-on notre Léni, épouse de l'attaché militaire, en train de danser ou de jouer au tennis à Saigon, Washington ou Madrid ? Une *grosse* Léni peut-être, mais pas celle que nous connaissons.

Dommage que les instruments célestes qui convertissent en excédent ou en manque de poids chaque *larme* non versée, chaque *souffrance* ou chaque *bonheur,* chaque *rire* ou chaque *pleur,* n'aient pas encore été décelés. Sans doute est-il indiciblement difficile d'imaginer Léni autre qu'elle est, mais puisque de tels ordinateurs existent, pourquoi, à l'inverse des dictionnaires, la science nous laisse-t-elle en rade ?

Bref, tandis qu'il voit, presque aussi claire que du cristal, l'hypothétique carrière d'Aloïs, l'auteur ne voit Léni nulle part, pas même — à franchement parler — dans l'accomplissement de quelconques devoirs conjugaux.

C'est dommage, vraiment dommage que ne soient pas encore accessibles les instruments célestes qui répondraient à la question biblique : Dis-moi ce que tu pèses en trop ou en moins, et je te dirai si trop ou trop peu de *larmes, pleurs, rires, bonheur, douleur* et *souffrance* convertissent dans ton estomac, tes intestins, ton bulbe rachidien, ton foie, tes reins et ton pancréas, tes actes et sentiments erronés en ce trop ou moins. Qui répondra à la question de savoir combien pèserait Léni si

— Secundo : Erhard seul avait survécu à la guerre ;

— Tertio : Erhard *et* Heinrich ;

— Quarto : Erhard, Heinrich *et* Aloïs ;

— Quinto : Erhard et Aloïs ;

— Sexto : Heinrich et Aloïs.

Seule certitude : au cas où Erhard aurait survécu, ledit instrument céleste qui reste encore à déceler se serait follement réjoui du poids de Léni (les ordinateurs sont capables, eux aussi, d'exulter) comme de son fantastique équilibre sécrétoire. Et... question capitale : dans les circonstances 1 à 6, Léni aurait-elle quand même échoué dans l'établissement horticole de Pelzer et, en cas de conflits, comment les eût-elle maîtrisés ?

En tout état de cause, il convient de se montrer sceptique quant à la possibilité pour Léni d'une vie commune avec Aloïs; à l'inverse, la rencontre dans la bruyère du Schleswig-Holstein, manifestement projetée par Léni, aurait sûrement connu, elle, un heureux dénouement. Il est par ailleurs certain que le fait d'être mariée n'aurait en aucune façon retenu Léni si elle avait soudain rencontré « l'homme de sa vie ». Etant donné ce que nous savons d'Erhard, nous pouvons très bien imaginer Léni en épouse de professeur de lycée (matière principale : littérature allemande), en épouse (ou compagne) de programmateur des émissions nocturnes, en épouse d'éditeur d'une revue d'avant-garde (et, il convient de le mentionner ici, elle aurait *aussi* appris par Erhard à connaître le poète de langue allemande, Georg Trakl, qu'un autre homme devait plus tard lui faire connaître). Erhard n'aurait certainement jamais cessé de l'aimer. La réciproque eût-elle été vraie ? Impossible de le garantir pour plus de vingt ans. Mais il est tout aussi certain qu'Erhard ne se serait jamais prévalu de droits quelconques et se serait à ce titre assuré pour la vie entière sinon l'amour constant de Léni, du moins sa sympathie. Celui qu'à sa propre surprise l'auteur *ne voit* pas non plus, c'est Heinrich. Il ne parvient à l'imaginer nulle part dans aucune profession... pas plus d'ailleurs que n'y sont parvenus les pères jésuites dans leur ensemble.

En relation avec certains renseignements d'ordre lexicographique, il convient de poser encore la question suivante : comment définir les biens essentiels ? Qui nous dira pour tel individu quel bien essentiel est supérieur ou inférieur à un autre ? Sur ce point les dictionnaires, fût-ce les plus renommés, présentent de graves lacunes. Il est aisé de prouver que pour certains individus, deux marks cinquante constituent un bien d'une valeur infiniment supérieure à n'importe quelle vie humaine, la leur exceptée, que certains autres sont même capables, pour un morceau de boudin qu'on leur sert ou ne leur sert pas, de mettre carrément en péril les biens essentiels de leurs femme et enfants, à savoir une vie familiale heureuse et l'image d'un père enfin radieux. Et qu'en est-il de ce bien essentiel tant prisé qu'on dénomme *bonheur ?* Fichtre, si l'un est assez proche du bonheur lorsqu'il a enfin réussi à réunir les trois ou quatre mégots suffisants pour rouler une cigarette ou à avaler un reste de vermouth trouvé dans une bouteille jetée aux ordures, l'autre — selon du moins l'usage amoureux occidental à procédure accélérée — a besoin, pour être une dizaine de minutes heureux ou plus exactement pour s'accoupler un court instant avec la personne sur laquelle il a momentanément jeté son dévolu, d'un avion à réaction privé lui permettant, à l'insu de la personne que les lois religieuses et civiles ont prévue pour son *bonheur,* de s'envoler vers Rome ou Stockholm après le petit déjeuner et d'être de retour pour le thé, ou même vers Acapulco (à condition toutefois de pouvoir prolonger son absence jusqu'au petit déjeuner suivant), et ce, qu'il s'agisse d'un accouplement homme-homme, femme-femme ou simplement homme-femme.

Il nous faut bien préciser une fois pour toutes que nombreux sont les U.F.O.[1] munis d'ordinateurs non encore décelés.

Où, par exemple, est enregistrée l'épreuve de la

---

1. *U*nbekanntes *F*lug*o*bjekt : objet volant non identifié (N.d.T.).

douleur, morale ou physique? Où s'inscrit, tel un cardiogramme, le graphique de l'activité de nos sacs lacrymaux? Qui compte nos *larmes* quand au milieu de la nuit nous versons secrètement des *pleurs*? Qui finalement se soucie de nos *rires* et de nos *souffrances*? Que diable, les auteurs doivent-ils donc résoudre tous ces problèmes? A quoi bon la science et les savants qui envoient des engins horriblement dispendieux ramasser de la poussière lunaire ou d'insipides petits cailloux, s'ils ne sont même pas capables de localiser l'U.F.O. qui pourrait nous renseigner sur la relativité des biens essentiels? Pourquoi par exemple certaines femmes peuvent-elles exiger pour un bref accouplement deux villas, six voitures et un million et demi comptant, tandis que — le fait est statistiquement démontrable — à l'époque où notre Léni avait sept ou huit ans, dans une vieille et sainte cité dont la tradition en matière de prostitution est fortement établie, des jeunes filles ont non seulement livré leur corps mais aussi exaucé le souhait de caresses hors programme pour une tasse de café d'une valeur de 18 pfennigs (20 avec le pourboire : très exactement 19,8 pfennigs... mais quelle Monnaie songerait à frapper des pièces de 0,1 ou 0,2 pfennig quand il en faudrait dix ou cinq pour produire un seul minable petit pfennig?) et pour une cigarette d'une valeur de 2,5 pfennigs, soit 22,5 pfennigs au total?

On peut supposer que les mémoires de l'ordinateur des biens essentiels sont soumises à une constante et extrême tension du seul fait qu'il leur faille enregistrer des différences aussi considérables (entre 22,5 pfennigs et 2 millions de marks environ) pour prix d'un service absolument identique.

A quel niveau de sensibilité enregistre-t-on par exemple le bien essentiel que constitue une allumette, non pas une allumette entière ni même une moitié mais seulement le quart d'allumette avec lequel un détenu allume le soir sa cigarette, tandis que certaines gens — non fumeurs de surcroît ! — possèdent, trônant inutilement sur leur bureau, un briquet à gaz de la taille d'un melon ?

Quelle situation est-ce là ? Qu'en est-il de la justice dans cette affaire ?

Force nous est de constater en somme que bien des questions demeurent sans réponse.

On sait peu de chose des visites de Léni à sœur Rachel, les religieuses actuelles du couvent ne tenant pas à jeter une trop vive lumière sur l'intimité qui unissait les deux femmes, et ce en raison de projets auxquels Margret a déjà fait allusion mais qu'il nous reste à dévoiler. Il a également fallu ménager en l'occurrence un témoin qui a pris de gros risques en acceptant de parler et l'a d'ailleurs payé fort cher; il s'agit d'Alfred Scheukens qui, amputé à vingt-cinq ans à peine d'un bras et d'une jambe, fut affecté à dater de 1941 au couvent en qualité de jardinier et de portier adjoint. Il devait en savoir assez long sur les visites de Léni à sœur Rachel mais ne put être entendu que deux fois. Dès sa seconde audition il fut en effet muté dans un autre couvent du Rhin inférieur et l'auteur avait tout juste réussi à le localiser lorsqu'on le transféra ailleurs, tandis qu'une religieuse du nom de sœur Sapience — quarante-cinq ans environ, l'air énergique — faisait clairement comprendre à l'auteur que l'ordre ne se sentait nullement tenu de fournir des explications sur sa politique en matière de personnel. La disparition de Scheukens étant survenue sensiblement à la même époque que le refus de sœur Cécile d'accorder à l'auteur un quatrième entretien, cette fois exclusivement consacré à sœur Rachel, celui-ci s'est bien douté qu'on ourdissait quelque machination ou intrigue et a d'ailleurs appris depuis lors pourquoi : l'ordre s'efforce d'édifier un culte à Rachel, sinon même d'obtenir sa béatification, voire sa canonisation... contexte dans lequel les « espions » (sic) sont indésirables, tout comme Léni bien sûr. A l'époque où il pouvait encore parler parce qu'on ne se doutait pas de la nature de ses propos, Scheukens a avoué que jusqu'à la mi-42 il introduisait secrètement Léni auprès de sœur Rachel deux sinon trois fois par semaine : elle pénétrait dans l'enceinte du couvent en passant par sa petite maison de gardien et « une fois dans le jardin se débrouillait très bien toute seule ». Lotte, qui « n'a jamais fait grand cas de cette nonne mystérieuse et mystique », n'a rien à relater à son sujet. Quant à Margret, Léni semble ne lui avoir parlé que de la mort de sœur Rachel : « Elle est morte de consomption, et aussi de faim malgré la nourriture que je lui apportais régulièrement; alors elles l'ont aussitôt enfouie dans le jardin sans pierre tombale ni rien. Lors de ce qui devait être ma dernière visite, j'ai tout de suite senti qu'elle n'était plus là, et Scheukens m'a dit : « C'est inutile, ma petite dame, « inutile... à moins que vous ne vouliez gratter la « terre? » Je suis alors allée trouver la supérieure pour en avoir le cœur net, mais elle m'a déclaré que Rachel était partie en voyage et quand je lui ai demandé où, elle m'a jeté un regard inquiet avant de me dire : « Voyons, mon enfant, auriez-vous perdu « la raison? ».

« Bref, poursuivit Margret, et cette fois pour son compte, je suis heureuse de n'y être jamais retournée moi-même et aussi d'avoir réussi à empêcher Léni de porter plainte; ça aurait pu mal tourner vu l'époque... pour les religieuses comme pour elle et pour tout le monde. Je dois dire que le mot de Rachel « Le Seigneur est proche » m'avait amplement suffi... et quand je songe qu'il aurait pu réellement franchir la porte... » (la pauvre Margret s'est même signée à cette idée).

« Je me suis naturellement demandé (avait déclaré, lors de la dernière visite de l'auteur, un Scheukens encore fort loquace) qui ça pouvait bien être, cette jeune dame toujours si élégante avec une si chouette voiture. La femme ou la petite amie d'un bonze du parti, que je me suis dit. Qui d'autre aurait encore pu avoir sa voiture personnelle à l'époque ?... donc, le parti ou l'industrie, pas vrai ?

« Personne bien sûr ne devait savoir qu'elle venait, alors je la faisais passer en douce dans le jardin à travers ma bicoque et ressortir de même. Mais un beau jour elles ont découvert le pot aux roses parce qu'elles ont trouvé là-haut chez la sœur un gros tas de mégots et que ça sentait la tabagie ; et une autre fois on a eu des histoires avec le chef d'îlot sous prétexte qu'il avait vu de la lumière à une fenêtre du haut — rien que la flamme de leurs allumettes sûrement... mais ça se voit à des kilomètres quand tout le reste est dans le noir. Ça a fait un sacré pétard et elles ont décidé de fourrer la petite dans la cave. (Quelle petite ?) Eh ben, la vieille petite sœur. C'est la seule fois que je l'ai vue... le jour qu'elles l'ont déménagée. On lui a descendu un prie-Dieu et un lit, mais elle n'a pas voulu de son crucifix, elle disait : « Non, ce n'est pas lui, ce n'est pas « lui ! » Plutôt sinistre, hein ? Mais la chic dame blonde revenait toujours, elle était entêtée, croyez-moi. Elle essayait de me persuader de l'aider à enlever la petite... un rapt, rien que ça ! Ma foi, j'avoue que j'ai fait une bêtise en me laissant acheter — cigarettes, beurre, café — pour continuer à la laisser entrer aussi dans la cave. Là au moins on ne les voyait pas allumer leurs cigarettes, la fenêtre est au-dessous du niveau de la chapelle. Et puis un jour elle est morte et nous l'avons enterrée dans le petit cimetière du jardin. (Avec cercueil, croix et prêtre ?) Cercueil oui, prêtre non, croix non. J'ai simplement entendu la supérieure déclarer : « Maintenant elle

« ne pourra plus nous ennuyer avec sa maudite
« carte de tabac. »

Voilà pour Scheukens. Bien que peu sympathique,
il avait toutefois par sa faconde éveillé des espoirs
qui furent finalement déçus. Les renseignements
fournis par les bavards n'acquièrent en définitive
quelque intérêt qu'à partir du moment où l'on
découvre ce qu'ils peuvent cacher de perfide. Et
Scheukens commençait précisément à se trahir lorsqu'on l'arracha brusquement à l'auteur. De son côté,
et presque en même temps, la précieuse source d'informations que représentait la charmante sœur
Cécile, dont l'auteur pensait avoir gagné la sympathie, s'est elle aussi tarie.

Il est certain que fin 41-début 42 Léni atteint le
summum de son silence et de sa discrétion. Elle
manifeste ouvertement son mépris aux Pfeiffer en se
retirant dans sa chambre dès qu'ils apparaissent.
L'objet de leurs visites, de leurs mielleuses atten-
tions à l'égard de Léni, il a fallu six semaines à une
personne même aussi perspicace que Marja van
Doorn pour le deviner : il s'agissait pour eux non
seulement de surveiller la conduite de la jeune
veuve, mais encore et surtout de savoir s'ils pouvaient espérer la venue au monde d'un descendant.
« Oui, six semaines après la mort d'Aloïs, j'ai enfin
compris, au moment où de chagrin et de fierté le
père Pfeiffer paraissait décidé à traîner hypocrite-
ment sa seconde jambe (je ne sais même plus
laquelle des deux était la bonne) mais finit par y
renoncer parce qu'il lui fallait bien en conserver une
en état de marche pour traîner l'autre, pas vrai ?...
Bref, à cette époque les Pfeiffer venaient sans cesse
chez nous avec leurs affreux gâteaux maison mal
cuits, mais comme personne ne se souciait d'eux,
pas plus Mme Gruyten que son mari ou Léni, ni
même Lotte qui n'a jamais pu sentir toute cette

engeance, ils venaient s'installer à la cuisine pour m'y demander s'il n'y avait rien de « changé » chez Léni. Je pensais que leur question concernait seulement son veuvage, qu'ils voulaient savoir si elle avait un amant ou quoi. Je n'avais donc rien deviné, jusqu'au jour où je me suis aperçue qu'ils auraient volontiers jeté un coup d'œil à son linge. Ah! c'était donc ça! Alors moi, quand j'ai compris de quoi il retournait, j'ai commencé par les mener un peu en bateau en leur disant que Léni avait considérablement changé. Et quand, se jetant sur moi comme la misère sur le pauvre monde, ils m'ont demandé « en quoi » elle avait changé, je leur ai froidement répondu : « C'est le moral qui a changé », et ils se sont retirés tout penauds. Mais, au bout de huit semaines, j'ai vu venir le moment où la fille Tolzem (Mme Pfeiffer si vous préférez, mais nous nous sommes tous connus enfants, comprenez-vous, nous venons tous du même village) allait passer la main sous la jupe de Léni, alors j'en ai eu par-dessus la tête et je leur ai déclaré à tous les deux : « Non, je peux vous l'assurer, pas de progéniture en vue! » Ça les aurait si bien arrangés de glisser un petit Pfeiffer dans le nid! Le plus étrange dans cette affaire, c'est que Hubert manifestait la même curiosité, mais avec plus de tact et une sorte de tristesse. Il aurait bien aimé avoir un petit-fils, fût-ce de ce type-là... Eh bien, il a fini par l'avoir, son petit-fils, et qui par-dessus le marché porte son nom! »

Voici l'auteur plongé dans un profond embarras, lui qui comptait recourir au dictionnaire pour caractériser une qualité dont il soupçonne Léni d'être douée, cette qualité communément connue sous le nom d'innocence. Or, mise à part une définition antithétique des plus lapidaires, le dictionnaire n'offre aucune analyse approfondie permettant de bien saisir la nature éminemment complexe de cet état et partant la personnalité de la jeune femme. La science nous laisse-t-elle donc une fois de plus en panne? Et suffira-t-il de déclarer que cette Léni pour laquelle l'auteur éprouve un si grand attachement a toujours agi en toute innocence pour que chacun puisse la comprendre? Qu'elle soit également capable d'une prise de conscience, elle le manifestera bientôt... un an plus tard environ, à l'âge de vingt et un ans.

Quel genre de jeune femme est-ce donc que cette « élégante blonde » qui en pleine guerre se balade au volant d'une luxueuse voiture, soudoie un jardinier bavard (lequel l'a probablement poursuivie de ses assiduités dans le sombre jardin du couvent) pour apporter à une religieuse méprisée et manifestement condamnée à mourir de langueur, du café, des sandwiches et des cigarettes, qui ne trahit aucun effroi quand, les yeux fixés sur la porte, ladite religieuse s'écrie : « Le Seigneur est proche, le Seigneur est proche! » ou déclare à la vue du crucifix : « Ce n'est pas lui! » ? quel genre de jeune femme est-ce là qui dansait pendant que tant et tant d'hommes tombaient au champ d'honneur, qui allait au cinéma pendant que les bombes dégringolaient, qui s'est laissé séduire puis épouser par un garçon dont le moins qu'on puisse dire est qu'il n'avait vraiment rien de remarquable, qui allait au bureau, jouait du piano, refusait d'être promue au rang de directrice dans la firme de son père et, tandis que le nombre des tués ne cessait d'augmenter, continuait d'aller au cinéma voir des films comme *Le grand Roi* et *Chiens du Ciel*? On ne connaît d'elle, au cours de ces deux années de guerre, que deux ou trois déclarations pouvant être textuellement citées. On apprend naturellement certaines choses par des témoins, mais sont-ils dignes de foi? On apprend par exemple qu'elle a été plus d'une fois surprise dans sa chambre en train de contempler avec un hochement de tête sa carte d'identité établie au nom de Hélène

Maria Gruyten, épouse Pfeiffer, née le 17/8/1922. Marja de son côté précise que Léni avait retrouvé sa splendide chevelure, qu'elle haïssait (entre autres, s'entend) la guerre et, dès avant la guerre, les dimanches sans petits pains frais.

Ne remarque-t-elle pas alors l'étrange sérénité de son père qui, « pleinement maître de son élégance » (Lotte H.), passe le plus clair de son temps à son bureau en ville pour y conférer avec ses collaborateurs et autres, entièrement absorbé par ses nouvelles fonctions de directeur de la planification car, n'étant plus désormais ni propriétaire, ni même actionnaire de son affaire, il touche simplement d'importants appointements majorés de frais professionnels?

Léni n'éprouve que mépris — qu'elle manifeste uniquement par des grimaces et des mouvements de sourcils — en apprenant que son beau-père voudrait pouvoir se parer, pour sa participation à une bataille vieille de vingt-trois ans, non seulement de sa médaille d'honneur du combattant mais encore de la croix de fer de deuxième classe, ce pourquoi il ne cesse de bassiner son ami Gruyten, à qui il arrive de traiter avec des généraux, pour qu'il l'aide à obtenir la distinction tant convoitée. Or aucun médecin n'a encore réussi à découvrir l'éclat d'obus « gros comme une tête d'épingle » qui l'oblige à traîner la patte. Léni ne remarque-t-elle pas que les Pfeiffer essaient de l'emberlificoter en entreprenant *eux-mêmes* les démarches nécessaires en vue de lui obtenir une pension de veuve de guerre? Ne remarque-t-elle pas qu'elle signe la requête et qu'à dater du 1/7/1941 — avec rappel adéquat, s'entend — soixante-six reichsmarks sont versés à son compte en banque? Les Pfeiffer n'ont-ils agi de la sorte que pour, trente ans plus tard, se venger bassement d'elle en incitant leur second fils Heinrich — brave garçon au demeurant, qui ne traîne pas la jambe mais en a effectivement perdu une — à lui faire remarquer un jour que le nom de Pfeiffer lui a tout de même permis de toucher au moins quarante sinon même cinquante mille marks puisque depuis près de trente ans elle « palpe » une pension de veuve plusieurs fois majorée, et ce en dépit de son activité professionnelle ? Furieux contre lui-même de s'être laissé entraîner si loin et probablement aussi (opinion de l'auteur qu'aucun témoin n'est venu corroborer) tourmenté par la jalousie parce que secrètement amoureux de Léni dès leur première rencontre, il lui jette à la figure en présence de témoins (Hans et Grete Helzen) : « Et qu'as-tu fait pour mériter ces cinquante mille marks ? Couché une fois avec lui dans les broussailles et une seconde fois... or tout le monde le sait, il a dû te supplier le pauvre, lui qui une semaine plus tard se faisait tuer, te laissant un nom sans tache pendant que toi... que toi, tu... » Un regard de Léni le réduit au silence.

Se fait-elle l'effet d'une putain après qu'on lui eut lancé à la tête qu'en échange de deux copulations elle a palpé cinquante mille marks environ... pendant qu'elle... qu'elle... ?

Léni qui déjà n'allait que fort peu au bureau n'y met à présent presque plus jamais les pieds. Elle avoue à Lotte H. que « le spectacle de ces liasses de billets de banque imprimés de frais » lui lève le cœur. Elle défend sa voiture contre un nouveau risque de réquisition mais ne l'utilise plus guère que pour « se promener dans les environs », emmenant de plus en plus souvent sa mère avec elle. « Toutes deux passent des heures assises dans d'élégants cafés ou restaurants sis de préférence au bord du Rhin à échanger des sourires, fumer des cigarettes et regarder passer les bateaux. » La caractéristique de tous les Gruyten à cette époque est une « indéfinissable sérénité qui à la longue aurait de quoi vous rendre fou » (Lotte H.). L'état de Mme Gruyten —

les médecins sont formels — n'a guère de chance de s'améliorer, bien au contraire : il s'agit en effet d'une sclérose généralisée qui évolue de plus en plus vite vers son dénouement. Léni porte sa mère jusque dans sa voiture, puis de nouveau jusqu'à son fauteuil. Mme Gruyten ne lit plus jamais, même plus son cher Yeats; « elle laisse parfois un chapelet glisser entre ses doigts » (Marja van Doorn) mais sans jamais demander « le réconfort de l'Eglise ».

Au dire de tous les intéressés, cette période de la vie des Gruyten — début 42 à début 43 — fut sans conteste « la plus fastueuse. Ils profitaient alors sans vergogne, et quand je dis sans vergogne, peut-être comprendrez-vous mieux ainsi pourquoi mes rapports actuels avec Léni, sans être tendus, ne s'en sont pas moins relâchés, ils profitaient donc de tout ce que le marché noir d'Europe pouvait leur offrir... Et puis soudain le terrible scandale a éclaté et j'ignore aujourd'hui encore pourquoi Hubert s'était lancé dans pareille aventure alors qu'il n'en avait pas du tout, du tout besoin ! » (Marja van Doorn).

Seul un hasard absurde et purement « littéraire » fit éclater le scandale. « Une simple histoire de calepin », devait dire plus tard Hubert Gruyten; ce qui signifie qu'il avait toujours sur lui son porte-feuille et son calepin renfermant toutes les données afférentes à cette entreprise dont l'adresse postale était celle de son bureau en ville et aux arcanes de laquelle il n'avait initié personne, pas même son vieil ami et chef comptable Otto Hoyser. Affaire risquée, partie d'un enjeu élevé, Gruyten attachant d'ailleurs beaucoup plus d'importance à la partie elle-même qu'à son enjeu. Et probablement seule Léni a-t-elle à ce jour vraiment *compris* son père comme le comprenait aussi sa mère et, dans une certaine limite, Lotte qui toutefois ne s'expliquait pas le caractère suicidaire de toute l'affaire... « Car c'était un suicide, un véritable suicide! Et qu'a-t-il fait de cet argent? Eh bien, c'était ça les paquets, les liasses, les monceaux de billets qu'il distribuait à tout venant! Du nihilisme pur... mais aussi une véritable histoire de fou! »

Pour parvenir à ses fins, Gruyten avait tout spécialement fondé dans une petite ville distante d'environ soixante kilomètres une société ayant pour raison sociale « Schlemm et Fils ». Il s'était fabriqué de faux papiers d'identité et de fausses commandes aux signatures contrefaites. « Il avait toujours accès aux formulaires administratifs et n'a par ailleurs jamais beaucoup attaché d'importance aux signatures. Ainsi, pendant la crise de 1929 à 1933, a-t-il parfois contrefait la signature de sa femme sur des traites établies à son nom en déclarant : « Elle comprendra bien, alors pourquoi l'embêter avec ça maintenant. » (Hoyser sen.).

Bref la partie, l'affaire, qui a duré de huit à neuf mois, est connue dans les milieux du bâtiment sous le nom de « scandale des âmes mortes ». Ledit scandale reposait sur « un jeu abstrait d'écritures reportées dans le fameux calepin de Gruyten » (Lotte H.) où, outre des quantités énormes de ciment payé et même reçu mais détourné de son but via le marché noir, figurait toute une théorie de « travailleurs étrangers », d'architectes, conducteurs de travaux et contremaîtres, tous payés mais fictifs, voire même de cantines et de cuisinières n'existant que dans ledit calepin. Rien n'y manquait, pas même la liste des protocoles d'accord pourvus d'authentiques signatures; comptes bancaires et relevés de comptes, tout y était noté. « Affaire absolument correcte ou plus exactement en ayant l'apparence » (témoignage ultérieur du docteur Scholsdorff devant le tribunal).

Bien qu'alors âgé de trente et un ans seulement,

ledit Scholsdorff, sans avoir eu besoin d'user du moindre stratagème (« auquel j'aurais cependant recouru sans hésitation en cas de besoin »), avait été déclaré inapte par tous les conseils de révision, même les plus intransigeants, alors qu'il ne souffrait d'aucune maladie organique, ceci uniquement parce qu'il était si fragile, si sensible et nerveux qu'on préférait ne prendre aucun risque avec lui. Il fallait bien qu'il le fût à l'excès si l'on songe qu'en 1965 certains médecins allemands siégeant dans des conseils de révision seraient encore prêts à prescrire une « cure à Stalingrad » à de jeunes recrues ayant à peine plus que la peau sur les os. Pour parfaire le tout, un camarade d'études de Scholsdorff, personnage fort influent, l'avait fait admettre dans l'administration des Finances de la petite ville susmentionnée où, à la surprise générale, il fit si vite et si bien son chemin dans une discipline qui lui était pourtant totalement étrangère, qu'au bout d'un an déjà il était déclaré « non seulement indispensable mais encore irremplaçable » (docteur Kreipf, ancien contrôleur des contributions et supérieur de Scholsdorff que l'auteur a réussi à dénicher dans une station thermale pour prostatiques). Kreipf a ajouté : « Bien que philologue de son état, ce garçon était non seulement capable de bien calculer mais encore de comprendre les mécanismes financiers et comptables les plus complexes, comme de déceler le caractère douteux de certaines transactions. » Or sa véritable vocation était l'étude des langues slaves — passion qui ne s'est d'ailleurs jamais démentie — et sa spécialité la littérature russe du XIXe siècle. « Bien qu'on m'ait offert plusieurs postes d'interprète fort alléchants, j'ai préféré cet emploi dans l'administration des Finances. Vous me voyez traduisant en russe de l'allemand de sous-off ou même de général et avilissant cette langue qui m'est sacrée en la réduisant à un vocabulaire de garde-chiourme ? Jamais ! »

175

Ce fut à l'occasion d'un contrôle de routine parfaitement anodin que Scholsdorff tomba sur les documents de la firme Schlemm et Fils. Il n'y trouva rien, absolument rien à critiquer et, toujours par pure routine, entreprit de vérifier les livres de paie... « Quelle ne fut pas ma stupéfaction, que dis-je, mon indignation en tombant sur des noms qui non seulement ne m'étaient pas inconnus mais avec lesquels je vivais en étroite intimité! » Il convient d'ajouter ici, par souci d'équité, que Scholsdorff nourrissait peut-être au tréfonds de lui-même des pensées vengeresses, non à l'égard de Gruyten en particulier, mais de l'industrie du bâtiment en général. Grâce en effet à la recommandation de son influent ami, il avait commencé sa nouvelle carrière dans une entreprise de bâtiment où lui était dévolue la tenue des livres de paye mais où sitôt découvert son génie des chiffres et des nombres, on s'était séparé de lui avec force compliments. Et il en fut ainsi plusieurs fois de suite, car aucune entreprise de bâtiment ne souhaitait qu'un philologue, dont on n'aurait jamais rien attendu de tel, jetât sur les écritures un regard aussi inquisiteur. Dans sa candeur quasi indescriptible, Scholsdorff avait en effet cru que les entreprises souhaitaient ce qu'elles avaient en vérité tout lieu de redouter : un contrôle rigoureux de leurs manipulations. Elles avaient par compassion engagé ce philologue un peu timbré et sans aucune expérience des réalités « pour lui éviter de crever de faim tout en le sauvant de la mobilisation (M. Flacks de la firme du même nom aujourd'hui encore florissante) et voilà que nous avions devant nous un type plus pointilleux que n'importe quel fonctionnaire des Finances. C'était beaucoup trop dangereux! »

Bref, à l'examen des états de salaires de la firme Schlemm et Fils, ce Scholsdorff — qui eût été capable de préciser le nombre exact de mètres carrés de la turne de Raskolnikov ou le nombre exact de marches que celui-ci devait descendre pour arriver dans sa cour — tomba soudain sur un ouvrier du même nom de Raskolnikov qui, quelque part au Danemark, fabriquait du béton pour ladite firme et mangeait à sa cantine. Après quoi, sans méfiance encore, mais déjà « très excité », il découvrit un Svidrigaïlov, un Rasoumichine, puis un Tchitchikov, un Sobakevitch et enfin vers la vingt-troisième place un Gorbatchov. Il blêmit... et lorsqu'il tomba un peu plus loin sur un Pouchkine, un Gogol et un Lermontov, tous esclaves mal payés de l'Allemagne victorieuse, il en trembla d'indignation. On n'avait même pas reculé devant le nom de Tolstoï! Pour éviter tout malentendu, il convient de préciser que le docteur Scholsdorff n'avait aucunement le souci d'une quelconque « moralité de l'économie de guerre allemande », dont il se fichait même éperdument. Son soin méticuleux en matière de finances était en fait (interprétation de l'auteur qui a eu de nombreux et longs entretiens, récemment encore, avec lui et continuera probablement d'en avoir) une simple variante de celui qu'il apportait à étudier tous les personnages de la littérature russe du xixe siècle qu'il aimait et analysait passionnément. « Ayant cependant constaté que ni Tchékhov ni aucun de ses personnages ne figuraient sur ces états, pas plus d'ailleurs que Tourgueniev ni les siens, j'aurais déjà pu fournir le nom de l'auteur de cette liste; ce ne pouvait être que mon camarade d'études Henges, bohème, dévoyé, mais fanatique de Tourgueniev et de Tchékhov, bien qu'à mon avis ces deux auteurs n'aient pas grand-chose à voir ensemble. Cela dit, je vous avouerai très franchement qu'au temps de mes études j'ai sous-estimé, grandement sous-estimé Tchékhov. » Il est aisé de prouver que jamais, pas plus dans ce cas précis que dans aucun autre, Scholsdorff n'a dénoncé quiconque. « Bien qu'ayant horreur des irrégularités et éprouvant pour les profiteurs le plus profond mépris, je n'ai jamais « donné » personne, la chose eût été vraiment trop dangereuse pour la victime. Je convoquais seulement le personnage et là, entre quatre yeux, l'invitais à corriger ses déclarations par des rectificatifs et à payer l'arriéré correspondant... Et comme dans mon département c'était moi qui percevais la majeure partie des arriérés, j'avais la cote auprès de Kreipf. Voilà tout. Quant à dénoncer quiconque, ça non! Sachant à quelle sorte de machine judiciaire j'aurais livré les gens, je n'aurais pour rien au monde voulu leur faire ce coup-là, même trafiquants ou fraudeurs. Quand on songe que certains ont été condamnés à mort pour le vol de quelques pullovers! Non, dénoncer qui que ce soit était hors de question et pourtant cette fois-là, la mesure était comble! Rendez-vous compte... Lermontov au Danemark, esclave de l'industrie allemande du bâtiment! Pouchkine, Tolstoï, Rasoumichine et Tchitchikov fabriquant du béton et nourris de soupe d'orge perlé. Gontcharov et son Oblomov maniant la pelle et la pioche! »

Scholsdorff, qui va bientôt prendre sa retraite avec le rang de conseiller supérieur du gouvernement (il se passionne toujours pour la littérature russe, même moderne), a néanmoins eu le temps de s'excuser auprès de Hubert Gruyten d'être à l'origine de ses ennuis, puis de lui offrir une généreuse compensation en donnant plus tard à son petit-fils Lev, fils de Léni, d'extraordinaires leçons de russe. Et si de nos jours la chambre de Léni s'orne parfois d'un bouquet de fleurs (qu'elle continue d'aimer après en avoir pourtant manipulé pendant près de vingt-sept ans comme d'autres des petits pois), on peut être sûr alors qu'il lui vient du docteur Scholsdorff! Celui-ci est pour l'heure plongé dans les poèmes d'Achmadullina. « Je n'ai bien entendu dénoncé personne. J'ai seulement commencé par écrire une lettre disant à peu près ceci : « Je dois « vous demander de vous présenter sans tarder à « mon bureau car je ne saurais trop souligner le

« caractère urgent de l'affaire dont j'ai à vous
« entretenir. » Il adressa un premier, puis un
deuxième rappel, essaya même de dénicher son ami
Henges, le tout en vain... « Et comme j'étais moi-
même soumis à des contrôles de routine, on a
découvert dans mes dossiers toute cette correspondance au vu de laquelle fut immédiatement engagée
une action contre Schlemm et Fils. Ensuite... eh
bien, le rouleau compresseur était en marche. »

Scholsdorff fut le principal témoin à charge dans
un procès qui ne dura que deux jours, le père Gruyten ayant décidé de plaider coupable sur toute la
ligne. Il demeura constamment impassible, sans se
troubler sauf lorsqu'on l'invita à nommer son
« fournisseur de noms ». (« Vous imaginez ça... son
« fournisseur de noms! » — Scholsdorff.) Mais pas
plus que lui, Scholsdorff qui pourtant le connaissait
ne le livra. Au second jour des débats en effet un
slavisant de Berlin, appelé comme expert, passa près
de trois heures à contrôler les connaissances de
Gruyten après que celui-ci eut déclaré avoir relevé
dans certains livres les noms de ses salariés fictifs.
L'expert n'eut aucun mal à démontrer que l'accusé
n'avait non seulement jamais lu un seul livre russe
mais encore « fort probablement aucun livre allemand, pas même *Mein Kampf* » (Scholsdorff), et ce
fut alors au tour de Henges d'être mis sur la sellette.
Gruyten ne l'avait pas livré, ni Scholsdorff qui avait
entre-temps réussi à le dénicher. « Il travaillait pour
la Wehrmacht avec le grade de « Sonderführer »,
avec pour mission d'inciter les prisonniers de guerre
russes à livrer des secrets militaires! Un homme qui,
en tant que spécialiste de Tchékhov, aurait pu acquérir une renommée internationale... »

Henges se présenta donc spontanément devant le
tribunal, vêtu de son uniforme de Sonderführer
« qui ne lui allait pas tellement bien; il ne le portait
d'ailleurs que depuis un mois » (Scholsdorff). Il
reconnut avoir fourni à Gruyten, sur sa demande,

une liste de noms russes, passant toutefois sous silence les dix marks d'honoraires par nom qu'il avait touchés. Il s'était entretenu auparavant de cette question avec l'avocat de Hubert Gruyten auquel il avait clairement fait comprendre qu'un homme dans sa situation ne pouvait se permettre de dévoiler pareille chose. Moyennant quoi, Gruyten et son avocat renoncèrent à mentionner ce pénible détail que Henges avoua cependant à Scholsdorff en poursuivant avec lui dans un bistrot proche du tribunal une polémique engagée au cours des débats. La confrontation de ces deux témoins entre eux avait en effet donné lieu à une vive altercation au cours de laquelle Scholsdorff, bouillant d'indignation, avait jeté à la face de Henges : « Tu les as tous trahis, tous à l'exception de ton Tourgueniev et de ton Tchékhov ! » « Colloque russe » que l'avocat général s'était empressé d'interrompre.

La morale de cet intermède en découle d'elle-même : tout entrepreneur de travaux publics qui dresse des livres de paye bidons devrait posséder une sérieuse culture littéraire et pareillement tout fonctionnaire des Finances possédant une sérieuse culture littéraire est susceptible de se révéler fort utile à l'Etat.

Il n'y eut dans ce procès qu'un seul accusé : Hubert Gruyten qui avoua tout et aggrava même son cas en refusant d'admettre qu'il avait agi par esprit de lucre. Interrogé alors sur les motifs de sa conduite, il refusa de répondre en niant cependant toute intention de sabotage. Interrogée plus tard à diverses reprises sur les raisons qui avaient pu pousser son père à agir de la sorte, Léni parla vaguement de « vengeance » (vengeance de quoi ? — l'auteur). Grâce néanmoins à l'énergique intervention d'« amis très influents qui firent valoir l'importance incontestable des services rendus par l'accusé à l'économie de guerre allemande » (d'après Hoyser sen.), Gruyten échappa de justesse à la peine capitale. Mais il fut condamné à la détention perpétuelle assortie de la confiscation de tous ses biens. Léni, deux fois citée à la barre, fut reconnue non coupable, son innocence ayant pu être clairement démontrée. Il en fut de même pour Hoyser et Lotte, comme pour tous ses amis et collaborateurs. N'échappa finalement à la confiscation que l'immeuble dans lequel Léni avait vu le jour, et ce grâce à l'avocat général qui, par ailleurs implacable, fit toutefois valoir « le sort cruel de cette jeune veuve de guerre et son évidente innocence, non sans remettre hélas ! sur le tapis avec une déplorable faconde les hauts faits d'Aloïs » (Lotte H.) et allant même jusqu'à porter au crédit moral de Léni son ancienne appartenance à une organisation nazie. « Il ne serait pas convenable, messieurs les juges, de dépouiller cette mère au seuil de la mort (Mme Gruyten en l'espèce) qui a perdu un fils et un gendre, et cette courageuse jeune femme allemande à la vie sans tache, d'un patrimoine qui ne fut d'ailleurs pas introduit dans la famille par l'accusé mais par son épouse. »

Mme Gruyten ne survécut pas à ce scandale. Intransportable, elle avait dû être plusieurs fois entendue dans son lit. « J'aime mieux vous dire que ça lui a amplement suffi (Marja van Doorn) et qu'elle n'éprouva aucun regret à quitter cette terre... Une femme courageuse somme toute, et de grande classe. Elle aurait tant aimé faire ses adieux à Hubert ! Mais ça n'a pas été possible et nous l'avons enterrée dans la plus stricte intimité... religieusement bien sûr. »

Léni a maintenant vingt et un ans. Evidemment privée de voiture, elle estime aussi devoir abandonner son poste dans l'entreprise Gruyten. Son père a provisoirement disparu sans laisser de traces. Dans quelle mesure tous ces événements l'affectent-ils ? Que va devenir l'élégante jeune femme blonde à la belle voiture qui, tout au long de la troisième année de guerre, n'a rien trouvé de mieux à faire, semble-t-il, que de jouer un peu de piano, lire des contes irlandais à sa mère malade et rendre visite à une religieuse mourante; qui, veuve en quelque sorte pour la seconde fois mais sans en éprouver de chagrin, perd à présent sa mère tandis que son père a disparu dans les oubliettes ? On connaît peu de déclarations personnelles de Léni datant de cette époque. L'impression qu'elle a alors produite sur son entourage immédiat est surprenante. Selon Lotte, Léni était « quasiment soulagée »; selon le vieux Hoyser, « elle respirait de nouveau »; selon Marja van Doorn enfin, « elle paraissait quasiment libérée ». La présence du mot *quasiment* dans deux de ces propos, bien qu'évidemment assez pauvre, n'en ouvre pas moins à l'imagination une brèche dans le mutisme de Léni. Margret, quant à elle, formula la chose ainsi : « Elle ne paraissait pas abattue, mais me faisait plutôt l'impression de reprendre vie. La mystérieuse disparition de sœur Rachel lui paraissait bien pire que la mort de sa mère ou la scandaleuse affaire de son père. » Pour nous en tenir aux faits, notons que Léni fut alors soumise au service du travail obligatoire mais que grâce à l'intervention d'un protecteur œuvrant dans la coulisse et qui « tenait quelques gros fils bien en main » — personnage souhaitant garder l'anonymat mais que l'auteur connaît — elle échoua dans un atelier de confection de couronnes mortuaires.

V

CEUX qui sont nés depuis lors se demanderont peut-être pourquoi la confection des couronnes mortuaires était considérée en 1942/43 comme indispensable à l'effort de guerre. En voici la raison : il s'agissait de conserver aux obsèques le maximum possible de dignité. Sans doute les couronnes faisaient-elles à l'époque l'objet d'une demande moins forte que les cigarettes, mais elles comptaient indéniablement au nombre des denrées rares et jouaient un rôle important dans la conduite psychologique de la guerre. Les besoins des autorités en couronnes mortuaires étaient à eux seuls considérables, ne fût-ce que pour les victimes des bombardements et pour les soldats morts dans les hôpitaux militaires. « Et comme survenait nécessairement de-ci, de-là un décès naturel, que d'autre part de hauts personnages du parti, de l'industrie et de la Wehrmacht avaient assez souvent droit à des funérailles nationales plus ou moins grandioses selon leur importance propre, chaque sorte de couronne, depuis la plus simple et la plus chichement garnie jusqu'à la roue géante entièrement piquée de roses, contribuait à l'effort de guerre » (Walter Pelzer, ancien propriétaire d'un établissement horticole dont à l'époque Léni fut l'employée et qui, aujourd'hui âgé de soixante-dix ans et retiré des affaires, vit du rapport de ses biens immobiliers). Nous n'avons pas lieu ici de rendre hommage à l'Etat en tant que dispensateur de funérailles, mais ce que nous pouvons dire, car le fait est historiquement incontesté et scientifiquement démontrable, c'est que les enterrements étaient fort nombreux, donc les couronnes très recherchées tant par les autorités que par les particuliers et qu'enfin Pelzer avait réussi à faire attribuer à son atelier de confection de couronnes le statut d'entreprise indispensable à l'effort de guerre. Or plus cette guerre progressait, autrement dit, plus elle durait (l'attention du lecteur étant tout particulièrement attirée sur la relation entre progrès et durée) et plus se procurer des couronnes devenait difficile.

Au cas où prévaudrait encore ici ou là le préjugé selon lequel la confection de couronnes mortuaires ne serait jamais qu'un art mineur, nous croyons nécessaire — ne serait-ce que pour l'amour de Léni — de le combattre avec la dernière énergie. Si l'on songe en effet qu'une couronne de fleurs constitue à la fois la forme initiale et finale, que l'unité de la forme globale doit être à tout prix sauvegardée, que la confection de l'armature de la couronne peut être obtenue par des techniques fort diverses, que le choix de la verdure destinée à enrober l'armature est essentiel selon la physionomie que l'on souhaite donner à la couronne, qu'il existe neuf types de verdure rien que pour le support, vingt-quatre pour la finition, quarante-deux pour le liage en gerbes et faisceaux, plus vingt-neuf pour la couronne dite « romaine », on obtient un total de cent douze types de verdure; et quand bien même ils devraient se chevaucher aux divers stades de la fabrication, il n'en reste pas moins, grâce à tout un système compliqué d'entrelacement, cinq manières différentes de les utiliser; et même si l'une ou l'autre verdure peut servir au liage comme au piquage (lequel se divise à son tour en gerbes et faisceaux), la règle fondamentale n'en demeure pas moins : savoir où et savoir comment. L'individu qui d'un ton dédaigneux qualifie d'activité subalterne la confection de couronnes sait-il quand utiliser les aiguilles d'épicéa pour l'armature ou la finition, quand et où employer le thuya, le lichen d'Islande, le fragon, l'asparagus, le mahonia ? Sait-il que la verdure doit dans tous les cas couvrir l'armature sans la moindre lacune et que le liage constitue toujours un véritable exploit ? On comprendra alors que Léni, qui n'avait jamais connu jusqu'alors qu'un travail de bureau facile et non systématique, se trouva soudain confrontée à un métier fort difficile à maîtriser puisqu'elle s'introduisait en quelque sorte dans un atelier d'art.

Peut-être est-il superflu de préciser que la couronne « romaine » avait connu bien avant la guerre une période de discrédit, tandis que la couronne « germanique » était passée au tout premier plan, mais que les controverses soulevées par cette compétition furent interrompues par la création de l'axe Rome-Berlin, Mussolini ne pouvant tolérer une telle disgrâce de la couronne romaine. On put dès lors faire librement du « romain » jusqu'à la mi-juillet 43, lorsque la trahison italienne élimina définitivement ce style (commentaire d'un assez haut dignitaire nazi : « Chez nous, plus question de romaniser, pas même pour les gerbes ni couronnes. »). Tout lecteur attentif aura d'emblée compris qu'en période de graves tensions politiques, le montage de couronnes lui-même cesse d'être une inoffensive entreprise. La couronne romaine n'étant au demeurant qu'une reproduction des couronnes ornementales sculptées dans la pierre des façades romaines, sa stricte interdiction put se fonder sur un motif idéologique : elle était considérée comme « morte », à l'inverse de toutes les autres formes de couronnes jugées « vivantes ». Walter Pelzer — témoin important pour cette période de la vie de Léni, même s'il est suspect à bien des égards — put prouver de façon assez plausible que fin 43/ début 44, « des envieux et des concurrents m'avaient dénoncé à la chambre des métiers en m'accusant d'un crime qui aurait alors pu me coûter la vie : romanisme obstiné » (Pelzer). La guerre terminée, lorsqu'on en vint à parler de son passé suspect, Pelzer s'efforça évidemment « et pas seulement pour cela » de prouver sa qualité de « persécuté politique » et y réussit — force nous est hélas ! de le constater — grâce au concours de Léni. « Car enfin ces couronnes, c'était bel et bien Léni, Mme Pfeiffer si vous préférez, qui les avait inventées : des couronnes de bruyère raides et lisses qu'on eût dit comme émaillées mais, croyez-moi, très appréciées de la clientèle. Elles n'avaient absolument aucun rapport avec la couronne romaine, puisque pure invention de Mme Pfeiffer. Mais du seul fait d'avoir été interprétées comme une variante de la couronne romaine, elles ont failli me coûter la vie. »

Vingt-six ans après, à l'évocation de ces souvenirs, l'anxiété se lisait encore sur le visage de Pelzer qui, redoutant apparemment une quinte de toux, posa son cigare. « Cela dit, quand je songe à tout ce que j'ai fait pour elle, à tout ce que j'ai couvert... c'était encore plus dangereux que d'être soupçonné de romaniser ! »

Sur les dix personnes avec lesquelles Léni travailla alors chaque jour en étroite collaboration, l'auteur a réussi à en retrouver cinq, dont Pelzer et son chef jardinier, le nommé Grundtsch. Si l'on fait abstraction de ces deux derniers auxquels Léni était subordonnée, il en reste encore trois avec lesquels elle se trouvait sensiblement sur un pied d'égalité.

Pelzer habite une construction qu'il désigne sous le nom de bungalow mais que l'on peut sans crainte qualifier de villa de style pompier. Cette maison de briques jaunes vernissées n'est qu'apparemment constituée par un simple rez-de-chaussée, le sous-sol renfermant en effet un bar luxueux, une pièce transformée par Pelzer en une sorte de musée de la couronne mortuaire, plus une chambre d'amis avec salle d'eau et enfin une cave à vins somptueusement garnie. La couleur dominante (après le jaune des briques vernissées) est le noir : grille, portes (dont celle du garage), encadrements de fenêtre... tout est noir. La comparaison par association d'idées avec un mausolée ne paraît nullement injustifiée. Pelzer vit là avec son épouse Eva, née Prumtel, femme d'apparence plutôt mélancolique, âgée de soixante-cinq ans environ, au joli visage défiguré par l'amertume.

Aujourd'hui, à l'âge de quatre-vingts ans, Albert Grundtsch vit toujours... « terré dans mon gîte, pratiquement en plein cimetière » (Grundtsch sur lui-même), dans une sorte de grand hangar de briques renfermant deux pièces et demie et d'où il atteint facilement ses deux serres chaudes. Grundtsch n'a pas, comme Pelzer, tiré profit de l'extension du cimetière (ni ne l'a voulu, il convient de le préciser) mais défend âprement « l'arpent de terre dont en son temps je lui ai bêtement fait don (Pelzer). Il est certain que l'administration des jardins et du cimetière poussera un soupir de soulagement le jour où Grundtsch passera... finira... enfin : rendra son âme à Dieu. »

Donc, au beau milieu du cimetière qui a depuis longtemps englouti non seulement les quelques hectares de l'ex-établissement horticole de Pelzer mais aussi d'autres exploitations similaires et divers ateliers de tailleurs de pierres, Grundtsch vit presque en autarcie. Jouissant au demeurant d'une pension de retraite (« C'est moi qui ai continué à cotiser pour lui » — Pelzer), ne payant pas de loyer, il cultive lui-même son tabac et ses légumes et, comme il est végétarien, ses besoins en matière d'approvisionne-

ment se réduisent à fort peu de chose. Côté vesti-
mentaire, guère de problèmes non plus : il porte à
longueur de temps un pantalon du père Gruyten que
celui-ci s'était fait faire en 1937 et dont Léni lui a fait
don en 1944. Il s'est (selon ses propres dires) entièrement consacré au commerce des plantes en pot :
hortensias pour le dimanche de Quasimodo, cycla-
mens et myosotis pour la fête des mères, petits
sapins de Noël garnis de bougies et de nœuds de
ruban pour orner les tombes... « Si vous saviez tout
ce que les gens peuvent fourrer sur leurs tombes,
c'est incroyable ! »

L'auteur a eu l'impression que si l'administration
des parcs et jardins spéculait effectivement sur la
mort de Grundtsch, il lui faudrait attendre encore
un certain temps. Cet homme n'est en effet pas du
tout ce qu'on dit de lui, à savoir un « casanier
retranché dans ses serres » (jardiniers de la ville).
« Dès que le carillon en a sonné la fermeture, le plus
souvent de fort bonne heure, ce gigantesque cimetière devient mon parc privé. J'y fais de grandes
promenades en m'asseyant de temps à autre sur un
banc pour y fumer ma pipe. Quand l'envie m'en
prend, je m'occupe d'une quelconque tombe négli-
gée ou abandonnée pour lui redonner une apparence plus décente en la recouvrant de mousse ou
d'aiguilles de sapin, et de temps à autre j'y pique
une fleur. Eh bien, croyez-moi, à part quelques
voleurs de couronnes de métal, je n'ai jamais rencontré de profanateurs de sépulture. Il y a bien
par-ci, par-là un cinglé qui, refusant d'admettre
qu'un mort est mort, franchit la nuit le mur de clô-
ture pour venir attendre, pleurer, jurer, prier sur
une tombe... mais je n'en ai pas vu plus de deux ou
trois en cinquante ans et naturellement je me suis
alors éclipsé. Et puis tous les dix ans peut-être surgit
un couple d'amoureux sans crainte ni préjugés qui a
compris que n'existait guère au monde d'endroit où
l'on risquât aussi peu d'être dérangé... et ces fois-là

aussi, bien sûr, je me suis éclipsé. Quant à ce qui a pu se passer dans les coins les plus reculés du cimetière, ma foi je n'en ai jamais rien su... Mais, croyez-moi, l'hiver aussi c'est merveilleux quand il neige et que je m'y promène la nuit, bien emmitouflé, avec mes bottes de feutre et ma pipe... le silence est alors extraordinaire, et ils sont tous si paisibles, si paisibles. J'ai eu naturellement des difficultés avec mes conquêtes; sitôt que je voulais en ramener une chez moi, rien à faire, ni pour or ni pour argent. »

Interrogé sur Léni, il parut soudain assez embarrassé. « Ah! oui. Pfeiffer... si je m'en souviens? Comment pourrait-on l'oublier! Cette Léni... Bien entendu les hommes n'auraient tous demandé qu'à la fréquenter d'une manière ou d'une autre, même le rusé petit Walter (il s'agit de Pelzer, aujourd'hui âgé de soixante-dix ans — l'auteur), mais personne n'a jamais osé se lancer vraiment. Elle était inaccessible, sans pourtant faire de chichis, je dois le dire. Etant le plus âgé du lot — la cinquantaine déjà passée — je savais n'avoir aucune chance. Quant à Heribert Kremp, ce « sale petit Kremp » comme nous l'appelions, il a bien essayé mais elle l'a remis à sa place d'un air si méprisant qu'il a préféré ne pas insister. Jusqu'où le petit Walter s'était-il risqué, je l'ignore, mais je suis bien certain qu'il a fait chou blanc. Quant aux femmes, toutes placées là par le service du travail obligatoire, elles étaient partagées à peu près à égalité pour et contre... non pas pour ou contre Léni, mais pour ou contre le Russe quand elles ont su qu'il était l'élu de son cœur. Si l'on songe que leur histoire à duré presque un an et demi et qu'aucun de nous n'a jamais remarqué qu'il pouvait y avoir entre eux quelque chose de sérieux, c'est assez dire qu'ils ont été d'une prudence et d'une adresse extraordinaires. Sans doute l'enjeu était-il de taille, il y allait de deux vies ou pour le moins d'une et demie. Quand je pense aux risques que cette fille a pris, j'en ai encore froid dans le dos... Ce qu'elle valait sur le plan professionnel, demandez-vous ? Ma foi, je suis peut-être de parti pris car je l'aimais bien, vraiment bien, un peu comme une enfant qu'on aurait souhaité avoir et qu'on n'a jamais eue, ou encore — n'oubliez pas que j'avais trente-trois ans de plus qu'elle — comme une jeune femme dont on est épris tout en sachant qu'elle ne vous est pas destinée. Eh bien, quand je vous aurai dit qu'elle était follement douée, vous saurez tout. Nous n'avions dans notre équipe que deux horticulteurs de profession, mettons trois avec Walter mais il ne s'occupait que de ses livres de comptes et de sa caisse. Donc, en fait, deux : Liane Hölthohne, une sorte d'intellectuelle de l'horticulture qui, après avoir terminé ses études secondaires et tâté de l'université, s'était lancée dans le métier; une créature très romanesque pour tout ce qui touchait à la terre et à l'artisanat, mais néanmoins fort capable; et puis moi. Les autres n'avaient aucune formation professionnelle, ni Heribert Kremp, ni les femmes, Helga Heuter, Martha Schelf, Ilse Kremer, Marga Wanft et Frieda Zeven, toutes fort peu aguichantes et dont en tout cas je n'en vois aucune qu'on eût aimé renverser sur la tourbe mousseuse... Bref, deux jours m'avaient suffi pour comprendre que Léni Pfeiffer n'était absolument pas faite pour l'habillage des supports, travail grossier et relativement pénible dévolu au groupe Heuter-Schelf-Kremp. On leur fournissait une certaine quantité d'herbes et de feuillages dont la nature dépendait des approvisionnements du moment — vers la fin presque uniquement des feuilles de chêne ou de hêtre et des aiguilles de pin sylvestre — puis une liste précisant la taille de chaque couronne, normale le plus souvent, alors que pour les funérailles solennelles, il en fallait de plus grandes pour lesquelles nous avions d'ailleurs un code conventionnel, les abréviations B1, B2 et B3 qui signifiaient bonze de première, deuxième et troisième catégorie. Mais le jour où le sale petit Kremp s'est aperçu que dans notre documentation interne une seconde liste d'abréviations, H1, H2 et H3, servait à désigner les héros de premier, deuxième et troisième rang, il en a fait toute une histoire, y voyant je ne sais quelle désinvolture et quelle offense envers lui-même, héros de deuxième rang amputé d'une jambe et nanti de quelques insignes et décorations... Bref, m'étant aussitôt aperçu que la fabrication des supports n'était pas un travail pour Léni, je l'ai affectée à l'équipe de garniture avec Ilse Kremer et Marga Wanft et, croyez-m'en, elle avait le génie de la décoration. Si seulement vous aviez vu avec quel art elle disposait les feuilles de laurier-cerise ou de rhododendron! On pouvait lui confier les matériaux les plus précieux sans que rien ne soit jamais abîmé ni perdu. Au demeurant elle avait tout de suite compris ce que certains ne comprendront jamais, à savoir que le centre de gravité de la garniture d'une couronne doit se situer dans le quart supérieur gauche du support de façon à produire un mouvement ascendant joyeux, disons même optimiste, alors qu'en le plaçant à droite on crée une impression pessimiste de glissement vers le bas. Et jamais il ne lui serait venu à l'idée de mêler formes géométriques et formes végétales, jamais croyez-moi. Pour elle, c'était tout l'un ou tout l'autre, et ce refus de mélanger les genres peut très bien s'appliquer au montage d'une couronne. La seule chose contre laquelle je devais sans cesse me gendarmer, c'était sa prédilection pour les formes purement géométriques, losanges, triangles, etc. Une fois même, et ce pour une couronne B1, elle conçut pour le seul plaisir de la géométrie et sans la moindre préméditation, j'en suis sûr, une étoile de David en marguerites; le dessin lui avait tout bonnement jailli des mains, et elle doit aujourd'hui encore se demander pourquoi je me suis soudain énervé jusqu'à lui passer un bon savon. Mais imaginez un instant que la couronne n'ait pas été contrôlée avant sa livraison et qu'elle ait été placée telle quelle sur le corbillard ! Cela dit, les gens préféraient en général les vagues formes végétales et dans ce domaine Léni était capable de très jolies improvisations : elle tressait des petites corbeilles, voire des petits oiseaux et si ça n'était pas tout à fait végétal, du moins était-ce organique. Lorsque pour une couronne B1, des roses étaient de rigueur et que le petit Walter se décidait à nous en fournir, ne fût-ce qu'en boutons, Léni faisait alors éclater ses dons artistiques : de véritables tableaux de genre naissaient sous ses doigts, à vrai dire trop beaux pour le peu de temps qu'ils étaient appelés à durer. Je me souviens entre autres d'un parc miniature avec un étang où nageaient des cygnes. Bref, je puis vous affirmer que si l'on avait décerné des prix, elle les aurait tous gagnés. Et le plus important — pour le petit Walter en tout cas — c'est qu'avec peu de moyens elle obtenait un bien plus bel effet que d'autres avec beaucoup. Elle était donc non seulement artiste mais économe... Une fois terminée, la couronne était transmise au groupe de réception constitué par Liane Hölthohne et Frieda Zeven, mais ne quittait définitivement l'atelier qu'après une dernière inspection de ma part. Liane Hölthohne était chargée de contrôler support et garniture pour les améliorer en cas de besoin, tandis que Frieda Zeven, que nous appelions « Tante-rubans », avait pour rôle de fixer sur les couronnes les rubans qu'on nous livrait à cette fin, et j'aime mieux vous dire qu'elle devait faire diablement attention d'éviter toute erreur. Vous voyez d'ici la mine de la femme qui ayant commandé une couronne avec l'inscription : « A Hans, dernier adieu de son Henriette » en aurait reçu une avec « A mon inoubliable Otto — Emilie », ou vice-versa ? Vu la quantité de couronnes, un instant de distraction aurait pu causer de sérieux dégâts... Et pour finir il y avait la voiture de livraison, un minable triporteur chargé de déposer les couronnes à leur lieu de destination, église, hôpital militaire, service de la Wehrmacht, siège du Parti ou pompes funèbres... mais le petit Walter se réservait cette besogne qui lui permettait d'encaisser les factures tout en en profitant pour se balader. »

Léni ne s'étant jamais plainte de son travail à Lotte ni à Margret, ni à Marja van Doorn, pas plus qu'au vieux Hoyser ou à Heinrich Pfeiffer, il nous faut donc admettre qu'elle y prenait plaisir. Le seul souci qu'il lui ait apparemment donné venait de ce qu'elle s'y abîmait les mains. Après avoir épuisé le stock de gants de ses père et mère, elle demanda à tous les membres de son entourage de lui remettre leurs gants usagés.

Tandis qu'elle travaillait en silence, elle a sans doute souvent songé à sa défunte mère et à son père absent, et dédié aussi de nombreuses pensées à Erhard et Heinrich, peut-être même à feu Aloïs. Quoi qu'il en soit, ce qui semble l'avoir caractérisée cette année-là, c'est sa gentillesse et sa réserve.

Pelzer lui-même la qualifie de très silencieuse. « Ah ! cette Léni, avant qu'elle ne se décidât à ouvrir la bouche !... Mais elle était gentille et à l'époque ma meilleure employée, abstraction faite de Grundtsch, un vieux routier, et de Liane Hölthohne qui avait toutefois l'esprit tatillon et la maudite manie des universitaires de vouloir tout corriger, même les bonnes idées. Cela dit, Léni Pfeiffer avait non seulement le sens de la composition mais aussi celui de la botanique ; elle savait d'instinct que l'on peut et doit traiter un cyclamen autrement qu'une rose à tige rigide ou une pivoine. Or, croyez-moi, chaque fois que je devais fournir des roses rouges pour des couronnes, je consentais un énorme sacrifice car il y avait un joli marché noir à faire avec les soupirants qui considéraient une gerbe de roses rouges comme le seul présent digne de leur belle. On aurait pu ramasser un bon magot, surtout dans les hôtels où les jeunes officiers descendaient avec leurs petites amies. Si vous saviez le nombre d'appels que j'ai pu recevoir de portiers d'hôtel qui pour un bouquet de roses à longues tiges m'offraient non seulement de l'argent mais encore de la bonne marchandise : café, cigarettes, beurre ! On m'a même offert une fois un coupon de tissu, et pas n'importe lequel, du vrai peigné ! Et si vous voulez mon avis, c'était quand même une honte de donner tant de fleurs aux morts sans presque en laisser aux vivants ! »

« Cependant que Pelzer avait de tels soucis avec ses roses, Léni faillit bien être victime du contingentement des locaux d'habitation, les autorités jugeant en effet insuffisante l'occupation d'un logement de sept pièces avec cuisine et salle de bain par sept personnes seulement (M. et Mme Hoyser sen., Lotte et ses deux enfants, Léni et Marja van Doorn). Il faut dire que la ville ayant déjà subi cent trente bombardements aériens, il y avait du monde à reloger ! L'ensemble de la famille Hoyser se vit donc accorder trois pièces — grandes, il est vrai — tandis que Léni et Marja van Doorn « après avoir battu le rappel de toutes leurs relations réussirent à conserver chacune une pièce » (Marja van Doorn). Il est à supposer que notre personnage haut placé de l'administration municipale qui souhaite garder l'anonymat a joué un rôle dans cette affaire, bien qu'il nie modestement « avoir pu être en l'occurrence du moindre secours ». Il n'en restait pas moins deux pièces à pourvoir, « et ces effroyables Pfeiffer, chassés entre-temps de leur cabane à lapins par une bombe explosive, mirent tout en œuvre pour « vivre sous le même toit que notre chère belle-fille ». Le père Pfeiffer entendait profiter de sa qualité de sinistré, tout comme il avait profité de sa patte folle. Il eut même le mauvais goût de déclarer : « Et voici « que j'ai aussi sacrifié à la patrie une modeste mai-

« son honnêtement acquise. » Nous avons tous évidemment été pris d'une peur bleue, mais quand Margret a réussi à savoir par son bonze (?? — l'auteur) que ledit Pfeiffer allait être sous peu expédié à la campagne avec sa classe, nous nous sommes résignés. Nous les avons effectivement eus trois semaines sur le dos, ensuite de quoi le père Pfeiffer a bel et bien été expédié à la campagne malgré sa jambe à la traîne. Il est parti avec sa vieille chipie de femme et nous n'avons plus gardé chez nous que le brave petit Heinrich qui, engagé volontaire, n'attendait plus que son appel sous les drapeaux. C'était juste après Stalingrad » (Lotte H.).

L'auteur a éprouvé quelques difficultés à obtenir des informations solides sur l'ennemi juré de Léni dans l'établissement horticole de Pelzer. Après avoir fouillé en vain les registres de la mairie et les listes d'effectifs des régiments, il eut enfin l'idée de s'adresser à l'administration des cimetières militaires, ce qui lui permit d'apprendre qu'un nommé Heribert Kremp, vingt-cinq ans, tombé à la mi-mars non loin du Rhin, était enterré près de l'autoroute Francfort-Cologne. Une fois muni de ce précieux renseignement, l'auteur n'eut aucun mal à se procurer l'adresse des parents du jeune Kremp. Mais son entrevue avec eux fut rien moins que réjouissante. Ils confirmèrent que leur fils avait travaillé dans l'établissement horticole de Pelzer, que... « là comme partout où il a vécu et travaillé, il s'est appliqué à maintenir l'ordre et la moralité, mais il n'a plus été question de le retenir dès qu'il a vu la patrie menacée de toutes parts, et bien qu'amputé au-dessus du genou il s'est engagé au début du mois de mars dans le Volkssturm [1] où il a trouvé la plus belle mort qu'il pût souhaiter ». Considérant apparem-

1. Milice populaire levée par Hitler à la fin de la guerre (N.d.T.).

ment la disparition de leur fils comme un événement tout à fait normal, les parents Kremp attendaient visiblement de l'auteur ce qu'il ne pouvait leur offrir : une quelconque approbation. Et la photo du jeune Heribert qu'ils lui montrèrent alors n'ayant pas réussi davantage à lui inspirer le moindre enthousiasme (visage fort peu sympathique avec sa grande bouche, son front bas, ses cheveux blonds crépus et ses yeux en boutons de bottine), l'auteur jugea préférable — comme lors de sa première entrevue avec Mme Schweigert — de prendre rapidement congé de ses hôtes.

Pour obtenir les adresses des trois femmes encore vivantes qui pendant la guerre avaient travaillé avec Léni dans l'entreprise de Pelzer, il a suffi à l'auteur d'en faire la demande au bureau des déclarations de résidence, lequel lui donna satisfaction moyennant l'acquittement d'une petite taxe.

La première, Mme Liane Hölthohne qui dirigeait en son temps l'équipe de réception des couronnes, aujourd'hui âgée de soixante-dix ans, possède une chaîne de quatre boutiques de fleuriste. Dans une banlieue d'allure encore presque campagnarde, elle habite un ravissant petit bungalow — quatre pièces, cuisine, vestibule et deux salles de bains — installé avec un goût parfait dans une merveilleuse harmonie de formes et de couleurs. Au demeurant, la profusion des livres y est telle que la décoration murale s'en trouve d'emblée résolue. Une dame aux cheveux gris, très soignée, circonspecte quoique nullement inamicale. Jamais l'auteur n'aurait pu faire le rapprochement entre la petite femme plutôt trapue au visage sévère sous son fichu de laine dont Pelzer lui avait montré la photo prise en 1944 à l'occasion d'une fête d'entreprise, et la belle et délicate vieille dame, à la fois si digne et réservée, qui le recevait à présent. Elle portait des boucles d'oreilles d'argent en forme de petite corbeille finement tressée dans chacune desquelles une perle de corail mobile tremblotait librement; et comme ses yeux bruns encore fortement pigmentés ne cessaient de s'agiter, son visage constituait pour l'interlocuteur une cible soumise à un quadruple mouvement : celui des boucles d'oreilles, des perles de corail, de la tête et des yeux. Son maquillage, sa peau légèrement ridée au cou et aux poignets donnaient l'impression d'une femme très soignée ne cherchant cependant pas à dissimuler son âge. Thé, gâteaux secs, cigarettes dans un étui d'argent (conçu pour en contenir très exactement huit), une bougie allumée et des allumettes dans un petit gobelet de porcelaine sur le pourtour duquel figurait, peint à la main, un zodiaque de onze signes seulement, tandis qu'au centre un sagittaire stylisé de couleur rose, tranchant sur le bleu des autres constellations, laissait supposer que Mme Hölthohne était née sous ce signe. Rideaux vieux rose, meubles de noyer clair, tapis blancs, et sur les murs, là où les livres laissaient un peu de place, au nombre de six ou sept (l'auteur ne saurait le préciser de façon péremptoire) de petites estampes délicatement colorées représentant des paysages rhénans et dont la taille n'excédait pas six centimètres sur quatre, toutes d'une précision et d'une finesse dignes d'un grand orfèvre : Bonn vue de Beuel, Cologne vue de Deutz, Zons vue de la rive droite du Rhin entre Urdenbach et Baumberg, Oberwinter, Boppard, Rees; mais comme l'auteur se souvient tout à coup d'avoir vu aussi Xanten un peu plus rapprochée du Rhin par l'artiste que ne l'autoriserait l'exactitude topographique, voilà qui prouve que lesdites estampes étaient au nombre de sept. « Mais oui », fit Mme Hölthohne en présentant à l'auteur son étui d'argent avec l'air toutefois d'espérer qu'il ne se servirait pas (la déception qu'il lui infligea se traduisit par une légère ombre sur son front), « comme vous pouvez le constater, rien que des paysages de la rive gauche du Rhin » (elle avait, par sa sensibilité, devancé la rapidité de perception et d'interprétation de l'auteur !). « J'ai été séparatiste et le suis restée, et pas en esprit seulement, puisque le 15 novembre 1923 j'ai été blessée au mont Egide, non sur son flanc glorieux mais sur l'autre qui pour moi n'en est pas moins devenu tout aussi glorieux. On ne m'ôtera pas de l'idée que ce territoire n'appartient pas à la Prusse ni ne lui a jamais appartenu, pas plus qu'à un soi-disant Reich fondé par la Prusse. Aujourd'hui encore je suis séparatiste, pour une Rhénanie non pas française mais allemande ayant à l'est le Rhin pour frontière et dont l'Alsace et la Lorraine feraient naturellement partie, avec pour voisine une France exempte de chauvinisme et bien entendu républicaine. En 23 donc, je me suis réfugiée en France où l'on m'a soignée et guérie; mais en 24 je n'ai pu rentrer en Allemagne que sous un faux nom avec les faux papiers correspondants. Cela dit, mieux valut en 1933 s'appeler Liane Hölthohne qu'Elli Marx, d'autant que je n'avais nulle envie d'émigrer une seconde fois. Et savez-vous pourquoi ? Parce que j'aime ce pays et ses habitants. Ce sont de braves gens qui se sont simplement laissé entraîner dans la mauvaise voie, et vous aurez beau me citer Hegel (l'auteur n'en avait pas la moindre intention ! — l'auteur) et m'affirmer qu'on ne peut se laisser entraîner malgré soi dans la mauvaise direction, vous ne me convaincrez pas. Après les événements de 33, j'ai jugé préférable d'abandonner mon bureau d'architecte de jardins qui marchait pourtant bien. Je l'ai donc tout bonnement mis en faillite, moyen le plus direct et le plus discret, quoique assez malaisé car, je le répète, il marchait bien. Puis est venue l'affaire, délicate et dangereuse, de l'identité des ascendants; mais j'avais gardé en France des amis qui ont fait le nécessaire pour moi. Cette Liane Hölthohne était en effet décédée en 1924 dans un bordel parisien et l'on avait tout simplement fait mourir à sa place l'Elli Marx de Sarre-louis. Les papiers de ses ascendants ont été obtenus par un avocat parisien qui avait un ami à l'ambassade. Et pourtant, malgré toutes les précautions prises, j'ai un beau jour reçu d'un village proche d'Osnabrück une lettre dans laquelle un certain Erhard Hölthohne offrait à sa Liane de tout lui pardonner... « Reviens chez nous, et je te ferai une nou-« velle existence. » Nous avons alors entrepris sans délai de réunir tous les papiers qu'il fallait pour pouvoir faire mourir cette Liane Hölthohne à Paris tout en la laissant continuer à vivre en Allemagne comme horticultrice. Et ma foi, ça a marché. Mais bien qu'assez sûre, cette couverture n'était cependant pas à toute épreuve, et voilà pourquoi j'ai jugé préférable de m'abriter chez un nazi comme Pelzer. »

Le thé était excellent, trois fois plus fort que chez les religieuses, et les gâteaux secs délicieux; mais l'auteur piochait trop souvent — pour la troisième fois déjà — dans l'étui d'argent et ce malgré la difficulté qu'il aurait à faire tenir la cendre et le mégot de sa troisième cigarette dans un cendrier grand à peine comme une coquille de noix... Mme Hölthohne était sans nul doute une femme aussi intelligente que compréhensive, et comme l'auteur ne s'opposait pas à son séparatisme, sans le souhaiter pour autant d'ailleurs, elle lui conserva apparemment, en dépit de ses excès en matière de cigarettes et de boisson (sa troisième tasse de thé déjà !), toute sa sympathie.

« Vous imaginerez sans peine que j'aie souvent tremblé, sans grande raison à vrai dire, car la famille de cette Liane ne s'est plus jamais manifestée, mais je redoutais qu'on ne soumît un jour ou l'autre l'entreprise et le personnel de Pelzer à un contrôle rigoureux, d'autant que je travaillais à la même table que cette cocardière de Frieda Zeven et ces maudits nazis de Marga Wanft et Heribert Kremp... Pelzer, lui, a toujours eu un flair extraordinaire et il a dû subodorer que je n'étais pas vraiment bien en selle, car lorsque je l'ai vu se lancer assez ouvertement dans le marché noir des fleurs et que craignant qu'il ne m'attirât des ennuis par ricochet j'ai aussitôt voulu lui demander mon congé, il m'a répondu en me regardant d'un drôle d'air : « Me « demander votre congé ? Pouvez-vous donc vous le « permettre ? » Je suis sûre que sans rien savoir de précis il se doutait néanmoins de quelque chose. Pas très tranquille, je suis alors revenue sur ma décision ; mais il n'en avait pas moins remarqué ma nervosité qu'il soupçonnait bien entendu d'être justifiée, et sa façon d'appuyer toujours sur chaque syllabe de mon nom comme pour en souligner la fausseté était suffisamment révélatrice à cet égard. Tout comme il savait pertinemment que le mari d'Ilse Kremer, envoyé en camp de concentration comme communiste, y avait été liquidé. Enfin, vis-à-vis de Léni, son fameux flair le mit sur une piste qui devait s'avérer beaucoup plus sérieuse que lui-même ni aucun de nous ne l'aurait supposé. Qu'il existât un courant de sympathie entre la petite Pfeiffer et Boris Lvovitch était évident et assez dangereux déjà, mais ça... jamais je n'aurais cru cette fille capable d'un tel courage ! Au demeurant, Pelzer devait dès 1945 prouver une fois de plus la qualité de son flair en découvrant que fleur se disait *flower*. Il fut cependant moins heureux avec couronne qu'il traduisit par *circle,* si bien que les Américains ont commencé par croire qu'il leur proposait un cercle clandestin ! »

Courte pause durant laquelle, tout en posant quelques questions, l'auteur casa non sans mal le mégot de sa troisième cigarette dans la coquille de noix, puis constata avec plaisir qu'au milieu de rangées entières de livres en parfait état les reliures des œuvres de Proust, Stendhal, Tolstoï et Kafka paraissaient en revanche très usées ; ni sales, ni tachées, mais simplement usées, élimées comme le chandail préféré qu'on ne cesse de laver et de raccommoder.

« Oui, j'aime lire et surtout relire les ouvrages que j'ai déjà lus plusieurs fois; j'avais déjà lu Proust en 29 dans la traduction de Benjamin... Mais venons-en à Léni. Une fille superbe certes, oui une fille dis-je, bien qu'elle approche à présent de la cinquantaine; mais pas très liante, ni pendant la guerre ni après; non qu'elle fût froide et distante, mais simplement silencieuse et réservée; gentille mais taciturne et obstinée. Au début j'étais la seule qu'on surnommât « la dame »; puis quand Léni est venue nous rejoindre, nous avons été pour un temps « les deux dames », mais il n'a pas fallu six mois pour qu'on lui supprime son surnom et que je redevienne la seule « dame ». Chose curieuse, et j'ai mis d'ailleurs très longtemps à comprendre ce qui rendait cette fille si étrange et presque impénétrable, Léni avait une âme de prolétaire, oui je dis bien de prolétaire, notamment dans son attitude vis-à-vis de l'argent, du temps et de bien d'autres choses. Elle aurait pu faire son chemin dans la vie, mais ne le souhaitait pas, et ce n'était ni par manque de sens des responsabilités, ni par incapacité d'en assumer. Elle a d'ailleurs amplement prouvé qu'elle était capable en cas de besoin de dresser un plan : son affaire avec Boris Lvovitch a duré près d'un an et demi sans qu'aucun d'entre nous l'ait soupçonnée un seul instant; jamais ils ne se sont laissé surprendre et pourtant j'aime mieux vous dire que la Wanft, la Schelf et ce sale petit Kremp la surveillaient de près, au point même qu'il m'arrivait de prendre peur et de me dire : « Si jamais il y a « quelque chose entre eux, que Dieu leur vienne en « aide ! » Ce ne fut vraiment dangereux qu'au début, à l'époque où, ne fût-ce que pour des raisons pratiques, il ne *pouvait* rien se passer entre eux, et je me suis parfois demandé si... au cas où... elle savait seulement ce qu'elle faisait; elle était somme toute assez naïve. Et, comme je vous le disais, indifférente à l'argent, à la propriété. Nous gagnions tous, selon les primes de rendement, les heures supplémentaires et autres, de vingt-cinq à quarante marks par semaine; plus tard Pelzer nous accorda une nouvelle prime de vingt pfennigs par couronne à répartir entre nous, ce qui nous rapportait un ou deux marks de plus par semaine; mais Léni avait besoin d'au moins deux salaires hebdomadaires par semaine rien que pour son café et ne pouvait donc s'en tirer malgré les loyers qu'elle percevait par ailleurs. Je pensais parfois et pense aujourd'hui encore que cette fille est un phénomène dont il est impossible de savoir si elle est très profonde ou très superficielle... et cela dût-il vous paraître contradictoire, je crois qu'elle est les deux à la fois, oui, très profonde et très superficielle. Mais ce qu'elle n'est sûrement pas, ni n'a jamais été, c'est une cavaleuse, ça non!... En 45, je n'ai eu droit à aucune indemnité, faute de pouvoir déterminer si mon entrée dans la clandestinité avait eu pour cause ma qualité de séparatiste ou celle de juive. Il est bien évident qu'aucune indemnisation n'était prévue pour les séparatistes. Et comme juive... eh bien, allez donc prouver que vous avez volontairement mis votre affaire en faillite pour détourner de vous l'attention des autorités ! Ce que j'ai tout de même obtenu, grâce à l'appui d'un ami français membre de l'armée d'occupation, c'est une licence pour le commerce des fleurs. Et dès la fin de 1945, quand les choses allaient vraiment mal pour elle et son gosse, j'ai pris Léni avec moi et l'ai gardée vingt-quatre ans, jusqu'en 1970. Je lui ai offert non pas dix ni vingt mais plus de trente fois la direction d'une succursale et même l'association; en vain. Elle aurait pu aussi, vêtue d'une jolie robe, servir la clientèle, mais non, elle préférait rester en blouse de travail dans la froide arrière-boutique à tresser des couronnes et confectionner des bouquets. Aucun désir chez elle de faire carrière, aucune ambition. Je me dis parfois que Léni est une rêveuse... un peu folle, mais si attachante ! Et puis aussi, ce qui à mon sens participe également de sa nature prolétarienne, assez enfant gâtée. Savez-vous que même pendant la guerre, alors que comme ouvrière elle gagnait au maximum cinquante marks par semaine, elle ne s'est jamais séparée de sa vieille servante ? Et savez-vous ce que celle-ci lui cuisait chaque jour de ses propres mains ? Deux petits pains frais et si croustillants que j'en avais l'eau à la bouche et que, toute « dame » que j'étais, une furieuse envie me prenait parfois de lui demander : « Je vous en prie, mon petit, permettez-moi d'y « mordre, juste une bouchée ! » Et elle ne me l'aurait pas refusée, j'en suis sûre... Ah ! j'aurais bien dû le faire ! Et si à présent elle est vraiment dans une telle mouise, que ne me demande-t-elle sans façon de l'aider un peu ? Mais savez-vous ce qu'elle est aussi ? Fière ! Fière comme seules le sont les princesses de légende... Quant à ses aptitudes professionnelles, on les a beaucoup surestimées. Sans doute était-elle adroite et douée, mais à mon goût ses garnitures étaient trop fines, trop fignolées, comparables à de la broderie plutôt qu'à un beau tricot à grosses mailles. Elle aurait pu faire une excellente orfèvre, tandis qu'avec les fleurs — peut-être cela vous surprendra-t-il — il faut savoir y aller carrément, hardiment, ce qu'elle ne savait faire. Ses garnitures ne manquaient pas de courage mais de témérité. Si l'on songe toutefois qu'elle n'avait aucune formation, la rapidité avec laquelle elle a appris le métier n'en reste pas moins remarquable, subjectivement remarquable. »

Voyant qu'on ne lui offrait plus ni thé, ni cigarettes, l'auteur eut l'impression, d'ailleurs justifiée, que pour cette fois l'entretien était terminé. Mme Hölthohne ne lui en avait pas moins fourni certains éléments essentiels au parachèvement du portrait de Léni. Elle l'autorisa encore à jeter un coup d'œil au petit atelier où depuis peu elle se consacre de nouveau à l'architecture des jardins. Elle dessine pour les villes futures des jardins suspendus qu'elle désigne sous le nom de « Sémiramis », appellation qui, de l'avis de l'auteur, dénote un manque d'imagination assez inattendu de la part d'une lectrice aussi passionnée de Proust. En prenant congé, l'auteur eut l'impression que si *cette* visite était effectivement terminée, elle n'en excluait toutefois pas de nouvelles car l'expression de Mme Hölthohne, bien qu'empreinte d'une certaine lassitude, n'en traduisait pas moins une réelle sympathie pour son visiteur.

Pour ce qui est de Mmes Marga Wanft et Ilse Kremer, certaines identités autorisent de nouveau une synchronisation partielle : toutes deux touchent une pension de retraite, l'une a soixante-dix ans et l'autre soixante-neuf, toutes deux ont les cheveux blancs, habitent dans une H.L.M un appartement d'une pièce et demie chauffée par un poêle et meublé dans le style des années 50, toutes deux donnent l'impression de ne disposer que de maigres ressources, mais — c'est ici que commencent les différences — l'une (Marga Wanft) possède un canari et l'autre (Ilse Kremer) une perruche. Marga Wanft — les différences deviennent alors considérables —, d'apparence sévère, presque inabordable et dont la petite bouche paraissait cracher des noyaux de cerise au prix d'un considérable effort, en raison même de son étroitesse, n'était pas disposée à s'étendre longuement sur « cette petite garce de Pfeiffer. Ah ! je m'en étais bien doutée et aujourd'hui encore je pourrais me gifler de n'avoir pas réussi à la coincer. J'aurais aimé la voir le crâne tondu, et une bonne raclée ne lui aurait pas fait de mal non plus. Se commettre avec un Russe, alors que nos gars étaient au front et son mari tombé au champ d'honneur ! Et en plus, comme père, un trafiquant de première. Pourtant il n'a pas fallu trois mois pour qu'on la mette à ma place, à la tête du groupe de garniture. Une vraie salope, cette fille-là, aucun sens de l'honneur, et provocante avec ça! Elle rendait fous tous les hommes. Grundtsch tournait autour d'elle en ronronnant comme un vieux matou. Quant à Pelzer, elle représentait pour lui une sorte de réserve érotique. Et même un bon ouvrier comme Kremp qui faisait vraiment de son mieux, elle a réussi à lui tourner aussi la tête au point de le rendre absolument invivable. Cela dit, elle trouvait encore le moyen de jouer les grandes dames, alors qu'elle n'était en fait qu'une fille de nouveaux riches fauchée. Avant sa venue, nous travaillions dans une parfaite harmonie, mais ensuite il y a toujours eu comme de l'électricité dans l'air, des tensions qui jamais ne se relâchaient. Pour pouvoir se détendre, il aurait fallu lui flanquer une bonne raclée. Et ne parlons pas de sa façon de tripatouiller les fleurs, une vraie fadaise pour pensionnat de jeunes filles... et ils ont tous donné dans le panneau! Depuis son arrivée, j'étais complètement isolée... et si vous aviez vu les chichis qu'elle faisait pour vous offrir du café ou que sais-je, mais je ne m'y suis jamais laissé prendre, c'était tout bonnement de la lèche. Cette fille n'était qu'une petite écervelée, une cavaleuse et une putain... » Le réquisitoire de Marga Wanft ne se déroula pas aussi vite que sa transcription pourrait le laisser supposer. Il fallut le lui extraire bribe par bribe, noyau par noyau. Elle refusait d'en dire davantage, puis le disait quand même, qualifiant le vieux Grundtsch « de Pan ou de faune à la manque, comme vous voudrez; quant à Pelzer, c'était une vraie crapule, le pire opportuniste que j'aie jamais connu, et quand je pense que j'ai répondu de lui devant le parti! En tant que personne de confiance du parti (membre de la Gestapo? — l'auteur), j'étais souvent consultée... Et après la guerre? Quand on m'a supprimé ma pension sous prétexte que mon

205

mari n'avait pas été tué à la guerre, mais dans les combats de rues de 32/33 ? Eh bien, M. Walter Pelzer qui avait pourtant appartenu à la même section d'assaut que mon mari n'a pas levé le petit doigt pour me venir en aide. Et pendant que je croupissais en taule, il réussissait de son côté à tromper son monde et à s'en sortir grâce à l'appui de la petite putain et de la « dame » juive. Ah ! non, ne me parlez plus de ces gens-là ! La reconnaissance et la justice n'existent pas en ce bas monde, mais nous n'en avons malheureusement pas d'autre à notre disposition ».

Pour ce qui est de Léni, la contribution d'Ilse Kremer, à qui l'auteur réussit à rendre visite le même jour, se révéla bien peu fructueuse, la vieille dame se bornant à répéter « la pauvre chère petite, la pauvre chère créature si naïve et inconsciente, la pauvre chère petite. Quant au Russe, ma foi je dois vous dire que j'étais très méfiante à son égard et le serais encore aujourd'hui. N'était-il pas un agent déguisé de la Gestapo ? Pourquoi se montrait-il si prévenant et où avait-il si bien appris l'allemand ? Comment se faisait-il qu'on l'eût placé dans un établissement horticole au lieu de l'envoyer dans un commando de la mort désamorcer les bombes ou réparer les voies de chemin de fer ? Un gentil garçon certes, mais je ne me suis pas risquée à bavarder avec lui, juste les quelques mots strictement nécessaires pour le travail ».

Il convient de se représenter Mme Kremer comme une ancienne blonde complètement fanée dont les yeux, autrefois certainement bleus, sont devenus presque incolores et dont le visage empâté s'est comme dissous dans la mollesse. Elle n'est pas méchante, mais seulement d'humeur chagrine, maussade ; pas mesquine non plus puisque, n'en buvant pourtant pas, elle a néanmoins offert du café à son visiteur. A l'inverse de Marga Wanft, les mots coulent aisément de sa grande bouche, mais un peu comme d'un robinet d'eau tiède, car elle n'use guère de ponctuation pour rythmer son discours. L'indescriptible précision avec laquelle elle roule ses cigarettes, plus que surprenante, est proprement époustouflante. D'un seul geste, elle dépose, exactement sur la feuille de papier la quantité voulue de tabac mordoré légèrement humide et roule un tube parfait sans un brin qui dépasse. « Oui, j'ai appris à le faire de très bonne heure, peut-être est-ce même la première chose que j'aie vraiment apprise. En 1916 j'en roulais pour mon père, alors en forteresse, plus tard j'ai recommencé pour mon mari lorsqu'il était en taule puis pour moi-même quand à mon tour j'y ai passé six mois. Et bien sûr aussi à l'époque du chômage et de nouveau pendant la guerre... Pour ce qui est de rouler des cigarettes, je n'ai jamais perdu la main ! » Sur ce, elle en alluma une et soudain, à la voir ainsi la cigarette au bec, on pouvait se l'imaginer autrefois jeune et jolie. Elle offrit aussi une cigarette à son interlocuteur, sans façon, en la faisant simplement glisser vers lui sur la table avec un geste pour montrer qu'elle lui était destinée. « Oh ! vous savez, je n'ai plus la moindre envie de lutter. En 29 j'en avais déjà marre. Je n'ai jamais eu beaucoup de force, mais à présent je n'en ai plus du tout. Si j'ai tenu bon pendant la guerre, c'était uniquement à cause de mon garçon, mon Erich ; mon seul espoir était qu'il n'atteindrait pas l'âge requis avant la fin de la guerre, mais il n'a pas eu cette chance et on est venu me le prendre avant même qu'il ait terminé son apprentissage de serrurier. C'était un garçon sérieux et silencieux, et avant son départ, j'ai pour la dernière fois de ma vie émis une opinion politique, une opinion dangereuse, j'ai dit à mon Erich : « Prends la tangente, illico ! » Les sourcils froncés selon son habitude, il m'a demandé ce que ça voulait dire et je lui ai expliqué. Il m'a alors jeté un regard si bizarre que j'ai craint qu'il n'aille me dénoncer; mais même s'il l'avait voulu, il n'en aurait pas eu le temps. En décembre 44 ils l'ont envoyé travailler aux fortifications sur la frontière belge, et je n'ai été officiellement avertie de sa mort que fin 45. A dix-sept ans. Un garçon qui avait toujours l'air si sérieux, si sombre. C'était un enfant naturel, voyez-vous, de père communiste et de mère itou, il l'a appris à l'école ou dans la rue. Son père est mort en 42 et ses grands-parents n'avaient pas un radis. Voilà... Quant à Pelzer, j'avais fait sa connaissance dès 1923, et jamais vous ne devinerez où. Au parti communiste! Mais un jour il a vu un film de propagande nazie qui, au lieu de l'effrayer, a eu exactement l'effet contraire. Du coup, il a confondu révolution avec pillage et rapine. La cervelle complètement tourneboulée, il a quitté sa cellule pour passer d'abord dans les milices puis dès 29 dans la S.A. Il a fait un peu de tout, souteneur pendant un certain temps, et horticulteur aussi bien sûr, mais il a surtout trafiqué au marché noir et couru le jupon... Songez un peu à la composition du personnel dans son atelier de fabrication de couronnes : trois nazis forcenés, Heribert Kremp, Marga Wanft et Martha Schelf; deux sans opinion, Frieda Zeven et Helga Heuter; une communiste neutralisée, moi-même; une républicaine juive, la « dame »; Léni, politiquement non cataloguée, marquée certes par le scandale de son père, mais néanmoins veuve de guerre; enfin le Russe, auquel le patron a fait pas mal de plat. Alors que pouvait-il lui arriver après la guerre, à notre Pelzer? Rien du tout. Et il ne lui est d'ailleurs rien arrivé. Jusqu'en 33 il me tutoyait encore; il m'a même demandé un jour : « Eh bien, Ilse, qu'en « penses-tu, qui va gagner la course, vous ou « nous? » En 33 il s'est mis à me vouvoyer jusqu'en 45 et alors — les Américains n'étaient pas là depuis cinq jours qu'il avait déjà obtenu une nouvelle licence — il m'a de nouveau tutoyée pour me déclarer que je devrais bien me faire élire au conseil municipal. Moi, je ne voulais plus, j'avais trop long temps attendu, et d'ailleurs depuis qu'on m'avait enlevé le petit, je ne voulais plus me mêler de rien. Mais avant cela, fin 44, Léni était un jour venue chez moi pour me parler en particulier. Elle s'est assise en face de moi, a allumé une cigarette, puis m'a regardée fixement avec le sourire un peu craintif de celle qui désire vous faire une confidence. Je me doutais bien de ce qu'elle avait à me dire, mais je ne voulais pas le savoir. Il ne faut jamais en savoir trop. Alors, comme elle restait là muette avec son sourire craintif, j'ai tout de même fini par lui dire : « Tu ne peux plus cacher à personne que tu es « enceinte, et moi je sais ce que c'est que d'avoir un « enfant naturel. » Et ensuite, la guerre terminée, ça a été le grand remue-ménage : résistance, pensions, indemnisations et tout le bazar. Et aussi un nouveau P.C. avec des gens dont je savais qu'ils avaient mon Willi sur la conscience. Savez-vous comment je les appelais ? Des enfants de chœur. Ah ! non, fini pour moi ! Quant à la pauvre chère Léni, si naïve et inconsciente, ils ont voulu la persuader de mener avec eux la campagne électorale au titre de mère de l'enfant d'un vaillant combattant de l'Armée Rouge, eh oui, le petit Lev Borisovitch Gruyten ! Mais sa famille et ses amis lui ont fait comprendre que ça ne pouvait pas coller, alors elle a laissé tomber, ce qui ne l'a pas empêchée d'avoir plus d'embêtements encore que pendant la guerre. Des années plus tard, on continuait à l'appeler « la blonde houri des Soviets ». Pauvre chère créature, elle n'a jamais eu la vie facile, jamais ! »

VI

Pour éviter d'inopportunes spéculations et détruire à temps de faux espoirs, il convient sans plus attendre de présenter au lecteur le principal personnage masculin de cette première partie. D'aucuns — et pas seulement Mme Ilse Kremer — se sont déjà inquiétés, quoique jusqu'ici sans résultat, de savoir comment en 1943 ce Soviétique, le dénommé Boris Lvovitch Koltowski, avait eu l'heur d'être affecté au service d'une entreprise de confection de couronnes mortuaires. Sans doute, même lorsqu'il s'agit de Boris, Léni n'est-elle guère bavarde; toutefois il lui arrive de temps à autre de sortir quelque peu de sa réserve, si bien qu'après avoir subi pendant trois ans les assauts conjugués de Lotte, Margret et Marja, elle a fini par accepter de nommer deux personnages susceptibles de fournir des renseignements sur ledit Boris Lvovitch. Le premier, qui ne l'a connu que fugitivement, n'en est pas moins intervenu avec force dans son destin pour faire de lui, fût-ce, si besoin était, au prix d'un sacrifice personnel, un favori du sort. Il s'agit d'une personnalité extrêmement haut placée dans le monde de l'industrie et qui ne veut à aucun prix que soit divulgué son nom. L'auteur ne peut en l'occurrence se permettre la moindre indiscrétion, d'abord parce qu'elle lui coûterait vraiment trop cher et surtout parce qu'ayant fermement promis à Léni (par personne interposée, s'entend) d'observer la discrétion la plus absolue, il prétend se conduire en gentleman et tenir sa promesse. Ledit personnage influent n'a d'ailleurs retrouvé que fort tard la trace de Léni, aussi est-ce en 1952 seulement qu'il a appris comment Boris avait été à double titre un favori du sort, d'abord bien sûr par son affectation dans l'entreprise de couronnes de Pelzer, ensuite pour avoir été l'homme que semblait alors attendre Léni. Il va de soi que Boris éveilla de multiples soupçons : celui d'être un mouchard à la solde des Allemands, placé par eux dans l'entreprise en question pour y surveiller Pelzer et son personnel hétérogène, et bien sûr aussi celui d'être un espion soviétique... mais alors dans quel but ? Pour découvrir les secrets de la fabrication allemande des couronnes en temps de guerre ou pour rendre compte du moral des ouvriers allemands ? La seule chose qu'on puisse affirmer en toute certitude, c'est que Boris était un favori du sort, rien de plus. Lorsqu'il entra en scène, fin 43, sa taille — nous en sommes réduits aux approximations — se situait entre 1 m 76 et 1,78 m; blond et maigre, il devait — selon une probabilité frisant la certitude — peser au maximum 54 kilos et porter des lunettes à monture d'acier. Quand, à l'âge de vingt-trois ans, il entra dans la vie de Léni, il parlait couramment l'allemand avec toutefois l'accent balte, et le russe comme un Russe. Il avait encore pacifiquement foulé le sol allemand en 1941 mais pour revenir un an et demi plus tard comme prisonnier de guerre dans cet étrange — pour d'aucuns mystérieux et inquiétant — pays. Fils d'un ouvrier russe promu membre de la commission commerciale soviétique à Berlin, il savait par cœur quelques poèmes de Trakl et même de Hölderlin — en allemand, s'entend. Ingénieur diplômé des ponts et chaussées, il était aussi lieutenant du génie... Mais l'heure est venue d'élucider une situation dont l'auteur n'est aucunement responsable. Comment se fait-il en effet que le héros de cette histoire soit russe (fils de diplomate et protégé par un gros bonnet de l'industrie allemande de l'armement) et non pas allemand? Pourquoi pas Erhard ou Heinrich, Aloïs ou le père G., le vieux H., le jeune H. ou même l'étonnant Pelzer sinon le charmant Scholsdorff qui jusqu'à la fin de ses jours souffrira de ce qu'un homme soit allé en prison et ait même frôlé la mort parce que lui, Scholsdorff, slavisant fanatique, n'avait pu supporter l'idée que figurât sur une liste de salariés un Lermontov fictif employé au Danemark à la construction fictive de bunkers fictifs? Fallait-il, se demande encore Scholsdorff, qu'un homme, et de surcroît aussi sympathique que le père Gruyten, risquât la mort parce qu'un Raskolnikov fictif traînait des sacs de ciment fictifs et avalait une soupe d'orge fictive dans une cantine imaginaire?

Eh bien, sachez que si le héros n'est pas allemand, la faute en incombe à la seule Léni. C'est elle qui l'a voulu ainsi sans que l'auteur y soit pour rien. Etat de fait qu'il nous faut donc tout bonnement accepter, comme tant d'autres d'ailleurs dans la vie de la jeune femme. Au demeurant, ce Boris était un garçon extrêmement convenable, doté d'une formation intellectuelle et d'une culture générale tout à fait valables. Il était, ne l'oublions pas, ingénieur des ponts et chaussées et, même sans avoir jamais appris un traître mot de latin, il en connaissait au moins parfaitement deux : « De profundis » puisqu'il possédait fort bien son Trakl. Dût-on se refuser à mettre son niveau scolaire en parallèle avec une chose aussi prestigieuse que le baccalauréat, on peut néanmoins déclarer en toute objectivité qu'il lui était *presque* comparable. Et si l'on admet le fait, d'ailleurs confirmé, que Boris avait lu Hegel dans le texte (il n'était pas venu de Hegel à Hölderlin, mais de Hölderlin à Hegel), peut-être les lecteurs exigeants sur le plan de la culture voudront-ils bien reconnaître que, pas trop inférieur à Léni, il était donc digne de son estime et de son amour.

Selon le témoignage digne de foi de son ancien camarade de camp Piotr Petrovitch Bogakov, Boris n'osa croire jusqu'au dernier moment au traitement de faveur dont il était l'objet. Ce Bogakov, aujourd'hui âgé de soixante-dix ans et qui souffre d'arthrite — il a les doigts si déformés qu'il faut non seulement lui donner à manger, mais aussi lui tenir sa cigarette et la porter à ses lèvres — a préféré ne pas retourner après la guerre en Union Soviétique. Il avoue franchement « s'en être mille fois repenti et s'être mille fois repenti de son repentir ». Des rapports confirmés sur le sort réservé aux prisonniers de guerre russes rentrés au bercail l'ayant rendu méfiant, il s'était d'abord engagé comme gardien de nuit au service des Américains mais, bientôt victime du maccarthysme, avait dû se réfugier chez les Britanniques pour reprendre auprès d'eux les mêmes fonctions, cette fois sous un uniforme anglais teint en bleu. Bien qu'ayant à plusieurs reprises sollicité la nationalité allemande, il est toujours apatride. Logé dans un asile à arrière-plan confessionnel, il y partage une chambre avec d'abord un gigantesque instituteur ukrainien moustachu et barbu du nom de Belenko qui, depuis la mort de sa femme, a sombré dans un deuil permanent entrecoupé de sanglots, partageant son temps entre l'église, le cimetière et l'incessante quête d'un produit alimentaire que depuis son arrivée en Allemagne, donc depuis vingt-six ans, il cherche vainement à se procurer, non une friandise mais une denrée et aussi un aliment populaire : du concombre confit au sel. Le second compagnon de chambre de Bogakov est un certain Kitkine, de Leningrad; cet homme de santé fragile, maigre et taciturne, ne peut, selon ses propres dires, « s'empêcher de souffrir de son mal du pays ». De temps à autre de vieilles querelles se rallument entre les trois hommes, Belenko traitant Bogakov de *mécréant,* Bogakov traitant Belenko de *fasciste,* Kitkine traitant les deux autres de *bavards* tandis que Belenko le traite de *libéral modéré* et Bogakov de *réactionnaire.* Belenko ne partageant la chambre des deux autres que depuis la mort de sa femme, c'est-à-dire depuis six mois, ses compagnons l'appellent *le nouveau.*

Comme Bogakov refusait de parler de Boris et de sa période de captivité en présence des deux autres, il nous fallut attendre le moment où Belenko s'en irait au cimetière ou à l'église sinon à la recherche de ses concombres et où Kitkine partirait à son tour se promener et acheter des cigarettes. Bogakov parle couramment l'allemand et, hormis l'emploi fréquent et parfois incongru du terme *convenant,* sans jamais provoquer de malentendus. Ses mains étant vraiment atrocement déformées « par toutes ces maudites années de faction, ces nuits entières passées dehors par les froids les plus intenses et plus tard même avec un fusil sur l'épaule », Bogakov et l'auteur consacrèrent d'abord un certain temps à l'étude de moyens propres à procurer au Russe une plus grande liberté d'action lorsqu'il voulait fumer une cigarette. « Que je sois dépendant des autres pour l'allumer, c'est encore convenant, mais que je le sois pour tirer chaque bouffée, ça non ! Or je fume volontiers mes cinq, six et même si possible dix cigarettes par jour. » Finalement l'auteur (qui s'excuse de devoir exceptionnellement se mettre en avant) eut l'idée de demander à l'infirmière d'étage un de ces supports auxquels on suspend les flacons de sérum pour perfusion; avec un morceau de fil de fer et trois pinces à linge il réussit, aidé par l'infirmière (au demeurant ravissante), à fabriquer un système que Bogakov, enchanté, qualifia de « potence à fumer tout à fait convenante ». Le morceau de fil de fer arrondi pour former une ganse était accroché à

214

la potence et maintenu par deux pinces à linge tandis que la troisième, disposée à hauteur de la bouche de Bogakov, tenait le fume cigarette sur lequel celui-ci n'avait plus qu'à tirer une fois que le fasciste mangeur de concombres ou le nostalgique à visage d'agent de la Guépéou y avait introduit une cigarette allumée. L'auteur ne songe pas à nier que la fabrication de cette « convenante potence à fumer », jointe à une augmentation détournée du modeste pécule (vingt-cinq marks par mois) de Bogakov sous la forme de quelques paquets de cigarettes, répondant l'une et l'autre, il l'affirme solennellement, à des mobiles étrangers au seul égoïsme, lui aient attiré la sympathie du Russe, incite de ce fait à se montrer loquace. Mais venons-en au récit de Bolgakov que celui-ci dut parfois interrompre pour reprendre son souffle court d'asthmatique ou pour tirer une bouffée de sa cigarette, mais que l'auteur reproduit ici intégralement et d'un seul jet.

« Sans doute notre situation n'était-elle pas absolument convenante, mais elle l'était relativement. Quant à Boris Koltowski, dans sa candeur naïve, il considérait déjà comme une chance inespérée d'avoir échoué dans notre camp. Il devait bien se douter que quelqu'un avait agi pour lui dans la coulisse, mais ne devait apprendre que beaucoup plus tard de qui il s'agissait; il aurait bien pu quand même le deviner. Tandis qu'on nous considérait comme tout juste bons à aller sous bonne garde abattre ou éteindre des maisons en flammes ou réparer les dégâts causés par les bombes dans les rues et sur les voies de chemin de fer — et celui qui se risquait à empocher un simple clou (objet qui pour un prisonnier peut acquérir une valeur inestimable) avait toute raison s'il se faisait coincer (et ça ne ratait jamais) de considérer son existence comme terminée — tandis donc que nous faisions ce sale boulot, chaque matin une brave petite sentinelle allemande venait chercher notre Boris pour le

conduire dans cet établissement horticole extrêmement convenant. Il y passait ses journées et plus
tard même la moitié de ses nuits à accomplir un
travail sans histoire, y ayant même par-dessus le
marché une bonne amie! J'étais heureusement seul
à le savoir, mais j'avoue qu'en apprenant la chose,
j'ai craint pour la vie de ce garçon comme s'il s'était
agi de celle de mon propre fils. Si sa situation privi-
légiée n'éveillait pas notre méfiance, du moins exci-
tait-elle notre jalousie; or, si peu convenants soient-
ils, ce sont là deux sentiments fort courants chez les
prisonniers. A Vitebsk, où j'allais à l'école après la
révolution, nous avions un camarade de classe qu'on
amenait chaque matin en carriole, autrement dit en
taxi. Eh bien, Boris nous faisait le même effet que ce
garçon-là. Plus tard, quand il s'est mis à nous rapporter du pain et même du beurre, parfois aussi des
journaux mais toujours des nouvelles sur la situation militaire — et puis aussi des vêtements d'une
qualité extraordinaire comme seuls des capitalistes
peuvent en avoir —, sa position s'est un peu amélio-
rée mais sans devenir encore convenante à cause de
Victor Genrichovitch. Celui-ci s'était hissé chez nous
au rang de commissaire et se refusait à croire que
les nombreuses convenances dont jouissait Boris
fussent seulement dues à ce que les bourgeois appellent le hasard, notion selon lui en contradiction formelle avec le déterminisme historique. Et le plus
terrible de l'affaire, c'est que Victor Genrichovitch
finit par découvrir qu'il avait raison. Comment y
parvint-il? Nul n'en sait rien. Sept mois en tout cas
après l'arrivée de Boris parmi nous, il savait qu'en
1941 le garçon avait fait chez son père la connaissance d'un ami de celui-ci, le fameux monsieur... (ici
fut prononcé le nom que l'auteur s'est engagé à ne
pas divulguer). Or le père de Boris, muté dès l'ouverture des hostilités au service de renseignements,
avait été chargé de centraliser les rapports des
espions soviétiques opérant en Allemagne. Il utilisa

donc l'une de ses nombreuses filières et boîtes aux lettres pour prévenir ledit monsieur que, Boris étant prisonnier, il le priait de lui venir en aide. Selon la terminologie de rigueur, ce père, profitant de sa situation, avait trahi son pays en renouant des relations avec un gros capitaliste allemand de la pire espèce en vue d'obtenir de lui des convenances pour son fils. Mais ne me demandez pas comment Victor Genrichovitch a découvert le pot aux roses! Peut-être à l'époque ces salauds-là avaient-ils déjà des satellites espions. Mais ce qui fut découvert aussi et que Boris n'a jamais su, c'est que cette démarche valut à son père d'être arrêté, déporté et ensuite flingué. Victor Genrichovitch avait-il ou non raison de croire en la seule existence du déterminisme historique et de nier celle du hasard bourgeois que mon pieux ami et mangeur de concombres Belenko qualifierait naturellement de décret de la Providence? Si donc pour le père de Boris l'affaire se termina de façon aussi peu convenante que possible, il n'en fut pas de même pour Boris car Victor Genrichovitch crut devoir soupçonner plus de choses qu'il n'y en avait réellement. Ces merveilleux vêtements, demanda-t-il à Boris, ne venaient-ils pas directement de ce monsieur dont on savait qu'il était contre la guerre avec l'Union Soviétique et pour une alliance indestructible entre Hitler et l'U.R.S.S., qu'il avait même pu se permettre d'accompagner à la gare de Berlin Boris, son père, sa mère et sa sœur Lydia, de les y embrasser affectueusement et, avant que le train ne s'ébranlât, d'offrir au père de Boris le tutoiement de l'amitié? Et Boris n'avait-il pas eu des contacts directs avec ledit personnage au moment de venir tresser des couronnes dans ce curieux établissement et d'y imaginer des inscriptions pour les rubans de nazis défunts? Non, non et non, répondit Boris; il n'avait de contact qu'avec les ouvriers et ouvrières de l'entreprise. Sur quoi notre commissaire, estimant qu'il fallait quand même tirer quelque chose de ces maudites convenances, lui demanda quel était le moral de ces ouvriers allemands. Réponse de Boris : trois étaient nettement pour le régime, deux sans opinion et deux autres probablement contre, bien que sans pouvoir manifester ouvertement leur opposition. Voilà qui contredisait les informations de Victor Genrichovitch d'après lesquelles, en 1944, tous les ouvriers allemands étaient prêts à se soulever... Croyez-moi, le jeune Boris était dans une situation compliquée et payait cher ses convenances. Il échappait complètement au déterminisme historique et si par malheur Victor Genrichovitch avait découvert de surcroît son idylle avec cette ravissante fille dont il allait même réussir à cueillir toutes les fleurs possibles... grands dieux! Mais Boris resta fermement sur ses positions : celui qui cachait à son intention vêtements, café, thé, cigarettes, beurre et autres présents sous un tas de tourbe mousseuse lui était totalement inconnu; quant aux informations, c'était le patron lui-même, le marchand de fleurs et couronnes, qui les lui chuchotait à l'oreille. Si Victor Genrichovitch était indécrottable, il n'était pas en revanche incorruptible; Boris lui offrit un tricot de cachemire, des cigarettes et — cadeau absolument sensationnel — une minuscule carte d'Europe arrachée à un agenda de poche et si adroitement pliée qu'elle n'était pas plus grande qu'une pastille, véritable don du ciel car nous pourrions enfin savoir exactement où nous en étions. Victor dissimula sous son gilet de corps tout troué le tricot de cachemire qui, grisâtre, avait l'air d'un haillon crasseux, ce qui valait mieux, sans quoi il eût risqué d'éveiller la convoitise d'un garde allemand qui l'aurait certainement trouvé très convenant. Puis vint le temps où Boris put fournir des renseignements précis sur le déroulement des opérations militaires, l'avance des troupes soviétiques et alliées. Il devint alors le chouchou de Victor Genrichovitch qui avait terriblement besoin de telles informations pour nous remonter le moral. Et parce que devenu le chouchou de Victor, Boris perdit naturellement la confiance des autres prisonniers... pour qui connaît tant soit peu la dialectique de la captivité, la chose allait de soi. »

Pour obtenir tous ces renseignements de Piotr Petrovitch Bogakov, l'auteur dut non seulement attendre cinq occasions favorables mais encore acheter un support pour flacons à perfusion, celui qu'on avait mis à la disposition de son nouvel ami devant être de temps à autre rendu à son véritable usage. Il dut même acquérir des billets de cinéma pour envoyer Belenko et Kitkine voir les films en couleur tirés d'*Anna Karénine,* de *Guerre et Paix* et du *Docteur Jivago,* ainsi que des billets de concert leur permettant de ne pas manquer Mstislav Rostropovitch.

Le moment paraissait venu d'importuner le fameux personnage haut placé. Ayant promis à Léni ce qu'elle-même a promis, à savoir de ne jamais divulguer son identité, pas même sous la torture, l'auteur se contentera de déclarer qu'au cours des périodes historiques incluses entre 1900 et 1970, chaque citoyen allemand aussi bien que chaque fonctionnaire russe puis soviétique s'est mis au garde-à-vous devant le porteur de ce nom, tout comme aujourd'hui encore et à toute heure les portes du Kremlin, voire même la modeste porte du bureau de Mao, s'ouvriraient toutes grandes devant lui, si ce n'est déjà fait.

Pour bien disposer ce personnage à son égard et pouvoir éventuellement lui demander sans obséquiosité mais avec l'humilité de rigueur la faveur d'un ou plusieurs nouveaux entretiens, l'auteur dut effectuer par le train un trajet de trois quarts d'heure environ en direction — détail qu'il croit pouvoir se permettre de divulguer — du nord-nord-est, puis offrir audit personnage une édition d'*Eugène Onéguine* reliée en pleine peau et à son épouse un bouquet de fleurs. Il but en compagnie de ses hôtes quelques tasses de thé (meilleur que celui des religieuses, mais ne valant pas celui de Mme Hölt-hohne), parla avec eux de la pluie et du beau temps, de littérature aussi, et mentionna en passant la fâcheuse situation financière de Léni (allusion qui, en provoquant la question pleine de défiance de madame : « De qui s'agit-il ? » et la réponse légèrement impatientée de monsieur : « Voyons, tu sais bien, la jeune femme qui avait des contacts avec Boris Lvovitch pendant la guerre », incita l'auteur à supposer que la dame soupçonnait en l'occurrence quelque aventure galante de son mari). Puis le moment étant inévitablement venu où la pluie et le beau temps, la littérature et Léni ne purent alimenter plus longtemps la conversation, c'est avec une certaine brusquerie, il faut bien le reconnaître, que M. X lança tout de go à son épouse : « Minette, voudrais-tu nous laisser seuls à présent ? » Sur quoi Minette, fermement convaincue d'avoir affaire en la personne de l'auteur à un entremetteur, quitta la pièce sans chercher à dissimuler qu'elle se considérait comme offensée.

Faut-il décrire M. X et son cadre ? Soixante-cinq ans environ, cheveux blancs, belle allure, sérieux mais non rébarbatif. La pièce dans laquelle nous prenons le thé doit représenter à peu près la moitié de la salle des fêtes d'une école (en prenant pour échelle une école de six cents élèves), avec vue sur le parc, gazon anglais et arbres germaniques dont le plus jeune n'a pas moins de cent soixante ans, parterres de roses thé... et planant sur le tout, sur le visage de M. X et même sur le Picasso, le Chagall, le Warhol, le Rauschenberg, le Waldmüller, le Pechstein, le Purrmann, planant sur toute chose donc — l'auteur risque le mot ! — un certain malaise. Ici aussi on trouve l'empreinte des *larmes,* des *pleurs,* de la *douleur* et de la *souffrance,* mais pas la moindre trace de *rire*...

« Vous voudriez donc savoir si ce M. Bogakov —

je ferai d'ailleurs quelque chose pour lui, n'oubliez pas de donner son nom et son adresse à mon secrétaire − a dit vrai ? Eh bien, dans l'ensemble, oui. Comment le commissaire du camp a-t-il réussi à le savoir, comment l'a-t-il appris (haussement d'épaules)... mais ce que M. Bogakov vous a rapporté est exact. J'ai connu le père de Boris à Berlin entre 1933 et 1941 et noué avec lui une profonde amitié qui n'était sans danger, ni pour l'un ni pour l'autre. Sur le plan de la politique mondiale et d'un point de vue historique, je suis resté favorable à une alliance entre l'Union Soviétique et l'Allemagne et j'estime qu'une alliance véritable et sincère, basée sur une confiance réciproque, pourrait même balayer la R.D.A. de la carte. Car en fin de compte ce qui importe vraiment à l'Union Soviétique, c'est *notre* Allemagne. Mais ce sont là des rêves d'avenir. Bref, j'avais à l'époque une réputation d'homme de gauche que j'étais d'ailleurs et suis resté, et si je critique la politique d'ouverture à l'Est du gouvernement actuel, c'est uniquement parce que je la juge trop timide, trop timorée. Mais revenons à M. Bogakov... Un jour en effet pendant la guerre, j'ai reçu à mon bureau berlinois une enveloppe dans laquelle un billet portait ces simples mots : « Lev vous fait savoir que B. est prisonnier « en Allemagne. » Impossible de découvrir qui avait apporté ce message − c'était d'ailleurs sans importance −, simplement déposé en bas chez le concierge. Vous imaginerez sans peine mon émoi au reçu de pareille nouvelle ! Je m'étais pris d'une profonde sympathie pour ce garçon calme, intelligent et rêveur que j'avais plusieurs fois rencontré chez son père, une douzaine environ. Je lui avais offert les poèmes de Georg Trakl, les œuvres complètes de Hölderlin non sans attirer aussi son attention sur Kafka... Je crois pouvoir affirmer avoir été l'un des premiers sinon le premier lecteur du *Médecin de campagne* que, jeune potache de quatorze ans, j'avais demandé comme cadeau de Noël à ma mère en 1920. Bref, j'appris que ce garçon qui m'avait toujours fait l'effet d'un rêveur dénué de tout sens pratique était prisonnier de guerre soviétique en Allemagne. Croyez-vous donc (sans que l'auteur l'eût le moins du monde provoqué, fût-ce simplement du regard, M. X prit alors un ton nettement agressif), croyez-vous donc que j'ignorais ce qui se passait dans les camps ? Croyez-vous donc que j'étais sourd, aveugle et insensible ? (L'auteur n'avait jamais rien prétendu de tel.) Imaginez-vous peut-être (la voix se fit alors presque hargneuse) que je trouvais tout cela normal ? Or voilà qu'enfin (voix piano jusqu'a pianissimo) j'avais l'occasion de faire quelque chose. Mais où était le jeune Boris ? Combien de millions ou tout au moins de centaines de milliers de prisonniers soviétiques avions-nous faits à l'époque ? Et n'avait-il pas été abattu ou blessé lors de sa capture ? Allez donc dénicher un Boris Lvovitch Koltowski au milieu de cette foule (nouvelle enflure de la voix jusqu'à l'agressivité) ! Eh bien, je l'ai quand même trouvé, mais sachez (geste menaçant à l'égard de l'auteur pourtant totalement innocent) que c'est grâce au concours de mes amis du haut commandement de la Wehrmacht. Oui, je l'ai retrouvé, et savez-vous où ? Travaillant dans une carrière, il vivait dans des conditions analogues à celles d'un camp de concentration. Savez-vous ce que cela signifiait de travailler dans une carrière ? » (Ayant dû accomplir une fois ce genre de besogne trois semaines durant, l'auteur trouva pour le moins présomptueuse l'affirmation que laissait sous-entendre la question et selon laquelle il ignorait certainement ce qu'un tel travail signifiait, d'autant qu'on ne lui laissait même pas la possibilité de s'en défendre.) « Un arrêt de mort, tout simplement ! Et avez-vous jamais essayé de faire sortir un prisonnier de guerre soviétique d'un camp nazi ? » (Le ton de reproche était injustifié, car s'il est vrai que l'auteur n'a jamais essayé ni même eu la possibilité de faire sortir qui que ce soit d'où que ce soit, il n'en a pas moins mis à profit les quelques occasions qui se sont offertes à lui de ne pas faire de prisonniers ou de les laisser s'évader.) « Eh bien, même à moi, il m'a fallu quatre bons mois avant de pouvoir agir efficacement en faveur de ce garçon. Il est d'abord passé d'un camp abominable au taux de mortalité de 1 sur 1, dans un camp un peu moins abominable au taux de 1 sur 1,5, de là dans un camp encore assez effrayant avec un taux de 1 sur 2,5 puis dans un camp moins effrayant au taux de 1 sur 3,5. Ça n'était déjà pas si mal puisque dans ce camp le pourcentage de décès était nettement inférieur à la moyenne, mais j'ai pourtant réussi à le faire transférer encore dans un camp qui pouvait être considéré comme à peu près normal avec un taux de mortalité extrêmement favorable de 1 sur 5,8. Je n'avais pu obtenir cet ultime transfert que grâce à l'un de mes meilleurs amis et ancien camarade de classe Erich von Kahm qui, ayant perdu un bras, une jambe et un œil à Stalingrad, avait désormais la haute main sur l'ensemble des stalags. Mais croyez-vous qu'Erich von Kahm aurait pu en décider tout seul ? (L'auteur ne croyait rien du tout, son seul désir étant d'obtenir une information objective.) Non, il a fallu mettre dans le circuit plusieurs pontifes du parti, il a même fallu en acheter un en procurant à sa bonne amie un réchaud à gaz, pour plus de cinq cents litres de bons d'essence et trois cents cigarettes françaises, si vous voulez tout savoir (tout savoir, c'était précisément là le souhait de l'auteur) et pour finir il a encore fallu que ce pontife-là trouve un autre membre du parti, Walter Pelzer, auquel on pût faire comprendre qu'il devait prendre soin de Boris. Mais restait encore à obtenir du chef de la garnison qu'il consentît à fournir le garde qui devrait chaque jour emmener Boris à l'atelier et le ramener au camp. Ce chef de garnison, un certain colonel Huberti, officier de la vieille école, conservateur, humain mais prudent du fait que la S.S. avait plusieurs fois essayé de le coincer et de le convaincre d'« humanité déplacée », exigea un document attestant que l'activité de Boris dans l'établissement horticole était soit indispensable à l'effort de guerre, soit d'un intérêt capital sur le plan du renseignement. Et c'est alors que le hasard ou la chance ou si vous voulez (l'auteur ne voulait pas — l'auteur) un décret de la Providence vint à notre secours. Le dénommé Pelzer, ancien membre du P.C., avait en effet embauché une ex-camarade dont le mari, ou peut-être l'amant, je ne sais plus, s'était enfui en France avec des documents de grande valeur, si bien que grâce encore à un de mes amis du département « Armées Ennemies du Front de l'Est », Boris a pu être officiellement placé en tant qu'« observateur » — comme on dit dans le jargon de métier — auprès de la communiste sans que personne, ni Boris, ni Pelzer ni bien entendu elle-même en fussent avertis. Enfin, et c'était capital, il fallait que notre intervention restât absolument insoupçonnée sous peine d'aller à l'encontre du but visé, car la S.S. se serait bientôt empressée de surveiller Boris. Vous imaginez-vous seulement (l'auteur n'imaginait rien — l'auteur) à quel point il était difficile de venir en aide à ce garçon ? Et à partir de l'attentat du 20 juillet, les choses ne firent qu'empirer, il fallut arroser de nouveau le pontife du parti... tout cela ne tenait vraiment qu'à un fil, car qui donc aurait encore accepté de se soucier du sort de Boris Lvovitch Koltowski, lieutenant soviétique du génie ? »

Passablement instruit de la difficulté, même pour ce personnage haut placé, de venir en aide à un prisonnier de guerre soviétique, l'auteur retourna voir Bogakov non sans s'être muni de concombres confits au sel et de deux billets de cinéma pour le film en couleur « Ryans Daughter ». Nanti entre-temps d'un tuyau de narguilé dans lequel il intro-duit son fume-cigarette — d'où la possibilité pour lui de fumer de façon plus « convenante » car sa main, si déformée soit-elle, peut quand même appré-hender le tuyau (« ça m'évite de devoir mettre les lèvres en cul-de-poule chaque fois que je veux emboucher mon fume-cigarette ») — Bogakov se montra particulièrement communicatif, ne reculant même pas devant les détails les plus intimes concer-nant Boris.

« En vérité, déclara-t-il, point n'était besoin du rigorisme de Victor Genrichovitch pour attirer l'at-tention de Boris sur l'inadéquation historique de la convenance de son sort. Ce qui l'inquiétait le plus, c'était la présence invisible mais nettement sensible de cette main qui l'avait fait passer d'un camp dans l'autre pour finalement aboutir dans l'établissement horticole qui, parmi d'autres avantages, en présen-tait un de taille, celui d'être chauffé, continuelle-ment chauffé, et pendant l'hiver 43/44 ce n'était pas une mince convenance. Et lorsqu'il apprit enfin de moi le nom du propriétaire de cette main, il n'en fut pas pour autant tranquillisé, éprouvant même une certaine méfiance à l'égard de la charmante fille qu'il soupçonnait d'être envoyée et payée par ledit personnage. Et puis il y avait autre chose encore qui mettait à rude épreuve l'hypersensibilité de ce garçon : les coups de feu continuels tirés à proximité de son lieu de travail, par ailleurs si convenant. Je ne songe pas un instant à insinuer qu'il ait fait preuve d'une quelconque ingratitude à l'égard de son protecteur, absolument pas. Il était ravi de son sort, mais simplement : ces coups de feu incessants lui tapaient sur les nerfs. »

Il convient ici de se rappeler que fin 43-début 44,

l'inhumation d'Allemands de toutes catégories exigeait sans cesse de nouveaux records, non seulement de la part des gardiens de cimetière, fabricants de couronnes, prêtres et pasteurs, bourgmestres faiseurs de discours, dirigeants locaux du parti, commandants de régiment, professeurs, camarades et chefs d'entreprise, mais aussi de la part des soldats affectés au tir de la salve d'honneur. Au cimetière central, si le nombre des victimes, leur genre de décès, grade ou fonction l'exigeaient, la pétarade ne cessait guère entre sept heures du matin et six heures du soir. (Déclaration de Grundtsch que l'auteur cite ensuite textuellement :) « On se serait le plus souvent cru non dans un cimetière, mais sur un terrain de manœuvres ou pour le moins dans un stand de tir. Je sais bien que lorsqu'une salve d'honneur est impeccablement tirée, on ne doit entendre qu'un seul coup — en 1917, comme adjudant de la territoriale, j'ai eu l'occasion de commander le peloton de la salve — mais c'est un idéal rarement atteint... et en l'occurrence on avait plutôt l'impression d'un tir roulant ou de l'essai d'une nouvelle mitrailleuse. Si vous ajoutez à cela l'explosion des bombes et les tirs de la D.C.A., vous avouerez que les gens sensibles au bruit n'étaient pas particulièrement gâtés. Et quand il nous arrivait d'ouvrir la fenêtre et de mettre le nez dehors, tir à blanc ou pas, nous sentions effectivement l'odeur de la poudre. »

S'il peut exceptionnellement se permettre un commentaire, l'auteur voudrait attirer ici l'attention sur le fait que le peloton devait parfois se composer de jeunes soldats inexpérimentés qui, trouvant sans doute bizarre de devoir tirer par-dessus la tête d'ecclésiastiques, de familles endeuillées, d'officiers et de bonzes du parti, perdaient peut-être plus ou moins le contrôle de leurs nerfs, ce dont personne, espérons-le, ne leur tiendra rigueur. La vue des *larmes* et des *pleurs* versés, de la *souffrance* et de la *douleur* peintes sur de nombreux visages, l'incapacité pour la plupart des survivants de conserver une inébranlable paix intérieure, de même que la perspective d'être un jour inhumés eux-mêmes dans des conditions analogues... rien de tout cela ne pouvait sans doute avoir sur les soldats chargés de tirer la salve un effet apaisant. Et le deuil fier ne l'était pas toujours tellement; chaque jour au cimetière, quelques centaines sinon quelques milliers de sacs lacrymaux fonctionnaient à plein, car nombreux étaient ceux qui devaient se sentir frappés dans leur *bien essentiel* le plus élevé.

Bogakov : « La méfiance de Boris à l'égard de la fille n'a pas duré longtemps, un jour ou deux peut-être, car à peine l'eut-elle touché et la chose se fut-elle produite... (??? — l'auteur) ...voyons, vous savez bien ce qui arrive parfois aux hommes qui n'ont pas eu de femme depuis longtemps et n'ont pas usé de leur propre main... eh oui, c'est exactement ce qui lui est arrivé quand la fille, en apportant ses couronnes à la table où il travaillait, a posé sa main sur la sienne. Il me l'a raconté lui-même et bien que la chose lui fût arrivée plusieurs fois déjà — mais seulement en rêve, jamais les yeux ouverts — il en a éprouvé un trouble et une exaltation intenses. C'était un garçon naïf, voyez-vous, et qui, du fait de son éducation puritaine, n'avait aucune idée de ce truc qu'on appelle la sexualité. Or, je vais vous confier un secret à condition que vous me promettiez solennellement (ce qui fut fait ! — l'auteur) de ne jamais le révéler à cette fille (l'auteur estime pour sa part que Léni devrait en être informée, que, loin d'en avoir honte, elle serait probablement même heureuse de l'apprendre — l'auteur)... Boris n'avait jamais visité une femme. (Remarquant le mouvement de surprise de l'auteur, il poursuivit :)

Oui, j'ai toujours appelé ça « visiter une femme ». Boris ne cherchait pas à apprendre comment faire, il savait quand même que lorsqu'on aime une femme et désire la visiter, un certain état d'excitation d'ailleurs fort convenant provoque une transformation physique qui indique assez clairement la marche à suivre. Donc il ne l'ignorait pas, mais autre chose le tourmentait... Ah! si vous saviez (l'auteur souhaitait justement savoir — l'auteur) comme j'aimais ce garçon! Il m'a sauvé la vie, car sans lui je serais mort de faim, oui, j'aurais lamentablement crevé... sans sa confiance aussi. Grands dieux, à qui d'autre aurait-il pu parler? J'étais tout pour lui, père, frère, ami et plus tard quand j'ai su qu'il avait une liaison avec cette fille, mon angoisse est devenue telle que j'en pleurais la nuit. Je l'avais pourtant mis en garde! Je lui avais dit : « Si tu l'aimes vrai-« ment à la folie, tu as le droit de risquer ta tête... « mais la sienne? Te rends-tu compte du danger « qu'elle court? Elle ne pourra jamais s'en tirer en « déclarant que tu l'as contrainte ou violée, car vu « les circonstances personne ne le croira. Sois donc « raisonnable! — Raisonnable? m'a-t-il dit, si tu la « connaissais, tu ne parlerais pas de raison, et si je « prononçais ce mot devant elle, elle me rirait au « nez. Elle sait ce que je risque et sait aussi que je « sais ce qu'elle risque, mais elle ne veut pas que « nous soyons raisonnables. Elle n'a pas la moindre « envie de mourir, mais c'est précisément parce « qu'elle veut vivre qu'elle tient à ce que nous saisis-« sions chaque occasion de nous visiter l'un « l'autre »... La formule, il la tenait de moi, je vous l'accorde. Et plus tard, quand j'ai fait la connaissance de la fille, j'ai compris qu'avec elle le mot « raisonnable » n'avait pas de sens... Mais, comme je vous le disais, autre chose tourmentait Boris. Pendant la guerre civile — c'était alors un gamin de deux ou trois ans — sa mère l'avait caché chez une vieille amie dans un village de Galicie; or cette amie avait une grand-mère juive qui s'est chargée du petit quand l'amie en question a été fusillée, si bien que pendant un an ou deux, il a vécu au milieu des enfants juifs du village. Puis la grand-mère est morte à son tour, et une autre vieille juive s'est chargée de Boris dont plus personne ne savait au juste d'où il venait. Et voilà que cette femme, s'apercevant que le petit n'est pas encore circoncis, pense tout naturellement qu'il s'agit d'une négligence de la défunte grand-mère et fait faire le nécessaire... Bref, Boris était circoncis. Quand il me l'a appris, j'ai cru devenir fou, je lui ai dit : « Boris, tu sais que je suis « un homme sans préjugés, mais dis-moi la vérité, « es-tu youpin ou non ? » Et il m'a répondu : « Je te « jure que non. Si je l'étais, je te le dirais. » Le fait est qu'il n'avait pas le moindre accent juif, mais c'était quand même une terrible nouvelle car nous avions assez d'antisémites dans notre camp pour lui faire la vie dure ou même le vendre aux Allemands. Et je lui ai demandé : « Comment as-tu réussi à « passer au travers des visites et examens de toutes « sortes avec ton... eh bien disons, ton absence de « prépuce ? » Il m'a répondu qu'il avait un ami à Moscou, étudiant en médecine qui, conscient du danger auquel cette circoncision pourrait l'exposer lors de son incorporation, lui avait provisoirement cousu — au prix d'incroyables souffrances — un faux prépuce en boyau de chat. Et le truc avait tenu jusqu'à ce que... eh bien, jusqu'à ce que son état d'excitation sexuelle quasi permanent ait soudain fait sauter les fils. Aussi voulait-il savoir si les femmes... et ainsi de suite. Bref, une nouvelle raison pour moi de pleurer la nuit et de suer sang et eau. Non pas à cause de la femme — j'ignore d'ailleurs ce qu'elles remarquent ou même si elles remarquent quoi que ce soit — mais à cause de Victor Genrichovitch, antisémite enragé, et de certains autres camarades qui, déjà jaloux et méfiants, n'auraient plus hésité alors à le vendre aux Allemands. Et du coup...

plus question de personnage haut placé pour le sauver, et adieu à toute cette belle convenance ! »

Le personnage haut placé : « Je dois vous avouer qu'en apprenant après coup que Boris s'était embarqué dans une aventure galante, je lui en ai beaucoup voulu. C'était quand même dépasser les bornes ! Il aurait dû se rendre compte du danger et songer que nous tous qui le protégions — car il se savait fort bien l'objet de notre protection — risquions de passer un mauvais quart d'heure. Ces messieurs n'auraient certainement pas manqué de remonter toute la filière. Et vous savez aussi bien que moi que dans un cas semblable, il n'y avait pas de pardon. Par bonheur tout s'est bien passé et j'en ai été quitte rétrospectivement pour la peur. Mais je n'ai pas caché à Mlle... Mme Pfeiffer ma consternation devant pareille ingratitude. Mon Dieu, quand j'y pense, tout ça pour une histoire de femme !... Mes intermédiaires me donnaient régulièrement des nouvelles de mon protégé et bien qu'ayant plus d'une fois été tenté à l'occasion d'un voyage d'affaires d'aller voir sur place ce qu'il en était, j'ai réussi à ne pas succomber à la tentation. Il me donnait déjà bien assez de tintouin, croyez-moi. Figurez-vous qu'il trouvait moyen de provoquer les gens dans le tramway, consciemment ou non je l'ignore, mais toujours est-il qu'on a déposé contre lui et son garde des plaintes auxquelles von Kahm a bien été obligé de donner suite... Mais oui, sachez que le matin dans le tramway, il chantait en allant à son travail. Il se contentait le plus souvent de fredonner, mais il lui arrivait aussi de chanter distinctement et savez-vous quoi ? La deuxième strophe d'un chant révolutionnaire : « Frères, marchons vers le soleil et « vers la liberté. Voyez ce cortège de millions « d'hommes qui sortent de la nuit... » Vous trouvez ça malin de chanter des choses pareilles ou même tout simplement de chanter un an après Stalingrad, dans un tramway bondé d'ouvriers et d'ouvrières harassés et inquiets ? Imaginez qu'il ait aussi chanté — et je suis à peu près certain qu'il l'a fait sans la moindre arrière-pensée — la troisième strophe : « Brisez le joug des tyrans qui nous ont si cruellement torturés, brandissez le drapeau rouge sur le monde des travailleurs... » Comme vous voyez, ma réputation d'homme de gauche est parfaitement justifiée !... Ah ! le mauvais sang que j'ai pu me faire ! Le garde qui l'escortait a été puni, si bien qu'un jour von Kahm m'a même téléphoné — alors que d'habitude nous ne nous contactions jamais que par messager — pour me demander : « Quelle espèce de provocateur m'as-tu donc refilé là ? »... Enfin nous avons réussi, non sans mal, à arranger les choses, mais il a de nouveau fallu arroser le bonze du parti et remettre en avant l'engagement de Boris par le département « Armées Ennemies du Front de l'Est ». Bref, tout paraissait à peu près tassé quand l'effroyable s'est produit : dans ce même tramway un ouvrier s'est approché de Boris pour lui murmurer : « Courage, camarade, ta guerre est pour « autant dire gagnée ! » Le garde l'ayant entendu, nous avons eu toutes les peines du monde à le dissuader de faire un rapport... qui aurait d'ailleurs pu coûter la vie à l'ouvrier. Ah ! non, vraiment, en fait de gratitude, je n'ai récolté que des ennuis ! »

L'auteur jugea alors nécessaire de revoir celui qui aurait eu le calibre voulu pour supplanter Boris dans le rôle du principal personnage masculin : Walter Pelzer, aujourd'hui âgé de soixante-dix ans. Aussi reprit-il le chemin du bungalow jaune et noir bâti en lisière de la forêt, dont l'une des façades s'orne de chevreuils de métal doré et l'autre de chevaux idem. Pelzer possède un cheval de selle et une écurie pour ledit animal ; il dispose d'une voiture (de grande classe) et sa femme également (mais de classe moyenne). Lors de cette seconde visite (il y en aura d'autres encore), l'auteur trouva Pelzer plongé dans une mélancolie défensive s'apparentant presque au repentir. « J'ai voulu donner de l'instruction à mes enfants, leur permettre de pousser leurs études... mon fils est médecin et ma fille — pour l'heure en Turquie — archéologue. Résultat ? Ils méprisent leur milieu d'origine, me traitent de nouveau riche, d'ancien nazi et de profiteur, d'opportuniste et que sais-je encore. Vous n'imaginez pas tout ce qu'il me faut entendre ! Ma fille n'a que le tiers monde à la bouche, mais que sait-elle seulement du premier, celui dont elle est issue ? Maintenant que j'ai le temps de beaucoup lire, je me fais moi aussi mes petites idées... Voyez Léni qui a autrefois refusé de me vendre sa maison parce que je lui étais suspect, pour finalement la vendre à Hoyser. Eh bien que fait-il, celui-là, avec le concours de son rusé petit-fils ? Il songe à la sommer d'évacuer les lieux sous le prétexte qu'elle sous-loue des chambres à des travailleurs étrangers et n'arrive plus à payer son loyer ou du moins pas avec une ponctualité suffisante. Aurais-je jamais eu l'idée de faire jeter Léni hors de chez elle ? Jamais et ça quel que soit le régime politique, au grand jamais ! Je ne cherche nullement à nier m'être amouraché d'elle dès son arrivée à l'atelier ni n'avoir jamais attaché une importance excessive aux liens du mariage. Je n'en fais pas mystère. Pas plus que je ne cherche à cacher ni que j'ai été communiste puis nazi, ni que j'ai saisi toutes les chances que la guerre m'offrait dans mon métier. Chaque fois que j'en ai eu l'occasion, j'ai sans hésiter — passez-moi l'expression — fait mon beurre. Je le reconnais. Mais ai-je jamais nui à quiconque à partir de 1933, chez moi ou ailleurs ? Jamais ! Avant 33, je l'admets, il m'est parfois arrivé d'être assez brutal. Mais depuis ? Je n'ai jamais fait de mal à personne. Un seul de mes employés a-t-il eu des raisons de se plaindre de moi ? Non ! Et nul d'ailleurs ne l'a fait. Le seul qui aurait peut-être pu me reprocher quelque chose, c'est Heribert Kremp, mais il est mort. Oui celui-là, je l'avoue, je l'ai malmené parce que cet insupportable fanatique a bien manqué compromettre la bonne marche de mon entreprise en empoisonnant définitivement notre ambiance de travail. Figurez-vous que dès l'arrivée du jeune Russe parmi nous, cet imbécile décida de le traiter en sous-homme. Ça a commencé dès la première pause, donc un peu après neuf heures, quand Léni a voulu donner une tasse de café au Russe. Il faisait très froid ce jour-là... fin décembre 43 ou début janvier 44, je ne sais plus au juste. J'avais confié à Ilse Kremer le soin de préparer le café, la jugeant la plus digne de confiance... et ce crétin de Kremp aurait bien dû se demander pourquoi c'était précisément une ancienne communiste qui occupait ce poste de confiance... Chacun apportait sa propre dose de café en poudre dans un petit sachet de papier, et cette poudre de café renfermait déjà en soi un élément de provocation, certains d'entre nous n'ayant que de l'ersatz, d'autres un mélange à raison d'un dizième ou un huitième de vrai café, Léni toujours un tiers et quant à moi il m'arrivait parfois de m'offrir du cent pour cent, voire même du café en grains. Donc, dix sachets de papier différents pour dix petites cafetières individuelles. Et c'est précisément en raison de la rareté du café qu'Ilse occupait ce poste de confiance car si elle avait prélevé une pincée d'un meilleur mélange pour la glisser dans le sien, souvent mauvais, qui s'en serait aperçu ? Elle ne l'a pourtant jamais fait. C'est ce qu'on appelait chez les communistes l'esprit de solidarité, dont des nazis comme Kremp, Marga Wanft et Martha Schelf ont finalement tiré profit. Personne à vrai dire n'aurait eu l'idée de confier la préparation du café à l'un de ces trois-là : ç'aurait été un de ces trafics ! Je dois toutefois ajouter que

Kremp était beaucoup trop bête et trop régulier pour jamais boire autre chose que de l'ersatz à 100 p. 100!... Puis venait la distribution des cafetières avec leurs arômes individuels; chacun à l'époque était capable de flairer à coup sûr la moindre trace de vrai café, et c'était toujours la cafetière de Léni qui exhalait le meilleur parfum. Vous imaginez alors les sentiments d'envie, de jalousie, voire de haine et d'appétit de vengeance que dès neuf heures un quart du matin pouvait éveiller la distribution des cafetières! Et croyez-vous qu'au début de 44, la police ou le parti aurait encore pu se permettre d'interroger et de poursuivre quiconque pour « infraction à l'économie de guerre » comme on disait alors? Au fond, ils étaient plutôt contents que les gens aient un peu de café, quelle qu'en fût la provenance... Bref, qu'a fait notre Léni dès le premier jour où le Russe s'est amené chez nous? Tandis que Kremp commençait à boire son affreuse bibine, elle a rempli sa propre tasse avec sa cafetière — un tiers de vrai café, ne l'oubliez pas — et l'a apportée au Russe à la table où je l'avais installé avec Kremp à la confection des supports de couronnes. Pour une fille comme Léni, offrir une tasse de café à quelqu'un qui n'avait ni tasse ni café allait de soi... mais croyez-vous qu'elle se soit doutée de la portée politique de son geste? J'ai bien vu comment mon Ilse blêmissait; elle savait, elle, ce que signifiait sur le *plan politique* d'offrir à un Russe une tasse de café dont l'arôme tuait l'odeur des autres mélanges plus ou moins fadasses... Et notre Kremp? Sachez qu'il travaillait toujours assis, après avoir débouclé sa jambe artificielle qu'il avait encore du mal à supporter et qu'il la suspendait à une patère — vous imaginez l'agrément d'avoir toujours cette prothèse sous le nez! — et voilà qu'il est allé brusquement la décrocher pour, d'un coup bien appliqué, faire voler la tasse de la main du Russe complètement ahuri... Et après? Un silence de mort comme on dit dans les livres que je lis, mais un silence de mort de plusieurs natures : approbateur chez Martha Schelf et Marga Wanft, neutre chez Helga Heuter et Frieda Zeven, compatissant chez Liane Hölthohne et Ilse Kremer. Mais *effrayés,* nous l'étions tous, croyez-moi, excepté le vieux Grundtsch qui, appuyé près de moi contre la porte du bureau, s'est contenté de rire. Il pouvait se le permettre; bien que roublard comme pas un, il passait pour irresponsable et n'avait donc pas grand-chose à craindre. Et moi, qu'ai-je fait? De nervosité j'ai craché dans l'atelier. Et si la chose existe et si j'ai réussi à l'exprimer, sachez que c'était un crachat plein de sarcasme qui a atterri beaucoup plus près de Kremp que de Léni. Mais comment expliquer l'importance politique d'un détail comme celui-là : un crachat qui atterrit plus près de Kremp que de Léni? Et comment prouver que ledit crachat se voulait sarcastique?... Toujours le même silence de mort, la même tension angoissée. Alors qu'a fait notre Léni? Elle a ramassé la tasse qui, ayant mollement chu sur les déchets de tourbe mousseuse jonchant le sol, ne s'était pas cassée, pour aller la rincer sous le robinet... Le soin qu'elle y a mis était déjà provocant en soi, mais je suis à peu près sûr que, dès cet instant, elle avait opté pour la provocation. Mon Dieu, vous savez bien qu'il est facile de rincer une tasse, même à fond, en moins de deux, mais à la voir faire on aurait dit qu'elle lavait un calice consacré. Après quoi — geste d'ailleurs tout à fait superflu — elle a soigneusement essuyé la tasse avec un mouchoir propre puis, retournant à sa table, a saisi sa cafetière et versé la seconde tasse — nous avions tous des cafetières de deux tasses — qu'elle a tout tranquillement apportée au Russe sans même un regard pour Kremp, avec par-dessus le marché un aimable : « Je vous en prie! » Et le Russe, qu'allait-il faire? Car lui avait fort bien compris l'aspect politique de la situation; c'était un garçon nerveux, hypersensible et, croyez-moi, d'une délicatesse telle que plus d'un aurait pu en prendre de la graine. Pâle, avec ses cheveux très blonds légèrement frisés et sur le nez ses lunettes à monture d'acier, il avait l'air d'un petit ange. Alors qu'a-t-il fait ? Toujours le même silence de mort, tant chacun sentait qu'un événement décisif se préparait. Léni avait joué sa partie, c'était à présent au Russe de jouer la sienne. Alors qu'a-t-il fait ? Il a pris la tasse de café et, dans un allemand irréprochable, a prononcé à haute et intelligible voix : « Merci beaucoup, mademoiselle », puis s'est mis à boire. Son front s'est alors couvert de sueur car il n'avait probablement bu ni café ni thé depuis fort longtemps et ça agissait sur lui comme une piqûre sur un corps épuisé. Mais, Dieu merci, c'en était fini de ce silence de mort et de l'effroyable tension ambiante. Mme Hölthohne a poussé un soupir de soulagement, Kremp a bougonné des mots sans suite : « bolche vik... veuve de guerre... café pour bolchevik... », Grundtsch a ri pour la seconde fois et moi, incapable de me contrôler, j'ai craché une seconde fois dans l'atelier, manquant de peu la prothèse de Kremp, ce qui eût été un sacrilège. Martha Schelf et Marga Wanft ont soufflé d'indignation, les autres de soulagement. Léni se trouvant alors privée de café, qu'a fait mon Ilse ? Elle a rempli sa tasse et la lui a apportée en déclarant bien haut : « Tu ne peux « quand même pas avaler ton pain tout sec. » Or, ce jour-là le mélange d'Ilse n'était pas mauvais non plus. Elle avait en effet un frère, nazi bon teint pourvu d'un poste important à Anvers et qui lui rapportait parfois du café vert... Et voilà ! Telle fut la bataille décisive de Léni. »

Cette déterminante entrée en scène de Léni fin 43-début 44 lui apparaissant comme de la plus haute importance, l'auteur voulut rassembler à son sujet de plus amples informations. Il décida donc de

236

retourner voir tous les témoins survivants de l'événement. La durée attribuée par Pelzer au « silence de mort », beaucoup trop longue, lui paraissant plus ou moins ressortir à la littérature — à son avis et d'après sa propre expérience, un silence de mort ne pouvait guère excéder trente à quarante secondes — il souhaitait en avoir le cœur net. Ilse Kremer — qui, soit dit en passant, ne songe pas à nier l'existence d'un frère nazi et fournisseur de café — évalue la durée de ce silence à « trois ou quatre minutes ». Quant à Marga Wanft : « J'ai gardé de la scène un souvenir précis et me reproche aujourd'hui encore d'avoir laissé faire et par là donné en quelque sorte mon accord tacite à tout ce qui s'ensuivrait. Silence de mort, dites-vous ? Je le qualifierais plutôt de silence de mépris. Quant à sa durée, puisque vous semblez y attacher de l'importance, ce fut selon moi l'affaire d'une ou deux minutes. Mais nous n'aurions vraiment jamais dû nous taire. Quand on songe que nos jeunes gars, lancés aux trousses des bolcheviks, étaient dehors à crever de froid (en 1944 la situation s'était renversée et c'était au tour des bolcheviks de talonner nos jeunes gens — rectification historique de l'auteur) pendant que celui-là, bien à l'abri et bien au chaud, trouvait encore moyen de se faire offrir du café — et pas n'importe lequel, un tiers de vrai — par cette petite garce ! » Liane Hölthohne : « J'en ai eu des sueurs froides, croyez-moi, et, comme bien souvent plus tard, je me suis demandé si Léni savait seulement ce qu'elle faisait. J'ai admiré son courage, sa spontanéité et le satané calme avec lequel, dans ce silence de mort, elle a rincé sa tasse, l'a essuyée et ainsi de suite. Dans ce flegme apparent, il y avait... comment dire... tant de douceur et d'humanité, grands dieux ! Combien de temps ce silence a-t-il duré ? Pour moi, qu'il se soit agi de cinq minutes ou seulement de quatre-vingts secondes, il a duré une éternité. Et pour la première fois, j'ai ressenti une sorte de sympathie pour Pelzer qui avait visiblement pris le parti de Léni contre Kremp. Quant à son crachat, si vulgaire que soit la chose, en cet instant-là c'était bien le seul moyen qu'il avait de manifester clairement qu'il aurait volontiers craché au visage de Kremp s'il l'avait pu. » Grundtsch : « J'aurais volontiers hurlé de joie ! Fichtre, le courage de cette fille ! Elle a dès le premier jour livré la bataille décisive, probablement sans le savoir... et pourtant comment ne l'a-t-elle pas pressenti ? Elle ne connaissait ce garçon que depuis l'heure et demie qu'il avait passée dans l'équipe des supports à regarder faire les autres... et personne, pas même cette fouineuse de Marga Wanft, n'aurait pu l'accuser d'entretenir le moindre des rapports avec lui. Si vous me permettez de m'exprimer en termes militaires : Léni s'était trouvé un formidable champ de tir avant même d'avoir un objectif sur lequel tirer. Seule explication possible de son attitude : une profonde et naïve humanité. Sans doute un tel sentiment était-il interdit à l'égard des sous-hommes mais, voyez-vous, même un type comme Kremp ne pouvait nier que Boris fût un homme ayant ses deux jambes, un nez avec même des lunettes dessus, et plus sensé que tous les autres réunis. L'acte courageux de Léni a fait de Boris un homme ou plus exactement l'a proclamé tel, situation désormais irréversible, en dépit de toutes les saloperies qui allaient suivre. Combien de temps le silence de mort a-t-il duré ? Je dirais : Cinq minutes au moins. »

La diversité des réponses obtenues a conduit l'auteur à admettre la nécessité de déterminer par la voie expérimentale l'éventuelle durée de ce silence de mort. L'atelier — aujourd'hui propriété de Grundtsch — existant toujours, il a donc pu y mesurer les distances. De la table de Léni à celle de Boris : quatre mètres, de celle de Boris au robinet :

trois mètres, du robinet à la table de Léni (sur laquelle était posée la cafetière) : deux mètres, puis de nouveau quatre mètres jusqu'à la table de Boris. Soit au total treize mètres qu'en dépit de son calme apparent, Léni a dû parcourir en quelques secondes. Malheureusement, comme l'auteur ne disposait ni d'un amputé ni de sa prothèse, l'action ayant entraîné la chute de la tasse ne put être simulée. En revanche il a pu rincer et essuyer une tasse, puis y verser du café. Pour être sûr de son fait et obtenir une moyenne objective, il a répété trois fois l'opération. Résultat du premier essai : quarante-cinq secondes, du deuxième : cinquante-huit secondes, et du troisième : quarante-deux secondes, soit une moyenne de quarante-huit secondes.

L'auteur qui se voit une fois de plus contraint, toujours à titre exceptionnel, d'intervenir directement, vu son désir de qualifier ce processus de « naissance ou renaissance » de Léni, autrement dit d'événement capital, ne dispose malheureusement sur la jeune femme d'alors que de données permettant tout au plus l'esquisse suivante : des moyens peut-être assez limités; un mélange de romantisme, de sensualité et de matérialisme; un peu de piano et de lecture de Kleist; une connaissance assez approfondie quoique en dilettante de la sécrétion. Pourtant, qu'on la considère (en raison du sort d'Erhard) comme une amante empêchée, une veuve manquée, aux trois quarts orpheline (mère décédée et père en prison) ou qu'on la tienne pour à demi, voire grossièrement inculte... nul ne peut analyser ces qualités incertaines ni leur composition, pas plus qu'expliquer la spontanéité de sa démarche au cours de l'épisode que nous nommerons « la scène de la tasse de café ». Sans doute s'était-elle occupée avec une touchante sollicitude de sœur Rachel jusqu'à ce qu'on l'eût enfouie dans le jardin du couvent, mais la religieuse était son amie intime, l'être au monde qu'après Erhard et Heinrich elle avait le plus aimé... Pourquoi en revanche avoir apporté du café à ce Boris Lvovitch au risque de le perdre, car quelle situation périlleuse pour un prisonnier soviétique que celle de se voir tout naturellement offrir une tasse de café par une candide Allemande puis de l'accepter avec un naturel égal et une (apparemment) égale candeur ! Savait-elle seulement ce qu'était un communiste, elle qui, à en croire Margret, ne savait probablement même pas ce qu'était un juif ?

Marja van Doorn (qui pas plus que Margret ni Lotte n'avait rien su de la « scène de la tasse de café » à laquelle Léni n'avait manifestement pas attaché assez d'importance pour la leur rapporter) en offre une explication relativement simple : « Soyons justes, dans cette affaire c'était elle et non lui qui courait le plus grand risque. Mais chez les Gruyten, voyez-vous, il allait de soi d'offrir du café à tout visiteur quel qu'il fût, mendiant, clochard, chemineau, relation d'affaires appréciée ou non. La question ne se posait pas : on offrait le café. Même aux Pfeiffer, et c'est tout dire ! Ce comportement de la mère de Léni me rappelait d'ailleurs les religieux qui, à la porte de leur couvent, servent un bol de soupe à quiconque se présente, sans lui demander sa religion ni exiger de lui la moindre manifestation de piété. Hélène Gruyten aurait offert du café à n'importe qui, communiste ou pas, et même, je crois, au pire des nazis. Encore une fois, la question ne se posait pas. Car quels qu'aient pu être par ailleurs ses défauts, c'était une créature généreuse, pleine de bonté et d'humanité... simplement sur un certain point, si vous voyez ce que je veux dire, elle n'était pas ce dont Hubert avait besoin. »

Il faut à tout prix éviter de laisser naître l'impression que fin 43-début 44, une sorte de russophilie ou de soviétomanie ait existé dans l'atelier de Pelzer ou même simplement que la chose eût été possible. Si l'on songe que, pour avoir accordé des faveurs infiniment moindres à des Soviétiques, certains Allemands (peu nombreux) ont risqué et connu la prison, le camp de concentration ou la potence, il faut bien admettre qu'il s'agissait en l'occurrence d'une manifestation d'humanité non pas voulue, mais objectivement et subjectivement adéquate, que l'on peut considérer dans un certain contexte seulement, celui de l'existence de Léni et du lieu historique. Léni eût-elle été moins inconsciente (inconscience dont elle avait déjà fait preuve avec Rachel) qu'elle eût exactement agi de la même façon (d'ultérieurs épisodes autorisent cette conclusion). Et si elle n'avait pu matérialiser — précisément par l'offre d'une tasse de café — sa spontanéité, celle-ci se fût exprimée par quelque balbutiement de sympathie probablement inopérant mais susceptible d'être plus méchamment interprété encore que ce café offert comme dans un calice consacré. Nous avons tout lieu de supposer que Léni éprouva un plaisir sensuel à rincer puis à essuyer soigneusement sa tasse, sans la moindre ostentation pourtant. Etant donné que jusqu'alors (qu'il se soit agi d'Aloïs, d'Erhard, de Heinrich, de sœur Rachel, de son père, de sa mère ou de la guerre) Léni n'avait jamais réfléchi qu'après coup, on peut penser qu'en l'occurrence elle n'a pris qu'ensuite conscience de son acte... Elle avait non seulement offert, mais bel et bien servi du café à un Soviétique et pour lui épargner une humiliation en avait infligé une à un Allemand amputé d'une jambe. Ce n'est donc pas au cours d'un silence de mort d'une durée approximative de cinquante secondes que s'est produite la naissance ou la renaissance de Léni, car chez elle il ne s'agissait pas de « génération spontanée » mais d'une évolution continue. En un mot, Léni ne savait jamais ce qu'elle allait faire qu'à l'instant même où elle agissait : matérialiser était pour elle une nécessité permanente. N'oublions pas en outre qu'elle avait à l'époque vingt et un ans et demi tout juste. C'était — répétons-le — une créature extrêmement dépendante de sa sécrétion, donc de sa digestion, et incapable de rien sublimer. En elle sommeillait une capacité latente de contact direct qu'Aloïs n'avait ni perçue ni éveillée, sans qu'Erhard de son côté ait eu la moindre occasion d'y parvenir. Les dix-huit à vingt-cinq minutes environ d'assouvissement sensuel qu'elle avait peut-être connues avec son mari ne l'avaient pas mobilisée à plein, tant celui-ci était incapable de comprendre le paradoxe de Léni : sensuelle sans l'être tout à fait.

Pour l'événement décisif suivant que nous nommerons « l'imposition de la main », nous ne disposons que de deux témoins : Bogakov qui nous a déjà rapporté l'épisode avec ses conséquences érotiques, et Pelzer qui en fut le seul témoin oculaire.

Pelzer : « A partir de là, Léni a continué à offrir du café au Russe. Mais le lendemain même, je puis vous l'affirmer sous la foi du serment, alors que Boris n'était déjà plus dans l'équipe des supports, mais à la table de finition avec Liane Hölthohne, en lui apportant son café elle a posé la main gauche sur la main droite du Russe; et cette fois, je vous l'assure, sans la moindre naïveté ni inconscience, car elle avait pris la précaution de jeter un coup d'œil à la ronde pour s'assurer que personne ne la regardait. Bien que le contact n'ait duré qu'un instant, il a agi sur lui comme une décharge électrique : Boris a littéralement sauté en l'air. J'ai tout vu sans qu'elle s'en doute et peux vous le jurer : j'étais alors dans mon bureau à peine éclairé, les yeux fixés sur l'atelier car je voulais savoir comment allait se poursuivre cette histoire de café. Et savez-vous ce que je me suis dit ? Peut-être cela vous paraîtra-t-il vulgaire, mais nous autres horticulteurs ne sommes pas aussi poseurs qu'on veut le croire, eh bien je me suis dit : Fichtre ! Comme elle y va ! Elle se jette à sa tête, ma parole !... Et je me suis senti affreusement jaloux du Russe. En matière d'érotisme, Léni avait des idées très avancées et se moquait bien de la tradition selon laquelle il revient à l'homme de faire le premier pas. Et c'est elle qui l'a accompli en lui imposant la main. Elle savait évidemment qu'il ne pouvait dans sa situation prendre l'initiative, ce qui sur le plan tant érotique que politique n'enlève pourtant rien au caractère audacieux et même fort impudent de son geste. »

Le témoignage de Léni transmis par Margret correspond textuellement à celui de Boris transmis par Bogakov : tous deux se sont « immédiatement enflammés ». Nous connaissons par Bogakov la réaction « virile » de Boris et savons par Margret que ce fut pour Léni une expérience « infiniment plus belle que cette histoire de bruyère que je t'ai racontée un jour ».

Pelzer toujours, mais cette fois au sujet des aptitudes professionnelles de Boris : « Je m'y connais en hommes, je vous l'assure, aussi ai-je su dès le premier jour que ce Russe était à la fois extrêmement intelligent et doué d'un sens aigu de l'organisation. Au bout de trois jours, il était déjà officieusement l'adjoint de Grundtsch au contrôle final des couronnes où il s'entendait fort bien avec Liane Hölthohne et Frieda Zeven qui lui étaient en fait subordonnées tout en devant bien entendu l'ignorer. C'était un artiste à sa façon mais qui avait très vite compris le nœud du problème : économiser la matière première. Les inscriptions imprimées sur les rubans — « Pour le Führer, le peuple et la patrie » ou « Section d'Assaut 112 » — qui auraient pourtant dû lui hérisser le poil ne soulevaient chez lui aucun émoi, pas plus que le maniement à longueur de journée des aigles à croix gammée. Un jour, je l'ai fait venir dans mon bureau, où il devait par la suite tenir seul la comptabilité des rubans et en gérer le stock, pour lui demander : « Boris, « répondez-moi franchement, quel effet tous ces « aigles avec leurs croix gammées vous font-ils ? » Il m'a alors répondu sans l'ombre d'une hésitation : « Monsieur Pelzer, puisque vous me demandez « d'être franc, j'espère ne pas vous blesser en vous « disant qu'il est assez réconfortant non seulement « de se douter mais aussi de s'assurer de visu que « les S.A. sont également mortels. Quant aux aigles « à croix gammée, ma foi je suis parfaitement « conscient de ma situation présente. » Je tiens à souligner que, tout comme Léni, il m'est très vite devenu quasiment indispensable, et je reconnais volontiers que si, non content de lui avoir fait aucun mal, je lui ai même accordé certaines faveurs — comme à Léni d'ailleurs — mon acte ne fut pas tout à fait désintéressé : je n'ai rien d'un innocent philantrope et ne l'ai jamais prétendu... Ce garçon, doué d'un remarquable talent d'organisateur, s'entendait très bien avec les autres ; Marga Wanft et Martha Schelf elles-mêmes acceptaient ses directives, tant il y mettait d'adresse. Croyez-moi, sous un régime de libre économie de marché, il aurait fait son chemin ! Je sais bien qu'il était ingénieur et probablement fort en maths, n'empêche qu'alors que j'exploitais moi-même mon affaire depuis près de dix ans, Grundtsch, lui, étant dans le métier depuis près de quarante, c'est Boris qui a été le premier à s'apercevoir que le support, j'entends l'équipe de fabrication des supports, manquait de bras par rapport à la capacité de production de l'équipe de garniture. Or, comme il ne pouvait être question pour moi de dissoudre la remarquable équipe qu'il formait avec Mme Hölthohne au contrôle final, j'ai décidé de renvoyer Frieda Zeven à la confection des supports. Elle a bien ronchonné un brin, mais j'ai compensé la chose par une prime, et résultat : la production a effectivement augmenté de 12 à 15 p.100. Vous étonnerai-je en vous disant que je tenais à conserver ce garçon et à veiller à ce que tout se passât bien pour lui ? Des camarades du parti me faisaient d'ailleurs régulièrement savoir — soit directement, soit par la bande — que ce Russe étant protégé en haut lieu, je devais veiller sur lui. Mais voyez-vous, ce n'était pas si simple avec des gens comme ce sale petit fouineur de Kremp et cette hystérique de Marga Wanft qui auraient pu faire sauter la baraque. Et personne, ni Léni, ni même Grundtsch, n'a jamais su que dans ma petite serre privée j'avais mis à la disposition de Boris six mètres carrés particulièrement bien engraissés pour le tabac, les concombres et les tomates. »

L'auteur doit avouer que pour se documenter sur cette période de la vie de Léni, il a choisi la voie de moindre résistance en interrogeant de préférence les témoins d'un abord facile. Lors de sa seconde visite à Marga Wanft, celle-ci lui ayant tourné le dos plus ostensiblement encore que la première fois, il décida de se passer désormais de son témoignage. Walter Pelzer, Albert Grundtsch, Ilse Kremer et Liane Hölthohne se montrant également accessibles et communicatifs — Ilse Kremer à un degré peut-être légèrement moindre que les autres — le choix s'avéra difficile. Mme Hölthohne l'attirait pour de multiples raisons : la qualité exceptionnelle de son thé, son installation pleine de goût, sa beauté si bien conservée et entretenue, enfin son séparatisme toujours aussi vivace et ouvertement déclaré; seuls le faisaient hésiter son minuscule cendrier et son aversion manifeste pour les fumeurs invétérés.

« Je sais bien que notre Land (entendez par là Rhin Septentrional-Westphalie — l'auteur) bénéficie des rentrées d'impôt les plus élevées et qu'à ce titre il vient en aide aux Länder moins bien partagés. Mais quelqu'un a-t-il jamais eu l'idée d'inviter chez nous les habitants de ces Länder, disons du Schleswig-Holstein ou de Bavière par exemple, afin qu'ils ne se contentent pas d'avaler chez eux le produit de nos impôts, mais viennent aussi respirer ici notre air empoisonné et boire cette eau infecte, rançon de notre richesse ? Qu'en penseraient les Bavarois aux lacs clairs comme du cristal ou les Holsteiniens avec leurs kilomètres de littoral, s'ils devaient se baigner dans le Rhin pour en ressortir couverts de goudron sinon même de plumes ? Et puis voyez un peu ce Strauss[1] dont toute la carrière est jalonnée d'affaires obscures et donc louches, car c'est tout un... Ecoutez-le, l'écume aux lèvres, vitupérer notre Land (Rhin Supérieur-Wesphalie — l'auteur) ! Et pourquoi cette fureur ? Tout simplement parce que les gens d'ici sont d'idées un peu plus avancées que chez lui. En voilà un qu'on devrait obliger à venir passer trois ans avec femme et enfants à Duisburg, Dormagen ou Wesseling ! Il saurait alors d'où vient et comment se gagne l'argent qu'il encaisse mais sur lequel il trouve encore moyen de cracher, parce que notre gouvernement régional, qui n'a certes rien de grisant, n'est du moins ni CDU[2] ni surtout CSU[3]... vous me comprenez, n'est-ce pas ? Et pourquoi devrais-je éprouver un sentiment de solidarité à l'égard des autres Länder, pourquoi ? Ai-je donc fondé le Reich, ai-je jamais donné mon accord à sa fondation ? Non ! Et dites-moi : en quoi ce qui se passe au nord, au sud ou au centre dudit Reich nous concerne-t-il ? Songez donc à la façon dont nous avons été intégrés dans cette confédération : par la seule volonté de ces maudits Prussiens ! Or qu'avons-nous de commun

1. Président de l'Union chrétienne-sociale (N.d.T.).
2. Union chrétienne-démocrate (N.d.T.).
3. Union chrétienne-sociale (N.d.T.).

avec eux ? Et qui donc a bradé notre territoire en 1815 ? Nous-mêmes peut-être ? L'aurions-nous accepté ? Aurions-nous voté oui ? Certainement pas ! Qu'il vienne donc, ce M. Strauss, se baigner dans le Rhin et respirer l'air de Duisburg... seulement voilà, il préfère inhaler son bon air bavarois et vitupérer de loin « le Rhin et la Ruhr ». Qu'avons-nous à voir avec ces éléments louches ? Réfléchissez-y ! (L'auteur promit de le faire.) Non vraiment, je suis et demeure séparatiste. Qu'on nous adjoigne un petit bout de Westphalie s'il est impossible de faire autrement, passe encore, mais que nous apportera-t-il ? Son cléricalisme, son hypocrisie et peut-être ses pommes de terre ? Je ne sais pas au juste d'ailleurs ce qu'on y cultive et de toute façon ça ne m'intéresse pas. Quant à ses forêts et à ses champs, comme on ne pourra tout de même pas les amener chez moi, ils resteront bien gentiment où ils sont... A la rigueur par conséquent quelques Westphaliens, mais aussi peu nombreux que possible car on n'a jamais que des ennuis avec des gens qui se sentent perpétuellement offensés sous prétexte qu'on les néglige, qui ne cessent de rouspéter pour une chose ou l'autre, telle l'insuffisance de leur temps d'antenne à la télévision ou autres chipotages du même tabac. Non, ils ne nous apportent vraiment que des ennuis... Or ce qu'il y a de merveilleux chez Léni, voyez-vous, c'est justement sa nature si typiquement rhénane. Et puis je vais vous dire quelque chose qui vous fera certainement sourire : Boris me paraissait encore plus rhénan que les autres, à l'exception toutefois de Pelzer chez qui se rencontrait précisément ce mélange de férocité et d'humanité qui n'existe que chez nous. Il est exact que Walter Pelzer n'a nui à personne, sinon peut-être à Kremp qu'il ne manquait pas à la moindre occasion de tarabuster. Et, puisque Kremp était nazi, on pourrait en déduire que Pelzer n'était pas aussi opportuniste qu'on a bien voulu le dire, or ce serait une erreur. Etant donné les circonstances en effet, c'est-à-dire l'opinion de la majorité, l'opportunisme consistait précisément à chicaner le seul Kremp que nul ne pouvait sentir, pas même les deux autres nazies, car c'était un individu antipathique au dernier degré, avec sa façon tellement triviale de courir après les femmes. Et pourtant, je dois m'efforcer de lui rendre justice. Il était jeune et avait perdu une jambe en 1940, à l'âge de vingt ans. Or, voulez-vous me dire qui parmi ses semblables aurait volontiers reconnu de lui-même, ou se serait laissé convaincre par d'autres, qu'en fin de compte son sacrifice était dénué de sens ? Il ne faut d'ailleurs pas oublier qu'au cours des premiers mois, ces garçons amochés furent fêtés comme des héros et assiégés par les femmes. Mais par la suite, au fur et à mesure que la guerre se prolongeait, une jambe de moins devint un accident si banal que finalement les hommes nantis de leurs deux jambes avaient quand même plus de chances auprès des femmes que ceux auxquels il n'en restait qu'une ou plus du tout. Voyez-vous, j'ai de la vie une expérience suffisante pour comprendre ce qu'était la situation de ce garçon tant sur le plan sexuel et érotique que psychologique. En vérité, qu'était un amputé au début de 1944 ? Tout simplement un pauvre bougre nanti d'une maigre pension. Et tâchez d'imaginer le tableau lorsqu'au moment pathétique un gars dans son cas débouclé sa prothèse ! C'est aussi effroyable pour lui que pour sa partenaire, fût-ce une putain... » (Oh ! ce thé merveilleux... et l'auteur doit-il voir une manifestation de sympathie à son égard dans le fait qu'à sa troisième visite le cendrier avait déjà la taille d'une soucoupe de tasse à moka ? — l'auteur.) « Et puis il y avait notre solide Walter Pelzer, exemple typique, dirais-je, de la *mens sana in corpore sano,* doué de cet équilibre qu'on ne trouve guère que chez les criminels, j'entends : chez les individus dénués de tout scrupule. L'absence de scrupules, croyez-moi, est un facteur de bonne santé. Cet homme-là ne laissait jamais échapper l'occasion de faire une affaire. Il en faisait même avec les deux gardes qui à tour de rôle amenaient Boris le matin et revenaient le chercher le soir : cognac, café, cigarettes, n'importe quoi. Presque chaque semaine l'un ou l'autre escortait un transport vers la France ou la Belgique d'où il rapportait du cognac, des cigares, du café et jusqu'à du tissu. On pouvait même leur passer commande, comme dans un magasin. Celui qui se nommait Kolb, un type déjà âgé et d'aspect plutôt crasseux, m'a un jour rapporté d'Anvers assez de velours pour me faire une robe. L'autre, le dénommé Boldig, plus jeune que Kolb, était un joyeux nihiliste comme on en a vu surgir des douzaines à partir de 44; plein d'entrain, croyez-moi, avec un œil de verre, une main en moins et une poitrine bardée de décorations; et c'est avec le plus parfait cynisme qu'il jouait de son œil perdu, de sa main coupée et des breloques accrochées sur sa poitrine. Il se fichait royalement du Führer, du peuple et de la patrie, bien plus encore que moi, car si j'étais toute prête à renoncer au Führer, j'étais et suis encore pour le peuple rhénan et la patrie rhénane. Bref, il ne se gênait absolument pas pour aller passer un moment dans la serre en compagnie de Martha Schelf, la plus croustillante d'entre nous après Léni. Il appelait ça « aller aux fraises » ou « attraper les mouches » ou que sais-je encore — il avait des tas d'expressions pour qualifier la chose —, mais officiellement Martha Schelf l'emmenait dans la serre avec l'autorisation de Pelzer pour lui choisir quelques fleurs. Ce n'était pas un garçon antipathique, mais son cynisme et son nihilisme avaient quand même quelque chose d'assez effrayant. Il s'efforçait toujours de remonter le moral de Kremp en lui refilant quelques cigarettes et en lui lançant avec une tape sur l'épaule le slogan qui commençait alors à se répandre : « Profite de la guerre, mon pote, car la paix sera terrible! » Quant à l'autre, le dénommé

Kolb, c'était un type infect, frôleur et peloteur comme personne... Mais revenons à Pelzer et, pour employer le langage actuel, disons qu'eu égard à la situation sur le marché des funérailles, toutes les marchandises nécessaires à leur célébration, couronnes, fleurs, rubans, cercueils firent bientôt l'objet d'un marché noir effréné, sinon que bien entendu Pelzer recevait une attribution spéciale pour les couronnes destinées aux bonzes du parti, aux héros et aux victimes des bombardements. La demande, vous le pensez bien, était considérable, car qui aurait consenti à inhumer sans couronne ses chers disparus ? Le nombre des morts, civils et militaires, ne cessant d'augmenter, on décida alors non seulement d'utiliser plusieurs fois les mêmes cercueils mais encore de les truquer : le défunt étant cousu dans de la toile à voile (plus tard de la toile à sac et enfin simplement tant bien que mal enroulé dedans), une fois la bière dans la tombe, son fond d'escamotait et le corps tombait sur la terre nue. Par souci des convenances on ne ressortait pas immédiatement le faux cercueil, on jetait même un peu de terre dessus pour créer l'illusion, mais dès la famille, le détachement d'honneur, le bourgmestre et les bonzes du parti, bref aussitôt « l'inévitable cortège funèbre », comme disait Pelzer, assez éloigné pour être hors de vue, le cercueil était récupéré puis nettoyé avant d'être légèrement reverni, tandis que la tombe était comblée dare-dare, comme pour un enterrement de juif. Et tout comme chez le coiffeur, on aurait pu dire : « Au suivant de ces « messieurs. » Vous imaginerez sans peine que Pelzer ait alors eu l'idée de faire de même en utilisant plusieurs fois les mêmes couronnes, ce qui toutefois n'était possible qu'avec la complicité des gardiens de cimetière auxquels il lui fallait donc graisser la patte. Le nombre des réutilisations dépendait naturellement à la fois de la stabilité de la matière première entrant dans la composition du support et de la durée de la verdure servant à l'enrober... Bonne occasion du même coup d'examiner de près les méthodes et la qualité du travail des concurrents. Il nous arrivait parfois de récupérer ainsi des couronnes en provenance d'établissements horticoles champêtres, de la vraie qualité d'avant-guerre!... Le tout exigeait évidemment organisation, complicités et parfaite discrétion; or Pelzer ne pouvait compter que sur Grundtsch, Léni, Ilse Kremer et moi-même. Et je l'avoue, nous avons collaboré à ce trafic. Pour que les autres ne remarquent rien, Pelzer nous avait baptisés « équipe de complément ». Et nous avons finalement récupéré aussi les rubans. Pour faciliter les choses, Pelzer entreprit d'influencer la clientèle lors de l'établissement de la commande, afin d'obtenir d'elle des inscriptions d'un caractère de moins en moins individuel dont augmentaient ainsi les possibilités de réemploi. Or des inscriptions telles que « Ton Papa, Ta Maman » étaient en temps de guerre d'un usage assez fréquent, et même une inscription relativement individuelle telle que « Ton Konrad » ou « Ton Ingrid » valait d'être récupérée : il suffisait de repasser le ruban, d'en raviver un peu les couleurs et les caractères, puis de le ranger soigneusement dans un placard jusqu'au jour où un nouveau Konrad ou une nouvelle Ingrid aurait quelqu'un à pleurer. Plus que jamais à cette époque, le proverbe préféré de Pelzer était « Il n'y a pas de petit profit »... Et finalement Boris eut une idée des plus fructueuses, que seule sa connaissance de la littérature allemande de bas étage avait pu lui inspirer, il proposa de remettre à l'honneur une très ancienne inscription : « Aimé, Pleuré, Inoublié. » La formule connut un très vif succès, une sorte de best-seller pourrait-on dire aujourd'hui! Elle permettait de réutiliser le ruban jusqu'à ce qu'il ne puisse vraiment plus être repassé ni ravivé. Nous en étions même arrivés à conserver des inscriptions aussi exceptionnelles que « Ta Gudula ». »

Témoignage d'Ilse Kremer à ce même propos : « Oui, c'est exact et j'ai moi aussi collaboré à ce trafic. Pour que ça ne se remarque pas trop nous faisions des heures supplémentaires. Pelzer nous assurait qu'il n'y avait pas profanation de sépulture, les couronnes étant récupérées lors de leur mise au rebut. Personnellement, je me moquais bien de leur provenance. Ça nous rapportait un joli petit boni et d'ailleurs quel mal y avait-il à récupérer des couronnes, avant qu'elles n'aillent pourrir sur un tas d'ordures ? Il n'empêche que certaines gens ont porté plainte pour profanation et pillage de sépulture; on imagine en effet leur surprise, en revenant trois ou quatre jours plus tard sur la tombe du cher disparu, de ne pas y retrouver leur couronne... Là, Pelzer a été très chic et nous a complètement tenus en dehors de l'affaire. Il s'est présenté seul devant ses juges — ce ne fut pas d'ailleurs un vrai tribunal, mais un comité corporatif d'abord, puis un tribunal d'honneur du parti — il a tout pris sur lui, sans même laisser planer le moindre soupçon sur Grundtsch et, comme me l'a appris un ami, il a très habilement manœuvré en agitant l'épouvantail national qu'on appelait alors « la sépulture de quatre sous ». Il a admis « certaines irrégularités » qu'il a rachetées par un don de mille marks à une maison de convalescence. Et comme me l'a rapporté ce même ami, il a terminé ainsi son plaidoyer : « Messieurs et chers camarades du parti, je combats « sur un front que la plupart d'entre vous ignorent, « mais n'est-il pas vrai que sur d'autres fronts, que « beaucoup d'entre vous connaissent mieux que « moi, on n'y regarde pas toujours de si près ? » Là-dessus, il a laissé tomber pendant un certain temps, mais à partir de fin 44, la confusion générale devint telle que personne ne se soucia plus de choses aussi secondaires que couronnes et rubans. »

VII

Lᴇ vieux Grundtsch l'ayant cordialement invité à venir le voir quand bon lui semblerait, l'auteur lui rendit visite plusieurs jours d'affilée, savourant en sa compagnie le silence vraiment divin qui par les chaudes soirées d'été règne dans un cimetière fermé. Les propos de Grundtsch reproduits ici sont les résumés de quatre entrevues successives qui toutes se déroulèrent dans la plus parfaite harmonie. Au cours de ces divers entretiens, dont le premier eut lieu sur un banc à l'ombre d'un sureau, le second sur un banc à l'ombre d'un laurier-rose, le troisième sur un banc à l'ombre d'un seringa et le quatrième sur un banc à l'ombre d'un cytise (le vieux Grundtsch aime le changement et prétend avoir à sa disposition maints autres bancs à l'ombre d'arbrisseaux différents), les deux interlocuteurs ont pu tout à loisir fumer et boire de la bière en écoutant de temps à autre la rumeur très lointaine et dès lors presque sympathique de la ville.

Résumé du premier entretien (à l'ombre du sureau) : « C'est vraiment amusant d'entendre Pelzer parler des chances que la guerre lui a offertes dans son métier d'horticulteur ! A vrai dire, il a toujours su saisir sa chance à chaque occasion. Dès l'âge de dix-neuf ans, durant les derniers mois de la guerre mondiale, il a commencé à exercer ses talents dans une unité de matériel militaire (??? — l'au-

253

teur)... voyons, vous savez bien, ces petites unités affectées à la récupération du matériel abandonné sur les champs de bataille. Il y a toujours une masse de choses à y récolter qui peuvent être encore utilisées par l'armée : casques d'acier, fusils, mitrailleuses, munitions, parfois même des canons; on récupère tout, le moindre bidon, le moindre calot, le moindre ceinturon... Et bien sûr, le terrain est aussi jonché de cadavres qui ont en général des tas de choses dans leurs poches : photos, lettres et surtout portefeuilles avec parfois de l'argent dedans. Or je me suis laissé dire par un de ses camarades que le petit Walter ne reculait devant rien, pas même devant les dents en or de quelque nationalité qu'elles fussent... et les Américains ayant pour la première fois fait leur apparition sur les champs de bataille européens, le petit Walter a su prouver aux dépens de leurs morts ce qu'il dénomme lui-même son sens des affaires. Ce pillage était bien entendu formellement interdit, mais chez nous la plupart des gens — pas vous, je l'espère — commettent l'erreur de croire que du moment qu'une chose est interdite, nul ne la fera. C'est bel et bien en cela que réside la force du petit Walter : se moquant éperdument des lois ou règlements, il veille simplement à ne pas se faire prendre. Bref, à l'âge de dix-neuf ans notre garçon est revenu de la première guerre mondiale avec un joli petit magot : dollars, livres sterling, francs français et belges, plus un bon petit sac d'or. Et c'est alors qu'il a prouvé son sens des affaires et son flair inouï en matière de biens immobiliers en achetant des terrains bâtis ou non, quoique de préférence non bâtis. A l'époque dollars et livres sterling étaient très recherchés, cependant que les champs situés en bordure de la ville pouvaient s'acquérir pour trois fois rien; alors Pelzer s'est mis à acheter un arpent par-ci, un arpent par-là à proximité aussi immédiate que possible des sorties principales de la ville, et également en plein centre quelques petites maisons d'artisans et de commerçants en faillite. Ensuite de quoi, notre petit Walter s'est livré à ce qu'on pourrait appeler un travail d'après-guerre : l'exhumation de soldats américains qu'il déposait ensuite dans des cercueils de zinc en vue de leur transfert en Amérique. Inutile de vous dire que, là encore, il trouva l'occasion de s'enrichir au mépris de la loi, car les exhumés peuvent eux aussi avoir des dents en or. Et comme avec leur frousse des microbes les Américains payaient ce travail des prix fabuleux, en ce temps où le dollar était rare notre homme, tant légalement qu'illégalement, a réussi à en empocher un bon tas, de quoi racheter en plein centre de la ville quelques nouvelles parcelles de terrain à des petits commerçants et artisans dans la panade. »

Résumé de l'entretien à l'ombre du laurier-rose : « Lorsque, à quatorze ans je suis entré en apprentissage chez le père de Pelzer, Walter en avait quatre. Nous l'appelions tous, même ses parents, le petit Walter, et ça lui est resté. Ses parents étaient de braves gens, elle un peu trop bigote, toujours fourrée à l'église, mais lui un vrai païen... imaginez ce que cela représentait en 1904 ! Il avait lu Nietzsche bien sûr et lisait Stefan George. Il n'était pas vraiment timbré mais quand même un peu farfelu, pas particulièrement intéressé par les affaires mais passionné en revanche par ses expériences en matière d'horticulture : il cherchait à produire une fleur non seulement bleue mais encore inédite. Adhérent de la première heure au mouvement des jeunesses communistes, il m'y a entraîné. Aujourd'hui encore je suis capable de vous chanter d'un bout à l'autre le *chant des prolétaires* (et Grundtsch chanta) : « Qui « extrait l'or de la mine ? Qui martèle la pierre et « l'airain ? Qui tisse la toile et la soie ? Qui cultive le « blé et la vigne ? Qui fournit le pain aux riches et « vit cependant dans la misère ? Ce sont les prolé- « taires. Qui s'échine de l'aube à la nuit ? Qui pro-

« cure aux autres richesse, confort et luxe ? Qui fait
« tourner la roue de l'univers sans avoir en échange
« aucun droit dans l'Etat ? Ce sont les prolétaires. »

« Bref, ayant quitté à quatorze ans le plus misérable village de l'Eifel qu'on puisse imaginer, je suis
entré en apprentissage chez Heinz Pelzer. Il m'a
installé une petite chambre dans la serre, tout près
du poêle, avec un lit, une table et une chaise... il me
nourrissait et me donnait un peu d'argent dont il
n'avait d'ailleurs guère plus que moi. Nous étions
communistes sans trop savoir ce que cela signifiait.
Adélaïde, la femme de Heinz Pelzer, m'a envoyé des
colis quand j'ai dû faire mes deux ans de service
chez les Prussiens, de 1908 à 1910. Et où m'ont-ils
expédié, ces messieurs ? Crever de froid à Bromberg ! Quant à mes permissions, où croyez-vous que
je les ai passées ? Pas chez moi pour sûr, dans mon
affreux petit patelin dominé par les curetons, non,
j'allais les passer chez Pelzer... Que nous travaillions
en plein air ou dans la serre, le petit Walter jouait
toujours autour de nous, un joli petit gamin, gentil
et tranquille, ni particulièrement affectueux, ni particulièrement froid non plus et, à la réflexion, savez-
vous ce qui le différenciait tellement de son père ?
La peur. Oui, le petit Walter avait peur. Heinz Pelzer
ne cessait d'avoir les huissiers à ses trousses pour
des histoires de traites impayées et il nous arrivait
même, à nous autres apprentis, de racler nos fonds
de tiroir pour lui éviter le pire. En ce temps-là,
voyez-vous, l'horticulture nourrissait à peine son
homme; elle n'est devenue vraiment rentable que le
jour où la passion des fleurs a envahi toute l'Europe. Mais notre Heinz Pelzer était toujours à la
recherche d'une fleur inédite. A temps nouveau fleur
nouvelle, prétendait-il. Il rêvait de quelque extraordinaire création qu'il n'a jamais pu réaliser, et ce
n'est pas faute pourtant de s'être escrimé à trifouil-
ler sans relâche, des années durant, dans ses pots et
plates-bandes, engraissant, taillant, hybridant, mais

pour n'obtenir jamais que des tulipes ou des roses dégénérées, d'affreuses fleurs bâtardes... Quant au petit Walter, dès l'âge de six ans, il n'avait qu'un seul mot à la bouche : « huissier ». Avant de partir à l'école, il demandait : « Maman, est-ce que l'huissier viendra aujourd'hui ? Papa, est-ce que l'huissier reviendra aujourd'hui ? » La peur, voyez-vous, la peur a fait de lui l'homme qu'il est. Il n'a naturellement pas pu faire d'études secondaires, ayant dû abandonner l'école à quatorze ans pour entrer tout de go en apprentissage... c'était en 1914. Et si vous voulez mon avis, 1914 ne marquait pas seulement la fin des études du petit Walter, mais la fin de tout. J'avais alors vingt-quatre ans, et je sais ce que je dis : c'en était fini de toute espèce de socialisme en Allemagne. Terminé ! Que ces imbéciles se soient laissé avoir de la sorte par leur putain de Kaiser ! Le père Pelzer l'avait bien compris, lui aussi, et il a laissé tomber ses expériences florales. Nous avons été mobilisés tous les deux, et de chagrin, de colère, de fureur nous sommes l'un et l'autre devenus adjudants. Si vous saviez comme je les ai haïes, toutes ces jeunes recrues ! Ces petits merdeux qui nous arrivaient si soumis, si bien élevés. Je les ai haïs et je leur en ai fait baver, croyez-moi. Je suis devenu un vrai juteux qui les instruisait par bataillons entiers à la caserne de Hacketau, tellement pareille en tous points à celle de Bromberg que je pouvais y retrouver le bureau de la troisième compagnie les yeux fermés. Je les ai instruits en masse avant de les envoyer au front. Et dans mon portefeuille j'avais une petite photo de Rosa Luxemburg, comme d'autres ont l'image d'un saint. A force de la porter toujours sur moi, elle avait fini par n'être plus qu'une loque... Mais je n'ai *jamais* fait partie du conseil des ouvriers et soldats, non, car pour moi l'histoire de l'Allemagne avait pris fin en 1914. Et ensuite ces messieurs les sociaux-démocrates ont bien entendu vidé ou fait vider Rosa Luxemburg ! Et puis notre petit Walter lui-même a fini par entrer dans la danse et il se pourrait bien qu'il ait fait la seule chose raisonnable : collectionner des dents en or et empocher des dollars... Adélaïde, sa mère, était une brave femme qui avait même été jolie en son temps, mais elle s'était très vite aigrie, nez rouge et pointu, et autour de la bouche ce pli amer que je ne puis plus souffrir chez les femmes depuis que je l'ai vu se former sur le visage de ma grand-mère, puis de ma mère, ces beaux visages qui n'exprimaient plus que souffrance et amertume; elles n'écoutaient plus que ces maudits curetons, se précipitant à la messe dès la première heure et récitant une première fois leur chapelet l'après-midi avant de recommencer le soir... Or, le père Pelzer et moi devions aller souvent à l'église ou à la chapelle du cimetière car, ayant organisé une location de palmiers et autres plantes en caisse pour les fêtes d'associations ou d'entreprises, nous avions aussi, grâce aux bonnes relations d'Adélaïde avec les curés, la clientèle de la paroisse... Pour ma part, j'aurais volontiers craché sur l'autel, sans l'avoir pourtant jamais fait par égard pour Adélaïde. Et puis Heinz s'est mis à boire... Ma foi, je comprends que le petit Walter ait préféré être le moins souvent possible à la maison. Après avoir déterré des cadavres de Yankees, il s'est engagé pour six mois dans la milice, en Silésie je crois, puis a passé un certain temps en ville où il s'est mis à pratiquer la boxe en professionnel, mais comme ça ne le menait pas bien loin, il a préféré faire quelque temps le maquereau, d'abord avec des prostituées de bas étage qui faisaient ça pour une tasse de café ou vingt pfennigs, mais ensuite avec des filles d'un niveau plus relevé. Il a peu après adhéré au parti communiste, quoique pas pour longtemps non plus, je crois. Il faut dire qu'il n'a jamais été très causant. Ses biens immobiliers ne lui rapportaient certes pas grand-chose, mais sans que ça ait eu l'air de le tracasser. Il n'a jamais pratiqué l'horticulture car c'est un métier où on se salit les mains : la crasse finit par s'incruster dans la peau... et notre petit Walter a toujours été picobello et très soucieux aussi de sa santé. Chaque matin, un peu de course à pied, puis une douche chaude et froide; le petit déjeuner chez ses parents étant trop minable à son goût — jus de chaussette et confiture aux quatre fruits — il filait au bistrot d'attache de ses prostituées se faire servir deux œufs, un café filtre et un cognac... c'étaient les galants de ces demoiselles qui payaient la note. Et naturellement il a dès que possible acheté une voiture. »

Résumé de l'entrevue à l'ombre du seringa : « Il a toujours été gentil, très gentil même avec ses parents, je crois qu'il les a réellement aimés. Jamais une parole dure ni même moqueuse pour sa mère... et la pauvre Adélaïde devenait chaque jour plus morose, elle est d'ailleurs morte de morosité et non de chagrin, totalement aigrie... dommage, elle avait été si jolie, si charmante; en 1904, quand je suis entré en apprentissage chez Heinz Pelzer, elle était vraiment avenante et enjouée... Et plus tard, si vous aviez vu le petit Walter, quand il lui arrivait de nous accompagner à l'église où nous allions livrer des palmiers en caisse, plonger sa main dans le bénitier et faire sa génuflexion face à l'autel, c'était de première ! En 32 il s'est enrôlé dans la S.A. avec laquelle il a participé début 33 à la chasse aux politiciens en vue, quoiqu'en se gardant bien d'en embarquer aucun : il préférait les faire cracher, c'est-à-dire les laisser filer en échange de bijoux ou d'argent... ça a dû lui rapporter assez gros car il s'est très vite offert une nouvelle voiture et tout un lot de costumes neufs. Et puis à l'époque on trouvait à acheter des biens juifs pour presque rien : une boutique par-ci, un terrain à bâtir par-là. C'est ce que le petit Walter appelle « avoir été assez brutal ». Puis soudain il s'est transformé en un monsieur fort soigné, très élégant, aux ongles toujours impeccables. A trente-quatre ans il s'est marié, avec un beau parti bien sûr : Eva Prumtel, fille très ambitieuse, pas méchante d'ailleurs mais un peu hystérique; son père possédait alors une de ces officines spécialisées dans l'octroi de prêts remboursables par paiements échelonnés et monta par la suite plusieurs établissements de prêt sur gages... quant à Eva, elle lisait Rilke et jouait de la flûte. Elle lui apporta en dot, outre quelques terrains, une somme assez rondelette en espèces. Notre Walter, bien qu'ensuite nommé Ehrensturmführer, n'a pourtant jamais ni trempé dans quelque saloperie ni exercé le moindre sévice. Ce n'était pas un violent, mais il avait une passion : les terrains. Et chose bizarre, plus il s'enrichissait, plus il s'humanisait; si bien que même durant la Nuit de cristal, il s'est abstenu de tout pillage. Il passait des heures au caf'conc' et allait même régulièrement à l'Opéra. Sa femme lui a donné deux charmants enfants, Walter et Eva, qu'il adorait. Et quand son père est mort en 1936, complètement rétamé par l'alcool, il a repris son établissement horticole dont il m'a aussitôt confié la gérance. Grâce aux commandes qui lui venaient par le parti, nous avons pu nous lancer dans la confection de couronnes mortuaires, et il m'a fait cadeau de la partie de l'établissement que je possède encore. Un homme généreux comme vous voyez... et jamais une parole méchante ni une attitude mesquine. L'affaire a vite pris un grand essor, mais Heinz et Adélaïde, les pauvres, étaient déjà sous terre. »

Résumé de l'entretien à l'ombre du cytise : « Certaines gens estiment que c'est offenser les nazis que de dire de Walter qu'il a été des leurs... Il a commencé à changer vers la mi-44, à l'époque de l'affaire entre Léni et le Russe. On ne cessait de lui recommander expressément — soit par téléphone, soit par messager — de veiller soigneusement sur ces deux-là. Et c'est alors que le changement s'est opéré en lui : le petit Walter est devenu songeur. Il savait bien que la guerre était déjà perdue et qu'ensuite ça ne pourrait certainement pas lui nuire d'avoir bien traité un prisonnier russe et la fille Gruyten... mais combien de temps la guerre allait-elle encore durer ? Voyez-vous, c'était là la question qui nous rendait tous à moitié fous : comment réussir à survivre aux derniers mois de la guerre, alors qu'on pendait et fusillait les gens pour un oui pour un non. Nazi ou pas, nul n'était plus sûr de rien. Et bon dieu, quand on pense au temps que les Américains ont mis pour s'amener d'Aix-la-Chapelle jusqu'au Rhin... ça a presque duré six mois ! Je crois que le petit Walter, un gars solide et pondéré et qui avait une véritable passion pour ses gosses, a alors fait la connaissance de quelque chose de tout nouveau pour lui : le conflit intérieur. Il habitait sa villa de banlieue, avait de charmants bambins, deux beaux chiens, une voiture et de plus en plus de terrains bien qu'ayant vendu les plus anciens sur lesquels allaient s'élever immeubles et casernes. Mais n'ayant jamais été inté-ressé par les liquidités auxquelles il préférait les valeurs immobilières, il ne les avait pas cédés contre espèces mais en échange d'autres terrains, un peu moins proches de la ville certes, mais d'une superfi-cie double ou triple de celle des siens. C'était un homme foncièrement optimiste. Il prenait aussi un soin incroyable de sa personne : tous les matins son petit galop à travers le jardin public, sa douche, puis un copieux petit déjeuner désormais pris chez lui. Et s'il lui fallait entrer dans une église, il était encore ou de nouveau capable de réussir une superbe génu-flexion ou un discret signe de croix...

Pour en revenir à Léni et Boris, le petit Walter les aimait bien, ils étaient ses meilleurs ouvriers et de plus protégés par de gros bonnets dont il ignorait néanmoins l'identité... mais en revanche d'autres gros bonnets étaient à l'œuvre qui, eux, pouvaient en moins de rien vous faire pendre, fusiller ou expédier dans un camp de concentration. Evitons pourtant tout malentendu : n'allez surtout pas croire que le petit Walter ait subitement découvert en lui l'existence de ce corps étranger que certains êtres humains appellent la conscience ou que, frémissant soudain de peur ou de curiosité, il se soit rapproché de cet étrange continent pour lui encore à découvrir et qu'on nomme la morale. Non, non ! C'était sans le moindre conflit intérieur — sinon parfois extérieur, car un certain nombre d'accrochages se produisirent avec le parti ou la S.A. — qu'il s'était enrichi. Il avait rencontré pas mal de difficultés au cours de ses diverses activités, depuis le détroussement des cadavres jusqu'à la récupération des couronnes et rubans en passant par le rançonnement en 33 d'hommes politiques en vue qu'il laissait filer en échange de leurs bijoux et de leur argent. On avait plus d'une fois porté plainte contre lui, ce qui l'avait amené à comparaître tant devant les tribunaux de justice que devant ceux du parti. Mais toutes ces difficultés, il les affrontait, les bravait, les balayait avec un sang-froid étonnant. Dans l'affaire des couronnes et rubans surtout, il s'est montré d'une adresse prodigieuse en insistant sur l'importance nationale de son activité et sur le rôle capital de sa lutte acharnée contre l'ennemi qui avait nom « la sépulture de quatre sous ». Il a certes connu des difficultés, mais jamais de conflit intérieur dès lors qu'il s'agissait pour lui de tirer profit d'une situation donnée. Il se moquait éperdument des juifs, des Russes, des communistes, des sociaux-démocrates et du reste. La seule question qui le tarabustait, c'était de savoir quelle attitude adopter en présence de forces également puissantes mais opposées, d'autant que Léni et Boris lui étaient sympathiques et — étrange coïncidence ! — que leur travail lui rapportait gros. Complètement indifférent à la politique comme au destin du peuple allemand, il se fichait royalement de la débâcle militaire... mais crénom de nom, comment savoir, fin 44, combien de temps la guerre allait encore durer? Il était convaincu de la nécessité de retourner sa veste et de miser sur la défaite, mais quand devrait-il, quand pourrait-il amorcer le virage? »

Le moment paraît opportun d'effectuer une sorte de récapitulation et de poser un certain nombre de questions auxquelles le lecteur devra répondre de lui-même. Commençons par fournir quelques données objectives. Ce serait une erreur de se représenter Pelzer comme un homme plus ou moins débraillé fumant le cigare. Il était et est demeuré très soigné, portait et porte toujours des costumes faits sur mesure et des cravates dernier cri qui, en dépit de ses soixante-dix ans, lui vont encore très bien. Il fume la cigarette et a tout à fait l'air d'un monsieur dont s'il est vrai que nous l'ayons vu une fois se permettre de cracher, nous devons préciser qu'il ne s'y laisse pour ainsi dire jamais plus aller et que le crachat en question peut être considéré comme une ponctuation historique, voire même comme une façon d'avoir pris parti. Il habite une villa qu'il qualifie de bungalow, mesure 1,83 m et — au dire de son fils médecin qui le soigne — pèse 78 kilos. Sa chevelure encore très fournie, noire autrefois, est à présent légèrement grisonnante. Doit-il vraiment passer pour le prototype de la *mens sana in corpore sano*? A-t-il jamais connu la *souffrance,* a-t-il jamais versé *larmes* ou *pleurs*? Bien que sa confiance en soi paraisse quasi totale, aucun des huit adjectifs que nous offre l'encyclopédie (voir page 117) pour qualifier le *rire* ne s'appliquerait au sien, et s'il lui est parfois arrivé d'esquisser un sourire, celui-ci devait plutôt s'apparenter au sourire de la Joconde qu'à celui du Bouddha. Même si cet homme a toujours bravé les conflits extérieurs et atteint en 1944 l'âge de quarante-quatre ans sans avoir jamais connu le moindre conflit intérieur (tout en ayant réussi à développer au quintuple l'entreprise paternelle, convaincu « qu'il n'y avait pas de petit profit »), il n'en reste pas moins vrai qu'à cet âge relativement avancé de quarante-quatre ans il perd pour la première fois de sa vie sa confiance en soi et foule avec anxiété le sol d'un continent inconnu.

Si l'on tient compte en outre d'un des caractères dominants de sa personnalité, à savoir une sensualité si forte qu'elle en est presque incongrue (son obsession du petit déjeuner s'apparente à celle de Léni), peut-être pourra-t-on alors imaginer à quel genre de conflit il a dû faire face à dater de la mi — 44. Et si l'on y ajoute un autre caractère dominant de sa personnalité, à savoir un entregent si prodigieux qu'il en devient lui aussi presque incongru, on pourra alors imaginer le genre de conflit avec lequel il s'est trouvé aux prises à partir de juillet 44. L'auteur a réussi à recueillir une importante information propre à caractériser ce que fut le comportement de Pelzer vers la fin de la guerre. Le 1er mars 1945, quelques jours donc avant l'entrée des Américains dans la ville, Pelzer envoya par lettre recommandée sa démission au parti et à la S.A. Soucieux de prendre ses distances à l'égard des crimes commis par cette dernière organisation, il se qualifiait dans sa lettre (dont l'auteur possède une copie certifiée conforme) de « brave citoyen allemand séduit et trompé ». Il avait donc réussi à dénicher, la veille peut-être de l'entrée des Américains, un bureau de poste ou tout au moins un postier encore en activité. D'ailleurs le récépissé de l'envoi recommandé, quoiqu'en piteux état, n'a pas été détruit. Et c'est ainsi qu'à l'arrivée des Américains, Pelzer a pu déclarer sans mentir qu'il ne faisait partie d'aucune organisation nazie. Peu après, il obtenait une nouvelle licence l'autorisant à exploiter un établissement horticole et un atelier de fabrication de couronnes mortuaires car, fût-il considérablement réduit, l'ensevelissement des morts n'en devait pas moins être poursuivi. Seul commentaire de Pelzer à propos de la pérennité de son industrie : « Les gens ne cesseront jamais de mourir. »

Mais avant d'en arriver là, il lui avait fallu venir à bout de près d'une année de guerre dans des circonstances de plus en plus délicates. Ainsi, chaque fois qu'on lui demandait une faveur (congé, avance de paie, supplément de salaire, quelques fleurs en surplus), il déclarait invariablement : *Je ne suis quand même pas un monstre.* Tous les témoins d'alors que l'auteur a réussi à retrouver confirment la fréquence de cette locution. « C'était presque devenu une litanie (Liane Hölthohne), on eût dit qu'il prononçait une formule d'exorcisme, comme mû par le besoin de se persuader lui-même qu'il n'était pas un monstre, et il lui arrivait de vous la débiter absolument hors de propos; un jour par exemple où je lui demandais des nouvelles de sa famille, il m'a répondu : « Je ne suis quand même pas un monstre. » Et une autre fois, comme quelqu'un — je ne sais plus qui — lui demandait quel jour on était, lundi ou mardi, il a encore répondu : « Je ne suis quand même pas un monstre. » Nous l'avons parodié, bien sûr. Même Boris s'y est mis, avec toute la discrétion voulue s'entend, en me glissant par exemple au moment où je lui passais une couronne à enrubanner : « Je ne suis quand même pas un monstre. » Quoi qu'il en soit, un curieux phénomène et fort intéressant du point de vue psychanalytique. »

Ilse Kremer confirma à son tour la rengaine de Pelzer, tant dans sa teneur que dans la fréquence de son énoncé : « Il le disait si souvent qu'on n'y faisait même plus attention; c'était comme à l'église le « Le Seigneur soit avec vous » ou « Seigneur, ayez pitié de nous ». Plus tard même, outre le « Je ne suis quand même pas un monstre », il nous gratifia d'une variante : *Suis-je donc un monstre?* »

Grundtsch (lors d'une brève visite postérieure aux quatre susmentionnées et qui n'a malheureusement pas permis à l'auteur une agréable pause à l'ombre d'un quelconque sureau) : « Oui, c'est exact, tout à fait exact. « Je ne suis quand même pas un monstre » — « Suis-je donc un monstre? »... Il se le murmurait même parfois à lui-même. Je l'ai si souvent entendu que j'ai fini par ne plus y faire attention; ça lui était devenu presque aussi naturel que de respirer. Ma foi (rire grinçant de Grundtsch), peut-être le vol des dents en or, des couronnes, des rubans et des fleurs le travaillait-il un peu, et aussi ces terrains dont la guerre ne lui fit même pas interrompre l'achat. Cela dit, visez donc un peu l'affaire : deux, trois ou peut-être quatre poignées de dents en or de diverses nationalités transformées en un terrain sans intérêt particulier au départ, mais sur lequel aujourd'hui, c'est-à-dire cinquante ans plus tard, s'élèvent d'importants bâtiments de la Bundeswehr, laquelle doit donc payer au petit Walter un sacré loyer!... »

L'auteur a même réussi à relever la trace d'un éminent politicien de la République de Weimar et à la suivre jusqu'en Suisse où il n'a pu toutefois retrouver que la veuve dudit personnage, vieille dame extrêmement frêle installée dans un hôtel de Bâle et qui se souvient fort bien de l'événement. « Sans doute le point essentiel de cette affaire est-il que nous lui devons la vie. C'est un fait qu'il nous l'a bel et bien sauvée à tous deux, mais cela dit, songez à quelle hauteur ou à quelle profondeur un homme devait se situer alors pour être en mesure de vous accorder la vie sauve! On oublie toujours cet aspect de la question. Göring a bien prétendu plus tard avoir sauvé la vie de plusieurs juifs. Mais justement, qui avait alors le pouvoir de sauver la vie de quelqu'un ? Et qu'est-ce donc qu'un régime politique où la vie humaine dépend d'une telle faveur ?... Ils nous ont effectivement découverts en février 1933 chez des amis, dans une villa de Bad Godesberg, et avec le flegme d'un brigand, cet homme — Pelzer, dites-vous ? C'est possible, je n'ai jamais su son nom — a exigé qu'en échange de notre liberté nous lui remettions tous mes bijoux, la totalité de notre argent liquide et un chèque par-dessus le marché ! Oh ! il n'a pas parlé de rançon... Savez-vous comment il a présenté la chose ? Il a dit à mon mari : « Je vous vends « ma motocyclette que vous trouverez derrière la « grille du jardin et je vous donne un tuyau par-des- « sus le marché : traversez l'Eifel, mais pas en direc- « tion de la Belgique ni du Luxembourg, contournez « Sarrebruck pour gagner plus loin la frontière sar- « roise et de là tâchez de trouver quelqu'un qui vous « fasse passer de l'autre côté... Je ne suis quand « même pas un monstre, a-t-il ajouté, mais reste à « savoir si vous êtes prêt à payer ce prix pour ma « moto et si vous êtes capable de vous en servir. » Fort heureusement, mon mari avait été dans sa jeunesse un fanatique de cet engin, mais il y avait déjà vingt ans de cela, et ne me demandez pas comment nous avons réussi à aller de Bad Godesberg à Prüm via Altenahr, puis de Prüm à Trèves, moi juchée derrière lui sur le tan-sad... Par bonheur, nous avions à Trèves des amis politiques qui — non pas personnellement mais par certains intermédiaires — nous ont fait passer en Sarre[1]... Il nous a donc bien sauvé la vie mais n'aurait jamais dû pouvoir la tenir entre ses mains. Non, je vous en prie, ne m'obligez pas à évoquer ces temps maudits, laissez-moi seule ! Non, je ne veux pas connaître le nom de cet homme. »

1. En 1919, au traité de Versailles, le territoire de la Sarre fut séparé de l'Allemagne et confié à la Société des Nations. En 1935 un plébiscite décida son retour à l'Allemagne. (N.d.T.).

Pelzer, quant à lui, ne nie presque rien de ces événements, mais l'interprétation qu'il en donne diffère de toutes les autres. C'est un homme si communicatif, si expansif, que l'auteur peut à tout moment lui téléphoner pour lui rendre une visite qui durera aussi longtemps qu'il le voudra. Il convient de souligner une fois de plus que Walter Pelzer n'a aucunement l'apparence d'un individu louche ni malpropre mais fait au contraire si sérieux qu'on n'hésiterait pas à lui confier la direction d'une banque ou la présidence d'un conseil d'administration. Et s'il vous était présenté en qualité d'ancien ministre à la retraite, vous en seriez extrêmement surpris car il ne porte vraiment pas ses soixante-dix ans; vous le prendriez plus volontiers pour un homme de soixante-quatre ans qui réussit à n'en paraître que soixante et un.

Interrogé sur ses activités au sein de la compagnie de récupération de matériel militaire, il n'a ni cherché à se dérober ni tenté de les nier, quoique sans rien reconnaître non plus, son interprétation quasi philosophique des faits étant la suivante : « Voyez-vous, s'il est une chose au monde que je n'ai jamais pu supporter, c'est le gaspillage absurde, et je dis bien « absurde ». En effet une certaine forme de gaspillage peut être une bonne chose en soi à condition d'être cohérente et logique, dans le cas par exemple d'un somptueux cadeau ou autre initiative analogue, mais le gaspillage absurde, lui, me rend malade! Or la façon dont les Américains concevaient le rapatriement de leurs morts rentrait précisément pour moi dans la catégorie du « gaspillage absurde ». Imaginez un instant le montant des frais de personnel, matériel et autre qu'imposait en 22 ou 23 le transfert dans le Wisconsin du cadavre d'un quelconque Jimmy, mort disons en 19 à l'hôpital de Bernkastel! A quoi bon? Et fallait-il vraiment que chaque dent en or, chaque alliance, chaque petite amulette d'or retrouvée parmi les restes fît partie du voyage ? Et quant aux portefeuilles que nous avions récoltés quelques années plus tôt après les batailles de la Lys et de Cambrai, croyez-vous donc que si nous n'avions pas été les premiers à le faire, les dollars qu'ils contenaient seraient allés beaucoup plus loin que le bureau de la compagnie ou à la rigueur celui du bataillon ? Quant au prix d'une motocyclette, il dépend de la situation historique du moment et du contenu du portefeuille de celui qui, dans ladite situation, a besoin de l'engin.

« Grands dieux, n'ai-je pas assez prouvé que j'étais capable de me montrer généreux et même d'agir contre mes propres intérêts dans un but humanitaire ? Si vous saviez dans quelle situation critique je me suis trouvé à partir de la mi-44 ! J'ai, en pleine connaissance de cause, manqué à mes devoirs de citoyen en facilitant le bref bonheur de ces deux jeunes gens. J'avais bien vu comment Léni posait sa main sur celle de Boris, et plus tard remarqué aussi leurs fréquentes disparitions de plusieurs minutes dans la serre où nous stockions fibre de tourbe, paille, bruyère et verdure de toute sorte. Et croyez-vous que je ne me sois pas aperçu de ce que les autres n'ont manifestement pas remarqué, à savoir que pendant les bombardements aériens nos deux tourtereaux disparaissaient parfois pendant plus d'une heure sinon deux ? Et je n'ai pas seulement manqué à mes devoirs de citoyen, j'ai agi aussi contre mes propres penchants érotiques car — je le reconnais franchement et n'en ai d'ailleurs jamais fait mystère — j'avais moi aussi jeté un œil érotique sur Léni, et même deux. Aujourd'hui encore, vous pouvez le lui dire sans crainte, j'éprouve toujours de l'intérêt pour elle. Nous autres horticulteurs et anciens combattants avons parfois le verbe un peu rude, et ce que l'on met aujourd'hui tant de cérémonie, de raffinement et de subtilité à décrire, nous le nommions alors tout bonnement « corps à corps ».

Vous voyez que dans mon désir de vous prouver mon honnêteté, je retombe dans mon ancienne façon de penser et de m'exprimer ! J'aurais eu très volontiers un corps à corps avec Léni. C'est donc non seulement en qualité de citoyen, de patron et de membre du parti, mais aussi en tant qu'homme tout court que je lui ai consenti des sacrifices. Car si j'ai toujours été par principe hostile aux amourettes, idylles ou, comme je disais, « corps à corps » entre patron et employées, quand ça me prenait, je jetais néanmoins ces considérations par-dessus bord pour suivre mon instinct et, comme on dit chez nous, en clouer une sur sa croix. Certaines filles m'ont parfois causé des ennuis, petits ou gros. Une certaine Adèle Kreten par exemple m'a donné pas mal de tintouin : je lui avais fait un enfant, elle m'aimait et tenait absolument à m'épouser et donc à ce que je divorce. Mais je suis un adversaire déclaré du divorce que j'estime être une mauvaise manière de résoudre le problème; j'ai préféré lui installer une boutique de fleuriste dans la Hohenzollernallee et quant à notre petit Albert dont j'ai pris grand soin, il est depuis longtemps professeur dans un collège technique tandis que sa mère, en femme à présent raisonnable, vit très largement. L'ancienne Adèle à l'esprit romanesque et exalté, passionnée de la nature et autres balivernes, a donc fait place à une femme d'affaires avisée, honnête et courageuse. Mais pour en revenir à l'histoire de Léni et Boris, j'aime mieux vous dire qu'elle m'a, dès le début de 1944, fait suer d'angoisse pour plus que ma part. Je vous défie bien d'ailleurs de trouver quiconque qui puisse vous affirmer, preuves à l'appui, *que j'aie jamais été un monstre !* »

Aucun des intéressés n'a pu effectivement affirmer avec preuves à l'appui que Pelzer ait jamais été un monstre. Tout ce que nous pouvons constater et retenir, c'est que ses sueurs d'angoisse ont dénoté de sa part un manque évident de sens de l'opportunité. Il a en effet commencé à suer six mois trop tôt. Au lecteur de juger s'il doit ou non porter la chose à son crédit... Le bureau entièrement vitré de Walter Pelzer (encore visible aujourd'hui et dont Grundtsch, lui, se sert pour y entreposer pots de fleurs et petits sapins de Noël prêts pour la vente) était installé au centre de l'établissement. Telle que se présentait à l'époque la topographie des lieux, ses faces nord, est et sud donnaient chacune sur une serre dans toute sa largeur, de telle sorte que Pelzer pouvait exercer un contrôle rigoureux (il en laissa plus tard le soin à Boris Lvovitch) sur le prélèvement des fleurs destinées à être réparties entre les tables de garniture d'une part, Grundtsch qui assumait alors seul le service, encore relativement réduit, des abonnements d'entretien des tombes d'autre part, et enfin le commerce plus ou moins libre des fleurs. Quant à la face ouest du bureau, elle donnait, également dans toute sa largeur, sur l'atelier de confection des couronnes d'où l'on accédait directement à deux des trois serres. Ainsi Pelzer pouvait-il surveiller de près toutes les allées et venues, ce qui lui a permis de constater que Léni et Boris quittaient parfois l'atelier à très peu d'intervalle soit pour aller aux toilettes (mixtes pour hommes et femmes), soit pour aller chercher des matériaux dans l'une des deux serres. D'après les déclarations réitérées du chef d'îlot, un certain von den Driesch, les conditions dans lesquelles le personnel de Pelzer pouvait se protéger des bombardements aériens étaient tout bonnement criminelles, l'abri le plus proche et encore à peine conforme aux règlements se trouvant en effet à deux cent cinquante mètres environ de là, sous l'immeuble de l'administration du cimetière municipal, son accès étant qui plus est, et en vertu des mêmes règlements, interdit aux juifs, Soviétiques et Polonais. Or qui

271

donc exigeait le respect rigoureux des règlements sinon, on s'en doute, Heribert Kremp, Marga Wanft et Martha Schelf! Que faire alors d'un employé soviétique, lorsque dégringolaient des bombes anglaises ou américaines qui, tout en ne lui étant certes pas destinées, n'en risquaient pas moins de l'atteindre? Le risque encouru par un Soviétique ne posait à vrai dire aucun problème car, selon la formule de Kremp, « Un de moins, et alors? » (témoignage d'Ilse Kremer). Mais dans le cas de Boris, l'affaire se compliquait : qui en effet surveillerait le prisonnier pendant que les vies allemandes seraient (théoriquement) à l'abri? Pouvait-on le laisser seul et lui offrir ainsi le loisir d'accéder à cet état que tout le monde connaît, fût-ce seulement par ouï-dire, sous le nom de liberté? Pelzer résolut le problème en refusant catégoriquement de se rendre dans l'abri dont il contestait qu'il offrît la moindre protection : « C'est tout juste un cercueil », prétendait-il (vérité officieusement reconnue pour incontestable par les autorités municipales). Il décida donc de rester dans son bureau pendant les bombardements et de veiller à ce que le Soviétique n'en profitât pas pour prendre la clef des champs. « Après tout, j'ai été soldat moi aussi et je connais mon devoir. » Quant à Léni, qui n'a de sa vie mis les pieds dans un abri (autre point commun entre elle et Pelzer), elle déclara qu'elle « irait tout bonnement attendre dans le cimetière le signal de fin d'alerte ». Tant et si bien qu'au bout d'un certain temps « chacun s'en alla où bon lui semblait sans que les protestations verbales de ce ridicule chef d'îlot y aient rien changé, pas plus d'ailleurs que ses rapports adressés aux autorités, et que le petit Walter se contentait de faire intercepter par un de ses amis... Cet abri, sous l'immeuble de l'administration du cimetière, était un non-sens, une chambre d'asphyxie, une pure fiction. Imaginez une cave normale dont on a simplement renforcé la voûte par une couche d'un à deux centimètres de béton qu'une bombe incendiaire n'aurait eu aucun mal à traverser. » (Grundtsch) Résultat : dès que mugissaient les sirènes, c'était chez Pelzer l'anarchie totale. Le travail devait obligatoirement cesser et lui ne devait pas quitter le Soviétique des yeux, tandis que les autres filaient « où bon leur semblait. » Assis dans son bureau, Pelzer se chargeait de surveiller Boris et, l'œil constamment attiré par la pendule, déplorait tout ce temps de travail perdu qu'il devait payer sans en tirer profit. Comme de son côté le chef d'îlot ne cessait de rouspéter contre l'insuffisance du black-out, Pelzer « finit par éteindre tout bonnement la lumière, attendant la fin de l'alerte dans la plus totale obscurité » (Grundtsch).

Que se passait-il dans cette obscurité ?

Au début de 44, alors que Pelzer suait déjà sang et eau, Léni et Boris avaient-ils aussi déjà entamé leurs « corps à corps » ?

D'après les déclarations de Margret, seul témoin que Léni ait initié à sa vie intime, on peut reconstituer assez précisément le processus des rapports érotiques entre Léni et Boris. Depuis la première imposition de main, Léni passait souvent ses soirées chez Margret. Elle finit même par s'installer chez son amie et entra alors dans « une nouvelle phase de grande loquacité », tout comme Boris d'ailleurs vis-à-vis de Bogakov. Sans doute Boris n'a-t-il pas fait à Bogakov sur l'évolution de leurs rapports érotiques un récit aussi circonstancié que celui de Léni à Margret. Mais si l'on s'en tient à l'essentiel de leurs comptes rendus effectifs, on constate leur parfaite concordance. Pelzer en tout cas, dont le réalisme était jusqu'ici demeuré incontesté, s'il a vraiment « sué sang et eau » dès le début de 44, avait dû soudain perdre toute clairvoyance. Car c'est en effet au début de février 44 seulement — six semaines donc après l'imposition de la main — que la parole décisive fut prononcée, Léni ayant alors réussi à chuchoter rapidement à l'oreille de Boris devant la porte des toilettes : « Je t'aime. » A quoi il répondit de même dans un souffle : « Moi aussi. » Il faut lui pardonner ce raccourci grammaticalement incorrect. Il aurait évidemment dû dire : « Je t'aime aussi. » Mais qu'importe, Léni l'avait compris, bien qu'« à ce moment précis une maudite salve d'honneur eût éclaté dans un effroyable vacarme » (Lénï, d'après Margret). Vers la mi-février, ils échangèrent leur premier baiser qui les plongea tous deux dans l'extase. La première « union » (formule de Léni, garantie par Margret) ou la première « visite » (formule de Bogakov) n'eut lieu — on peut en faire la preuve — que le 18 mars à l'occasion d'une alerte de jour qui dura de 14 h 02 à 15 h 18 et durant laquelle ne fut lâchée qu'une seule et unique bombe.

Il convient à présent de laver Léni d'un soupçon qu'on pourrait être tenté de faire peser sur elle, bien que dénué de tout fondement, celui d'un érotisme platonique. Elle possède en effet l'incomparable spontanéité des filles rhénanes (oui, c'est une Rhénane et même une Rhénane « diplômée » par Mme Hölthohne, ce qui n'est pas peu dire !), de ces filles donc qui, éprouvent-elles un penchant pour quelqu'un ou ont-elles le sentiment d'avoir rencontré l'homme de leur vie, sont aussitôt prêtes à tout et donc aux « caresses les plus audacieuses » sans attendre la sanction des autorités civiles ou religieuses. Bref, Léni et Boris n'étaient pas seulement épris l'un de l'autre, ils étaient en vérité « fous d'amour » (Bogakov). Ayant perçu la prodigieuse sensualité de Léni, Boris la décrivit à Bogakov en ces termes : « Elle est prête, fin prête... et si tu savais avec quel enthousiasme ! » On peut tenir pour certain que tous deux souhaitaient « s'unir » ou « se visiter » le plus tôt et le plus souvent possible, mais les circonstances exigeaient une prudence comparable à celle dont devraient user deux amoureux qui, venant de directions opposées, iraient à la rencontre l'un de l'autre à travers le champ de mines d'un kilomètre de large qui les sépare pour pouvoir se livrer à un « corps à corps » sur un espace non miné de trois ou quatre mètres carrés seulement.

Mme Hölthohne déclare à ce propos : « Nos deux jeunes gens avaient une envie folle de se précipiter l'un vers l'autre, et seul leur instinct de conservation ou plus exactement leur désir respectif de protéger la vie de l'autre les retint de commettre des actes irréfléchis. Je suis par principe hostile aux « liaisons ». Mais, vu les circonstances historiques et politiques de l'heure, j'aurais fait pour eux une exception à l'encontre de mes principes en leur souhaitant de pouvoir se rejoindre dans un hôtel ou dans un parc, voire au besoin sous le porche d'un immeuble... car ce qui en temps normal eût paru un lieu de rendez-vous trivial pour un tête-à-tête amoureux, en temps de guerre retrouvait droit de cité. J'ajouterai que si *à l'époque* je considérais une liaison comme une affaire déshonorante, j'ai aujourd'hui des vues beaucoup plus larges en la matière. »

Déclaration textuelle de Margret : « Léni me disait qu'elle ne cessait d'avoir devant les yeux, le panneau : « Attention, danger de mort »... Sachez aussi qu'il leur était très difficile de se concerter. Il était déjà extraordinaire de la part de Léni d'avoir compris qu'elle devrait garder l'initiative un certain temps encore, et ce au mépris de conventions que je n'aurais pas osé moi-même transgresser. Jamais je n'aurais fait la première des avances à un homme ! Et puis songez qu'il ne s'agissait pas seulement pour eux d'échanger des mots d'amour à voix basse, ils avaient besoin de mieux se connaître, d'apprendre un certain nombre de choses l'un de l'autre. Or il leur était déjà prodigieusement difficile de passer seuls ne fût-ce que trente secondes. Plus tard, Léni a eu l'idée de suspendre entre les toilettes et les balles de tourbe un rideau de toile à sac, non pas à demeure bien entendu, mais qu'un clou recourbé lui permettait d'accrocher en cas de besoin, si bien que dans la cabine ainsi improvisée, ils pouvaient parfois se caresser rapidement la joue ou échanger un baiser; et quand elle parvenait à lui murmurer « mon chéri », elle estimait avoir réussi un tour de force. Ils avaient pourtant tant de choses à se dire! Sur leurs origines, leur façon de penser, les conditions d'existence au camp, la politique, la guerre, la nourriture. Sans doute avait-elle avec lui des contacts professionnels puisqu'elle était chargée de lui apporter les couronnes terminées, et sur les trente secondes environ que durait cette livraison, peut-être pouvaient-ils en consacrer une dizaine à se murmurer quelques mots. Ils pouvaient parfois aussi bénéficier de l'occasion — mais non la provoquer — de se retrouver dans le bureau de Pelzer, lorsque Léni devait fournir à Boris le décompte des fleurs utilisées ou procéder à une quelconque vérification dans l'armoire aux rubans, ce qui leur procurait une minute supplémentaire. Il leur fallait donc, après s'être entendus sur leur sens, se parler par abréviations. Ainsi, quand Boris disait « deux », Léni savait que ce matin-là deux prisonniers de plus étaient morts au camp. Et puis ils perdaient un temps précieux en questions objectivement superflues, mais non moins nécessaires aux amoureux, comme par exemple : « M'aimes-tu encore? » Là aussi il leur fallait procéder par abréviations. Si Boris disait : « Encore... comme moi? » Léni savait que cela signifiait : « M'aimes-tu encore comme je t'aime? » et elle pouvait alors, sans perdre trop de temps, répondre : « Oui, oui, oui. » Pour disposer favorablement à son égard le nazi amputé — je ne sais plus son nom — Léni devait de temps à autre lui offrir une cigarette, mais il lui fallait agir avec une prudence infinie de crainte qu'il ne se méprît sur son geste : ni tentative d'approche, ni tentative de corruption, mais seulement petite attention toute naturelle entre camarades de travail. Après avoir ainsi refilé quatre ou cinq cigarettes au nazi, disons en l'espace d'un mois, elle pouvait ouvertement en offrir une à Boris. Pelzer leur disait parfois : « Allez « les enfants, allez fumer dehors une cigarette pour « vous détendre un peu. » Boris, alors autorisé à sortir en griller une avec eux, pouvait ainsi de temps à autre s'entretenir ouvertement avec Léni pendant deux ou trois minutes, à condition certes que personne ne pût saisir le sens de leurs propos. Il arrivait aussi que le nazi amputé ou l'insupportable bonne femme fussent l'un ou l'autre absents pour cause de maladie, sinon même tous deux ensemble. Il y eut aussi quelques hasards heureux, trois ou quatre employés tombant malades en même temps tandis que Pelzer était absent; du coup Boris et Léni se partageaient la comptabilité, ce qui leur permettait de passer officiellement ensemble dix ou même vingt minutes dans le bureau. Ils pouvaient alors échanger de vraies confidences sur leurs parents, leur existence... et Léni parler d'Aloïs. Mais ces échanges leur prenaient beaucoup de temps et je crois bien que leur « union », comme disait Léni, était déjà consommée, tandis qu'elle ignorait encore le nom de famille de Boris. « Pourquoi aurais-je dû « le savoir plus tôt ? me dit-elle. Nous avions des « informations bien plus importantes à échanger, « comme pour moi de lui apprendre par exemple « que mon vrai nom était Gruyten et non celui de « Pfeiffer inscrit sur mes papiers. » Ah ! si vous aviez vu Léni se mettre à suivre les événements militaires pour pouvoir renseigner correctement Boris sur la situation au front ! Elle notait sur un atlas toutes les informations que nous donnait la radio anglaise et, croyez-moi, elle savait parfaitement au début de janvier 44 que la ligne du front passait encore par Krivoï-Rog, fin mars qu'une bataille d'encerclement avait lieu à Kamenez-Podolsk et à la mi-avril 44 que les Russes se trouvaient tout près de Lemberg. Par la suite, elle a aussi suivi la progression des Américains, après les percées d'Avranches, Saint-Lô et Caen. En novembre, déjà enceinte de plusieurs mois, elle ne cessait de fulminer contre ces Américains qui « n'avançaient pas » et mettaient si longtemps à s'amener de Monschau jusqu'au Rhin ! « Ça « ne fait jamais que quatre-vingts ou quatre-vingt-« dix kilomètres, disait-elle, alors pourquoi leur « faut-il tout ce temps-là ? » Le fait est que nous comptions tous être libérés au plus tard en décembre ou janvier, mais la guerre traînait en longueur sans que Léni arrive à comprendre pourquoi. Puis ce fut la contre-offensive des Ardennes suivie de cette longue bataille dans le Hürtgenwald qui nous a flanqué un de ces cafards ! J'ai bien essayé d'expliquer à Léni que d'une part nos troupes opposaient une résistance acharnée parce que les Américains arrivaient sur notre sol et que de l'autre la rigueur de l'hiver ralentissait forcément la progression de ces derniers. Nous en avons tellement discuté que je m'en souviens encore parfaitement aujourd'hui... Léni était enceinte, ne l'oubliez pas, et il nous fallait absolument trouver un homme digne de confiance qui acceptât de se faire passer pour le père de l'enfant car elle tenait à éviter, dans toute la mesure du possible, de devoir le déclarer « de père inconnu ». Boris ajouta encore à notre désarroi — bien inutilement à mon sens, la situation étant déjà bien assez compliquée comme ça — le jour où il chuchota à l'oreille de Léni le nom de Georg Trakl. Nous en sommes restées toutes deux complètement baba. Que fallait-il en penser ? Boris le proposait-il comme père pour l'enfant ? Et si oui, qui était-ce et où le trouver ? Léni ne savait même pas comment orthographier son nom : Trackel ou peut-être, car elle avait quelques notions d'anglais, Truckel ou Truckl ? Aujourd'hui encore je ne comprends pas ce qui a bien pu lui passer par la tête, à notre Boris, car enfin en septembre 44 il y allait de notre vie à tous ! Léni était si impatiente de savoir qui était cet homme que j'ai passé la soirée à téléphoner aux uns et aux autre sans résultat : aucun de mes amis n'en avait jamais entendu parler. Léni a fini par rentrer chez elle, tard dans la nuit, pour interroger tous les Hoyser... sans plus de résultat d'ailleurs. Si bien qu'elle a dû le lendemain sacrifier quelques précieuses secondes pour demander à Boris qui était cet homme et s'entendre répondre : « Poète, autrichien, mort. » Le jour même Léni se précipita à la bibliothèque de prêt la plus proche et inscrivit sur sa fiche : Trackel, Georg. Non sans lui manifester ouvertement sa réprobation, la vieille bibliothécaire lui remit un petit recueil de poèmes dont elle s'empara avec ferveur et qu'elle commença à parcourir sitôt installée dans le tramway. Chaque soir, Léni me lisait plusieurs de ces poèmes et j'en ai retenu quelques vers. « Le marbre des ancêtres est devenu « gris. » C'est beau, non ? Mais voici plus beau encore : « Des filles se tiennent au portail, timide- « ment regardent la vie aux couleurs vives. Leurs « lèvres humides tremblent et elles attendent « devant le portail. » La première fois que je l'ai entendu, j'ai fondu en larmes et aujourd'hui encore, je ne puis me le réciter sans pleurer car cela me rappelle chaque jour davantage, à mesure que je vieillis, mon enfance et ma jeunesse : j'étais alors si gaie et remplie d'espoir, oui, si gaie et remplie d'espoir ! Et puis il y avait un autre poème qui convenait si bien à Léni que nous l'avions très vite appris par cœur : « Près du puits souvent, quand le soir tombe, « on la voit se tenir, ensorcelée, puiser de l'eau, « quand le soir tombe. Le seau descendre et « remonter[1]. » Après avoir ainsi appris plusieurs

1. Tous les poèmes de Georg Trakl cités dans cet ouvrage ont été traduits par Marc Petit et Jean-Claude Schneider, éditions Gallimard (N.d.T.).

poèmes par cœur, Léni pour faire plaisir à Boris les fredonnait à l'atelier sur une mélodie improvisée. Elle lui a fait plaisir, certes, mais s'est aussi attiré bien des ennuis car un beau jour le sale petit nazi, fou furieux, lui a demandé ce qu'elle chantait là, à quoi elle a simplement répondu : « Des poèmes allemands. » Malheureusement, Boris a eu la bêtise de s'en mêler en disant qu'il connaissait ce poète, originaire de la marche de l'Est[1] — oui, il a textuellement dit : « De la marche de l'Est! — et du nom de Georg Trakl. » Sur ce, le nazi a piqué une grande rogne parce qu'un bolchevik connaissait mieux que lui des poèmes allemands. Il s'est même informé auprès de la direction du parti ou que sais-je pour savoir si ce Trakl avait été un bolchevik, mais la réponse fut qu'il n'y avait rien à redire de ce côté-là. Pourtant, à la question de savoir s'il était normal qu'un Soviétique, un sous-homme, un communiste, connût si bien ce Trakl, on lui accorda qu'il était inconvenant en effet qu'un sous-homme s'emparât du sacro-saint patrimoine culturel allemand. Mais nos ennuis n'étaient pas terminés pour autant, car Léni, alors dans une forme éblouissante, très sûre d'elle et non sans un brin d'insolence parce qu'elle se savait aimée comme je ne l'ai jamais été, pas même par Schlömer — peut-être Heinrich l'aurait-il pu, lui — Léni donc a précisément choisi ce jour-là pour chanter le poème de Sonja : « Le soir revient « dans le vieux jardin; vie de Sonja, silence bleu. » Le nom de Sonja revient quatre fois dans le poème. Le nazi s'est alors mis à hurler que Sonja était un nom russe, que c'était de la haute trahison et patati et patata! Léni lui a répondu du tac au tac que sans être russe, Sonja Henie s'appelait tout de même Sonja et qu'elle avait d'ailleurs vu l'année précédente un film, *Le Maître de poste,* dont tous les personnages étaient russes. Pelzer mit fin à la dis-

1. Autriche (N.d.T.).

cussion en la qualifiant d'inepte, ajoutant qu'il ne voyait vraiment pas pourquoi, à condition bien sûr de ne pas proférer de parole antinationale, Léni ne pourrait pas chanter en travaillant. Il décida finalement de nous faire voter pour ou contre et, sauf le nazi, nous avons tous été pour, d'abord parce que Léni avait une très charmante voix de contralto et qu'ensuite, l'atmosphère étant somme toute fort déprimante, personne d'autre n'avait le cœur à l'imiter. Ainsi put-elle continuer à chanter les vers de Trakl sur ses mélodies improvisées.

Fût-ce sous des formes différentes, Liane Hölthohne, Ilse Kremer et Albert Grundtsch affirment tous les trois avoir pris grand plaisir à entendre Léni chanter.

Liane Hölthohne : « Mon Dieu, en ces temps si sombres, qu'il était donc doux d'entendre cette petite chanter sans contrainte de sa jolie voix de contralto ! Elle connaissait son Schubert par cœur, c'était évident, mais quelle adresse pour y adapter ces poèmes si émouvants ! »

Ilse Kremer : « Quand Léni se mettait à chanter, on eût dit qu'un rayon de soleil entrait dans l'atelier ! Marga Wanft et Martha Schelf elles-mêmes n'y trouvaient rien à redire. On pouvait voir, entendre et même sentir que cette fille était non seulement amoureuse, mais encore payée de retour... Quel était l'heureux élu ? Aucun de nous n'aurait pu le deviner, tant le Russe demeurait alors impassible, les yeux obstinément fixés sur son travail. »

Grundtsch : « Quand ce petit salaud de Kremp a piqué sa rogne, j'ai bien cru en mourir de rire ! Si vous l'aviez entendu fulminer contre cette Sonja ! Comme si des centaines, voire des milliers de femmes ne portaient pas ce prénom ! Et je dois dire que l'allusion de Léni à Sonja Henie lui a cloué le bec, à ce petit crétin !... Ah ! quand elle se mettait à chanter, c'était comme, si en plein hiver, un tournesol, cette fleur de soleil, surgissait soudain au milieu d'un champ nu. Quelle merveille ! Et chacun sentait qu'elle aimait et était aussi aimée. Il suffisait d'ailleurs de la regarder, radieuse ! Mais, le petit Walter mis à part, personne n'a soupçonné l'identité de l'élu. »

Pelzer : « Oui, bien sûr, j'ai pris grand plaisir à l'entendre chanter. J'ignorais d'ailleurs totalement jusque-là qu'elle eût une aussi charmante voix de contralto... mais si vous pouviez seulement imaginer les ennuis qu'elle m'a valus ! Coup de téléphone par-ci, coup de téléphone par là pour savoir s'il s'agissait ou non de chants russes, si Boris avait quelque chose à voir là-dedans et que sais-je encore ! Remarquez que ça a fini par se tasser, mais j'ai quand même eu chaud. Car vous savez aussi bien que moi qu'à l'époque il suffisait d'un rien pour déclencher une catastrophe... »

Il convient ici de corriger d'éventuelles fausses impressions, comme par exemple de croire que Léni et Boris auraient vécu dans une perpétuelle affliction ou que celui-ci se serait par trop acharné à vouloir tester ou compléter la culture littéraire de celle-là, que ce fût en vers ou en prose. En vérité, et Bogakov le lui entendait répéter tous les jours, Boris qui prenait plaisir à son travail était un homme heureux car, dans la mesure où il pouvait être sûr de quelque chose, il avait d'abord la certitude de revoir Léni, ensuite et selon les circonstances (situation militaire en général et importance des bombardements en particulier) l'espoir de la « visiter ». Après le savon qu'il s'était fait passer pour avoir chanté dans le tramway, il fut assez avisé pour réprimer ses soudaines envies de donner de la voix. Car il connaissait une foule de chansons allemandes, populaires ou enfantines, qu'il interprétait au camp d'une belle voix empreinte de mélancolie, ce qui lui valut d'ailleurs des ennuis avec Victor

Genrichovitch et certains autres camarades qui n'éprouvaient pas nécessairement un penchant pour le répertoire allemand (qui s'en étonnerait ? — l'auteur). Un accord intervint néanmoins car *Lili Marlène* était fort appréciée et même réclamée, et la voix de Boris ayant acquis une belle réputation, il fut décidé que s'il chantait cette chanson (qui d'ailleurs, selon Bogakov, ne lui disait rien — l'auteur), il pourrait chanter ensuite une autre chanson allemande. Toujours selon Bogakov, ses préférences allaient à *A la fontaine, aux portes de la ville...*, *Un jeune garçon vit une rose...* et *Dans un vallon herbeux...* Il est toutefois permis de supposer que dans le tramway qui le menait chaque matin de bonne heure à son travail, il eût volontiers fait retentir par-dessus les têtes des voyageurs moroses un chant comme *Ecoute ce qui nous vient du dehors*[1], mais motus, il devait se taire. Il lui restait toutefois une consolation : l'ouvrier allemand qui lui avait en son temps murmuré une parole de réconfort (« Courage, camarade, ta guerre est pour autant dire gagnée! ») voyageait presque chaque matin dans le même tramway que lui. Ils ne pouvaient certes échanger la moindre parole, mais se regardaient de temps à autre droit dans les yeux et seul celui qui a déjà fait une expérience analogue sait ce que peut exprimer un regard dans lequel on plonge librement le sien. Avant de se mettre lui aussi à chanter dans l'atelier de Pelzer (Bogakov), Boris prit de sages précautions. Puisqu'il ne pouvait être question de le tenir totalement à l'écart des autres qui devaient bien — même Heribert Kremp et Marga Wanft — lui adresser parfois la parole, ne fût-ce que sous la forme d'un vague grognement (« Tiens » — « Ça vient » — « Voilà ») et que d'autre part Pelzer devait de-ci, de-là s'entretenir assez longuement avec lui au sujet des rubans, de la comptabilité des fleurs et couronnes ou

1. Chanson populaire du pays de Bade (N.d.T.).

283

du rythme de la production, Boris décida un beau jour de demander à Pelzer s'il voulait bien l'autoriser lui aussi à interpréter de temps à autre une chanson.

Pelzer : « J'en ai été sidéré! Comment ce garçon pouvait-il avoir encore envie de chanter? Et j'aime mieux vous dire qu'après la sale affaire du tramway, où personne Dieu merci n'avait reconnu sa chanson, la question était diablement épineuse. J'ai donc commencé par lui expliquer qu'eu égard à la situation militaire — songez que cela se passait en juin 44 alors que Rome était déjà aux mains des Américains et Sébastopol retombée dans celles des Russes — le chant d'un prisonnier de guerre soviétique serait certainement considéré comme une provocation, puis je lui ai demandé pourquoi il tenait à chanter, et savez-vous alors ce qu'il m'a répondu? « C'est un tel plaisir pour moi! » Eh bien, je dois vous dire que cette simple réponse m'a profondément ému. Il trouvait donc du plaisir à chanter des mélodies allemandes! Du coup, je lui ai dit : « Ecou-
« tez-moi bien, Boris, vous savez que je ne suis pas
« un monstre et s'il ne tenait qu'à moi vous pour-
« riez faire votre Chaliapine quand bon vous sem-
« blerait, mais vous n'ignorez pas les ennuis que
« nous ont valus les chansons de Mme Pfeiffer (je
« ne l'appelais jamais Léni devant lui), alors imagi-
« nez un peu ce que ce serait si vous aussi... » Fina-
lement j'ai décidé de risquer le paquet; j'ai réuni mes gens pour leur faire un petit laïus : « Ecoutez-
« moi, mes amis, voilà près de six mois que Boris
« travaille ici avec nous. Nous savons tous que c'est
« un bon ouvrier et un homme réservé. Or il appré-
« cie beaucoup les chansons allemandes et aimerait
« pouvoir de temps à autre en chanter une pendant
« le travail. Je propose donc de mettre la décision
« aux voix. Que ceux qui sont pour lèvent la main. »

Et j'ai levé la mienne le premier. Kremp, lui, n'a certes pas levé la sienne, se contentant de grommeler quelque chose entre ses dents. Et j'ai poursuivi : « Il s'agit somme toute du patrimoine culturel alle- mand et je ne vois aucun mal dans le fait qu'un « Soviétique se passionne pour lui. » Le tour était joué. Boris s'est toutefois montré assez avisé pour ne pas se lancer aussitôt, attendant au contraire plusieurs jours avant de nous chanter des airs de Carl Maria von Weber. Eh bien, croyez-moi si vous le voulez, je n'ai jamais entendu mieux à l'Opéra. Il a chanté aussi l'Adélaïde de Beethoven avec une musicalité et une diction absolument parfaites ! Puis un peu trop de chansons d'amour pour mon goût, et enfin « L'air est frais et vif, en route pour Mahagonny, nous y trouverons femmes et chevaux, whisky et table de poker ». Cet air-là, il l'a souvent chanté, mais je n'ai appris que plus tard que les paroles étaient de Brecht... et je dois vous avouer en avoir rétrospectivement encore des sueurs froides. Remarquez que je la trouve très bonne, cette chanson, je l'ai même achetée en disque et l'écoute souvent avec grand plaisir. Mais rien que d'y penser, j'en ai froid dans le dos : Brecht chanté par un prisonnier de guerre russe à l'automne 1944, alors que les Anglais étaient déjà à Arnheim, les Russes dans les faubourgs de Varsovie et les Américains presque à Bologne ! Vous avouerez qu'il y a de quoi en attraper une jaunisse à retardement ! Mais qui connaissait Brecht à l'époque ? Pas même Ilse Kremer. Alors Boris savait bien qu'il jouait sur le velours, personne ne le connaissant, pas plus que Trakl d'ailleurs. En fait, mais je ne l'ai remarqué que plus tard, il s'agissait d'un chant d'amour alterné entre Léni et lui, d'un véritable duo d'amour ! »

Margret : « Leur audace à tous deux ne faisait que croître et ça me flanquait une frousse terrible. Léni s'était mise à lui apporter chaque jour quelque chose : cigarettes, pain, sucre, beurre, thé, café, journaux (qu'elle pliait en tout petits carrés), lames de rasoir et, plus tard, à l'approche de l'hiver, des vêtements chauds. On peut estimer qu'à partir de la mi-mars 44 il ne s'est pas passé de jour qu'elle ne lui ait apporté quelque chose. Dans les couches inférieures du stock de tourbe (du côté du mur bien entendu) elle creusait une cavité qu'elle rebouchait ensuite avec une sorte de tampon de tourbe et c'était à lui d'extraire au bon moment les objets de leur cachette. Elle devait aussi favorablement disposer les gardes pour qu'ils épargnent à Boris l'épreuve de la fouille. Manœuvre qui exigeait une extrême prudence car l'un d'eux, le dénommé Boldig, joyeux compère mais d'une grossière impudence, voulait à tout prix emmener danser Léni... et le reste par-dessus le marché. Il appelait ça : « partir « en riboule ». Un sale petit cochon qui en savait probablement plus qu'il ne voulait l'admettre. Comme il ne cessait d'insister auprès de Léni pour qu'elle sorte avec lui, celle-ci voyant que son refus risquerait de tout gâter m'a finalement demandé de les accompagner. Nous sommes donc allés plusieurs fois dans une boîte à soldats que Léni ne connaissait pas, mais que moi je connaissais fort bien, et notre lascar ne s'est pas gêné pour admettre ouvertement que j'étais davantage son type de femme... nettement plus dessalée que Léni. Bref, est arrivé ce qui devait arriver. Léni avait une telle frousse que ce Boldig n'apprenne des choses et ne provoque un désastre que je me suis... comment dire... non pas sacrifiée mais plus exactement appuyé le bonhomme; j'en ai fait mon affaire, si vous préférez. En fait, ce n'était pas pour moi un bien grand sacrifice; au point où j'en étais fin 44, un de plus ou de moins, ça n'avait plus guère d'importance. Ce petit malin vivait sur un assez grand pied : ainsi chaque fois qu'il avait envie de batifoler, il m'emmenait dans un hôtel de luxe avec champagne et tout le bazar. Et c'est alors que j'ai fait une importante découverte : à sa grossière impudence ce gars-là ajoutait un atout supplémentaire, celui de trafiquant éhonté; mais dès qu'il avait un verre dans le nez, il lâchait le morceau. Le salaud fricotait sur tout ce qui était humainement négociable : schnaps, cigarettes, café, et viande bien sûr. Mais surtout, et c'était de loin ce qui lui rapportait le plus, il vendait des brevets de décoration, des attestations de blessure et jusqu'à des livrets militaires! Il en avait barboté tout un stock durant une quelconque retraite; alors vous pensez si au mot de « livret militaire » j'ai dressé l'oreille à cause de Boris. Bref, après l'avoir laissé pérorer un bon moment, j'ai fait semblant de ne pas le croire pour l'inciter à me montrer son trésor. Or c'était vrai : il avait une grosse boîte en carton pleine de formulaires timbrés et signés ainsi que de titres de permission et de transport. Je n'ai pas réagi pour sûr, mais je savais pourtant que nous le tenions désormais, alors qu'il ignorait encore tout de nous. Je l'ai quand même questionné avec prudence sur ce qu'il pensait de ses Russes. Il m'a répondu que c'étaient de pauvres bougres auxquels il refilait parfois une ou deux cigarettes et toujours ses mégots; il n'avait d'ailleurs aucune envie de se les mettre à dos. Pour une croix de fer de première classe, Boldig prenait trois mille marks en trouvant que c'était « donné », et cinq mille pour un livret militaire, « un truc qui peut éventuellement vous sauver la vie », disait-il. Quant à ses attestations de blessure, il les a toutes « cédées », lors du grand reflux de nos troupes hors de France, à des déserteurs venus se planquer dans nos ruines et qui s'envoyaient mutuellement une balle dans la jambe ou le bras — à bonne distance, s'entend —, le papelard de Boldig leur servant ensuite à légaliser leur blessure. Je travaillais alors depuis deux ans déjà dans un hôpital militaire et j'aime mieux vous dire que j'en connaissais un bout sur les mutilations volontaires ! »

Pelzer : « A cette époque, nos affaires ont connu une baisse temporaire assez sensible. Par bonheur Kremp, qui ne s'habituait toujours pas à sa prothèse, dut séjourner quelque temps à l'hôpital, mais j'aurais très bien pu licencier deux ou trois employés de plus. L'explication était simple : on ne mourait pas moins, mais la population urbaine diminuait, l'évacuation étant devenue beaucoup plus méthodique et efficace. Quant aux blessés, au lieu de les amener par trains entiers dans nos hôpitaux, on les transportait désormais directement au-delà du Rhin. Martha Schelf et Frieda Zeven ayant, Dieu merci, accepté d'être évacuées en Saxe, nous nous sommes donc retrouvés, si l'on peut dire, presque entre nous. Mais il était encore très difficile d'occuper suffisamment un nombre même aussi réduit d'employés. J'ai fini par les faire travailler à la serre, mais le marasme était tel que l'entreprise couvrait à peine ses frais. Alors qu'en 43 nous avions travaillé à deux équipes et même parfois trois dont une de nuit, nous nous trouvions soudain en pleine récession. Et puis tout à coup, ce fut la reprise consécutive à l'augmentation des attaques aériennes britanniques. Je peux vous paraître cynique mais, que voulez-vous, les cadavres, c'était notre gagne-pain, et le nombre des morts étant de nouveau satisfaisant, j'ai pu non seulement remettre mes gens au travail à l'atelier, mais même rétablir mes deux équipes. Et c'est alors que Léni a eu, j'ose le dire, l'idée de génie qui a donné un essor supplémentaire à mon entreprise. Ayant découvert je ne sais où de la bruyère dans des pots cassés, elle décida de l'utiliser pour confectionner des couronnes sans armature, celle-ci étant rendue inutile par la rigidité des tiges. On nous soupçonna bien sûr derechef de « romaniser », mais à partir de la mi-44 seuls quelques rares demeurés pouvaient encore s'attarder à de telles inepties. Léni acquit très vite une étonnante maestria : ses couronnes étaient petites, maniables et presque aussi rigides que du métal. Nous les avons même par la suite passées au vernis. Et Léni y tressait les initiales du défunt ou du donateur et parfois, s'il n'était pas trop long, le prénom entier, Heinz ou Maria par exemple. Ce faisant, elle obtenait un joli effet de contraste : vert sur violet. Et jamais, au grand jamais, elle ne transgressait la loi qui veut que le centre de gravité de la garniture se situe dans le quart supérieur gauche de la couronne. J'étais ravi et les clients enthousiasmés. Or comme nous pouvions encore librement traverser le Rhin sans trop de danger, nous n'avions aucun mal à nous approvisionner en bruyère par tombereaux entiers. Et, se surpassant parfois, Léni tressait alors dans les couronnes des symboles religieux, des ancres, cœurs ou croix. »

Margret : « Quand Léni s'est mise à confectionner des couronnes de bruyère, c'était naturellement avec une arrière-pensée qu'elle m'a d'ailleurs dévoilée : pour couche nuptiale, elle voulait un tapis de bruyère. Boris et elle ne pouvant s'aventurer au-delà des limites du cimetière, il leur fallait donc adopter pour lieu de rendez-vous l'un des gigantesques caveaux de famille de l'endroit. Leur choix se porta sur la grande chapelle privée des Beauchamp. Quoique déjà passablement dégradée, celle-ci renfermait encore quelques bancs et un petit autel derrière lequel un lit de bruyère passerait inaperçu. Rien de plus facile en outre que de soulever la table de l'autel pour entreposer à l'intérieur quelques provisions : cigarettes, vin, pain et sucreries. Léni entre-temps était devenue beaucoup plus rusée. Il y avait belle lurette déjà qu'elle n'offrait plus à Boris sa tasse de café quotidienne, mais tous les quatre ou cinq jours seulement. Elle l'évitait même autant que possible pendant les heures de travail et avait mis fin à leurs chuchotements; elle abandonna enfin sa cachette des blocs de tourbe pour la transférer sous la table d'autel de la chapelle Beauchamp. Le 28 mai fut son jour de chance : à faible intervalle, entre treize heures et seize heures trente, deux alertes se succédèrent, durant lesquelles seules quelques bombes furent larguées, tout juste de quoi permettre de parler d'attaque aérienne. Léni en tout cas, lorsqu'elle rentra ce soir-là à la maison, était rayonnante. « Nous avons célébré nos noces aujour-« d'hui, me dit-elle. Le 18 mars avait été celui de nos « fiançailles. Et sais-tu ce que Boris m'a dit ? Ecoute « les Anglais, ils ne mentent pas. » Puis vint une période difficile : plus de deux mois sans le moindre bombardement de jour, rien que des attaques de nuit, parfois avant minuit mais la plupart du temps après; nous étions alors couchées et j'entendais pester Léni : « Pourquoi cet arrêt des bombardements « de jour ? Quand les reprendront-ils donc ? Pour-« quoi les Américains n'avancent-ils pas ? Pourquoi « leur faut-il tant de temps pour venir jusqu'à nous, « ils ne sont pourtant pas si loin ? » Elle était déjà enceinte et nous nous préoccupions de procurer un père à son enfant. Enfin, le jour de l'Assomption, nous eûmes droit à une grande attaque de jour qui dura, je crois, deux heures et demie. Cette fois les bombes tombèrent dru, quelques-unes même sur le cimetière et à travers les vitraux de la chapelle Beauchamp des éclats passèrent par-dessus la tête de nos amoureux. Puis vint l'époque que Léni qualifia de « glorieuse », le « mois du glorieux rosaire »... entre le 2 et le 28 octobre, neuf grands bombarde-ments de jour ! Commentaire de Léni : « Je le dois à « Rachel et à la Vierge Marie qui n'ont pas oublié « l'amour que je leur porte. »

Il convient de rappeler rapidement ici un certain nombre de faits, de dresser en quelque sorte un bref tableau récapitulatif. Léni avait alors vingt-deux ans et, selon la terminologie bourgeoise, nous pourrions qualifier de « période de fiançailles » les trois mois écoulés entre Noël 43 et la première « visite » en date du 18/3/44. A partir de l'Assomption nous devons considérer Léni et Boris comme de jeunes mariés ayant remis leur sort entre les mains d'un homme qu'ils ne connaissent pas, le maréchal de l'air Harris. Certaines données statistiques irrécusables nous sont en l'occurrence plus profitables que les témoignages de Margret et de Pelzer. Entre le 12/9/44 et le 31/11/44 dix-sept bombardements de jour permirent aux avions alliés de larguer dans le fleuve environ 150 mines et sur la ville un peu plus de 14000 bombes explosives accompagnées d'environ 350000 incendiaires. L'inévitable chaos ainsi engendré était de toute évidence favorable au jeune couple. On ne se préoccupait plus guère en effet de savoir qui se terrait où et avec qui, ni qui ressortait avec qui de quel trou, fût-ce en l'occurrence de la chapelle d'un caveau de famille. En ce temps-là les couples pudibonds risquaient fort de rester sur le carreau, mais Léni et Boris n'entraient manifestement pas dans cette catégorie. Ils eurent ainsi largement le temps de se parler de leurs parents, de leurs frère et sœur, de leurs origines, de leurs études et de la guerre. Les données statistiques des bombardements aériens permettent d'établir avec une certitude quasi scientifique qu'entre août et décembre 44 Léni et Boris ont passé ensemble un total de près de vingt-quatre heures, dont trois heures d'affilée pour le seul 17 octobre. Il s'ensuit donc que si d'aucuns étaient tentés de s'apitoyer sur leur sort, ils feraient aussi bien de se défaire sans tarder d'un tel sentiment. Si l'on songe en effet combien peu de couples, légalement unis ou pas, captifs ou non, ont pu à l'époque passer autant d'heures ensemble et dans une telle intimité, force nous est de considérer que sur ce point aussi nos deux jeunes gens étaient des favoris du sort... eux qui appelaient de leurs vœux impies les bombardements de jour de l'armée de l'air britannique, afin de pouvoir se retrouver dans la chapelle Beauchamp.

Ce dont Boris ne se doutait pas et ne sut d'ailleurs jamais rien, c'est que Léni connut alors d'énormes difficultés financières. Si l'on songe que son salaire mensuel dépassait à peine le prix d'une demi-livre de café et ses revenus locatifs celui d'une centaine de cigarettes, alors qu'en revanche elle consommait environ deux livres de café et trois à quatre cents cigarettes par mois (compte tenu de celles qu'il lui fallait refiler de-ci, de-là à l'un ou l'autre), on comprendra aisément qu'en l'occurrence un déséquilibre économique des plus logiques se soit instauré à la vitesse d'une avalanche : dépenses élevées contre modiques recettes. En se fondant sur les cours de la bourse de l'année 44, on peut établir très exactement ou du moins avec une probabilité frisant l'exactitude absolue que, pour assurer son ravitaillement en café, sucre, vin, cigarettes et pain, il fallait à Léni de quatre à parfois même cinq mille marks par mois. Or comme ses recettes — salaire et loyers — s'élevaient à mille marks environ, il s'ensuit bien évidemment qu'elle s'endetta. Si l'on y ajoute qu'ayant appris en avril 44 où se trouvait son père, elle réussit à organiser un circuit compliqué grâce auquel elle put de temps à autre lui faire parvenir un colis, on constatera qu'à partir de juin 44 son budget mensuel comportait près de six mille marks de dépenses contre mille de recettes. Léni n'avait jamais fait d'économies et avant même les débours supplémentaires causés par son père et Boris, ses dépenses personnelles dépassaient déjà largement le montant de ses revenus. Bref, il est prouvé qu'en septembre 44 elle avait déjà vingt mille marks de dettes chez des créanciers de moins en moins patients. Or c'est précisément vers cette époque que sa folle prodigalité prit une dimension nouvelle : elle se mit à convoiter des articles de haut luxe tels que lames de rasoir, savon, chocolat et vin... vin surtout.

Lotte H. déclare à ce propos : « Léni ne m'a jamais tapée, elle savait que j'avais déjà suffisamment de mal à m'en tirer avec mes deux gosses. Au contraire, chaque fois qu'elle le pouvait, elle me refilait quelque chose, tickets de pain, sucre, parfois aussi du tabac ou quelques cigarettes. Non vraiment, c'était une fille tout à fait régulière. Entre avril et octobre, nous ne l'avons pas souvent vue à la maison, mais il était facile de deviner à son expression qu'elle aimait et était payée de retour. Nous ignorions évidemment l'identité de l'élu dont nous pensions qu'elle le retrouvait chez Margret. Cela faisait un an déjà que j'avais quitté la maison Gruyten; après avoir travaillé un certain temps au bureau de la main-d'œuvre, j'avais trouvé un emploi au service d'aide aux sans-abri où je gagnais tout juste de quoi acheter les denrées auxquelles mes tickets me donnaient droit. La Société Gruyten avait été réorganisée : depuis juin 43 un solide gaillard, détaché du ministère, en assumait la direction. Nous l'appelions « vent nouveau » — il se nommait d'ailleurs Kierwind[1] — parce qu'il parlait toujours « d'aérer la boutique pour la débarrasser de tout son vieux fatras ». Or, pour lui, mon beau-père et moi faisions précisément partie de ce vieux fatras. Il me déclara un jour sans ambages : « Voilà trop long-« temps, beaucoup trop longtemps que vous êtes

1. *Wind* = vent (N.d.T.).

« là tous les deux, et maintenant que nous allons
« devoir nous atteler à la fortification de notre fron-
« tière occidentale, je n'ai pas envie que vous veniez
« me casser les pieds. Les Russes, hommes et
« femmes, les Ukrainiens et les bataillons discipli-
« naires allemands vont en voir de dures et ça n'est
« rien pour vous qui sentez encore beaucoup trop le
« Gruyten; mieux vaudrait donc nous quitter de
« votre plein gré. » Ledit Kierwind était l'exemple
classique et d'ailleurs assez répandu de l'homme
résolu et cynique quoique cependant pas franchement désagréable. Nous avons donc quitté l'affaire.
Comme je vous l'ai dit, je suis entrée au bureau de
la main-d'œuvre, tandis que mon beau-père trouvait
un poste de comptable aux Chemins de Fer. Ma foi,
je ne sais s'il a attendu ce moment pour dévoiler son
vrai caractère ou si c'est ce changement d'existence
qui le lui a transformé, toujours est-il qu'il est soudain devenu passablement abject et l'est resté
depuis. Dire de nos conditions de vie d'alors qu'elles
étaient infernales serait presque un euphémisme.
Après l'arrestation du père Gruyten, nous avons
d'abord tous vécu en communauté — partageant le
gîte et le couvert — avec aussi Heinrich Pfeiffer qui
attendait encore son appel sous les drapeaux. Au
début Marja et ma belle-mère se chargeaient du
ravitaillement et des enfants, Marja allant aussi de
temps à autre à la campagne — à Tolzem ou Lyssemich — pour en rapporter des pommes de terre et
des légumes, et parfois même un œuf. Ça a fort bien
marché comme ça jusqu'au jour où mon beau-père a
décidé de rapporter chaque soir à la maison une
gamelle de la soupe qu'à midi aux Chemins de Fer
on leur donnait sans tickets; il la réchauffait avant
le dîner pour la savourer sous nos yeux, en supplément bien entendu, c'est-à-dire en plus de sa part de
la pitance commune. Sur ce, ma belle-mère s'est
mise à faire de l'obsession et à tout peser au
gramme près. Puis est venue la phase où chacun

enfermait ses provisions dans un placard muni d'un gros cadenas, et ils ont commencé bien sûr à s'accuser réciproquement de vol. Ma belle-mère pesait sa margarine avant de l'enfermer dans son placard puis de nouveau en l'en sortant, et chaque fois, sans exception, elle prétendait qu'on lui en avait volé. Ce que j'ai découvert, quant à moi, c'est qu'elle — ma belle-mère — tapait dans le lait de mes gosses en le mouillant ni vu ni connu, après avoir prélevé de quoi confectionner de temps à autre un pudding pour elle ou son mari. J'ai alors décidé de faire popote avec Marja à qui j'ai laissé le soin du ravitaillement et de la cuisine, ce dont je me suis fort bien trouvée car, pas plus que Léni, elle n'a jamais eu l'esprit mesquin. Mais sitôt qu'elle faisait cuire quelque chose ou posait un mets sur la table, les vieux Hoyser venaient le renifler, et une charmante variante s'était alors instaurée : la jalousie. Et je vous avouerai que j'ai moi-même jalousé Léni qui pouvait ficher le camp pour, pensais-je, se réfugier chez Margret avec son amant... Mais j'en reviens à mon beau-père : depuis son entrée aux Chemins de Fer et selon ses propres termes, « il cultivait de nouvelles relations ». Il assurait en effet le contrôle des mouvements des mécaniciens de locomotive qui en 43, se baladant encore à travers presque toute l'Europe, partaient d'ici avec des marchandises recherchées *ailleurs* et en revenaient avec des marchandises demandées *ici.* C'est ainsi qu'en échange d'un sac de sel ils rapportaient d'Ukraine un cochon entier, qu'en échange d'un sac de semoule ils rapportaient des Pays-Bas absolument affamés ou de Belgique des boîtes de cigares, et de France naturellement du vin, du vin et encore du vin, du champagne et du cognac. En tout cas Hoyser tenait la bonne place et lorsqu'un peu plus tard il s'est vu confier en sus la coordination des mouvements et des horaires des convois, il est devenu un personnage fort important. Grâce alors à une analyse précise des genres de produits faisant le plus défaut dans telle ou telle partie de l'Europe, il put organiser en conséquence ses transferts de marchandises : du tabac partait de Hollande vers la Normandie pour y être échangé contre du beurre — avant le débarquement, s'entend — et le beurre partait sur Anvers ou ailleurs où on l'échangeait à son tour contre deux fois plus de tabac qu'il n'avait fallu en donner en Normandie pour obtenir ledit beurre, et ainsi de suite. S'étant enfin vu confier la répartition des trajets, il en profita pour attribuer les meilleurs parcours aux équipages de mécaniciens et chauffeurs qui collaboraient le mieux à son trafic, d'autant que sur le marché intérieur allemand aussi le cours des marchandises variait fortement selon les régions, source d'un commerce fructueux. Dans les grandes villes tout était bon à vendre : de la boustifaille aux stimulants — le café étant évidemment plus demandé dans les campagnes — et toujours le troc (beurre contre café ou que sais-je) permettait, selon la formule de Hoyser, de doubler sa mise... Si bien qu'il en est tout naturellement venu à prêter de l'argent à Léni. Chaque fois qu'elle lui en demandait, il la mettait soi-disant en garde tout en lui donnant quand même satisfaction. Et il est finalement devenu à la fois son bailleur de fonds et son fournisseur de denrées diverses, en profitant naturellement de l'occasion pour la cravater sans qu'elle s'en aperçoive car elle signait les yeux fermés ses reconnaissances de dettes... C'est lui d'ailleurs qui a fini par découvrir où se trouvait le père Gruyten : incorporé dans un bataillon disciplinaire, il était d'abord allé fabriquer du béton sur le littoral atlantique français puis avait été ramené à Berlin pour y être affecté aux travaux de déblaiement nécessités par les bombardements aériens. Nous avons fini par trouver le moyen de lui faire parvenir de temps à autre un petit colis et d'obtenir aussi de ses nouvelles. Le plus souvent, il nous faisait transmettre ces simples mots : « Ne vous faites aucun souci pour moi. Je « serai bientôt de retour. » Mais lui adresser des colis coûtait encore de l'argent, et il arriva ce qui devait arriver : en août 44, Léni devait vingt mille marks à Hoyser ! Et savez-vous ce qu'il a fait ? Il l'a acculée en prétendant que s'il ne rentrait pas dans ses fonds, il ne pourrait poursuivre ses transactions. Alors qu'a fait Léni ? Elle a contracté sur son immeuble un emprunt hypothécaire de trente mille marks dont vingt mille pour mon beau-père et dix mille pour elle. J'ai eu beau la mettre en garde, lui affirmer que c'était folie en période d'inflation de gager un emprunt sur une valeur réelle, elle m'a tout bonnement ri au nez en me tendant quelques billets pour les enfants et comme Heinrich s'amenait au même instant en quête d'un éventuel petit rabiot de nourriture elle lui a aussi offert quelque chose et l'a même entraîné, complètement ahuri, dans une petite danse ! Cela dit, elle était vraiment transformée : je ne l'avais jamais vue aussi radieuse ni aussi légère et pleine d'entrain. Et j'avoue avoir alors envié non seulement Léni mais aussi celui qu'elle aimait à ce point. Peu après, Marja étant allée passer quelque temps à la campagne et Heinrich ayant enfin été appelé, je me suis retrouvée seule avec mes beaux-parents à qui j'étais alors contrainte de confier mes enfants. Quant à Léni, elle n'a pu échapper à la menace qui pesait sur elle : son hypothèque est un beau jour venue à échéance et alors, alors... — j'ai honte de le dire — mon beau-père lui a racheté son immeuble. Mais fin 44 que valait une bâtisse partiellement détruite, alors que pour obtenir la moindre des choses il fallait tant d'argent ? Il lui a rallongé vingt mille marks, a fait purger les hypothèques — d'ailleurs établies à son nom — et est du coup devenu ce qu'apparemment il souhaitait être depuis toujours : propriétaire foncier, et d'un immeuble, qui plus est, dont la valeur actuelle doit approcher le demi-million ! Mais ce

qu'il avait vraiment dans la peau, je ne l'ai découvert que lorsqu'il a commencé, dès le 1er janvier 45, à
encaisser ses loyers. Il avait toujours dû rêver de
pouvoir faire le 1er de chaque mois sa tournée d'en-
caissement. Il faut dire qu'en janvier 45 il s'agissait
d'encore peu de chose : la plupart des locataires
avaient été évacués et les deux étages supérieurs
détruits par le feu. Le plus comique de l'affaire, c'est
qu'il m'avait inscrite moi aussi sur la liste des locataires ainsi bien entendu que les Pfeiffer qui ne sont
d'ailleurs revenus qu'en 52... et c'est seulement le
jour où je lui ai payé mon premier terme — trente-
deux marks soixante pour mes deux pièces non meublées — que j'ai soudain compris cette chose
terrible : nous avions vécu toutes ces années auprès
de Léni sans avoir rien pu empêcher ! Il m'est arrivé
de penser qu'en dépit de mes mises en garde, celle-ci
s'était conduite fort déraisonnablement, mais j'estime aujourd'hui qu'en fin de compte elle a bien fait
de tout balancer au profit de son seul amour, et la
preuve en est qu'elle n'est quand même jamais
morte de faim ! »

Margret : « Puis vint ce que Léni elle-même appela
sa seconde inspection des troupes, la première ayant
eu lieu — c'est elle qui me l'a raconté — au début de
sa liaison avec Boris. Elle avait alors fait le tour de
tous ses parents, amis et connaissances, descendant
même dans l'abri comme tout le monde pour y
effectuer certains sondages, elle avait aussi passé au
crible les Hoyser, Marja, Heinrich Pfeiffer et tout le
personnel de chez Pelzer. Or qui, après cette minutieuse inpection, s'est révélé comme son seul lieutenant utilisable ? Moi !... Quand je songe au soin avec
lequel elle a scruté chacun de nous, je me dis qu'on
a laissé perdre en elle un fameux stratège. Elle avait
naturellement pressenti en Lotte une alliée possible
quoique sans la retenir à cause de son aigreur. Elle

a écarté le vieux Hoyser et sa femme parce que trop
« vieux jeu et anti-russe », et Heinrich Pfeiffer parce
que trop « bourré de préjugés ». Quant à Mme Kremer, sûre de pouvoir trouver en elle une alliée, Léni
était allée poser à domicile ses premiers jalons, mais
pour très vite s'apercevoir que la pauvre... « a trop
« peur, beaucoup trop peur; beaucoup trop lasse
« aussi, elle ne veut plus entendre parler de rien et
« je la comprends. » Léni a aussi pressenti
Mme Hölthohne qu'elle a finalement écartée « à
cause de sa morale surannée mais pour cette seule
raison », car enfin... « la question est de savoir qui
est assez fort pour pouvoir sans flancher partager
un tel secret ». Bref, bien décidée à gagner la
bataille, elle considérait donc comme la chose la
plus naturelle du monde son besoin d'argent et de
points d'appui pour mener sa campagne. Or le seul
point d'appui qu'elle eût trouvé lors de sa première
revue des troupes, de sa première analyse de la
situation, c'était moi... un grand honneur certes,
mais aussi un lourd fardeau ! A son avis cependant,
j'étais assez forte pour en supporter le poids. Que ce
fût dans l'abri, à la maison, chez les Hoyser ou chez
Marja, elle contrôla systématiquement le point de
vue de chacun et pour ce faire, sortant de son
mutisme habituel, se mit à raconter des histoires :
elle commença par celle d'une jeune fille allemande
censée avoir eu une liaison avec un prisonnier
anglais, et bien que les réactions eussent été catas-
trophiques — de l'avis de presque tous, il fallait
exclure cette fille de la société, la stériliser, la fusiller — elle tenta encore l'expérience avec un Français
qui s'en tira moins mal et eut même droit à quelques sourires (probablement en raison de la réputation des Français de *bien faire l'amour*[1] — l'auteur)
mais n'en fut pas moins catégoriquement rejeté en
tant qu'« ennemi ». Or il lui fallait encore leur pré-

1. En français dans le texte (N.d.T.).

senter un Polonais et un Russe ou plus exactement les leur jeter en pâture, car dans les deux cas le verdict fut implacable : « La tête tranchée. » Dans le cercle étroit de la famille, les Hoyser et Marja inclus, les réponses furent évidemment plus franches, plus honnêtes et moins strictement politiques. A la surprise générale, Marja se montra même favorable aux Polonais en qui elle voyait de « crânes officiers » mais décréta les Français « corrompus », les Anglais « de probablement minables amants » et les Russes « impénétrables ». Quant à Lotte, elle partageait mon avis, à savoir que tout cet épluchage était une belle foutaise. « Un homme est un homme, « un point c'est tout », déclara-t-elle, précisant cependant à propos de ses beaux-parents et de Marja que s'ils avaient des préjugés nationaux, ils étaient du moins totalement exempts de préjugés politiques. Bref, les Français furent jugés sensuels mais vampiriques, les Polonais charmants et ardents mais infidèles, les Russes fidèles, très fidèles même... mais tous, y compris Lotte, estimaient que dans la situation présente « une liaison avec un « Européen de l'Ouest constituait pour le moins un « grand risque et avec un Européen de l'Est un véri- « table suicide ».

Lotte H. : « Un jour qu'elle était rentrée à la maison pour régler des affaires d'argent avec mon beau-père, j'ai surpris Léni en train de contempler son corps nu dans la glace de sa salle de bain. Elle me tournait le dos et je me suis approchée d'elle pour lui jeter un peignoir sur les épaules. Elle est devenue écarlate (c'était bien la première fois que je voyais Léni rougir ainsi). Alors, la main sur son épaule, je lui ai dit : « Réjouis-toi de pouvoir aimer « de nouveau, si tant est d'ailleurs que tu aies « jamais aimé ton minable Aloïs. Moi, je ne peux « oublier mon Willi... Alors prends-le, même si c'est

« un Anglais. » Car je n'étais pas naïve au point de ne pas me douter, et ceci dès février 44 quand elle nous racontait ses histoires à dormir debout, qu'elle devait avoir une liaison et probablement avec un étranger. A vrai dire, je lui aurais vigoureusement déconseillé toute intimité avec un Russe, un Polonais ou un juif car c'eût été jouer sa vie. Et je suis heureuse qu'elle ne m'ait pas mise dans le secret car en ce temps-là, mieux valait en savoir le moins possible. »

Margret : « Lors de sa première inspection des troupes, Léni avait aussi retenu Pelzer comme allié possible; Grundtsch non, parce que vraiment trop bavard... Et puis elle s'est trouvée enceinte avec toutes les conséquences que cela impliquait, et c'est alors qu'elle a passé sa seconde inspection pour de nouveau s'apercevoir que j'étais sa seule alliée sûre. Nous avons tout de même gardé Pelzer en réserve, en disponibilité si vous préférez, mais éliminé le plus âgé des deux gardes qui conduisaient Boris à son travail, un type aussi indiscret que peloteur. Enfin nous avons gardé un œil sur notre fringant Boldig que je rencontrais encore de temps à autre et dont les affaires prospéraient... plus pour longtemps d'ailleurs, car il y allait vraiment trop fort : il a fini en effet par se faire coincer en novembre 44 derrière la gare au beau milieu d'une transaction, et ils l'ont fusillé séance tenante sans autre forme de procès. Alors, adieu Boldig et adieu aussi, hélas! à ses livrets militaires! »

Afin que justice soit rendue à Léni et Margret, il convient de faire ici quelques importantes remarques d'ordre moral. Strictement parlant, Léni n'était même pas veuve, mais seulement la survivante endeuillée d'Erhard auquel il lui arrivait parfois de comparer Boris. « L'un et l'autre des poètes, vois-tu, l'un et l'autre. » Pour une femme de vingt-deux ans qui avait perdu sa mère, son Erhard bien-aimé, son frère et son mari, qui avait essuyé deux cents alertes aériennes et cent bombardements au moins, qui ne se contentait pas de retrouver son amant dans la chapelle d'un caveau de famille mais devait, après s'être levée à cinq heures et demie du matin, s'emmitoufler pour aller attendre le tramway qui, le long de rues obscurcies, la conduirait à son lieu de travail, pour cette jeune femme donc les fanfaronnades d'Aloïs qui résonnaient peut-être encore vaguement à son oreille devaient ressembler à l'écho de plus en plus lointain d'une rengaine senti-mentale sur l'air de laquelle on aurait dansé vingt ans plus tôt. Contre toute attente et en dépit des circonstances, alors qu'autour d'elle les gens étaient mesquins, maussades, excédés, Léni irradiait une joie insolente. Et si l'on songe qu'elle aurait pu tirer un profit considérable de la vente au marché noir des magnifiques vêtements de son père mais qu'elle a préféré les distribuer non seulement à « un » res-sortissant grelottant et sans ressources d'une puis-sance déclarée ennemie, mais à plusieurs d'entre eux (n'oublions pas qu'un commissaire de l'Armée Rouge allait et venait vêtu d'un tricot de cachemire de son père !), même l'observateur le plus méfiant se verra dans l'obligation d'admettre que Léni était une femme généreuse.

Et maintenant, quelques mots au sujet de Mar-gret. Ce serait une erreur de la considérer comme une putain. La seule chose qu'elle ait jamais faite pour de l'argent, c'est d'épouser Schlömer. Affectée depuis 42 par le service du travail obligatoire à un gigantesque hôpital militaire, elle vivait des jour-nées et des nuits beaucoup plus dures que celles de Léni qui tressait tranquillement ses couronnes, tou-jours en compagnie de son bien-aimé et sous la bien-veillante protection de Pelzer. Vue sous cet angle,

Léni n'est nullement l'héroïne ni même une héroïne, elle qui a attendu quarante-huit ans avant de faire preuve, pour la première fois, de compassion envers un homme (ce Turc du nom de Mehmet dont le lecteur attentif se souviendra peut-être encore). Tandis que Margret n'a jamais fait autre chose; même dans son rôle d'infirmière de jour ou de nuit, elle a toujours manifesté une compassion sans limite envers tous ceux qui lui paraissaient gentils et tristes. Quant au cynique individu du nom de Boldig, elle n'a fait la chose avec lui que pour détourner son attention de Léni et protéger ainsi le bonheur de celle-ci en lui permettant de filer le parfait amour sur un lit de bruyère, dans la chapelle des Beauchamp. Efforçons-nous d'êtres justes en reconnaissant ce que Margret a elle-même admis après une longue existence de dévouement et de compassion : « J'ai été beaucoup aimée sans en avoir pourtant jamais aimé qu'un seul. Je n'ai éprouvé qu'une seule et unique fois cette joie folle que j'ai si souvent contemplée sur le visage des autres. » Non, Margret ne doit certainement pas être rangée parmi les favoris du sort; elle a eu, tout comme la pauvre Lotte d'ailleurs, beaucoup plus de malchance que Léni à l'égard de laquelle pourtant aucune des deux autres n'a jamais manifesté la moindre jalousie.

VIII

Désormais tout à fait entré dans son rôle d'enquêteur (ceci au risque de passer pour un espion, alors que sa seule et unique préoccupation est de présenter sous son vrai jour la femme silencieuse et discrète, fière et dénuée de repentir, hiératique et sculpturale, qu'est Léni Gruyten-Pfeiffer), l'auteur eut quelque peine à obtenir des intéressés une analyse tant soit peu objective de leur situation à la fin de la guerre.

Tous les témoins présentés et cités ici de façon plus ou moins circonstanciée n'étaient manifestement unanimes que sur un point : leur refus de quitter la ville. Les deux Soviétiques eux-mêmes, Boris et Bogakov, ne souhaitaient pas reprendre le chemin de l'est. L'approche du Rhin par les Américains (« Enfin, enfin... quand on songe au temps qu'il leur aura fallu ! » — Léni à Margret) apportait au moins une certitude à laquelle tous aspiraient sans pourtant oser y croire : la guerre allait bientôt finir.

A dater du 1/1/45 *un* problème fut résolu : celui que, pour simplifier les choses, nous appellerons les « jours de visite » de Léni et Boris. La jeune femme était alors enceinte de plus de six mois et, quoique encore très « alerte » (Marja van Doorn), gênée par son état. En tout cas, pour ce qui était des visites, rapports ou corps à corps, quelle que soit l'expression que l'on veuille adopter, « il ne pouvait plus en être question » (Léni, d'après Margret).

Mais où et comment survivre ? Quand on songe au nombre de types qui devaient se cacher, la chose n'avait vraiment rien d'un jeu d'enfant. Margret par exemple, soumise au même règlement et à la même discipline qu'un soldat, aurait dû traverser le Rhin avec son hôpital en direction de l'est. Elle n'en fit rien, mais sans pour autant pouvoir se réfugier dans son appartement d'où on l'aurait aussitôt extirpée de force. Lotte H. se trouvait dans une situation analogue : l'administration publique qui l'employait était aussi transférée vers l'est. Alors où se réfugier ? Si l'on songe qu'en janvier 45 on évacuait encore des populations presque jusqu'en Silésie, les envoyant donc directement à la rencontre de l'Armée Rouge, une brève mise au point géographique s'impose : à la mi-mars 45 le Reich allemand, déjà plusieurs fois cité, avait encore huit à neuf cents kilomètres de large et un peu plus de long. Or la question de savoir où aller était pour les groupes les plus divers d'une brûlante actualité. Que faire des nazis, des prisonniers de guerre, des soldats, des esclaves ? Sans doute existait-il des solutions qui avaient déjà fait leurs preuves, telle par exemple celle qui consistait à passer ces gens-là par les armes. Mais là non plus, la chose n'était pas toujours si simple parce que les hommes chargés des exécutions n'étaient pas tous d'accord, certains préférant pour une fois jouer un peu le rôle inverse, celui de sauveteur. Plus d'un exécuteur de principe se transformait ainsi en son contraire. Mais comment devaient se comporter leurs partenaires, c'est-à-dire les exécutés en puissance ? Le problème était loin d'être simple. Ce n'était pas du tout comme si soudain à une date précise la guerre prenant fin, le tour était joué. Qui pouvait savoir s'il allait tomber entre les mains d'un fusilleur converti ou non, voire entre celles d'un représentant de ce nouveau groupe d'individus qu'on pourrait appeler les fusilleurs-du-dernier-quart-d'heure et dont un certain nombre avait été jusque-là plutôt neutre ? N'a-t-on pas vu certains services de la S.S. se défendre de leur réputation de fusilleurs ! N'a-t-on pas vu la S.S. et la glorieuse Wehrmacht se renvoyer les morts comme s'il s'agissait de pommes de terre pourries ? On prétendait exiger des massacres de la part de personnes et d'institutions honorables auxquelles il importait — tout comme à leurs collègues de l'armée — de parvenir avec des mains relativement propres à cet état qu'on qualifierait à tort de « paix » mais avec raison de « fin de la guerre. »

C'est ainsi que l'auteur lit par exemple :

« Les commandants des camps de concentration se plaignent de ce que 5 à 10 p. 100 environ des Soviétiques qu'ils sont chargés d'exécuter arrivent au camp déjà morts, ou morts plus qu'à moitié. Ce qui laisse à penser que les stalags auraient ainsi trouvé le moyen de se débarrasser de ce genre de moribonds.

« On constate en particulier au cours de trajets parcourus à pied, entre la gare et le camp par exemple, qu'un nombre non négligeable de prisonniers de guerre s'écroulent morts ou à demi morts d'épuisement et doivent être alors ramassés par le camion-balai.

« Il devient impossible dans de telles conditions d'empêcher la population allemande de prendre connaissance de ce genre d'incidents.

« Et, même si lesdits transports vers les camps de concentration sont en règle générale effectués par la Wehrmacht, la population n'en impute pas moins leurs déficiences à la S.S.

« Pour éviter dans toute la mesure du possible le renouvellement de tels incidents, j'ordonne avec effet immédiat que dorénavant ceux qui parmi les sous-hommes soviétiques sont déjà voués à la mort (par le typhus par exemple) et par conséquent hors d'état de parcourir à pied un trajet si bref soit-il, soient catégoriquement exclus du transfert dans un camp de concentration aux fins d'exécution. **Signé :** Müller. »

Nous laisserons au lecteur le soin de méditer sur l'expression « non négligeable » s'appliquant à des candidats à la mort. Or si ce problème se posait déjà en 1941 dans un Reich allemand encore relativement grand, quatre ans plus tard, ledit Reich ayant diablement rétréci, on avait en plus des Soviétiques, des juifs et autres sous-hommes, un nombre imposant d'Allemands déserteurs, saboteurs et collaborateurs à liquider, sans oublier qu'il fallait aussi évacuer les camps de concentration et enfin vider les villes de leurs femmes, enfants et vieillards, puisqu'on entendait ne laisser à l'ennemi, d'où qu'il vînt, qu'un amas de ruines.

Bien évidemment maints problèmes de morale ou d'hygiène s'étaient déjà posés dans d'autres lieux et circonstances comme par exemple ceux-ci en Ukraine :

« Il n'est pas rare que les starostes ou anciens de village, si aisément corruptibles, aient fait ou fassent tirer en pleine nuit de leur lit les ouvriers qualifiés désignés par eux pour les enfermer dans des caves jusqu'au départ du convoi. Aucun délai n'étant le plus souvent accordé aux ouvriers et ouvrières pour faire leurs bagages, nombreux sont ceux qui arrivent ainsi tout à fait insuffisamment équipés dans les centres de rassemblement prévus à leur intention (sans chaussures ni vêtements de rechange, sans gamelle ni quart ni couverture). Dans certains cas particulièrement désastreux, des ouvriers ont dû, à peine rassemblés, être aussitôt renvoyés chez eux en quête du strict nécessaire. Enfin les menaces et les coups que les milices de village font pleuvoir sur les ouvriers qualifiés qui cherchent à différer leur embarquement sont monnaie courante et signalés par la plupart des communes. Dans plusieurs cas des femmes ont été rouées de coups au point de ne plus pouvoir avancer. J'en ai signalé un particulièrement grave (commune de Sozolinkov, district de Dergatschi) au chef de la police locale pour que les auteurs en soient sévèrement punis. Les abus commis par les starostes et les miliciens sont d'autant plus désastreux que pour se justifier ces gens prétendent la plupart du temps agir ainsi sur ordre de la Wehrmacht. En réalité cette dernière s'est toujours comportée de façon éminemment compréhensive à l'égard des ouvriers qualifiés et de la population d'Ukraine. Ce qu'on ne saurait dire de maints services administratifs. Pour illustrer ce propos, citons simplement le cas d'une femme arrivée au camp vêtue en tout et pour tout de sa seule chemise.

« En raison des incidents signalés, il convient aussi de rappeler qu'il est inadmissible de tenir les ouvriers enfermés des heures durant dans leur wagon sans même leur permettre de satisfaire leurs besoins. Il faut leur donner de temps à autre l'occasion de sortir, d'aller chercher de l'eau potable et de se laver. On a vu des wagons dont les voyageurs avaient perforé le fond pour pouvoir satisfaire leurs besoins. Il est bien évident toutefois qu'à l'approche d'une gare importante l'autorisation de sortie ne doit être accordée qu'à distance respectueuse de celle-ci.

« Des anomalies ont été signalées aussi dans un certain nombre de centres d'épouillage : on y a vu des hommes — membres du personnel ou autres — circuler parmi les femmes et les jeunes filles dans leur salle de douches (allant même jusqu'à les savonner !) et inversement des femmes aller et venir chez les hommes. D'autre part des hommes ont été vus prenant tranquillement des photos dans la salle de douches des femmes. Or, l'élément féminin de la population agricole ukrainienne qui a constitué l'essentiel des transports de ces derniers mois, ayant une excellente moralité et l'habitude d'une discipline sévère, ne peut ressentir un tel traitement que comme infâmant. A notre connaissance, les anomalies susmentionnées ont été depuis lors éliminées par les chefs de convoi. L'affaire des photographies nous a été signalée de Halle, celle des promiscuités de Kiewerce. »

La vague d'érotisme avait-elle donc déjà commencé à déferler et certaines photos qu'on nous inflige aujourd'hui ont-elles été prises dans les centres d'épouillage réservés aux esclaves d'Europe orientale ?

Quoi qu'il en soit, l'important est de reconnaître que la conquête de mondes ou de continents n'est pas chose facile et que les conquérants avaient aussi leurs problèmes qu'ils tâchaient de classifier et de résoudre avec la méticulosité si chère aux Allemands. Surtout ne rien improviser ! La satisfaction des besoins est pourtant un phénomène qu'on ne peut ignorer. Tout comme il est proprement inadmissible d'avoir livré déjà morts des hommes destinés à être exécutés ! Sale tour qui méritait une sévère punition. Et il est tout aussi inadmissible qu'à l'occasion de l'épouillage, des hommes aient savonné des femmes et vice-versa et que par-dessus le marché des photographies aient été prises ! Inadmissible et franchement immonde ! Des crapules ou des monstres seraient-ils donc intervenus dans un processus parfaitement correct *en soi* ?

Agir pour fabriquer du cadavre ou des morceaux de cadavre étant devenu depuis lors un des signes caractéristiques de la guerre conventionnelle des temps modernes, et les crapules et autres monstres — en uniforme — s'envoyant volontiers les bonnes femmes, non sans aller même jusqu'à photographier le processus, inutile donc d'ennuyer davantage le lecteur avec de nouveaux exemples similaires.

La question n'en demeure pas moins celle-ci : où et comment vont-ils sauver leur peau, notre Léni enceinte de sept mois, l'hypersensible Boris, l'énergique Lotte, la beaucoup trop compatissante Margret, le modeste Grundtsch et Pelzer qui n'a jamais été un monstre ? Qu'adviendra-t-il en mars 1945 de notre Marja, de Bogakov, de Victor Genrichovitch, du père Gruyten et de tant d'autres ?

Fin 44 ou début 45, Boris suscita un embarras parfaitement superflu que Lotte et Marja ont toujours ignoré et dont Léni ne souffle jamais mot, mais sur lequel Margret s'étend volontiers. Celle-ci, soumise depuis peu à une rigoureuse surveillance destinée à éviter qu'aucun visiteur ne lui apporte la moindre nourriture ni boisson (le médecin à l'auteur : « Il nous faut absolument la maintenir à la diète la plus stricte pendant quatre à cinq semaines pour essayer de remettre plus ou moins en ordre son système endocrinien et exocrinien tellement déréglé qu'elle pourrait tout aussi bien sécréter les larmes par les mamelons que de l'urine par le nez. Bref, vous pouvez lui parler mais sans jamais rien lui donner »), Margret donc, déjà habituée à l'ascèse et nourrissant même l'espoir d'y trouver la guérison, dit : « Vous pouvez quand même me refiler une sèche (ce que fit l'auteur !)... Ma foi oui, à l'époque, furieuse contre Boris, j'ai piqué la grande rogne... Ça n'est que plus tard, lorsque nous avons tous niché ensemble et que j'ai fait sa connaissance, que j'ai pu apprécier son intelligence et sa sensibilité. Mais aux environs de Noël 44 ou peut-être début 45, en tout cas pas plus tard que le Jour des Rois, Léni est rentrée à la maison avec un nouveau nom dans la tête. Du moins savait-elle cette fois qu'il s'agissait d'un écrivain et même d'un écrivain défunt, ce qui nous a évité de téléphoner dans tous les azimuts. Son nom : Franz Kafka, et le titre de son livre : *La Colonie pénitentiaire*. J'ai demandé par la suite à Boris s'il ne s'était vraiment pas douté de ce qu'il allait déclencher en recommandant à Léni fin 44 (!) un écrivain juif, et il m'a répondu : « J'avais alors « tellement de choses en tête que j'en ai oublié ce « détail. » Bref, voilà ma Léni qui se précipite à la bibliothèque — il y en avait encore une d'ouverte — et par chance tombe sur une femme d'un certain âge assez avisée pour, à la vue du nom inscrit sur la fiche, la déchirer immédiatement puis, prenant Léni à part, lui poser textuellement la question que lui avait déjà posée la mère supérieure le jour où elle avait voulu savoir ce qu'il était advenu de sœur Rachel : « Voyons, mon enfant, auriez-vous perdu la raison ? » Et elle ajoute : « Qui donc vous a envoyé chercher ce livre ? »... Mais Léni, vous le savez, n'est pas fille à renoncer. Ayant tout de suite compris qu'elle n'a pas affaire à une provocatrice, la bibliothécaire la prend dans un coin pour lui expliquer que ce Kafka est un auteur juif dont on a interdit et brûlé tous les livres. Léni n'ayant alors certainement pas manqué de lui lâcher son déconcertant « Et alors ? », la brave femme lui explique, un peu tard mais en détail, ce que les nazis font aux juifs et, lui montrant un exemplaire du « Stürmer [1] » — la bibliothèque en possédait bien sûr — elle lui en fait un commentaire détaillé... Léni est revenue à la maison, horrifiée. Elle avait enfin compris ! Mais si vous croyez qu'elle a laissé tomber, vous vous trompez. Elle voulait absolument son Kafka et elle l'a eu ! Ça n'a pas été sans mal, mais elle y est quand même arrivée en allant à Bonn sur la trace de plusieurs professeurs d'université pour lesquels son père avait travaillé et dont elle savait qu'ils possédaient cha-

---

1. Journal antisémite édité par le sinistre et abject Julius Streicher (N.d.E.).

cun une importante bibliothèque. Elle en a effectivement déniché un, vieux bonhomme de plus de
soixante-quinze ans, retraité et vivant au milieu de
ses bouquins. Et savez-vous ce qu'il lui a dit, textuellement ? « Voyons, mon enfant, auriez-vous perdu la
« raison ? » Et il a ajouté : « Kakfa, rien que ça ! Et
« pourquoi pas Heine ? » Il a quand même été très
gentil pour elle — il se souvenait fort bien de son
père — mais ne possédant pas le livre en question a
dû aller trouver successivement plusieurs de ses collègues jusqu'à en dénicher un qui lui fît confiance —
et réciproquement — et qui par-dessus le marché
eût le bouquin. Un sacré tintouin, croyez-moi, et qui
leur a pris toute la journée. Léni n'est revenue qu'au
milieu de la nuit, mais avec le livre dans son sac.
Ç'avait été très compliqué, il leur avait d'abord fallu
trouver quelqu'un en qui le professeur eût toute
confiance et qui de son côté fît confiance non seulement au professeur mais aussi à Léni, et ce n'était
pas fini, car il fallait non seulement qu'il eût le bouquin mais qu'encore il acceptât de s'en défaire. Vous
voyez le tableau ! Ils ont fini par en trouver deux qui
l'avaient, mais le premier a refusé de le lâcher.
quelle folie de se soucier d'un truc pareil à une
époque où chacun risquait sa vie pour trois fois
rien ! Pour comble de malchance, c'est le moment
qu'a choisi Schlömer pour se pointer — nous
nichions alors dans sa petite villa — et, croyez-moi,
mon cher époux n'avait vraiment plus rien d'un
homme du monde ni d'un dandy : il était complètement rétamé. Vêtu d'un uniforme de la Wehrmacht
mais sans aucun papier sur lui, il venait d'échapper
de justesse aux partisans français qui voulaient sa
peau. Or, voyez-vous, d'une façon ou d'une autre je
tenais à lui, il avait toujours été gentil et généreux
envers moi, m'ayant aimée à sa manière. Et le voilà
qui arrivait soudain en pauvre petit bonhomme
misérable, pitoyable. Il m'a dit : « Margret, j'ai fait
« des choses qui partout, de quelque côté que je me

« tourne, vont me coûter la vie : chez les Français,
« chez les Allemands, aussi bien ceux qui sont pour
« que les quelques-uns qui sont contre, chez les
« Anglais, les Hollandais, les Belges, les Améri-
« cains... et si jamais les Russes ne mettent la main
« dessus et découvrent qui je suis, mon compte est
« bon... mais je suis tout aussi foutu si je me fais
« harponner par les Allemands qui sont encore à la
« barre. Margret, il faut que tu m'aides ! » Ah ! si
vous l'aviez connu avant ! Un homme qui ne se
déplaçait jamais qu'en taxi ou dans une voiture de
service, qui venait trois fois par an en congé sans
jamais oublier de m'apporter du fric et toujours
prêt à rigoler. Or je n'avais plus soudain devant moi
qu'un pauvre petit rat terrorisé par les chiens policiers, les Américains, tout le monde. Une idée m'est
alors venue tout à coup qu'à vrai dire j'aurais dû
avoir beaucoup plus tôt. Quantité de blessés mou-
raient à l'hôpital dont bien entendu on récupérait le
livret militaire qu'on enregistrait avant de le renvoyer à l'armée ou Dieu sait où. En tout cas, je
savais où l'on rangeait les livrets et qu'aussi certains
soldats n'avaient pas remis le leur ou qu'on ne
l'avait pas trouvé sur des blessés graves dont on
avait jeté les frusques déchiquetées et ensanglan-
tées. Alors qu'ai-je fait ? La nuit même j'ai volé trois
livrets militaires et comme il y en avait tout un tas
dans le placard, je n'ai eu que l'embarras du choix.
J'en ai trouvé deux dont le visage sur la photo ressemblait assez à celui de Boris : blonds à lunettes,
âgés de vingt-quatre ou vingt-cinq ans; et puis un
autre, avec la photo d'un beau brun sans lunettes
âgé de trente-cinq à quarante ans, que j'ai refilé à
Schlömer. Je lui ai donné tout ce que j'avais comme
argent et aussi un paquet contenant du pain, du
beurre et des cigarettes... et il est reparti avec son
nouveau nom, Ernst Wilhelm Keiper, qu'à tout
hasard j'ai même noté avec l'adresse. Nous avions
beau ne nous voir que sporadiquement, nous étions

tout de même mariés depuis près de six ans et je lui conseillé, puisqu'il avait le monde entier à ses trousses, de rejoindre un camp de regroupement ou quelque dépôt de la Wehrmacht. Et c'est bien ce qu'il a fait. Il pleurait à chaudes larmes en me quittant, et ceux qui n'ont pas connu le Schlömer d'avant 44 ne peuvent pas savoir l'effet que ça me faisait de voir ce pauvre mendigot me remercier en pleurant; et avant de partir, il m'a baisé la main. Oui, il pleurait comme un chiot, puis il a pris la route et je ne l'ai jamais revu. Plus tard, par curiosité, je suis allée voir la femme de ce Keiper, à Buer dans le bassin houiller... j'avais envie de savoir, comprenez-vous ? Elle était déjà remariée. Je lui ai dit que j'avais soigné son mari à l'hôpital et qu'avant de mourir, il m'avait demandé d'aller la voir. Eh bien, j'aime mieux vous dire que c'était un drôle de numéro! Elle m'a demandé : « Duquel voulez-vous « parler? Mon Ernst Wilhelm est mort deux fois, la « première à l'hôpital et la seconde dans un de vos « patelins là-haut du nom de Würselen!... » Schlö-mer était donc mort et je ne vous cache pas que j'en ai été soulagée. Ça valait quand même mieux pour lui que d'avoir été pendu ou fusillé par les nazis ou les partisans. Car, voyez-vous, c'était un vrai criminel de guerre : dès 40, il avait commencé à enrôler de force des travailleurs en France, Belgique et Hollande... J'ai d'abord été plusieurs fois interrogée à son sujet, puis on m'a confisqué la maison et tout ce qu'il y avait dedans en me laissant tout juste le droit d'emporter mes frusques. Il est certain que Schlö-mer s'étant conduit comme un bandit, tout en n'hésitant pas le cas échéant à se laisser acheter... Bref, en 49 j'étais bel et bien à la rue et y suis plus ou moins restée. Oui, j'ai perdu pied, malgré Léni et les autres qui essayaient de me faire reprendre le dessus. J'ai même vécu six mois chez Léni, mais à la longue, ça ne pouvait plus durer à cause de mes fréquentations. Son fils n'était plus un bébé et un

jour il m'a demandé : « Dis, Margret, pourquoi
« est-ce que Harry — c'était un adjudant anglais
« que je fréquentais à ce moment-là — pourquoi
« Harry, y veut toujours coucher dans ton lit ? »
(Margret rougit de nouveau — l'auteur).

Nous savons déjà où Schirtenstein a passé les derniers mois de la guerre : quelque part entre Leningrad et Vitebsk, à pianoter consciencieusement *Lili
Marlène* pour la plus grande joie d'officiers soviétiques. Un homme pour lequel Monique Haas elle-
même éprouvait du respect ! « Je n'avais qu'un
seul désir, mais violent, farouche (Schirtenstein
à l'auteur) : bouffer et rester en vie. Et s'il l'avait
fallu, je leur aurais joué *Lili Marlène* à l'harmoni-
ca. »

La façon dont le docteur Scholsdorff a vécu la
phase finale de la guerre fait quasiment de lui un
héros. Il s'était retiré dans un petit village de la rive
droite du Rhin où... « muni de mes vrais papiers et
exempt de toute tache politique, j'ai attendu la fin
de la guerre sans être inquiété par les nazis ni
craindre de l'être par les Américains. Pour compléter mon camouflage, j'avais pris le commandement
d'un petit groupe de dix hommes du Volkssturm
composé comme suit : trois vieux de plus de
soixante-dix ans, deux gars de moins de dix-sept ans,
trois amputés dont deux au-dessus et un au-dessous
du genou, un amputé du bras droit et enfin un
simple d'esprit ou, si vous préférez, l'idiot du village.
Notre armement consistait en quelques gourdins
mais surtout en draps de lit blancs coupés en
quatre, outre quelques charges d'explosif censées
nous permettre de faire sauter le pont. A la tête de
mes hommes brandissant leurs linges blancs noués
au bout de longs bâtons, je me suis porté au-devant

des Américains auxquels, sans toucher au pont, nous avons livré le village intact. Jusqu'à ces deux dernières années j'étais toujours le bienvenu au village (il s'agit d'un petit patelin du duché de Berg, du nom d'Ausler Mühle — l'auteur), on ne manquait jamais de m'inviter aux kermesses et autres réjouissances similaires. Mais depuis deux ans, je constate un revirement d'opinion à mon égard, car je les entends parfois me traiter tout bas de défaitiste, vingt-cinq ans après que je leur eus sauvé leur clocher en jurant sur ma tête au lieutenant américain Earl Wittney que personne n'y était retranché! A n'en pas douter, un coup de barre à droite s'est produit. En tout cas, je ne vais plus là-bas avec la même tranquillité d'esprit. »

Hans et Grete Helzen n'ont besoin que d'un bref alibi : Hans n'est venu au monde qu'en juin 1945 et l'auteur ignore si, dans le ventre de sa mère, il a nourri quelque inclination pour le Werwolf. Quant à Grete, elle n'est née qu'en 1946.

A la fin de la guerre, Heinrich Pfeiffer alors âgé de vingt et un an gisait dans un couvent baroque transformé en hôpital militaire non loin de Bamberg; il venait d'y subir l'amputation (au-dessus du genou) de la jambe gauche... « Je n'en menais pas large quand, me réveillant tout juste de l'anesthésie, j'ai vu les Amerloques devant ma porte. Mais Dieu merci, ils m'ont fichu la paix. » (Heinrich Pfeiffer sur lui-même.)

Le père Pfeiffer qui déclare qu'« au jour de la défaite » il se trouvait avec sa femme « aux environs de Dresde » traînait alors sa jambe paralysée depuis vingt-sept ans, cette jambe qu'en 1943, avant d'être jeté en prison, le père de Léni continuait à qualifier de « jambe la plus hypocrite que je connaisse ».

Marja van Doorn : « J'ai cru être plus maligne que les autres en partant dès novembre 44 m'installer à Tolzem où, outre la maison de mes parents, je possédais la pièce de terre acquise avec l'argent que Hubert nous avait distribué à pleines mains. Je n'ai cessé d'insister auprès de Léni pour qu'elle vienne chez moi mettre tranquillement son enfant au monde à la campagne — nous ne savions toujours pas qui en était le père — lui assurant que les Américains arriveraient certainement chez nous deux ou trois semaines plus tôt que chez eux. Or que s'est-il passé ? Une chance que Léni n'ait pas été là ! Après nous avoir donné une demi-heure pour partir, puis transportés en camion de l'autre côté du Rhin, la Wehrmacht a complètement rasé Tolzem. Et ensuite, plus question de repasser le fleuve en sens inverse avec les Américains sur l'autre rive et les Allemands toujours maîtres du terrain de notre côté. Oui, une chance vraiment que Léni n'ait pas suivi mon conseil ! En fait de campagne, de tranquillité, d'air pur et de fleurs, nous n'avons vu qu'un gigantesque nuage de poussière sur ce qui jusqu'alors avait été Tolzem. Aujourd'hui le village est entièrement reconstruit mais à l'époque, croyez-moi, un énorme nuage de poussière, rien de plus ! »

Ilse Kremer : « Une fois mon garçon mobilisé, je me suis demandé que faire : partir vers l'est, vers l'ouest ou rester ? J'ai décidé de rester. D'ailleurs, hormis les combattants et les commandos affectés aux travaux de fortification, personne n'était autorisé à partir vers l'ouest. Et vers l'est ? comment savoir si de ce côté-là ils n'allaient pas continuer à se taper dessus pendant des mois sinon une année entière ? Je suis donc restée dans mon appartement, jusqu'au deux » (il s'agit du 2 mars 1945 que beaucoup de ceux qui n'avaient pas quitté la ville appellent tout bonnement « le deux » — l'auteur). « C'est alors que nous avons subi le fameux bombardement aérien qui a rendu tant de gens fous ou à moitié fous. Je me suis réfugiée en face, dans la cave de la brasserie, en me disant : c'est la fin du monde, la fin du monde... et je vous le dis franchement, moi qui depuis l'âge de douze ans, depuis 1914, n'avais plus jamais remis les pieds dans une église et m'étais désintéressée de tout ce fourbi — même quand les nazis étaient *en apparence* (ce n'est pas l'auteur qui souligne) contre les curetons, je n'ai jamais eu envie d'être pour eux... car si la plupart des camarades me considéraient comme pas très maligne, il n'empêche que j'avais enfourné une bonne dose de matérialisme dialectique et historique — eh bien oui, je vous l'avoue, j'ai prié sans arrêt. Ça m'est revenu d'un seul coup : « Je vous salue, Marie », « Notre père » et même le « Confiteor »... j'ai prié tout du long. C'est le plus terrible bombardement que nous ayons jamais subi, il a exactement duré six heures et quarante-quatre minutes. Par moments, la voûte de la cave tremblait et bougeait comme une tente secouée par le vent. Et là-haut ça n'arrêtait pas, les avions qui arrivaient, vague après vague, pour lâcher leurs bombes sur la ville déjà presque entièrement vidée de ses habitants, un véritable déluge... Nous n'étions que six dans la cave, dont deux femmes : moi-même et une jeune femme avec son gamin de trois ans. Elle n'arrêtait pas de claquer des dents... pour la première fois j'ai vu ce que c'était, ce qu'ils appellent si souvent dans les livres : claquer des dents. C'était machinal, elle n'y pouvait rien et ne s'en rendait sans doute même pas compte. Elle a fini par se mordre les lèvres jusqu'au sang, alors nous lui avons fourré un bout de bois entre les dents, un petit morceau de planche bien rabotée qui devait provenir d'une douve et qui traînait par là. J'ai pensé que nous allions devenir folles toutes les deux. Remarquez que le bruit n'avait rien de terrifiant, mais tout tremblait et par moments la voûte ressemblait à un ballon dégonflé qu'on peut enfoncer ici ou là. Le gosse, lui, a dormi : la fatigue ayant eu le dessus, il s'est assoupi et a même souri en rêve. Les trois autres étaient des hommes : un vieux en uniforme de S.A. − le deux, vous imaginez! − il tremblait comme une feuille et a tout lâché dans son froc. Et puis tout à coup il a poussé un cri et s'est rué dehors. J'aime autant vous dire qu'on n'a rien retrouvé de lui, pas même un bouton de culotte. Et puis il y avait deux jeunes gars en civil, allemands... des déserteurs je pense qui devaient rôder dans les ruines, mais que la violence du bombardement avait catapultés dans notre abri. Livides de trouille, ils ne bougeaient pas, mais soudain, après la sortie précipitée du vieux, ils sont devenus... ah! je suis aujourd'hui une vieille femme de soixante-huit ans et si je vous raconte ce qui s'est réellement passé, vous allez sûrement trouver ça abominable... mais j'avais alors quarante-trois ans et la jeune femme − je ne l'ai jamais revue, ni elle, ni son gosse, ni aucun des deux garçons − la jeune femme n'avait pas trente ans... bref, les deux garçons qui avaient tout au plus vingt-deux ou vingt-trois ans sont soudain devenus... comment dire... pressants ou libidineux? Non, ce n'est pas vrai... et puis, voyez-vous, depuis que mon mari avait été torturé à mort, depuis trois ans, je n'avais plus regardé un seul homme... eh bien, les deux garçons, on ne peut pas dire qu'ils se soient jetés sur nous, qu'ils nous aient violées, non, et d'ailleurs nous ne leur avons pas résisté... l'un d'eux est venu vers moi, a porté une main à ma poitrine et de l'autre a tiré sur ma culotte, tandis que son copain s'est approché de la jeune femme, lui a retiré le morceau de bois de la bouche et l'a embrassée. Et voilà, nous avons fait

l'amour pendant que le gosse dormait entre nous...
Ça doit vous paraître affreux, mais vous n'imaginez
pas ce que c'est qu'un bombardement de plus de six
heures et demie, les avions se suivant vague après
vague et lâchant quelque chose comme six mille
bombes explosives... oui, nous avons fait l'amour
tous les quatre, avec le gosse entre nous, et je sens
encore le goût de la poussière dans la bouche du
garçon quand il m'a embrassée et celui de la poussière dans la mienne... elle tombait comme de la
bruine de la voûte qui vibrait sous les explosions...
et je me souviens encore du plaisir puis du calme
que j'ai ressentis et des prières que je continuais à
réciter, et je vois encore la jeune femme soudain
tout à fait tranquille qui souriait au garçon étendu
sur elle, tout en lui écartant les cheveux du front, et
moi aussi j'ai souri au mien en lui écartant les cheveux du front. Et après, nous avons remis un peu
d'ordre dans nos vêtements, puis nous sommes assis
sagement. Sans nous être concertés, nous avons tiré
de nos poches tout ce que nous avions, pain et cigarettes, la jeune femme a sorti de son cabas un bocal
de cornichons et un pot de confiture de fraises, et
nous avons tout partagé, sans prononcer un mot...
comme d'un commun accord nous ne nous sommes
pas même demandé nos noms... pas un mot... et la
poussière crissait sous nos dents, je mangeais celle
du garçon et lui la mienne... et puis vers quatre
heures et demie, terminé! Le calme... enfin, pas tout
à fait, on entendait encore ici ou là une chute, un
éboulement, une explosion... six mille bombes environ! Bref, quand je dis « le calme », j'entends qu'il
ne venait plus d'avions... et nous sommes tous sortis
de la cave pour partir chacun de notre côté, sans
même un mot d'adieu. Dehors, ce n'était qu'un
gigantesque nuage de poussière, de fumée, de feu...
je me suis écroulée et quand j'ai repris connaissance
à l'hôpital, je priais toujours... pour la dernière fois.
Encore une chance qu'on ne m'ait pas crue morte et

1951. Le comte en revanche a dû attendre 1953; il s'est alors spontanément livré à la justice, à une époque toutefois où la chasse aux criminels de guerre avait beaucoup perdu de sa virulence. Il a passé trois mois à la prison de Werl, puis sa réintégration dans le corps diplomatique a bientôt suivi. J'ai préféré pour ma part ne plus m'exposer politiquement et me contenter de mettre mes connaissances linguistiques à la disposition de tout un chacun ».

Hoysen sen. : « Je me sentais lié à mes biens immobiliers. En plus de celui des Gruyten, j'avais en effet réussi à acquérir en janvier puis en février 45 deux autres immeubles dont les propriétaires étaient très menacés sur le plan politique. Acquisitions que l'on pourrait qualifier d'anti-aryanisation ou mieux encore de re-anti-aryanisation. Il s'agissait en effet de deux immeubles ayant autrefois appartenu à des juifs et que deux vieux nazis m'avaient revendus, de façon tout à fait légale par-devant notaire avec règlement par chèque à l'appui. Autrement dit, ce transfert de propriété était parfaitement correct. Après tout, la vente et l'achat d'immeubles n'étaient pas interdits, que je sache. Etant ce jour-là à la campagne, la tragédie du deux m'a été épargnée, mais à quarante kilomètres de distance je n'en ai pas moins vu le gigantesque nuage de poussière qui recouvrait la ville. Et le lendemain, en rentrant à bicyclette, j'ai trouvé dans le quartier ouest une maison absolument intacte où j'ai pu me loger jusqu'à l'arrivée des Anglais. Ces messieurs avaient soigneusement épargné les quartiers qu'ils comptaient habiter par la suite !... Quant à Léni et Lotte, elles m'ont bien laissé tomber; elles ne m'ont pas soufflé mot du petit paradis soviétique qu'elles s'étaient aménagé dans les caveaux du cimetière. Non, elles n'ont pas voulu de moi, elles devaient

tout bonnement balancée dans la fosse commun
Quand on pense au nombre de gens qu'on a dû ense
velir ainsi... Et savez-vous ce qui s'est passé à la
brasserie ? Le surlendemain, la cave s'est effondrée !
J'imagine que la voûte a dû continuer de bouger
jusqu'à ce qu'elle s'affaisse. J'y suis allée parce que
je voulais voir ce qu'était devenue ma maison, juste
en face... plus rien, absolument rien, pas même
ce qu'on aurait pu appeler un décent tas de ruines.
Et le lendemain, quand j'ai quitté l'hôpital pour de
bon, les Américains sont arrivés. »

Nous savons que Marga Wanft fut évacuée. Elle
en a manifestement vu de dures, mais comme elle
refuse d'en parler, l'auteur n'a pu déterminer s'il
s'agissait d'une vision objective ou seulement subjective des épreuves endurées. Elle n'a prononcé
qu'un seul mot : « Schneidemühl. »

Quant à Kremp, nous savons qu'il est mort sur
l'autoroute, pour l'autoroute, avec peut-être sur les
lèvres le mot « Allemagne ».

Le docteur Henges se retira (Henges sur lui-
même)... « avec mon supérieur le comte diplomate
dans l'un des villages où nous pouvions être sûrs
que les paysans ne nous trahiraient pas. Camouflés
en ouvriers forestiers, nous habitions une simple
cabane de rondins, mais où nous étions approvision-
nés et soignés comme des seigneurs; jusqu'aux bons
offices des femmes dévouées à la maison du comte
qui, loin de nous être refusés, nous étaient au
contraire offerts. Mais je vous avoue franchemen
n'avoir guère apprécié la vulgarité de la sexualité e
de l'érotisme bavarois, tandis qu'il me tardait d
retrouver le raffinement rhénan, et pas dans
domaine seulement. Les charges qui pesaient s
moi n'étant pas très lourdes, j'ai pu rentrer

déjà sans doute me trouver trop vieux... à soixante ans.

« Il faut bien dire que depuis la mort de ma femme au mois d'octobre, Lotte s'était assez mal conduite avec moi. Elle est partie à l'aventure à travers la ville avec ses gosses pour habiter d'abord chez certains membres de sa famille, puis chez cette putain de Margret et enfin chez des amis. Et pourquoi tous ces déménagements ? Uniquement pour ne pas être évacuée. Et pourquoi ce refus d'être évacuée ? Parce que, sachant exactement où se trouvaient les dépôts de la Wehrmacht, elle espérait bien pouvoir s'y introduire le moment venu. Et le jour où avec toute sa bande elle a bel et bien pillé l'entrepôt de la Schnürergasse, près de l'ancien couvent des carmélites, elle n'a évidemment pas fait signe au vieux papa Hoyser... Oh ! ce fut un pillage en règle, croyez-moi ; œufs, beurre, lard, cigarettes, café, frusques, ils ont tout entassé dans des sacs qu'ils ont chargés sur des charettes, de vieilles bicyclettes et même des voitures abandonnées et à moitié cramées mais qu'on pouvait encore faire rouler en les poussant. Leur voracité était telle qu'en pleine rue ils se sont fait des œufs sur le plat dans des couvercles d'étuis de masque à gaz, en arrosant ça de schnaps ou je ne sais quoi. Une véritable horde, comme au temps de la révolution française, avec les femmes en tête et notre Lotte changée en furie ! Les troupes allemandes n'ayant pas encore toutes quitté la ville, ça a même dégénéré en bataille rangée. Je n'ai appris ces événements que plus tard, heureux alors d'avoir quitté la maison avant qu'ils ne viennent s'y installer tous pour la transformer en bordel au sortir de leur paradis soviétique et avant aussi que Hubert ne se colle avec Lotte. Ah ! si vous l'aviez vue, notre Lotte, elle était devenue méconnaissable ! Cette femme jusque-là prude, amère, sarcastique et mordante s'est soudain absolument déchaînée. Pendant la guerre nous avions toléré ses incartades socialistes bien que certaines de ses sorties aient présenté un réel danger pour nous tous, et nous avons aussi beaucoup souffert de la voir entraîner notre fils Wilhelm dans cette ineptie. Nous le lui avions quand même pardonné, voyez-vous, car en dehors de ça, c'était une femme bien, consciente de ses devoirs d'épouse et de mère. Mais ensuite ! Dès le 5 mars elle a cru que l'heure du socialisme avait sonné et qu'on allait tout partager, biens mobiliers et immobiliers, absolument tout. Elle a effectivement assumé pendant un certain temps la direction de l'office du logement. Après avoir profité de la fuite de ses supérieurs pour usurper tout bonnement la fonction, elle l'a ensuite légalement occupée du fait qu'elle n'avait jamais été nazie. Comme si ça suffisait ! N'empêche qu'elle a dirigé l'office pendant un an et installé sans vergogne dans des villas inoccupées des gens qui savaient à peine actionner une chasse d'eau et se servaient de la baignoire pour y faire leur lessive, y élever des carpes ou y entreposer des choux-raves. Je ne vous mens pas, on a trouvé des baignoires à moitié pleines de choux-raves... Par bonheur, cette confusion entre socialisme et démocratie n'a pas duré longtemps et Lotte est gentiment redevenue ce qu'elle était : une petite employée. Mais à l'époque du grand pillage, elle était bel et bien partie avec ses enfants vivre au milieu des autres dans leur paradis soviétique des caveaux d'où, bien que sachant exactement où me trouver, elle ne m'a jamais donné signe de vie. Non, la gratitude n'est décidément pas son fort et pourtant, à y regarder de près, elle nous doit la vie, car il nous aurait suffi de répéter à qui de droit une seule de ses sorties sur la guerre et ses buts, rien que le mot de « connerie » par exemple qu'elle vous envoyait à tout bout de champ, et elle se serait retrouvée en prison ou en camp de concentration sinon même accrochée à la potence... Sans compter tout le reste ! »

Peut-être cela pourra-t-il encore intéresser quelqu'un de savoir que B.H.T. n'a pas à proprement parler échoué dans les manipulations d'urine que Rachel lui avait conseillées. Mais bien que jusqu'au bout couronnées de succès, elles cessèrent hélas ! un jour de lui être utiles. Il fut en effet incorporé fin septembre 44 dans un bataillon de gastriques, et ce en dépit du fait que le régime imposé par le diabète diffère du tout au tout de celui qui convient à un ulcère de l'estomac. B.H.T. participa encore à plusieurs combats — contre-offensive des Ardennes, bataille du Hürtgenwald — avant d'être fait prisonnier par les Américains près d'une localité du nom de Würselen. Il n'est donc pas exclu qu'il ait combattu côte à côte avec Keiper alias Schlömer. Quoi qu'il en soit, B.H.T. passa la fin de la guerre dans un camp de prisonniers aux environs de Reims, parmi environ 200 000 militaires allemands de tous grades... « et je puis vous dire que cela n'avait rien de réjouissant, non seulement sur le plan de la promiscuité et de l'installation, mais surtout, si vous me permettez l'expression, en ce qui concernait la perspective d'une compagnie féminine... c'était plutôt moche ». (Remarque qui surprit l'auteur : il s'était en effet imaginé B.H.T. indifférent aux choses du sexe).

Interroger Marja van Doorn sur le sort de Hubert Gruyten était sans nul doute une délicate affaire. Néanmoins, par souci d'objectivité, l'auteur amorça quelques timides tentatives qui débouchèrent toutes sur d'acerbes propos à l'égard de Lotte, devenue manifestement la cible de la jalousie de Marja depuis *certains événements.* « Lorsque Hubert est revenu, je n'étais pas encore de retour sinon, j'en suis convaincue, c'est auprès de moi, malgré mes treize ans de plus, qu'il aurait cherché et trouvé le réconfort qu'il a trouvé auprès d'elle. Mais, vous le savez, j'avais échoué de l'autre côté du Rhin et même failli traverser la Wupper; je vivais dans un petit trou westphalien où nous autres Rhénans, considérés comme des gens trop gâtés, pourris et exigeants, n'étions guère appréciés... Quand les Américains sont arrivés, à la mi-avril seulement, il était quasiment impossible de repasser le Rhin. Il m'a donc fallu attendre jusqu'à la mi-mai. Or Hubert, rentré au début du mois, s'était manifestement aussitôt glissé dans le lit de Lotte. A mon retour, il n'y avait déjà plus de place pour moi. C'était trop tard. »

Lotte : « Il m'arrive parfois de m'embrouiller et de ne plus trop savoir si tels événements se sont produits entre février et mars 45 ou entre mars et début mai de la même année. Il s'est passé trop de choses et il n'est jamais facile d'avoir une vue d'ensemble, quand on était soi-même en plein dans le bain... Il est exact que j'ai pillé le dépôt de la Wehrmacht, Schnürergasse, près de l'ancien couvent des carmélites, et embarqué tout ce que je pouvais en préférant demander de l'aide à Pelzer plutôt qu'à monsieur mon beau-père... Mais le nombre de problèmes que nous avons eu à résoudre, c'est incroyable! J'avais dû quitter la maison pour échapper à l'évacuation. Seule Léni aurait pu y demeurer mais, étant alors à quelques jours de son accouchement, elle ne pouvait vraiment pas y rester seule et nous nous sommes donc tous installés avec elle dans ce que Hoyser appelle le paradis soviétique des caveaux. Nous savions désormais que le père de son enfant était russe, mais pour obtenir en septembre ou octobre 44 sa carte de femme enceinte, elle avait fait la bêtise d'en déclarer un autre que le vrai. C'était Margret qui avait manigancé toute l'affaire en lui procurant le nom d'un soldat soviétique, Jendritzki, mort à l'hôpital. Mais elle était allée trop vite en besogne car, ledit Jendritzki étant marié, sa femme aurait pu en pâtir. A mon sens, voyez-vous, on ne joue pas ce genre de tour à un mort. Remarquez que j'ai réussi à réparer la gaffe dès la mi-mars, lorsque j'ai pris la direction de l'office du logement sous l'autorité du gouvernement militaire. J'avais alors non seulement des tas de tampons et autres machins à ma disposition, mais encore l'accès facile aux autres administrations, grâce à quoi j'ai pu redonner à l'enfant son vrai père, Boris Lvovitch Koltowski. Si je vous dis que l'ensemble desdites administrations s'entassait dans trois bureaux, vous comprendrez que je n'aie eu aucun mal à retirer à ce pauvre Jendritzki la paternité de l'enfant de Léni et à remettre les choses en ordre. Tout cela s'est passé après le deux, une fois les dernières troupes allemandes parties — ces crétins-là avaient encore trouvé bon de pendre des déserteurs le six, avant de se décider à foutre le camp, non sans avoir d'ailleurs fait sauter les ponts derrière eux. C'est alors seulement que les Américains sont arrivés et que nous avons pu quitter notre paradis soviétique pour rentrer à la maison. Mais dans cet infernal imbroglio, les Américains eux-mêmes ne s'y reconnaissaient plus. Trouver la ville dans un pareil état les avait stupéfiés et épouvantés et j'en ai même vu pleurer, des femmes surtout, devant leur hôtel, face à la cathédrale. Et cette incroyable faune qui surgissait tout à coup des ruines! Déserteurs allemands, Russes, Yougoslaves, Polonais, ouvrières russes, juifs, déportés évadés... Alors comment savoir qui avait collaboré ou pas et à quel camp appartenait celui-ci ou celui-là? Dans leur candeur naïve, les Américains s'étaient un peu trop simplement représenté la chose : nazis d'un côté et antinazis de l'autre, mais c'était en fait beaucoup plus compliqué que ça, d'où la nécessité d'un classement minutieux par catégories. Quand Hubert est enfin arrivé, début mai, on y voyait déjà un peu plus clair, un peu seulement; mais je ne me cache pas d'avoir utilisé les attestations et tampons que j'avais sous la main pour intervenir dans plus d'un destin. A quoi bon tous ces trucs sinon à venir en aide à son prochain ? Voyez Hubert, par exemple : il nous est arrivé revêtu de l'uniforme italien que lui avaient refilé des camarades avec lesquels il déblayait les abris et les tunnels du métro de Berlin. Ils avaient bien réfléchi à la question : filer vers l'ouest en qualité de détenu allemand était beaucoup trop dangereux car il restait encore entre Berlin et le Rhin quelques jolis noyaux de nazis qui n'auraient pas hésité à lui faire la peau. Il était par ailleurs trop jeune pour partir en civil : à quarante-cinq ans, il était sûr d'échouer dans un camp russe, anglais ou américain de prisonniers de guerre. Il a donc pris la route sous l'uniforme italien; sans être évidemment une assurance sur la vie, c'était quand même une solution très futée. Les Allemands méprisaient les Italiens mais ne les épinglaient pas nécessairement sur-le-champ. Or tout le problème était là : ne se faire ni épingler ni bien sûr fusiller illico ! Remarquez qu'il a eu de la chance de s'en être bien tiré avec son uniforme italien et son « allemand, comprends pas », car ça n'aurait pas été non plus une partie de plaisir de se faire expédier en Italie sous uniforme italien pour y être ensuite identifié comme Allemand ! Un truc qui pouvait lui coûter la vie. Bref Hubert a réussi à passer et est arrivé ici tout guilleret, oui je dis bien tout guilleret, vous n'imaginez pas la vitalité de cet homme-là... Il nous a dit : « Mes enfants, je suis fermement décidé à « sourire pour le restant de mes jours ! » Il nous a tous embrassés, Léni et Boris (il était fou d'avoir un petit-fils !), Margret, mes enfants et moi, puis il m'a dit : « Lotte, tu sais que je t'aime bien et il me « semble que tu m'aimes bien aussi, alors pourquoi « ne pas vivre ensemble tous les deux ? » Nous nous sommes donc installés dans trois pièces, et dans trois autres Léni, Boris et leur enfant, Margret a pris la dernière et nous avons mis la cuisine en commun. Entre gens aussi raisonnables, il ne s'est pas posé de problèmes. Nous ne manquions d'ailleurs de rien puisque nous avions tout l'héritage de la glorieuse Wehrmacht cueilli Schnürergasse et des médicaments consciencieusement subtilisés par Margret à l'hôpital. Il nous a paru préférable que Hubert continue de circuler sous l'uniforme italien, bien que je n'aie malheureusement pu lui procurer des pièces d'identité italiennes; mais il a réussi à en obtenir une du gouvernement militaire, établie au nom de Manzoni (suggéré par Boris qui avait lu un livre signé de ce nom). Il ne pouvait en effet, en tant que condamné de droit commun, se faire passer pour un détenu politique allemand libéré, or les Américains se montraient particulièrement soucieux de ne pas laisser cavaler en liberté de vrais criminels. Et comment leur expliquer qu'en fait Hubert était un politique? Bref, nous avons opté pour Luigi Manzoni, sujet italien vivant avec moi. C'est qu'à l'époque, il fallait être diablement prudent pour éviter de se faire expédier dans un camp, fût-ce un simple camp de rapatriés, car on ne savait jamais au juste où les convois iraient aboutir. A partir du début 46, le danger s'est un peu écarté, les Américains étant alors moins obsédés par l'idée de flanquer tous les Allemands dans des camps, et bientôt les Anglais sont arrivés, et je m'en suis bien tirée avec eux aussi... Beaucoup de gens se sont naturellement demandé pourquoi Hubert et moi ne nous étions pas mariés, puisque veufs l'un et l'autre; il est pourtant faux, comme certains le prétendent, que je l'aie refusé afin de conserver ma pension de veuve. Non, si je l'ai fait, c'est par simple répugnance à contracter un lien aussi définitif que celui du mariage. Je le regrette aujourd'hui car peut-être aurais-je pu éviter par là que mes enfants ne tombent par la suite sous la coupe complète de mon beau-père. Léni et Boris se seraient volontiers mariés, eux, mais c'était impossible puisqu'il ne possédait aucun des papiers nécessaires, et bien que des Russes se soient parfois vu offrir de bons petits emplois, il préférait ne pas révéler sa véritable identité, la plupart de ses concitoyens se faisant embarquer et rapatrier contre leur gré, sans même savoir ce qui les attendait chez le petit père Staline. Il possédait d'ailleurs un livret militaire allemand du nom d'Alfred Bullhorst, celui que Margret lui avait procuré, mais ça n'avait rien non plus d'une assurance sur la vie, croyez-moi, car un Allemand de vingt-quatre ans valide et simplement un peu sous-alimenté, savez-vous ce qui l'attendait, celui-là ? Sinzig ou Wickrath[1]... or autant éviter ce genre de séjour ! Il restait d'ailleurs la plupart du temps à la maison et si vous les aviez vus, Léni et lui, avec leur petit garçon : on aurait dit la Sainte Famille ! Curieux individu que ce Boris : impossible de lui enlever de la tête qu'on ne doit plus toucher une femme dès le sixième mois de sa grossesse ni pendant les trois mois qui suivent son accouchement. Ils ont donc vécu six mois durant comme Marie et Joseph, s'embrassant bien sûr de temps à autre, mais à part cela n'ayant en tête que leur enfant. Ils passaient leur temps à le cajoler, à le dorloter et à lui chanter des chansons. Mais dès juin 45, un peu trop tôt donc, ils ont pris l'habitude d'aller se promener le soir dans les jardins du bord du Rhin... jusqu'à l'heure de la fermeture s'entend. Nous les avions pourtant mis en garde, Hubert, Margret et moi, mais impossible de les retenir : chaque soir donc ils allaient passer un moment au bord du Rhin. C'était merveilleux, il faut bien le dire ; Hubert et moi les y accompagnions souvent et assis là ensemble tous les quatre nous ressentions cette chose extraordinaire que nous ne connaissions plus depuis douze ans : la paix. Sur le Rhin aux ponts détruits et encore parsemé d'épaves,

---

1. Camps américains de mauvaise réputation où étaient d'abord regroupés les prisonniers de guerre allemands (N.d.T.).

pas un seul bateau mais seulement quelques bacs et le pont du génie américain... Et je me dis parfois, voyez-vous, qu'on aurait mieux fait de ne pas reconstruire de ponts sur le Rhin et de laisser à l'ouest allemand son autonomie. Mais les choses ont tourné autrement... et pour Boris aussi qui un soir de juin s'est fait ramasser par une patrouille américaine. Et comme il avait commis la sottise de se balader avec son livret militaire en poche, pas question de le tirer de ce mauvais pas. Ni mes officiers américains, ni les amis américains de Margret n'ont pu nous venir en aide. Et quant à ma démarche auprès du commandant de la place en personne, auquel j'ai relaté toute l'histoire de Boris depuis A jusqu'à Z, elle n'a servi à rien non plus, car celui-ci était déjà loin. A première vue, la situation n'avait rien de dramatique : il était prisonnier des Américains et, s'il ne voulait pas retourner en Union Soviétique, reviendrait tôt ou tard chez nous sous le nom d'Alfred Bullhorst. Or, si ce genre de captivité n'avait rien de paradisiaque, ça n'était quand même pas l'enfer... Mais ce que nous ne savions pas encore, c'est que les Américains commençaient alors à remettre des prisonniers allemands aux Français (ou plus exactement à les leur prêter car les Français se faisaient rembourser en dollars leurs frais de nourriture et de logement) et que, pourtant très faible encore (sans doute Léni ou plutôt l'hypothèque de Léni l'avait-elle empêché de mourir de faim, mais il n'était toujours pas bien costaud quand même), Boris avait été envoyé en Lorraine pour y travailler à la mine. Quant à Léni, dès qu'elle a su qu'on avait embarqué Boris, elle a enfourché une vieille bicyclette pour partir à sa recherche. Traversant toutes les zones et même les frontières, elle a parcouru la zone d'occupation française, la Sarre et la Belgique avant de revenir en Sarre et de là gagner la Lorraine. Elle allait de camp en camp, demandant à chaque commandant s'il n'avait pas parmi ses prisonniers un homme du nom d'Alfred Bullhorst, bien décidée à implorer alors qu'on le lui rende. Son courage et son obstination avaient quelque chose de pathétique; elle ne savait pas, la pauvre, que quinze à vingt millions de prisonniers de guerre allemands se trouvaient disséminés à travers toute l'Europe! Revenant juste de temps à autre à la maison pour refaire son plein de provisions, puis repartant, elle n'a cessé de courir les routes qu'au mois de novembre. Je ne sais toujours pas comment elle a réussi, munie de sa seule carte d'identité allemande, à passer et repasser toutes ces frontières, elle ne nous l'a jamais révélé... Elle nous chantait seulement parfois des chansons, les mêmes qu'elle chantait sans cesse à son enfant : « En cette veillée de Noël, nous sommes assis, pauvres gens, dans une chambre glacée, le vent souffle au-dehors et il souffle au-dedans, viens chez nous, doux Jésus, car nous avons vraiment besoin de toi »... Ah! toutes ces chansons tristes qu'elle chantait, on ne pouvait s'empêcher de pleurer en l'écoutant... Elle a traversé plusieurs fois l'Eifel et les Ardennes dans les deux sens, de Sinzig à Namur, de Namur à Reims, puis de nouveau vers Metz et Sarrebruck, et une nouvelle fois vers Sarrebruck encore. Or, croyez-moi, ça n'était pas de tout repos que de se balader dans ce coin de l'Europe avec pour seul papier une carte d'identité allemande!... Eh bien, figurez-vous qu'elle a fini par le retrouver, son Boris, son Jendritzki, son Koltowski ou son Bullhorst... comme vous l'entendrez. Elle l'a découvert dans le cimetière d'un petit village lorrain entre Metz et Sarrebruck, mais pas dans un paradis soviétique, non, dans une tombe, une vraie, mort et enterré, victime d'un accident dans un puits de minette. Elle venait d'avoir vingt-trois ans et, rigoureusement parlant, se retrouvait veuve pour la troisième fois. C'est à dater de ce jour qu'elle s'est réellement muée en statue. Et quand nous l'entendions chanter le soir à son enfant les poèmes que Boris avait tant aimés, nous en avions des sueurs froides :

> *Le marbre des ancêtres est devenu gris*
> *Une troupe d'oiseaux trace vers les lointains.*
> *Un faune aux yeux morts regarde*
> *Des ombres qui glissent à l'obscur.*

> *Le feuillage tombe rouge du vieil arbre*
> *Et tourbillonne par la fenêtre ouverte.*
> *Une lueur de feu s'allume dans la pièce*
> *Et peint de tristes spectres d'angoisse*[1].

Et puis soudain, d'une voix insolente, elle enchaînait : « L'air est frais et vif, en route pour Mahagonny, nous y trouverons femmes et chevaux, whisky et table de poker. Belle lune verte de Mahagonny, éclaire-nous, car sous notre chemise nous avons assez de banknotes pour provoquer un grand rire de ta grande bouche stupide »... et puis soudain, avec une solennité à vous donner la chair de poule, elle entonnait à pleine voix : « Quand j'étais enfant, un dieu me délivrait souvent des cris et des verges des hommes, je jouais alors sans crainte avec les fleurs du bosquet, et les zéphyrs du ciel jouaient avec moi, et de même que tu réjouis le cœur des plantes quand elles tendent vers toi leurs bras délicats, de même tu as réjoui mon cœur. » Elle les a si souvent chantés, tous ces poèmes, presque chaque soir et plusieurs fois par jour, que dans cinquante ans je les saurai encore par cœur. Croyez-moi, elle nous fascinait tous y compris l'enfant et même Margret dont plus d'un ami américain ou anglais ne se lassait pas de regarder ni d'écouter Léni quand elle chantait pour son enfant, et surtout quand elle chantait le poème du Rhin... Voyez-vous, elle fut une

1. Poème de Georg Trakl. Traduction de Marc Petit et Jean-Claude Schneider parue aux Editions Gallimard (N.d.T.).

jeune fille et une femme admirable et, selon moi, une mère non moins admirable. Et si les choses ont finalement mal tourné pour son fils, elle n'y est pour rien; c'est la faute de cette bande de crapules dont font hélas! partie mes fils dénaturés : les « Hoyser associés »... tous méchants comme la gale, mon beau-père le premier. Ah! celui-là, quand il venait encaisser son loyer — quarante-six marks et quinze pfennigs pour nos trois pièces —, Hubert ne le ratait jamais : chaque fois sans exception, il lui éclatait de rire au nez, d'un rire absolument démoniaque... jusqu'au jour où ils n'ont plus communiqué que par écrit. Et bien sûr mon beau-père n'a pas manqué d'invoquer alors l'argument petit-bourgeois de rigueur, selon lequel c'est au locataire d'aller porter le montant de son loyer au propriétaire et non au propriétaire de venir le chercher chez le locataire. Hubert est donc allé, le premier de chaque mois, lui « porter » le montant du loyer dans sa villa sise à l'ouest, aux portes de la ville, sans se priver naturellement de partir chaque fois de son grand rire démoniaque jusqu'au jour où, incapable de le supporter plus longtemps, Hoyser a exigé que le montant du loyer lui soit envoyé. Hubert lui a alors intenté un procès, estimant qu'on ne pouvait lui imposer, à lui simple manœuvre — et c'était la pure vérité — de réunir chaque mois la somme de dix ou vingt pfennigs pour un mandat-poste ou même un simple versement à un compte courant postal. Bref, ils ont comparu devant le tribunal et Hubert a gagné son procès. Ne restait plus à Hoyser que le choix entre deux solutions également pénibles : entendre le rire démoniaque de Hubert chez nous ou chez lui. Il l'a entendu le premier de chaque mois pendant quarante mois d'affilée, jusqu'à ce qu'il ait enfin eu l'idée de prendre un gérant! Mais, croyez-moi, ce rire démoniaque lui résonne encore aux oreilles... A présent, c'est Léni qui doit payer le loyer, et ce vieux chameau la suce jusqu'au sang. Si nous n'intervenons pas d'une façon ou d'une autre, il finira par la faire jeter dehors (soupir, gorgée de café, bouffée de cigarette, main passée sur les cheveux gris coupés court... voir page 101)... Pour nous, et jusqu'en 48, ce fut une période heureuse, jusqu'à l'effroyable accident qui a coûté la vie à Hubert... c'était de la folie pure, et depuis je ne peux plus voir ce Pelzer, je ne veux même plus entendre parler de lui, ce fut vraiment trop terrible. Et peu après, on m'a aussi enlevé mes garçons. Le vieux s'est acharné contre moi; ne reculant devant rien, il m'a accusée d'avoir des rapports avec tous les hommes qui venaient habiter sous notre toit ou nous rendre simplement visite, et tout cela pour me retirer la garde des enfants, qu'il a d'abord fait placer à l'Assistance avant de les prendre chez lui. Il m'a même fait soupçonner de relations intimes avec Heinrich Pfeiffer, ce pauvre bougre qui à l'époque et faute de prothèse clopinait encore sur une seule patte, quand il venait coucher chez nous à l'occasion d'une visite à l'hôpital ou à l'office du ravitaillement. Or nous étions bien obligés de sous-louer des chambres, puisqu'il ne cessait d'augmenter notre loyer. Ah! cet acharnement contre moi! L'assistante sociale est venue plusieurs fois, que dis-je, des quantités de fois et toujours à l'improviste... bon sang, pensez-en ce que vous voudrez, trois fois elle m'a surprise avec un homme. Les deux premières fois, selon son expression, « dans une situation nettement équivoque »... en langage clair, j'étais au lit avec Piotr Petrovitch Bogakov, un ancien copain de Boris qui nous rendait parfois visite. Et la troisième fois « dans une situation équivoque » : planté en gilet de corps face à la fenêtre, ce même Bogakov était en train de se raser devant mon miroir de poche, une cuvette posée sur le rebord de la fenêtre... « de telles situations, notait-elle dans son rapport, permettant de conclure à une vie intime absolument incompatible avec l'éducation d'enfants d'un certain âge ». Werner avait alors quatorze ans, Kurt neuf et il se peut en effet que j'aie mal agi, d'autant que je n'éprouvais pas le moindre amour pour Bogakov, pas même de véritable amitié; nous cherchions seulement à nous consoler l'un l'autre. Et naturellement la bonne femme a aussi fait parler les enfants... et ensuite on me les a enlevés, définitivement enlevés. Ils ont commencé par pleurer en me quittant mais plus tard, quand leur grand-père les a repris aux bonnes sœurs, ils ne voulaient déjà plus entendre parler de moi; j'étais non seulement une putain, mais encore une communiste et ainsi de suite... Je dois néanmoins porter au crédit de mon beau-père qu'il leur a fait faire d'excellentes études et qu'il a si adroitement spéculé sur le terrain que Mme Gruyten avait placé dans le berceau de Kurt qu'aujourd'hui, trente ans après, avec ses quatre pâtés d'immeubles et ses bureaux en sous-sol, ce terrain vaut bien ses trois millions de marks dont le rapport pourrait nous faire tous vivre, y compris Leni, alors qu'à l'époque où Kurt l'a reçu en cadeau il n'était guère censé remplacer beaucoup plus qu'une timbale dorée ou quelque chose comme ça... C'est évidemment plus intéressant qu'une mère fatiguée et usée qui doit encore aller tous les matins au bureau pour un salaire brut de onze cent douze marks. Et il faut ajouter à la décharge du vieux que je n'aurais jamais su en faire autant, que je ne l'aurais même jamais pu. Cela dit, mon histoire avec Bogakov n'a été qu'une idiotie, une idiotie pure et simple... seulement, voyez-vous, j'étais si lasse et si triste après la mort atroce de Hubert, et ce pauvre Bogakov qui se lamentait sans cesse, ne sachant s'il devait ou non retourner chez sa petite mère la Russie, et qui chantait à longueur de temps de mélancoliques chansons, comme Boris... alors, que voulez-vous, nous nous sommes parfois consolés ensemble. D'autre part, j'ai appris plus tard que c'était mon beau-père en personne qui nous avait dénoncés à la police auxiliaire allemande en nous accusant de tenir une officine de marché noir. Au fond, il ne s'était jamais consolé de n'avoir pas eu sa part de butin de la Schnürergasse et un beau jour, début 46, ces salopards de flics allemands, arrivés chez nous à l'improviste, ont bien entendu immédiatement découvert notre entrepôt dans la cave. Beurre salé, lard fumé, café et cigarettes, plus des douzaines de paires de chaussettes et de sous-vêtements, ils ont tout embarqué. Ça nous aurait pourtant permis de tenir deux ou trois ans de plus sans problème. Mais ce qu'ils n'ont pas pu prouver et pour cause, c'est que nous ayons jamais vendu un seul gramme de quoi que ce soit au marché noir. Nous avions tout au plus fait quelques échanges et surtout distribué des tas de choses et Léni ne s'en est pas privée, croyez-moi ! Nos relations anglo-américaines ne nous ont été d'aucun secours, c'était l'affaire des seuls flics allemands qui sont même allés jusqu'à effectuer une perquisition en règle au cours de laquelle ils ont trouvé dans la chambre de Léni ses grotesques diplômes de « fille la plus allemande de l'école ». L'un de ces salauds voulait même la dénoncer comme nazie à cause de ces putains de papelards reçus à dix-douze ans, mais par chance je me rappelais avoir vu le gars sous l'uniforme de S.A., alors il l'a gentiment bouclée et a aussi bien fait, sans quoi les choses auraient pu se gâter. Allez donc en effet expliquer à un Anglais ou à un Américain qu'on pouvait recevoir un diplôme de « fille la plus allemande de l'école » sans pour cela approuver le régime !... Pelzer à l'époque a vraiment été très chic pour nous. Sa part du butin de la Schnürergasse étant en sécurité puisqu'il n'avait pas été dénoncé, quand il a appris qu'on nous avait tout saisi il est spontanément venu nous offrir une partie de ses provisions sans nous demander ni argent ni aucune autre contrepartie, probablement d'ailleurs pour s'insinuer dans les bonnes grâce de Léni. Quoi qu'il en soit, ce gangster a été rudement plus chic que le père Hoyser. Mais ce n'est que plus tard, beaucoup plus tard — nous étions déjà en 54, je crois — que j'ai appris par l'un des policiers que notre dénonciateur avait été mon propre beau-père. »

Liane Hölthohne, à qui l'auteur avait cette fois donné rendez-vous dans un salon de thé à la fois très couru et très cher — par galanterie certes, mais aussi pour ne subir aucune sorte de restriction, tant délibérée qu'imposée, à sa consommation de cigarettes —, Liane Hölthohne donc vécut la fin de la guerre dans l'ancien couvent des carmélites susmentionné, ou plus exactement dans la crypte de l'ancienne église dudit couvent... « sorte de cachot où les religieuses devaient probablement purger autrefois leurs peines. Je n'ai rien vu du pillage et n'ai d'ailleurs perçu la tragédie du « deux » que sous la forme d'un grondement sourd, continu, terrible certes, mais très lointain. Je n'ai jamais voulu sortir de cette sorte de cave avant d'être absolument sûre que les Américains avaient fait leur entrée dans la ville. J'avais peur. On avait tellement pendu et fusillé de gens ! Aussi, bien qu'en possession d'excellents papiers, je n'en craignais pas moins d'être arrêtée par une patrouille, déclarée suspecte et fusillée sans plus attendre. Je suis donc restée dans mon trou, et même toute seule à la fin, tandis qu'à la surface on pillait et faisait la fête. Je n'en suis sortie qu'après avoir reçu confirmation de l'arrivée des Américains. Alors j'ai respiré puis pleuré de joie comme de douleur, joie de la libération mais aussi douleur de voir notre belle ville si stupidement détruite de fond en comble. Et j'ai encore pleuré de joie en m'apercevant que tous les ponts, tous sans exception, avaient été détruits. Le Rhin était enfin redevenu la frontière de l'Allemagne, enfin ! Une chance qu'on aurait quand même pu saisir ! Il suffisait de ne reconstruire aucun pont et de ne laisser traverser que des bacs soumis à un contrôle rigoureux. Cela dit, je me suis immédiatement mise en rapport avec les services américains et après quelques coups de téléphone donnés par-ci, par-là, j'ai réussi à trouver mon ami le colonel français qui m'a délivré un permis de circuler librement entre les zones anglaise et française, grâce à quoi j'ai pu aider deux ou trois fois la petite Gruyten, Léni si vous préférez, à se tirer d'une situation désagréable à l'époque où en toute ingénuité elle parcourait la région à la recherche de son Boris. Dès le mois de novembre j'ai obtenu ma licence de fleuriste, loué un terrain, aménagé tant bien que mal quelques serres, ouvert un magasin et pris aussitôt la jeune Gruyten avec moi. L'obtention de ma licence et de mes nouvelles pièces d'identité a marqué pour moi un moment important : devais-je redevenir Elli Marx originaire de Sarrelouis ou rester Liane Hölthohne? J'ai opté pour la seconde solution, c'est-à-dire que sur mon passeport je me nomme Marx dite Hölthohne... J'estime vous offrir un thé nettement supérieur à celui de cet endroit qui se veut pourtant de premier ordre » (ce que l'auteur approuva avec autant de conviction que de courtoisie). « Leurs petits fours sont en revanche excellents, il faudra que je m'en souvienne... Mais venons-en à ce que certains de vos informateurs ont qualifié de paradis soviétique des caveaux. Pelzer nous y avait également invités, Grundtsch et moi, mais nous avons eu peur, non pas des morts mais des vivants et aussi des attaques aériennes car le cimetière se trouvait au beau milieu de la zone sur laquelle les avions alliés larguaient leurs bombes, entre la vieille ville et les faubourgs. Non, l'idée de me retrouver en présence des morts ne me gênait nullement; les hommes ne se sont-ils pas réunis des siècles durant dans des catacombes pour y célébrer leurs fêtes? Simplement, la crypte de l'église du couvent des carmélites me paraissait plus sûre, et aussi en cas d'une descente de police pour vérification d'identité, tandis que le fait de se réfugier dans les caveaux du cimetière risquait fort de paraître suspect. A vrai dire, on ne savait même plus au juste ce qu'il valait mieux être : juive cachée ou séparatiste cachée, soldat allemand déserteur ou fidèle au poste, prisonnier évadé ou non... et d'ailleurs la ville fourmillait de déserteurs qu'il ne faisait pas bon côtoyer, car on avait vite fait de s'envoyer des coups de feu, d'un côté comme de l'autre. Quant à Grundtsch, qui pourtant n'a pratiquement jamais quitté le cimetière depuis quarante ou cinquante ans, il a eu peur lui aussi et vers la mi-février 45 s'est retiré à la campagne pour finalement s'enrôler dans le Volkssturm, en quoi il avait parfaitement raison car durant cette période une forme quelconque de légalité était la meilleure des protections. Surtout pas d'extravagances ! telle était ma devise. Se tapir dans un coin avec des papiers aussi bons que possible, rentrer la tête dans les épaules et attendre. J'ai sciemment et bien à regret, croyez-moi, car il y avait là des choses dont on n'osait même plus rêver, renoncé à participer au pillage de la Schnürergasse. C'était bien entendu un acte illégal, sanctionné par la peine de mort. Or, le jour du pillage, les Allemands étaient encore officiellement maîtres de la place et je n'avais nulle envie, ne fût-ce que pour deux, trois ou quatre jours, de me balader avec un pareil délit sur le dos. Je voulais vivre, comprenez-vous, vivre ! J'avais quarante et un ans, je tenais à la vie, et cette vie je n'allais tout de même pas la mettre en péril dans le dernier quart d'heure ! J'ai donc décidé de me tenir coite, et trois jours avant l'entrée des Américains, je ne me risquais pas encore à déclarer que la guerre touchait à sa fin ou qu'elle était perdue. Depuis le mois d'octobre les murs étaient partout couverts d'affiches sur lesquelles on pouvait lire noir sur blanc que le peuple allemand tout entier exigerait impitoyablement le juste châtiment des pessimistes, alarmistes, défaitistes et renégats de tout bord, ledit châtiment ne portant qu'un seul nom : la mort. Ces gens-là devenaient vraiment de plus en plus fous; on m'a raconté qu'ils avaient descendu une pauvre femme qui, venant une fois de plus de faire sa lessive, était en train d'étendre ses draps pour les faire sécher; croyant qu'elle hissait le drapeau blanc, ils ont tout bonnement tiré une rafale de mitraillette en plein dans sa fenêtre! Non, mieux valait souffrir encore un peu de la faim et attendre sagement, tel était mon point de vue. Ce pillage forcené du deux, effectué juste après le bombardement, était déjà d'une témérité folle, mais combien plus dangereux encore fut le transport du butin jusqu'au cimetière, d'autant, je le répète, que la ville était toujours aux mains d'une Wehrmacht en principe bien décidée à la défendre. Mais une fois le dernier soldat allemand parti, je n'ai plus hésité. Je suis immédiatement allée trouver les Américains pour qu'ils me mettent en rapport avec mes amis français. Ensuite de quoi je me suis fait attribuer, outre un joli petit logement, ma première licence de fleuriste. J'ai utilisé les installations de Grundtsch jusqu'à son retour en versant régulièrement un loyer à son compte, et lorsqu'il est revenu en 46, je lui ai rendu son exploitation en parfait état. C'est alors que j'ai ouvert mon propre magasin. Cela dit, dès le mois d'août 45 Pelzer était venu me trouver car, malgré toutes ses ruses, il avait grand besoin d'être blanchi. Et qui lui a procuré la blancheur Persil? qui a témoigné en sa faveur devant la cour de justice? Léni et moi. Oui, nous l'avons blanchi. Ce faisant, j'ai personnellement agi à la fois contre ma conscience (car je le considérais en dépit de tout comme une crapule) et contre mes propres intérêts puisqu'il était mon concurrent et l'est d'ailleurs demeuré jusqu'en 55 environ... » Mme Hölthohne parut soudain très vieille, presque décrépite : la peau de son visage jusque-là bien tendue se relâcha brusquement, sa main qui jouait avec la petite cuiller devint mal assurée et sa voix se fit hésitante, presque tremblante. « Aujourd'hui encore j'ignore si j'ai bien fait de le blanchir mais, voyez-vous, de dix-neuf à quarante et un ans j'ai été une femme traquée, depuis la bataille du mont Egide jusqu'à l'arrivée des Américains, persécutée politique, raciale, comme vous voudrez, vingt-deux ans durant ! Et si j'avais choisi de me faire embaucher par Pelzer, c'était bien parce que je pensais devoir être plus qu'ailleurs en sécurité chez un nazi, surtout un nazi criminel et corrompu. Grundtsch m'avait raconté pas mal de choses à son sujet et je n'ignorais pas non plus les bruits qui couraient sur lui. Or voilà que je l'avais soudain devant moi, blême de peur, accompagné d'une épouse absolument innocente qui ignorait tout de ses faits et gestes d'avant 33, et de ses deux réellement charmants enfants, un garçonnet et une fillette d'environ dix et douze ans je pense, de délicieux petits vraiment. Ils m'ont fait de la peine, et leur mère aussi, cette femme pâle, un peu hystérique et complètement en dehors du coup. Pelzer m'a alors demandé si je pouvais prouver ou seulement citer le moindre petit acte d'inhumanité de sa part envers moi ou d'autres, à l'intérieur ou à l'extérieur de l'entreprise, au cours des dix années que j'avais passées auprès de lui et s'il ne venait pas un moment où l'on devait pardonner à un homme ses péchés de jeunesse — c'est ainsi qu'il qualifiait ses erreurs passées — et les oublier. Il s'est montré assez habile pour ne pas chercher à me soudoyer, se contentant d'exercer sur moi une légère pression en me rappelant mon affectation à son « équipe de complément », autrement dit qu'il avait fait de moi sa complice, insinuant par là que je n'étais pas non plus sans tache car, reconnaissons-le, il n'était pas particulièrement délicat d'avoir retapé des couronnes volées et réutilisé des rubans récupérés.

Bref, j'ai fini par céder et lui délivrer son certificat Persil en demandant à mes amis français de se porter garants de moi. Il a agi de même avec Léni qui, tout comme son amie Lotte, jouissait alors d'un grand crédit moral au point qu'elle aurait pu faire une carrière politique, mais vous la connaissez, elle n'avait pas la moindre ambition d'aucune sorte. Pelzer lui a proposé de la prendre pour associée — exactement comme moi plus tard — mais elle a refusé. Il a ensuite proposé la même chose à son père sans plus de succès. Jouant au prolétaire, ne voulant plus entendre parler d'affaires, Hubert Gruyten s'est contenté de rire et de conseiller à sa fille de délivrer à Pelzer son certificat Persil, ce qu'elle a fait, et ce bien entendu sans la moindre contrepartie. Il faut dire qu'à l'époque Boris était déjà mort et Léni transformée en statue. Bref, elle lui a tout comme moi délivré son certificat Persil. Nous l'avons bel et bien sauvé car en ce temps-là notre parole comptait encore pour quelque chose. Cela étant, à la question de savoir si je me repens d'avoir blanchi Pelzer, je ne répondrai ni oui ni non, ni même peut-être, je dirai simplement ceci : quand je songe que nous tenions le sort de cet homme entre nos mains, j'en ai la nausée. Rendez-vous compte... disposer du sort d'un homme rien qu'au moyen d'un bout de papier, d'un stylo et de quelques communications téléphoniques avec Baden-Baden et Mayence ! C'était en outre l'époque insensée où Léni militait plus ou moins au P.C. et où bien entendu un communiste siégeait à la cour de justice. Bref, nous l'avons blanchi et tiré de là, notre Pelzer, et je dois dire que, quoi qu'il ait pu être amené à fricoter par la suite avec son instinct de rapace et son goût immodéré pour la spéculation, il n'est jamais redevenu fasciste, même plus tard, lorsque ça pouvait de nouveau se révéler profitable de l'être ou de l'avoir été. Non, jamais. Il faut lui laisser ça. Et jamais non plus, je dois le reconnaître, il ne m'a

fait de concurrence déloyale, pas plus qu'à
Grundtsch d'ailleurs. Ce qui ne m'empêche pas
d'avoir la nausée quand je songe que nous tenions
son sort entre nos mains. Même Ilse Kremer s'est
finalement jointe à nous pour le disculper. Pelzer a
réussi à l'embobiner; or, en sa qualité de persécutée
politique qu'elle pouvait aisément prouver, sa parole
valait autant que celle de Léni ou la mienne. A vrai
dire, il aurait pu se contenter des nôtres, mais il a
voulu s'assurer aussi le certificat Persil d'Ilse Kremer et l'a obtenu. Aussi dénuée d'ambition que Léni,
celle-ci a dédaigné l'offre de participation de Pelzer
tout comme la mienne, sans même essayer par ailleurs de profiter de ce que ses anciens camarades
refaisaient surface. Elle ne voulait plus en effet
avoir rien à faire avec personne et surtout pas avec
ses anciens camarades, ces Thälmannistes comme
elle les appelait, qui au temps du pacte germano-
soviétique n'avaient pas hésité à livrer à la mort son
mari ou ami réfugié en France qui s'était aussitôt
insurgé contre une telle alliance. Alors, qu'a-t-elle
fait, notre Ilse? Eh bien, elle est tout bonnement redevenue ouvrière fleuriste, d'abord chez
Grundtsch, puis de nouveau chez Pelzer et finalement chez moi où elle a recommencé à faire avec
Léni le même travail que pendant la guerre : monter, garnir et enrubanner des couronnes, confectionner des gerbes et des bouquets de fleurs, jusqu'au
jour où elle a touché sa pension de retraite. D'une
certaine façon et bien qu'elles n'aient jamais rien
dit, insinué ni certainement pensé qui puisse m'inspirer un tel sentiment, ces deux femmes n'ont cessé
d'être pour moi un reproche vivant. Hormis leurs
maigres émoluments, elles ne retiraient aucun profit, aucun avantage de leur situation, et tout se passait pour elles exactement comme pendant la
guerre. Ilse Kremer préparait le café de la première
pause, une mixture qui fut un certain temps, je dirai
même assez longtemps, plus déplorable encore que

pendant la guerre. Et toutes deux arrivaient le matin exactement comme par le passé, leur fichu noué sous le menton et transportant dans leur cabas leurs tartines et leur poudre de café. Ilse jusqu'en 66 et Léni jusqu'à l'année dernière. Léni avait Dieu merci cotisé pendant plus de trente ans, mais ce qu'elle ignore et doit continuer d'ignorer, c'est que j'ai pris en main son affaire de retraite et effectué pour son compte un rachat de cotisation qui la mettra un peu mieux à l'abri du besoin. Elle est encore en parfaite santé, mais comment fera-t-elle pour vivre le jour où elle ne pourra vraiment plus compter que sur sa retraite? Quatre cents marks environ, peut-être un peu plus, mais peut-être un peu moins. Et bien qu'elle n'ait jamais formulé le moindre grief à mon égard mais vienne simplement me trouver de temps à autre pour me demander timidement de lui avancer un peu d'argent parce qu'on veut lui saisir un objet auquel elle tient, vous comprendrez que, si absurde que cela paraisse, elle soit pour moi un reproche vivant. Voyez-vous, je suis une femme compétente, capable d'organiser et même de rationaliser le travail, qui prend plaisir à tenir bien en main sa chaîne de magasins et à la développer... et pourtant j'éprouve une grande tristesse, oui, celle entre autres de n'avoir pu ni aider Boris ni le sauver de cette absurde fatalité. Quand on songe qu'il s'est fait rafler en pleine rue comme soldat allemand et qu'il a fallu que ce soit lui qui périsse à la mine dans un accident! Pourquoi? Et pourquoi n'ai-je rien pu faire? J'avais pourtant de bons amis français qui, si je le leur avais demandé, auraient non seulement sorti Boris de là, mais même n'importe quel nazi. Malheureusement quand nous avons enfin su de source sûre que Boris n'était plus chez les Américains mais chez les Français, il était trop tard : le pauvre garçon avait déjà péri. Et dire que Léni pas plus que Margret ni Lotte ne connaissait exactement son pseudonyme allemand :

345

Bollhorst, Böllhorst, Bullhorst ou Ballhorst, aucune ne le savait au juste. A quoi bon d'ailleurs ? Comme pour elles il était seulement Boris, elles n'avaient pas éprouvé le besoin d'examiner de près son livret militaire allemand et encore moins de noter le nom qui y figurait. »

Il fallut à l'auteur plusieurs entretiens et d'abondantes recherches pour obtenir des informations exactes sur le paradis soviétique des caveaux. Il réussit toutefois à déterminer avec précision la durée de ce séjour « paradisiaque » : du 20 février au 7 mars 1945, Léni, Boris, Margret, Pelzer, Lotte et ses deux fils Werner et Kurt, respectivement âgés de dix et cinq ans, vécurent « sous le cimetière central dans des conditions assez analogues à celles des catacombes » (Pelzer). Si Léni et Boris s'étaient jusque-là « visités » sur terre dans la chapelle des Beauchamp, ils allaient désormais devoir « se rencontrer sous terre » (Lotte). Le projet de ce séjour souterrain fut conçu par Pelzer qui, si l'on peut dire, en jeta les bases psychologiques.

Une nouvelle fois (mais non la dernière) et avec son empressement coutumier, celui-ci reçut l'auteur dans la pièce contiguë au musée de la couronne mortuaire, devant le bar encastré et pivotant où il lui servit un whisky soda, mettant en outre à sa disposition un énorme cendrier au périmètre sensiblement égal à celui d'une couronne de laurier de taille moyenne. De cet homme de soixante-dix ans qui, après avoir traversé indemne des périodes historiques d'un caractère nettement opposé, joue encore au tennis sans risque d'infarctus deux fois par semaine et effectue chaque matin sans exception sa marche en forêt, qui a appris à monter à cheval à cinquante-cinq ans et... (Pelzer à l'auteur) « soit dit entre nous, c'est-à-dire d'homme à homme, je ne connais l'impuissance sexuelle que par ouï-dire », de ce septuagénaire donc émanait une mélancolie proprement stupéfiante, laquelle — c'est du moins l'impression de l'auteur — n'a fait que croître de visite en visite. Dans la mesure où il peut se permettre d'en tirer une conclusion d'ordre psychologique, l'auteur est persuadé, si surprenant cela soit-il, que cette mélancolie découle d'un chagrin d'amour. Pelzer n'a en effet jamais cessé de désirer Léni; il serait prêt « à lui décrocher la lune, mais elle préfère la fréquentation de Turcs malpropres à une heure de tendre amour avec moi. Et pourquoi? Par suite d'un malheur dont je ne suis nullement responsable. Car qu'ai-je donc fait? Tout bien considéré, j'ai sauvé la vie de son Boris. A quoi lui auraient servi son uniforme et son livret militaire allemands s'il n'avait pu se cacher? Et qui donc connaissait suffisamment l'aversion que les cadavres, les cimetières et tout ce qui touche à la mort inspirent aux Américains, sinon moi? Je savais par expérience — acquise au cours de la première guerre mondiale, puis au temps de l'inflation dans les équipes d'exhumation — qu'ils fouilleraient tout sauf les caveaux. Quant à cette autre vermine avec ses chiens policiers, je savais aussi qu'elle n'irait pas si facilement fouiner sous la terre des cimetières... Or, comme Lotte et Margret étaient obligées de se cacher pour échapper à l'évacuation, il ne pouvait être question de laisser Léni toute seule chez elle alors qu'elle était près d'accoucher. De mon côté, en tant qu'homme valide, je risquais de me faire ramasser, or je ne voulais me voir ni mobilisé dans le Volkssturm ni capturé par les Américains. Alors, une fois ma femme et mes enfants expédiés dans un petit trou de Bavière, qu'ai-je fait? J'ai décidé de relier entre eux par des galeries le caveau des Herriger, celui des Beauchamp et la vaste concession à perpétuité des von der Zecke... trois familles faisant partie de notre clientèle d'abonnés. Je me suis attelé à un véritable travail de mine, creusant, étayant, creusant, étayant! Et j'ai ainsi réalisé un logement de quatre pièces de deux mètres cinquante sur deux, parfaitement sèches et proprement maçonnées. J'y ai amené le courant électrique de mon atelier tout au plus distant d'une cinquantaine de mètres et installé un petit radiateur pour Léni et les enfants de Lotte. Nous disposions en outre — pourquoi le taire — des alvéoles mortuaires, déjà maçonnées mais encore inoccupées, destinées à recevoir les futurs défunts des familles Beauchamp, Herriger et von der Zecke; elles allaient constituer d'excellentes resserres à provisions. Dans les chambres à coucher, j'ai apporté de la paille, des matelas et, pour parer à toute éventualité, un petit poêle en fonte supplémentaire qu'il ne fallait bien sûr allumer que la nuit et non en plein jour comme cette folle de Margret a une fois tenté de le faire... la pauvre n'avait vraiment aucune notion du camouflage. Si Grundtsch m'a bien aidé dans ce travail de taupe, il a pourtant refusé de venir habiter avec nous. Il avait ramené de la première guerre mondiale la hantise de l'ensevelissement, alors pas question de le faire pénétrer dans une cave ou n'importe quel abri souterrain. J'ai même dû lui passer à l'extérieur les paniers de terre que j'enlevais, car pour rien au monde il ne serait descendu dans un caveau; alors y vivre, vous pensez! Tant qu'il restait à la surface, les morts ne l'effrayaient pas, mais sous terre il redoutait sa propre mort. Aussi, quand la situation a commencé à se gâter sérieusement, est-il parti se réfugier à l'ouest, dans son village natal entre Monschau et Kronenburg, et ce fin janvier 45, vous imaginez un peu! Rien d'étonnant qu'il soit tombé dans le piège et ait dû malgré son âge entrer dans le Volkssturm pour finalement échouer dans un camp de prisonniers. Bref, l'aménagement de notre logement de quatre pièces dans les caveaux fut achevé vers la mi-février. Ce fut d'ailleurs un mois calme : une seule alerte aérienne d'une demi-heure environ et juste quelques petites bombes qu'on entendit à peine exploser. J'ai emménagé de nuit avec Lotte et ses deux fils et Margret nous a ensuite rejoints, mais si quelqu'un vient vous raconter que j'ai porté la main sur elle, à cela je réponds : oui et non. Nous logions elle et moi dans les deux pièces des von der Zecke, Lotte et ses enfants à côté chez les Herriger, tandis que nous avions réservé pour Léni et Boris leur ancien nid d'amourcux, le caveau des Beauchamp, dans lequel nous avions entreposé de la paille, des matelas, un radiateur électrique et quelques réserves : biscottes, eau, lait en poudre, tabac, bière et alcool à brûler... comme dans un bunker. Il nous arrivait parfois d'entendre les tirs d'artillerie du front de l'Erft aux travaux de fortification duquel des prisonniers russes avaient été affectés; or Boris, qui était du nombre, avait dissimulé dans son paquetage un uniforme allemand avec les insignes et décorations correspondant à son maudit livret militaire. Oui, les prisonniers russes creusaient là-bas des tranchées et préparaient des emplacements de batteries d'artillerie; ils logeaient dans les granges où ils n'étaient plus surveillés avec la même rigueur qu'au camp. Grâce à quoi, un beau jour, Léni nous a ramené Boris juché sur le guidon d'une bicyclette volée. Ma foi, l'uniforme allemand lui allait assez bien et son faux pansement à merveille... il possédait même une attestation de blessure parfaitement en règle avec cachet et signature. Ainsi ont-ils pu feinter les chiens policiers et vers le 20 février s'installer dans leur petit caveau privé. La suite des événements m'a donné raison : pas une seule patrouille, ni allemande ni américaine, ne s'est jamais risquée dans les caveaux où nous avons vécu jour après jour une véritable petite idylle, sans rien voir ni entendre. Pour sauver les apparences, je travaillais à l'atelier pendant la journée car, les gens continuant à mourir, il fallait bien continuer à les ensevelir, quoique sans grande solennité ni salves d'honneur; pas de véritables couronnes non plus, mais seulement quelques branches de sapin avec piquée de-ci de-là une fleur... minable ! Le soir, toujours pour donner le change, je repassais chez moi (sur la fin avec la bicyclette volée de Léni) puis demi-tour et retour au cimetière... Ah ! les ennuis que nous avons eus avec les jeunes Hoyser, la plus affreuse paire de petits garnements qu'on puisse imaginer, à la fois retors et grossiers. La seule façon de les tenir tranquilles était de les instruire, à cela près qu'ils ne voulaient rien apprendre d'autre que le moyen de gagner de l'argent ! Ils n'ont cessé de me bassiner pour que je leur fasse travailler le calcul, la comptabilité et le reste. Quant à leur mère, elle pouvait toujours essayer de les rappeler à l'ordre, autant pisser dans un violon ! Si seulement un jeu comme le Monopoly avait alors existé chez nous, il nous aurait permis de tenir ces sales gosses tranquilles des semaines durant. N'ayant pas la moindre envie d'être évacués de force, ils avaient très bien compris la nécessité de ne mettre en aucun cas le nez dehors, mais si vous saviez ce qu'ils ont pu fabriquer à l'intérieur ! J'estime qu'il y a des limites à tout et que les morts ont droit à un minimum de respect, chacun le ressent plus ou moins, même moi... mais ces petit voyous ne rêvaient que de trésors enfouis dans les tombes et il s'en est parfois fallu d'un rien qu'ils ne dévissent les plaques des niches pour se lancer à la recherche de leurs damnés trésors. Il se peut qu'on me reproche de m'être enrichi en prélevant des dents en or sur les morts, mais ces gosses-là, voyez-vous, ils n'auraient même pas craint de s'attaquer à celles des vivants. Et quand Lotte se plaint aujourd'hui de ce qu'on lui ait enlevé ses enfants des mains, je prétends, moi, qu'elle ne les y a jamais eus, en main. Feue leur grand-mère et leur bien vivant grand-père ne les ont dressés qu'à estamper les gens et à amasser de l'argent. Il est une chose, voyez-vous, que je n'ai jamais faite — contrairement à tous les autres, Margret,

350

Léni, Lotte et même Boris — je n'ai jamais conservé mes mégots et encore moins recueilli ceux des autres, trouvant ça tout bonnement répugnant. J'ai toujours aimé l'ordre et la propreté, et d'ailleurs chacun pourra vous confirmer qu'en dépit du froid, je sortais chaque nuit du caveau pour aller casser la glace du grand bassin d'arrosage des tombes — j'entends : d'arrosage des fleurs — et m'y laver de la tête aux pieds. Chaque fois que c'était possible je faisais aussi ma marche matinale devenue par la force des choses une marche nocturne. Et j'ai toujours détesté cette maudite récolte de mégots. Bref, vers la fin février, quelques jours avant que nous ne puissions faire notre pêche miraculeuse Schnürergasse, nos réserves commencèrent à s'épuiser; comptant sur l'arrivée des Américains une semaine plus tôt, nous avions mal calculé, si bien qu'il ne nous restait presque plus de biscottes, de beurre, ni même d'ersatz de café ni de cigarettes. Et voilà que ces petits salopards se sont amenés avec des cigarettes bien roulées — ils avaient utilisé l'appareil de leur mère après s'être procuré des feuilles de papier auprès de la brave Margret qui n'a jamais rien su refuser à personne — et, je ne l'ai appris que plus tard, ils m'ont vendu mes propres mégots en prétendant que c'était du tabac frais ! Ils m'en demandaient dix marks pièce, prix raisonnable selon eux. Les femmes ont trouvé ça très drôle et loué le réalisme de ces sales gosses, mais moi, l'idée de devoir marchander avec eux me faisait mal au ventre. Ce n'était pas une question d'argent — je n'en manquais pas et aurais pu au besoin allonger cinquante marks pour une cigarette — mais de principe ! Le principe était mauvais. Comment pouvait-on rire de l'âpreté au gain d'aussi jeunes enfants ? Seul Boris a hoché la tête d'un air désapprobateur. Et plus tard Léni aussi allait déchanter quand, à partir du 2, ils se sont mis à piocher dans notre butin pour se constituer leurs propres petites réserves qu'ils appelaient leur capital : une boîte de saindoux par-ci, un paquet de cigarettes par-là. Il faut dire que nous étions tous beaucoup trop nerveux pour les surveiller d'assez près. Le 2 au soir en effet Léni a eu son bébé; or elle ne voulait pas — et je la comprenais — le mettre au monde dans un caveau; son saint Joseph d'ailleurs ne le désirait pas davantage. Léni était déjà dans les douleurs lorsque, suivis de Margret qui transportait la pharmacie, ils ont traversé le cimetière retourné par les bombes pour gagner l'atelier. Ils y ont confectionné un lit avec de la tourbe, des nattes de paille et de vieilles couvertures, et c'est là que l'enfant de Léni est né, probablement à l'endroit même où il avait été conçu. C'était un garçon de sept livres, venu bien à terme, et puisqu'il est né le 2 mars, c'est donc, selon Adam Riese, qu'il a été conçu aux alentours du 2 juin. Or à cette époque il n'y eut aucun bombardement de jour, pas l'ombre d'un seul! D'autre part — mes états de salaires en font foi — personne au cours de cette période n'a travaillé de nuit et sûrement pas Boris en tout cas, ce qui tend donc à prouver qu'ils ont dû saisir une occasion pendant la journée. Enfin... tout cela appartient au passé, mais ce que je puis vous dire, c'est qu'en fait de paradis soviétique, c'était plutôt l'enfer. Si vous aviez vu l'état du cimetière après l'attaque du 2! Anges et saints décapités, tombes retournées avec ou sans cercueil au choix, et nous autres totalement épuisés par le transport si difficile et périlleux de notre butin de la Schnürergasse, puis pour couronner le tout l'accouchement de Léni le soir même! Remarquez que la chose s'est passée vite et bien. Mais en fait de paradis!... Savez-vous qui nous a rappris à prier? Boris, le Soviétique! Oui, c'est lui et lui seul qui nous a rappelé nos prières. Un garçon extraordinaire, croyez-moi, qui, s'il m'avait écouté, serait encore en vie. Aussi, quelle idée insensée de rentrer en ville dès l'après-midi du 7 en même temps que les femmes et les gosses, avec pour seul papier en poche ce putain de livret militaire ! Il aurait encore pu passer plusieurs mois dans le caveau à lire tranquillement son Kleist, son Hölderlin ou que sais-je encore, au besoin je lui aurais même procuré un Pouchkine ! Il n'aurait jamais dû bouger de là avant d'être en possession d'un certificat de libération, vrai ou faux. Les Américains ont commencé dès l'été 45 à libérer des agriculteurs, et tout ce dont Boris aurait eu besoin, c'était d'un certificat de libération anglais ou américain dans les règles. Les femmes n'y ont même pas pensé, tout à leur ivresse de la paix retrouvée et à leur joie de vivre... mais il était encore un peu trop tôt pour jubiler. Quant à cette idée d'aller passer ses soirées au bord du Rhin, sinon même l'après-midi avec le bébé, les sales petits Hoyser et l'éternellement souriant grand-père Gruyten, ah ! parlons-en. S'il l'avait voulu, Boris pourrait aujourd'hui encore s'asseoir au bord du Rhin ou de la Volga. Voyez-moi : avant de refaire officiellement surface au début du mois de juin, j'ai commencé par me procurer un certificat de libération à mon nom, avec un vrai numéro matricule de prisonnier et le cachet du camp. Ça n'avait rien d'illogique puisque après tout ma profession relevait directement de l'agriculture et qu'en outre, dans ma spécialité, le travail ne manquait pas : plus besoin même de cadavres frais, nous en avions déjà suffisamment d'avance qu'il fallait bien enterrer d'une manière ou d'une autre. Que ni Lotte ni Margret, avec toutes leurs relations, n'aient songé à procurer à Boris un certificat de libération en bonne et due forme, c'est proprement insensé ! Il aurait suffi à Margret de tortiller un peu du popotin et à Lotte de se servir non seulement de ses relations mais aussi de ses tampons et formulaires. Quelle incroyable, quelle inexcusable légèreté de n'avoir pas régularisé la situation de Boris dès le mois de mai ou juin, eût-il même fallu l'affubler du nom de Friedrich Krupp ! Je vous jure que je n'aurais pas regardé à la dépense pour venir en aide à ce garçon pour lequel j'avais plus que de l'amitié, une véritable tendresse, et riez-en si vous voulez, c'est lui qui m'a fait comprendre que tout ce bla-bla-bla sur les sous-hommes n'était qu'une effroyable connerie. Les vrais sous-hommes étaient parmi nous ! »

Les larmes de Pelzer étaient-elles sincères ? Il n'avait pas encore terminé son whisky soda que déjà ses yeux versaient des pleurs. Il les essuya d'un geste timide avant de poursuivre : « Et suis-je donc responsable de la mort du père de Léni ? Moi ? Doit-on de ce fait me fuir comme la peste ? Qu'ai-je fait d'autre en somme que d'offrir à cet homme une vraie chance ? N'importe quel enfant, n'importe quel profane se serait immédiatement aperçu que Gruyten n'était pas un bon plâtrier et que même avec des matériaux de premier ordre il ne s'en tirait pas bien. Si les gens employaient son équipe, c'était faute d'en trouver une meilleure, mais tous ceux qui ont eu affaire à lui ont vu leurs plafonds se fissurer et leurs murs s'écailler. A vrai dire, n'ayant jamais appris à plâtrer, il n'avait pas le tour de main. Quant à son refus de redevenir un homme d'affaires et à sa volonté de jouer au prolétaire, ça n'était jamais qu'une de ces idées à la gomme qu'il avait dû se forger en taule ou au camp, à moins encore qu'elle ne lui ait été inoculée par les communistes parmi lesquels il avait vécu. Quelle déception, croyez-moi, de découvrir que ce grand bonhomme, avec un superbe scandale derrière lui, n'était plus qu'un bousilleur incapable de plâtrer proprement ! Au fond, s'il s'était soudain mis à faire du porte à porte en tirant une vieille charrette à bras chargée d'un ou deux bacs de zinc, d'une pelle, d'une spatule et d'une truelle pour offrir ses services en échange de pommes de terre, de pain et parfois d'un cigare, c'était plutôt par snobisme. Quant à passer ses soirées au bord du Rhin avec sa fille, son gendre et son petit-fils à chanter des chansons et à regarder passer les bateaux, ça n'était quand même pas normal pour un homme doué d'un tel courage et d'un sens aussi extraordinaire de l'organisation. Je lui ai fait à plusieurs reprises des offres parfaitement loyales. « Gruyten, lui ai-je dit, j'ai là trois ou quatre cent « mille marks qu'avec la meilleure volonté du « monde je ne pourrais placer dans des valeurs « sûres ni même à moitié sûres. Alors prenez-les « pour monter une affaire et, une fois la période « d'inflation passée, vous me les rendrez, non à un « ni à deux, mais à trois contre un, net d'intérêts. « Vous êtes quand même assez malin pour savoir « que l'étalon-cigarette n'est qu'un enfantillage, tout « juste bon pour des nihilistes rentrés au bercail « après n'avoir rien eu à fumer au camp, pour des « enfants, des veuves de guerre ou des bonnes « femmes dont les bombardements ont fait des « maniaques de la nicotine. Vous savez tout aussi « bien que moi que le jour viendra où une cigarette « vaudra de nouveau cinq pfennigs ou tout au plus « un groschen[1] et qu'il est puéril d'investir aujour- « d'hui cinquante-cinq pfennigs dans une cigarette « pour la revendre soixante-cinq pfennigs au pro- « chain coin de rue. Et si vous décidez de conserver « les cigarettes jusqu'au jour où la monnaie sera « redevenue forte, je vous prédis que votre cigarette « à cinquante-cinq pfennigs n'en vaudra plus que « cinq, si tant est qu'entre-temps elle n'ait pas « moisi... » Il s'est mis à rire, croyant que je lui proposais d'ouvrir un débit de tabac, alors que j'avais seulement choisi ça comme exemple. Bref, je pensais qu'il monterait une entreprise de bâtiment; et avec un minimum d'habileté, en sa qualité de persécuté politique, il aurait pu ouvrir des chantiers dans toute la région. Mais il n'a rien voulu savoir et finalement j'ai bien dû songer à placer mon argent

1. Un groschen = dix pfennigs, soit le dixième d'un mark (N.d.T.).

355

autrement. Or on ne trouvait guère alors de terrains intéressants à acquérir. Si Léni m'avait vendu son immeuble en temps voulu pour un demi-million, je lui aurais assuré par contrat et à vie la jouissance gratuite d'un appartement. Or, que lui a donné Hoyser ? Quatre fois rien : soixante mille marks en tout et pour tout, et ce en décembre 44... une misère ! Bref, je ne savais trop que faire de mon argent. J'en ai investi le plus possible sous forme de meubles, tableaux, tapis et même livres, mais il me restait encore chez moi, en liquide, ce paquet de trois à quatre cent mille marks. Alors j'ai eu une idée... Oh ! tout le monde s'est bien moqué de moi : « Ma « parole, disait-on, voilà Pelzer qui devient humain « en se lançant pour la première fois de sa vie dans « une affaire absurde ! » De quoi s'agissait-il ? Eh bien, j'ai acheté de la ferraille, mais pas n'importe laquelle, rien que des poutrelles de première qualité, et tout à fait légalement bien entendu, c'est-à-dire que j'ai acquis les droits de démolition et de récupération partout où je l'ai pu, à la grande satisfaction d'ailleurs de la plupart des gens, bien contents de me voir ainsi débarrasser leurs terrains de leurs décombres. La seule question qui aurait pu se poser était celle du stockage des poutrelles, mais je possédais justement pour cela assez de terrains non bâtis, alors en avant ! Savez-vous à combien s'élevait à l'époque le salaire horaire d'une ouvrière fleuriste comme Léni ou Ilse Kremer ? Cinquante pfennigs en tout et pour tout. Quant à un ouvrier non qualifié du bâtiment, il arrivait peut-être à se faire un mark et avec de la chance un mark vingt; ce qui, en tant que travailleur de force, améliorait un peu son ordinaire, c'étaient les tickets spéciaux lui donnant droit à un supplément de saindoux, beurre et sucre. Pour obtenir lesdits tickets, il fallait bien entendu être au service d'un employeur; j'ai donc fondé une affaire sous la raison sociale de : « La Démolition S.A. ». La moitié de la ville s'est moquée de moi quand j'ai commencé à amasser mes poutrelles... il y en avait des kilomètres, l'Europe entière en était jonchée. Et pensez qu'un char d'assaut hors d'usage ne valait même pas deux paquets de cigarettes! Ma foi, je les ai laissés rire, tous ces braves gens. J'ai constitué quatre équipes d'ouvriers que j'ai dotées du matériel nécessaire et, une fois obtenus mes permis de démolition, j'ai commencé la récupération systématique des poutrelles. Car, voyez-vous, je me disais : riez tant qu'il vous plaira, bonnes gens, mais l'acier, c'est de l'acier et ça le restera. En ce temps-là vous obteniez pour rien vaisseaux de guerre, chars et avions hors d'usage à condition de les enlever, et c'est bien ce que j'ai fait : enlever des chars. Je vous l'ai dit, j'avais assez de terrains non bâtis pour y entreposer ma ferraille et j'ai pu de la sorte investir tout mon capital entre 45 et 48 : cent mille mètres courants de poutrelles de première qualité soigneusement stockées et empilées. Au lieu d'appliquer à mes ouvriers le tarif syndical, soit huit à dix marks par jour, je leur ai accordé un bon forfait : trois marks par mètre linéaire, si bien que certains d'entre eux réussissaient parfois à se faire cent cinquante marks ou plus par jour et, avantage supplémentaire, chacun avait donc sa carte de travailleur de force. Nous avons sytématiquement progressé de la périphérie vers le centre de la ville où se situaient les grands magasins et les bâtiments administratifs. Là le travail s'est révélé un peu plus difficile car il restait encore des blocs de béton accrochés aux poutrelles et parfois tout un enchevêtrement d'armatures métalliques qu'il fallait découper au chalumeau. Dans ces cas-là je payais cinq, six et même jusqu'à dix marks le mètre courant. De même que dans la mine le tarif varie selon l'emplacement du charbon, je modifiais le mien en fonction des difficultés présentées par le dégagement des poutrelles. Cela dit, j'ai confié au père de Léni la direction de l'une des équipes, et il a bien entendu voulu mettre personnel-

lement la main à la pâte. Chaque soir, à la livraison
des poutrelles, je payais cash, chacun recevant directement sa liasse de billets et certains rentraient parfois chez eux avec trois cents marks en poche, parfois aussi bien sûr avec quatre-vingts seulement,
mais jamais moins. Or à la même époque, mes
ouvriers de l'établissement horticole gagnaient
soixante marks à peine par semaine. Et la moitié de
la ville a continué à se moquer de ma collection de
poutrelles en train de rouiller sur mes terrains bor-
dant la Schönstätterstrasse, ceci en un temps où
l'on démolissait les hauts fourneaux ! Je n'ai toutefois pas renoncé, ne fût-ce que par entêtement. Ce
genre de travail, je le reconnais, n'était pas toujours
exempt de danger mais, somme toute, je n'ai jamais
contraint personne, absolument personne, à le faire.
C'était un marché clair et net, et je ne me suis
jamais soucié de savoir ce que mes gars trouvaient à
rafler par ailleurs dans les décombres : meubles,
bibelots divers, livres, ustensiles de ménage et le
reste : c'était leur boni. Les gens rigolaient et en
passant devant mes terrains s'exclamaient : « C'est
« ici que rouille l'argent de Pelzer ! » Parmi mes
amis du comité du carnaval « petit bouquet de
pervenches » — ingénieurs du bâtiment et autres —
des plaisantins ont même fait le calcul exact des
sommes que j'allais effectivement laisser bouffer
par la rouille; ils s'appuyaient sur les données fournies par la construction des ponts ou que sais-je, et
je vous avouerai que je n'étais moi-même plus tellement sûr d'avoir fait un bon placement. Mais le plus
drôle, c'est qu'en 1953, quand j'ai enfin voulu et dû
me débarrasser de ma ferraille qui dormait là
depuis tant d'années — entre cinq et huit ans — ne
fût-ce que pour pouvoir bâtir sur mes terrains eu
égard à la crise du logement, et que j'ai alors
encaissé un bon million et demi de marks, tout le
monde m'a traité de fripouille, de spéculateur, de
profiteur de guerre et que sais-je encore. Tout pre-

nait soudain de la valeur, même les chars d'assaut et les camions hors d'usage, enfin tout le matériel que j'avais fait enlever, en toute légalité bien sûr, chaque fois que l'occasion s'en était présentée puisque, je vous l'ai dit, je possédais deux énormes terrains non bâtis propres au stockage et de fortes liquidités inemployées. Là-dessus s'est produite la terrible catastrophe que les femmes ne m'ont jamais pardonnée. Lors de la démolition des ruines de l'ancien office de la santé, le père de Léni a été victime d'un accident mortel. Je vous l'ai dit, je n'ai jamais douté du danger, du grand danger même que pouvait présenter ce genre de travail, à telle enseigne que j'avais alloué à mes ouvriers une prime de risque ou plutôt augmenté le prix du mètre courant, ce qui revenait pratiquement au même, et j'ai mis Hubert Gruyten en garde, quand il a commencé à manier lui-même le chalumeau. Mais comment, je vous le demande, comment pouvais-je me douter qu'il avait si peu le sens de la statique qu'il allait, si j'ose dire, se découper le sol sous les pieds et faire une chute de huit mètres dans les décombres ? Bon Dieu, c'était quand même un homme de la partie, ingénieur diplômé qui, dans son entreprise, avait utilisé dix fois plus de poutrelles que je n'en avais récupéré en cinq ans, alors comment pouvais-je savoir qu'il se découperait lui-même en quelque sorte pour se précipiter dans l'abîme ? Pouvais-je le prévoir, était-ce ma faute ? Quelqu'un ignorait-il le danger que présentait le dégagement au chalumeau de poutrelles prises dans des coffrages de béton et n'ai-je pas convenablement compensé ce risque par un salaire plus élevé ? Et à vrai dire, quand il s'est agi de dégager des poutrelles à la masse ou au chalumeau, le personnage presque mythique du bâtiment qu'était Gruyten s'est révélé fort peu habile et absolument dépourvu de véritables connaissances techniques. Si je l'avais quand même un peu avantagé, c'était à cause de Léni dont le triste sort me touchait profondément. »

Les larmes de Pelzer coulaient à présent si fort qu'il eût été sacrilège d'en contester l'authenticité physique. Quant à porter un jugement sur leur authenticité émotionnelle, voilà qui dépasse de loin la compétence de l'auteur. Cramponné à son verre de whisky et laissant errer son regard à la ronde comme si son bar et la collection de couronnes de la pièce contiguë lui étaient soudain étrangers, Pelzer poursuivit à voix basse : « Une horrible affaire ! Le pauvre Gruyten s'était embroché sur un faisceau de tiges métalliques émergeant d'un bloc de béton qui l'avaient transpercé, non pas lacéré mais bel et bien transpercé ; elles l'avaient perforé en quatre endroits, au cou, à l'abdomen, à la poitrine et au bras droit, et... détail horrible... il souriait. Ce sourire figé lui donnait l'air d'un fou, d'un fou crucifié. Une histoire absolument démentielle ! Et m'en rendre responsable, moi !... » La voix hésitante, le regard anxieux, les mains tremblantes, il poursuivit : « Et le chalumeau pendant dans le vide, sifflant, crachant, brûlant, encore accroché au reste de la poutrelle que Gruyten avait entrepris de découper. Une véritable histoire de fou... et ceci juste un mois avant la réforme monétaire, alors que j'étais sur le point de mettre un terme à la récupération des poutrelles, d'autant que j'avais fini par épuiser mes disponibilités. Il va de soi qu'après cet accident j'ai liquidé sur-le-champ toute l'entreprise, et quand les femmes prétendent que je n'ai procédé à cette liquidation que parce que je jugeais le moment opportun, ce sont de fieffées menteuses. Croyez-moi, si c'était arrivé vers la mi-46, j'aurais agi de même. Mais allez donc le prouver ! Quoi qu'il en soit, telle était la situation de fait un mois avant la réforme monétaire : mon entreprise de démolition liquidée, j'étais poursuivi par la haine de ces femmes et couvert de sarcasmes en raison de mon tas de ferraille qui continuait à rouiller et devait encore le faire cinq bonnes années durant. Hubert Gruyten n'était pas assuré — je ne l'avais pas engagé comme ouvrier ni employé, mais à la tâche, comme travailleur indépendant — je me suis donc offert à verser une petite rente à Léni et Lotte. Mais rien à faire. Un jour que j'étais allé la voir, Lotte, après m'avoir traité de suceur de sang, de tortionnaire et pire encore, a craché dans ma direction. N'empêche que je lui ai sauvé la vie au temps de notre séjour dans les caveaux, car c'est moi qui lui ai plaqué la main sur la bouche quand, au plus fort du pillage de la Schnürergasse, elle s'est soudain mise à hurler comme une folle des slogans socialistes. C'est encore moi qui me suis débattu avec ses sales gosses et leur ai racheté à prix d'or mes propres mégots. Et pendant le bombardement du 2, blottis dans notre caveau, nous avons passé près de sept heures, cramponnés l'un à l'autre, claquant des dents et, je vous le promets, l'incroyante Lotte elle-même a murmuré le *Notre Père* que Boris récitait à haute voix, tandis que ses gredins d'enfants restaient immobiles, figés par la peur, soudain sages et pieux; quant à Margret, elle pleurait à chaudes larmes. Nous sommes restés blottis là, étroitement enlacés, comme frères et sœurs en danger de mort. On aurait dit la fin du monde. Il ne s'agissait plus de savoir si l'un était ancien nazi ou communiste, l'autre membre de l'Armée Rouge et Margret une infirmière au cœur trop tendre, tout se résumait à une seule alternative : vivre ou mourir. Même si l'on ne fréquentait plus guère les églises, on y tenait, elles faisaient partie du décor, de la vie... et voilà qu'en l'espace de quelques heures, toutes avaient été réduites en poussière. Nous avons continué à en bouffer, de la poussière, pendant des jours et des jours, elle nous crissait sous la dent, nous collait au palais... et dès la fin du bombardement nous sommes partis tous ensemble, je dis bien tous ensemble, recueillir l'héritage de la Wehrmacht... et le même jour, à la tombée de la nuit, nous avons

aidé le fils de Léni et de Boris à venir au monde. »
Les larmes de Pelzer coulaient toujours et sa voix se
faisait de plus en plus faible. « Le seul qui m'ait
vraiment compris et ait eu de l'amitié pour moi, le
seul que j'aurais volontiers serré sur mon cœur
comme un fils, accueilli dans ma famille, pris dans
mes affaires, dans tout ce que vous voudrez, qui
m'était plus proche que ma femme, plus proche que
ne me le sont aujourd'hui mes propres enfants...
savez-vous qui c'était ? Boris Lvovitch ! Oui, celui-là,
je l'ai vraiment aimé, et pourtant il m'avait pris la
femme à laquelle je tiens encore aujourd'hui. Je
crois bien qu'il m'a réellement compris et reconnu
pour l'homme que je suis. Il a absolument voulu que
je baptise leur bébé. Oui, avec ces mains-là... et
croyez-moi, mon sang s'est glacé dans mes veines
quand j'ai songé, l'espace d'un instant, à tout ce que
ces mains avaient pu fabriquer sur les vivants et les
morts, les femmes et les hommes, à tout ce qu'elles
avaient tripoté d'argent, de chèques, de couronnes,
de rubans et que sais-je encore... et c'était moi, avec
ces mains-là, qui devais à tout prix baptiser le nouveau-né. Même Lotte, déjà sur le point de qualifier
tout ça de connerie, l'a bouclée; elle en est restée
baba quand Boris m'a dit : « Ecoute-moi, Walter —
« à partir du 2 nous nous sommes tous tutoyés —
« Walter, je te demande de baptiser d'urgence notre
« fils. » Et j'ai accepté. Je suis passé dans mon
bureau où j'ai ouvert le robinet et fait couler l'eau
un moment pour la débarrasser de sa rouille avant
de rincer mon verre et de le remplir. Cela fait, je
suis revenu baptiser le bébé ainsi que je l'avais vu
faire si souvent du temps où j'étais enfant de chœur.
Et comme je ne pouvais être en même temps le
parrain — je n'étais tout de même pas ignorant à ce
point — c'est Lotte et le jeune Werner qui ont tenu
l'enfant que j'ai baptisé en prononçant la formule
rituelle : « Au nom du Père, du Fils et du Saint-
« Esprit je te baptise du nom de Lev. » Et pas plus

le petit chenapan de Kurt que la mordante Lotte ni même Boris n'ont pu retenir leurs larmes. Quant à Margret, elle pleurait comme une Madeleine. Seule Léni, étendue près de nous, a gardé les yeux secs, grands ouverts, légèrement enflammés par la poussière; elle rayonnait et, aussitôt après, a serré l'enfant sur son cœur. Oui, voilà comment les choses se sont passées... et maintenant, je vous en prie, laissez-moi seul, tous ces souvenirs m'ont bouleversé. »

L'auteur reconnaît sincèrement qu'ému lui aussi par le récit de Pelzer il eut du mal, en s'asseyant au volant de sa voiture, à retenir les deux ou trois larmes qui lui montaient aux yeux. Pour ne pas se laisser aller à la sensiblerie, il se rendit aussitôt chez Bogakov qu'il trouva confortablement installé sur sa véranda. Assis dans son fauteuil roulant et enveloppé de couvertures, celui-ci contemplait pensivement par-delà une vaste étendue de jardins ouvriers le croisement de deux lignes de chemin de fer entre lesquelles s'inséraient une carrière de sable, un établissement horticole, un dépôt de ferraille et, chose combien surprenante dans ce décor, un court de tennis au sol d'un rouge passé constellé de flaques d'eau. On entendait des starfighters passer dans le ciel, des voitures rouler sur le boulevard circulaire et, dans les chemins séparant les jardins ouvriers, des enfants jouer au hockey avec des boîtes de lait vides. Bogakov, d'humeur sentimentale lui aussi, seul sur sa véranda et sans « potence à fumer », refusa la cigarette que l'auteur lui offrait mais lui saisit le poignet comme pour lui tâter le pouls.

« J'ai abandonné là-bas une femme et un fils qui, s'il a réussi à échapper aux vingt mille raisons d'y laisser sa peau, doit avoir aujourd'hui sensiblement le même âge que vous. Mon Lavrik avait dix-neuf ans en 44 et ils sont certainement venus le chercher, mais pour l'envoyer où? Je songe parfois à retourner mourir là-bas, n'importe où... et je me demande si ma Larissa est toujours en vie. Ma Larissa que j'ai trompée à la première occasion, en février 45, lorsqu'on nous a expédiés sur le front de l'Erft pour y creuser des abris, des tranchées et des emplacements de batteries. Pour la première fois depuis quatre ans j'ai alors visité une femme... dans le noir. Nous couchions pêle-mêle dans une grange, Russes et Allemands, soldats ou prisonniers et femmes aussi... et je ne pourrais même pas vous dire l'âge qu'elle avait. En tout cas elle ne m'a pas résisté, elle a seulement pleuré un peu après coup car, pas plus que moi, elle n'était habituée à l'adultère, si tant est qu'on puisse parler d'adultère en pleine obscurité et dans des conditions si démentielles que chacun se sentait complètement déboussolé... Nous couchions sur la paille parmi les betteraves. Un vrai village cossu de koulaks, ce Grossbüllesheim. Mon Dieu oui, nous avons pleuré tous les deux, elle et moi... c'étaient la peur, l'obscurité, la misère qui nous avaient poussés l'un vers l'autre, et peut-être m'avait-elle pris pour un Allemand ou un Américain. Car nous avions parmi nous quelques jeunes Américains blessés et à demi morts de froid; le type qui devait les amener à l'hôpital ou dans un centre de rassemblement avait tout bonnement déserté, plantant là ces pauvres bougres qui ne savaient guère dire autre chose que *fucking war* et *fucking generals* et *shit on the fucking Hürtgen forest.* Ce n'était pas la fraternisation sur l'Elbe, mais sur l'Erft, petite rivière si minable qu'on pouvait cracher par-dessus, quoique censée former la nouvelle ligne de front entre le Rhin et la frontière occidentale... alors qu'un gosse de dix ans aurait pu pisser par-dessus. Bref, je pense parfois à cette femme qui s'est ouverte à moi, dont j'ai caressé la joue et les cheveux épais et lisses. Je ne sais même pas si elle était brune ou blonde, si elle avait trente ou cinquante ans, j'ignore jusqu'à son nom. Nous nous sommes unis dans le noir et séparés de même. Je n'ai vu de ce Grossbüllesheim que ses grandes cours de ferme, les feux sur lesquels on faisait cuire le rata, les soldats, les Américains frigorifiés... et naturellement Boris qui était avec moi et que sa Léni suivait à la trace comme la fille aux sept paires de chaussures cloutées et aux sept bâtons noueux... j'espère que vous connaissez ce beau conte. L'obscurité, la paille, nos pieds couverts de boue, la joue d'une femme, ses cheveux, ses larmes... et puis, c'est vrai, son giron. Marie ou Paula ou Katharina, qui sait ? Pourvu qu'elle n'ait jamais eu l'idée d'aller raconter ça à son mari ou à son confesseur... Voyons, mon ami, laissez-moi donc votre main, c'est bon de sentir battre le pouls d'un homme... Le mangeur de concombres et le neurasthénique de Leningrad sont allés voir au cinéma un film soviétique sur la bataille de Koursk. Grand bien leur fasse !... Sachez mon jeune ami que j'ai été fait prisonnier par les Allemands dès le début du mois d'août 41, au cours d'une saloperie de bataille d'encerclement, près de Kirovograd. Du moins était-ce encore le nom de la ville à l'époque mais, vu ce qu'ils ont ensuite fait de Kirov, Dieu sait comment elle s'appelle aujourd'hui. Kirov était mon chef, notre chef... mais voilà, ils l'ont liquidé. Cela dit, mon ami, être prisonnier des Allemands n'avait vraiment rien de convenant, et si tu viens me raconter que la captivité des Allemands en Russie n'était pas convenante non plus, je te répondrai que nos gens étaient tout aussi misérables que leurs prisonniers allemands... Nous avons marché pendant des jours et des jours à travers champs et villages, mourant littéralement de soif au point que, dès qu'un puits ou un petit ruisseau était en vue, nous nous léchions les lèvres sans plus penser du tout à la bouffe. On nous a parqués à cinq mille dans la grande cour d'un kolkhoze, en plein air, mourant toujours de soif. Quand de pacifiques civils, nos propres concitoyens, voulaient nous apporter à boire ou à manger, sans les laisser approcher ils tiraient dans le tas. Et si l'un de nous essayait d'aller au-devant des civils, il était immédiatement fauché par une rafale de mitraillette. Une femme a envoyé vers nous sa petite fille avec du pain et du lait, une ravissante petite Natacha de cinq ans environ; elle pensait que les soldats ne feraient aucun mal à une aussi délicieuse petite fille portant d'une main une cruche de lait et de l'autre du pain, mais penses-tu... une rafale de mitraillette, et la petite Natacha était aussi morte que les autres, et sur le sol le pain nageait dans le lait et le sang. Nous sommes donc allés de Tarnovka à Oumane, d'Oumane à Ivan-Gora, d'Ivan-Gora à Gaïsine, de là à Vinnitsa pour arriver le sixième jour à Schmerinka et repartir ensuite pour Rakovo, près de Prokourov. Nous recevions deux fois par jour une soupe de pois plus que claire... ils posaient tout bonnement les bassines au milieu de la foule, et la foule, c'était vingt à trente mille hommes qui se ruaient sur cette minable nourriture. Mais nous n'avions que nos mains nues pour prendre la soupe qu'il nous fallait laper comme des chiens. On nous donnait parfois un supplément — betteraves, pommes de terre ou choux à moitié crus — mais ceux qui avaient le malheur d'en bouffer attrapaient de tels maux d'estomac et une telle diarrhée qu'ils n'avaient plus qu'à aller crever sur le bord de la route. Nous sommes restés à Rakovo jusqu'en mars 42; il mourait parfois jusqu'à huit ou neuf cents types par jour, et je ne te parle pas des insultes, des sévices, ni des coups de feu tirés dans le tas. Or même s'ils n'avaient rien à nous donner à bouffer on n'étaient pas censés le faire, pourquoi ne laissaient-ils pas approcher la population pacifique qui voulait nous apporter quelque chose?... J'ai ensuite été envoyé chez Krupp à Königsberg dans une usine de chenilles. Douze heures de travail de jour ou onze heures de nuit; on roupillait n'importe où, même dans les latrines, et quand un type avait de la chance, il se dégottait une niche à chien où il était à l'étroit mais du moins tout seul. Le pire était de tomber malade ou de passer pour un tire-au-flanc. Les tire-au-flanc étaient confiés aux S.S. et quant aux malades vraiment hors d'état de travailler, on les expédiait dans des hôpitaux qui n'étaient en fait que des camps d'extermination, des camps de la mort camouflés en hôpitaux, bourrés jusqu'à la gueule et absolument immondes. La ration quotidienne y consistait en deux litres de soupe claire et 250 grammes d'ersatz de pain. L'ersatz de pain se composait en majeure partie d'ersatz de farine qui n'était rien d'autre que de la paille hachée mélangée de fibre de bois. La balle, la glume, la paille hachée vous irritaient les boyaux. Ce n'était pas de l'alimentation mais de la sous-alimentation systématique. A quoi s'ajoutaient insultes et coups de matraque qui pleuvaient dru. Plus tard, ayant manifestement décidé que la paille hachée était encore trop bonne pour nous, ils ont fourré jusqu'à deux tiers de sciure de bois dans le pain. Quant à la soupe, elle était faite de pommes de terre pourries mêlées à toutes les épluchures possibles et imaginables avec comme condiment de la crotte de rat. Il mourait jusqu'à cent hommes par jour. Il était presque impossible de ressortir de cet hôpital, à moins d'être un favori du sort, et j'en fus un. Ayant tout de suite compris que leur pain était du poison, j'ai cessé d'en manger; j'ai eu faim mais du moins ai-je évité le pire. Mieux valait encore rester chez M. Krupp à monter des chenilles douze heures par jour. Tu dois pouvoir imaginer à présent quel privilège inouï ce fut d'être envoyés dans une ville pour y repérer les cadavres et déblayer les décombres et te douter que Boris nous faisait l'effet du prince de légende qui finit par monter sur le trône royal! Alors qu'il n'avait pas la moindre notion du métier de fleuriste, ils l'ont envoyé tresser des couronnes mortuaires dans un atelier spécialisé.

Un garde venait le matin le chercher au camp et l'y ramenait le soir. Non seulement il ne recevait jamais de coups, mais encore lui faisait-on des cadeaux et — ce que j'étais vraiment seul à savoir — il aimait et était aimé. Le fils du roi ! Et nous autres, sans être des fils de roi, nous étions tout de même favorisés par le sort. Sans doute n'étions-nous pas jugés dignes d'enlever les cadavres allemands, mais nous avions le droit de débarrasser les rues de leurs décombres et de réparer les rails de chemin de fer. Et parfois, au cours du déblaiement, l'inévitable se produisait : une main russe ou plus exactement une pelle maniée par un Russe heurtait un cadavre, véritable aubaine car la pause était alors obligatoire, le temps que d'autres mains viennent enlever ledit cadavre pour lequel Boris tresserait une couronne et choisirait un ruban. Et puis il nous arrivait aussi de découvrir dans les décombres un buffet de cuisine ou un placard éventré non totalement vidé de son contenu, à quoi s'ajoutait parfois l'heureux hasard de trouver ce quelque chose à manger au moment où le soldat de garde regardait ailleurs et enfin, certains jours, la chance était triple : on trouvait quelque chose, on n'était pas vu par les soldats et on ne subissait pas la fouille. Mais crois-moi, le type qui se faisait prendre passait un mauvais quart d'heure : les Allemands eux-mêmes n'avaient le droit de rien s'approprier, alors si un Russe piquait quelque chose... eh bien, il lui arrivait ce qui est arrivé à Gavril Ossipovitch et Alexeï Ivanovitch, il était confié aux S.S. aux fins de châtiment, et c'était du travail rapide : krrr, krrr, terminé ! Quand on trouvait un peu de nourriture, le plus sûr était de la bouffer illico à condition toutefois de mâcher avec beaucoup de circonspection car s'il n'était pas interdit de manger pendant le travail — interdiction parfaitement superflue d'ailleurs — comment un type de notre sorte aurait-il donc pu avoir quelque chose à se mettre sous la dent ? Il l'aurait forcément volé!... Nous avons eu de la chance avec notre commandant de camp : quand une faute lui était signalée, il se contentait de mettre le coupable aux arrêts sans le livrer aux S.S. sauf si le feldwebel l'exigeait, lui-même exigeant pour sa part que nos rations nous soient correctement distribuées. Un jour, pendant que je subissais la fouille, je l'ai personnellement entendu se bagarrer au téléphone avec un supérieur quelconque pour obtenir que notre travail soit qualifié d'*appréciable*. C'est qu'un travail *appréciable* donnait droit à 320 grammes de pain, 22 grammes de viande, 18,5 grammes de matières grasses et 32 grammes de sucre par jour, tandis qu'un travail « non appréciable » ne valait que 125 grammes de pain, 15 grammes de viande et de matières grasses et 21 grammes de sucre environ. Eh oui, notre commandant bataillait ferme avec un ponte de Berlin ou de Düsseldorf pour obtenir que notre travail soit qualifié d'appréciable. C'est que, mon cher, ça n'était pas négligeable, 100 grammes de pain, 3,5 grammes de matières grasses, 7 grammes de viande et 11 grammes de sucre de plus ou de moins! Un type énergique, ce commandant, même s'il avait un bras, une jambe et un œil de moins qu'un homme nanti de tous ses accessoires. Tandis qu'on me fouillait de la tête aux pieds, il gueulait superbement. Et plus tard il nous a bel et bien sauvé la vie, à nous les douze restants du camp. Trente de nos camarades avaient déjà pris la tangente à la faveur de bombardements intenses, soit pour se planquer dans les ruines soit pour filer vers l'ouest à la rencontre des Américains sous la houlette de notre infatigable Victor Genrichovitch... soit dit en passant, nous n'avons jamais plus entendu parler d'eux. Quant à nous autres, dont Boris qui comme chaque jour au réveil se réjouissait une fois encore d'aller travailler à l'établissement horticole, nous nous sommes aperçus un matin qu'avec une belle unanimité tous nos gardiens avaient déserté : plus une seule sentinelle, le poste de garde vide, la grille ouverte... seuls restaient les barbelés. Et la vue était exactement la même que d'ici, de cette terrasse : la voie de chemin de fer, les jardins ouvriers, la carrière de sable et le dépôt de ferraille. Nous étions donc libres mais, crois-moi, quelle fichue impression! Que faire de notre liberté et pour aller où? Nous balader dans le secteur en qualité de prisonniers de guerre soviétiques libérés? Piètre solution et d'autant plus périlleuse que la désertion de nos gardiens, si elle marquait la fin de leur petite guerre personnelle, ne signifiait pas la fin de la guerre tout court. Il est d'ailleurs probable qu'un certain nombre d'entre eux se sont fait ramasser et pendre ou coller au mur... Nous avons donc tenu conseil pour en arriver à la conclusion que mieux valait informer le commandant de la situation. Si notre homme n'avait pas lui aussi déserté, il nous aiderait à nous débarrasser d'une liberté pour l'heure aussi inopportune que dangereuse; car il eût été absurde de décamper pour tomber dans les bras de la première patrouille venue et sous les crocs de ses chiens policiers. Il existe en effet pour se débarrasser des types encombrants qu'on n'a plus les moyens de coffrer, de surveiller ni de juger une méthode très simple consistant à les fusiller. Et tu comprendras sans doute que cette perspective ne nous souriait pas. Nous entendions par moments déjà l'artillerie alliée nous donner un avant-goût de la vraie liberté, alors que celle dont nous jouissions soudain nous paraissait vraiment trop risquée... Victor Genrichovitch, lui, avait minutieusement préparé son affaire, avec cartes routières, réserves de vivre et quelques adresses obtenues de ses satellites ou de ses « boîtes aux lettres ». Ils étaient partis par petits groupes... rendez-vous à Heinsberg, à la frontière hollandaise, puis progression en direction d'Arnheim. Bien. Mais nous, nous étions complètement ahuris par cette liberté offerte sans préavis. Cinq d'entre nous ont pourtant eu le cran d'en faire usage car, après avoir rassemblé quelques frusques civiles et s'en être affublés de leur mieux, camouflés en commando de travailleurs avec pelle et pioche sur l'épaule ils ont franchi la voie du chemin de fer. L'idée n'était pas mauvaise. Quant à nous, les sept restants, nous avions peur, outre que Boris ne voulait bien entendu pas abandonner sa Léni. Comme il ne pouvait aller à son travail sans sa bonne d'enfants, le sieur Kolb, il a réussi par téléphone à donner l'alerte chez Pelzer, si bien qu'une demi-heure plus tard Léni l'attendait ici devant, avec son vélo, au croisement des routes de Näggerath et de Wildersdorf. Boris avait entre-temps téléphoné au bureau du commandant pour l'informer de la disparition de nos gardiens. En moins de trente minutes notre patron manchot, unijambiste et borgne s'amenait à bord de sa voiture, accompagné de deux ou trois soldats. Il a commencé par traverser le baraquement sans mot dire... son extraordinaire prothèse était si merveilleusement ajustée qu'elle lui permettait même de monter à bicyclette. Il est ensuite entré au poste de garde dont il est presque aussitôt ressorti puis, faisant venir Boris, l'a remercié : poignée de main virile et yeux dans les yeux... très allemand mais pas aussi ridicule qu'on pourrait le croire. Grands dieux, ça se passait quinze jours avant l'entrée des Américains dans la ville, et sais-tu ce qu'a fait notre commandant ? Il nous a envoyés au-devant d'eux sur le front de l'Erft en disant à Boris : « Koltowski, je dois malheureuse-« ment considérer comme terminé votre travail de « commando à l'établissement horticole. » Pendant ce temps j'avais vu Léni parler au chauffeur dont elle avait certainement appris ce qui allait suivre. Il n'était pas difficile de voir qu'elle était enceinte, épanouie comme un tournesol dont les graines vont bientôt se détacher, et je me suis fait ma petite idée. Vingt minutes plus tard nous partions à bord d'un camion à destination de Grossbüllesheim puis de

Grossvernich d'où nous sommes repartis la nuit même vers Balkhausen et finalement de là, toujours de nuit, sur Frechen. Il ne restait plus alors que Boris et moi dans le camion, les autres ayant compris le signe du commandant et profité de la nuit pour ramper à travers champs vers les lignes américaines... Quant à notre prince, ayant enfilé son uniforme allemand, il a rejoint sa princesse qui lui a collé un gros pansement dûment barbouillé de sang de poulet avant de l'amener au cimetière sur son vélo. Et moi ? Eh bien moi, j'ai commis une folie. Fin février, seul et de nuit, j'ai fait marche arrière pour revenir dans cette ville démolie, bousillée, où j'avais passé un an à enlever des décombres et dégager des cadavres, où j'avais été injurié et insulté, mais où parfois un passant avait jeté à mes pieds un mégot ou une cigarette entière, voire même une pomme ou un morceau de pain au moment où, volontairement ou non, le gardien regardait ailleurs. Oui, je suis rentré en ville où je me suis planqué dans la cave à moitié effondrée d'un hôtel particulier en ruine dont le plafond incliné me faisait un toit; et c'est là que, blotti dans mon coin, j'ai attendu l'arrivée des Américains. Je mangeais des œufs et du pain volés chez les paysans en buvant l'eau de pluie qui formait une mare dans la buanderie. Pendant la journée je faisais ma provision de bois : des lattes de plancher, ça brûle bien... et j'ai fouillé dans tous les meubles éventrés jusqu'à trouver enfin de quoi fumer : six gros cigares de première qualité dans leur bel étui de cuir de capitaliste sur lequel on pouvait lire : « Lucerne 1919 ». Je l'ai conservé et, si tu veux, puis te le montrer. Eh bien, six gros cigares, à condition de n'en rien perdre, cela fait trente-six cigarettes tout à fait acceptables. Une fortune, si tu possèdes aussi des allumettes ! Et pour le papier à cigarettes, j'ai trouvé un missel de cinq cents pages sur papier bible de Grossvernich, avec sur celle de garde le nom de sa propriétaire : Katharina Wermelskirchen, et juste au-dessous : première communion, 1878. Mais chaque fois, avant d'arracher la page qui allait me servir à rouler ma cigarette, je lisais ce qui était écrit dessus : « Scrute ta conscience et demande-toi « si tu as offensé Dieu par pensée, par parole et par « action. Mon Père, j'ai péché contre le Ciel et « contre toi, j'ai erré comme une brebis égarée et ne « suis pas digne d'être appelé ton enfant. » Je devais bien ça à ce pauvre papier avant qu'il ne parte en fumée ! Je suis donc resté là, entortillé dans ce que j'avais pu trouver d'étoffes en bon état ou en lambeaux : rideaux, nappes, jupons et même morceaux de tapis, et la nuit je me faisais un petit feu avec des lattes de plancher. C'est là que j'ai vécu la journée du 2, le tonnerre céleste, l'enfer, le Jugement dernier... et je vais te dire à présent ce que je n'ai encore jamais dit à personne, pas même à moi : je me suis épris de cette ville, de sa poussière que j'ai bouffée, de sa terre qui a tremblé, de ses clochers qui se sont effondrés et des femmes que j'ai visitées par la suite, au cours d'hivers si froids que rien ne peut mieux te réchauffer que le corps d'une femme contre laquelle tu te serres. Je n'ai pas pu abandonner cette ville, que ma Larissa et mon Lavrik veuillent bien me le pardonner. Et que Larissa veuille bien me pardonner aussi ce que j'ai lu dans le missel : « T'es-tu dans la sainte union « conjugale comporté selon ton devoir ? As-tu péché « contre elle par pensée, par parole et par action ? « As-tu — même si cela ne s'est pas fait — sciem- « ment et délibérément souhaité pécher avec un « autre homme ou une autre femme, mariés ou « non ? » toutes questions posées à Katharina Wermelskirchen et auxquelles j'ai dû, quant à moi, répondre par oui, tandis qu'elle a pu, je l'espère, répondre par non. Peut-être, après tout, la meilleure façon d'accéder à la prière consiste-t-elle à utiliser en guise de papier à cigarettes les pages d'un missel dont on s'oblige à lire soigneusement chaque feuillet avant de l'en arracher... Et maintenant laisse-moi ta main et garde le silence. » (L'auteur s'exécuta, d'autant plus profondément troublé qu'il découvrait chez Bogakov des *larmes* et des *pleurs,* devinait sa *souffrance* et présumait sa *douleur* avec une probabilité frisant la certitude.)

Dans le seul but d'apporter un modeste complément au témoignage objectif de Bogakov, l'auteur se permet de lui adjoindre, à titre d'illustration pour ainsi dire, quelques extraits — peu nombreux mais d'une authenticité garantie — de déclarations verbales, de dépositions et de comptes rendus émanant de personnages haut placés.

Rosenberg : Ils ont plus ou moins l'impression que le départ pour l'Allemagne est quelque chose d'assez analogue au départ pour la Sibérie.
Je sais que le transfert de trois millions et demi d'individus pose de graves problèmes et qu'il n'est pas possible de leur assurer de parfaites conditions d'existence. Il est bien évident que des milliers d'hommes sont ici mal logés ou mal traités, mais s'il n'y a pas là de quoi en faire un monde, la question n'en mérite pas moins réflexion, et je suppose que le gauleiter Sauckel en a déjà débattu ou qu'il en débattra. Ces gens de l'Est sont transférés en Allemagne pour y travailler avec un rendement aussi satisfaisant que possible. C'est tout naturel. Pour obtenir d'eux un bon rendement, il ne faut pas les amener ici aux trois quarts morts de froid ni les laisser debout pendant dix heures d'affilée. Il faut surtout les nourrir suffisamment pour leur assurer des réserves de force...
Il revient de droit à chaque chef d'exploitation d'infliger en cas de besoin un châtiment aux ouvriers agricoles de nationalité polonaise... Le chef d'exploitation n'a alors aucun compte à rendre à quelque autorité que ce soit.

Les ouvriers agricoles de nationalité polonaise devant être dans toute la mesure du possible tenus à l'écart de la maisonnée, on pourra les loger dans les étables, écuries, etc. Aucune sorte d'inhibition ne doit faire obstacle à ces dispositions.

Speer : Les chaînes de fabrication modernes requièrent une durée de travail régulière tout au long du mois. Les attaques aériennes ayant entraîné des interruptions dans la livraison des matières premières et des pièces détachées, le nombre d'heures de travail dans les usines a oscillé entre huit et douze par jour. D'après nos statistiques, la moyenne oscillerait entre 60 et 64 heures par semaine.

Docteur Flächsner : Quelle était dans les usines la durée du travail de la main-d'œuvre fournie par les camps de concentration ?

Speer : Exactement la même que celle des autres ouvriers. En effet, la main-d'œuvre fournie par les camps de concentration ne constituant en règle générale qu'une fraction de l'effectif global, elle travaillait au même rythme que le reste du personnel.

Docteur Flächsner : Dans quelles conditions ?

Speer : La S.S. exigeait que la main-d'œuvre fournie par les camps de concentration fût groupée dans un secteur distinct de l'usine, son travail étant surveillé par des chefs d'équipe et contremaîtres allemands. Le rythme de la production ne pouvant varier selon les secteurs, et ce pour des raisons inhérentes à la fabrication, la durée du travail était nécessairement la même pour tout le personnel de l'usine.

Docteur Flächsner : Il ressort pareillement de deux documents en ma possession que dans toutes les usines d'armement, produisant aussi bien pour l'armée de terre que pour la marine ou l'armée de l'air, la durée du travail imposée à la main-d'œuvre fournie par les camps de concentration s'élevait en moyenne à 60 heures par semaine.

Voulez-vous me dire, monsieur Speer, pourquoi pour cette main-d'œuvre étrangère ont été installés sur place dans les usines des camps spéciaux dits « camps de travail » ?

Speer : Ces camps de travail ont été institués afin d'éviter aux ouvriers de longs trajets qui ne leur auraient pas permis de *se présenter frais et dispos à leur travail.* » (C'est l'auteur qui souligne.)

« Le bolchevisme est l'ennemi mortel de l'Allemagne nationale-socialiste... Le soldat bolcheviste a perdu tout droit d'être considéré comme un homme d'honneur, protégé par la convention de Genève... Le sentiment de fierté et de supériorité ressenti par le soldat allemand chargé de la surveillance des prisonniers de guerre soviétiques ne doit jamais cesser d'être évident, même pour le public... Il est indispensable d'intervenir énergiquement et radicalement au moindre signe de révolte, en particulier contre les meneurs bolchevistes... Ne fût-ce que pour des raisons d'ordre disciplinaire, il ne faut jamais hésiter à faire usage de ses armes à l'égard des prisonniers de guerre soviétiques. »

« La Wehrmacht doit se débarrasser au plus vite de tous ceux qui, parmi les prisonniers de guerre, peuvent être considérés comme des agitateurs bolchevistes. Les conditions particulières de la campagne de Russie exigent des mesures particulières qui doivent être appliquées à l'abri de toute influence administrative et bureaucratique. »

« Exécution par les armes de prisonniers de guerre soviétiques :

« Il est décrété avec effet immédiat que les exécutions de prisonniers de guerre soviétiques et les accidents mortels dont ils peuvent être victimes n'ont plus à être signalés par téléphone aux autorités supérieures comme un événement singulier. »

« Les prisonniers de guerre qui travaillent toute

la journée à temps complet toucheront par journée de travail une indemnité de base de :

« RM 0,70 pour les prisonniers de guerre non soviétiques

« RM 0,35 pour les prisonniers de guerre soviétiques. »

« L'indemnité minimum par journée de travail s'élèvera toutefois à :

« RM 0,20 pour les prisonniers de guerre non soviétiques

« RM 0,10 pour les prisonniers de guerre soviétiques. »

En vue d'obtenir un certain nombre de renseignements supplémentaires et de procéder aussi à quelques vérifications, l'auteur jugea nécessaire d'importuner une fois encore le personnage haut placé... celui que nous avons décidé d'appeler M. X. Il lui téléphona donc pour lui exposer l'objet de sa requête et lui demander une entrevue; M. X lui répondit sans l'ombre d'une hésitation qu'il lui accorderait volontiers un entretien « et même plusieurs si nécessaire ». Sa voix avait eu cette fois un accent si amical et presque jovial que l'auteur entreprit sans la moindre crainte son petit voyage de trente-six minutes en chemin de fer. Il s'offrit même un taxi à la descente du train, mais du coup manqua la Bentley avec chauffeur que monsieur X avait tout exprès envoyée à la gare pour l'y quérir. L'auteur ne s'était pas attendu à une aussi charmante attention, d'autant qu'aucune allusion n'y avait été faite au téléphone et ce chassé-croisé lui coûta 17,80 marks, 19,50 même avec le pourboire, M. X habitant assez en dehors de la ville. (L'auteur regrette profondément d'avoir, en cette occasion, lésé le fisc de 2,20 marks.) Ayant jugé opportun de se munir cette fois encore de cadeaux à l'intention de ses hôtes, il s'était décidé pour un paysage rhénan, estampe semblable à celles vues chez Mme Hölthohne et dont la finesse digne d'un grand orfèvre l'avait si agréablement surpris. Coût : 42 marks, et avec le cadre : 51,80. L'épouse de M. X que, pour simplifier les choses, nous appellerons dorénavant Minette fut — et pas en paroles seulement — « ravie de cette charmante attention ». Quant à M. X, l'auteur avait réussi à lui dénicher une première édition — en facsimilé — du *Manifeste communiste* (il s'agissait en réalité d'une simple photocopie un peu retouchée mais qui n'en arracha pas moins un sourire ravi à son destinataire).

L'atmosphère fut cette fois nettement plus détendue. Minette, toute méfiance abolie, fit servir le thé (à peu près de la qualité de celui du salon de thé auquel Mme Hölthohne n'avait rien trouvé d'extraordinaire) avec des gâteaux secs, du sherry (sec aussi) et des cigarettes. Le visage de ces deux êtres fins et sensibles reflétait une douce mélancolie excluant les larmes mais non les yeux humides. Ce fut un agréable après-midi, sans agressivité cachée, mais avec une légère touche d'agressivité ouverte. L'auteur a déjà décrit le parc et le salon, mais non encore la terrasse à la balustrade de style baroque, flanquée de chaque côté d'une pergola et qui s'enfonce dans le parc. Beau gazon dru et ras. Aux arbrisseaux (des forsythia), les premières fleurs printanières.

Minette (brune malgré ses cinquante-six ans — elle n'en paraît *réellement* que quarante-six — longues jambes, petite bouche, poitrine normale dans sa robe de jersey rouille avec sur le visage un fond de teint très pâle qui lui sied à merveille) : « Quelle jolie histoire que celle de cette jeune femme allant à bicyclette d'un camp à l'autre pour rechercher son bien-aimé qu'elle trouve finalement dans un cimetière. Le mot « joli » ne s'applique naturellement ni au cimetière, ni au fait qu'elle y ait retrouvé son Boris, mais à l'odyssée de cette jeune femme qui traverse à bicyclette l'Eifel et les Ardennes jusqu'à Namur, réussit à pousser jusqu'à Reims, revient à Metz, rentre chez elle, retraverse l'Eifel, passe et repasse les lignes interzones et les frontières. Voyez-vous, je connais cette jeune femme et si j'avais su que c'était elle dont vous nous aviez parlé, j'aurais... ma foi, je ne sais trop ce que j'aurais fait... mais j'aurais essayé, malgré son caractère si renfermé, de lui faire plaisir. En 52, quand mon mari a été enfin relâché, nous avons demandé son adresse à l'horticulteur chez lequel elle avait travaillé pour aller immédiatement la voir. Une très belle personne vraiment dont, toute femme que je suis, je puis imaginer l'attrait qu'elle exerce sur les hommes (??? — l'auteur). Et son fils, aussi beau qu'elle, avec ses longs cheveux blonds et lisses! Mon mari était très ému... l'enfant lui rappelait Boris jeune; maigreur et lunettes mises à part, il ressemblait beaucoup à son père, n'est-ce pas? (Signe d'assentiment de monsieur X — l'auteur.) Cela dit, sa mère lui donnait une éducation déplorable. Elle n'aurait jamais dû refuser de l'envoyer à l'école. Il avait alors sept ans et demi, et la façon qu'elle avait de l'élever relevait du romanesque le plus échevelé. Elle passait son temps à lui chanter des mélodies et à lui raconter des histoires faites d'une affreuse mixture de Hölderlin, Trakl et Brecht... Je ne sais trop si *La Colonie pénitentiaire* de Kafka est une lecture adéquate pour un enfant de moins de huit ans et je me demande aussi si la représentation réaliste de *tous* les organes humains — tous sans exception — ne conduit pas... comment dire... eh bien, à une vision un peu trop matérialiste de l'existence. Et pourtant, en dépit de l'anarchie dans laquelle elle se complaisait, cette jeune femme avait quelque chose d'imposant. Mais enfin... ces reproductions, qui plus est agrandies, des organes sexuels humains... je me demande si ça n'était pas un peu tôt pour un enfant de son âge... on dirait probablement aujourd'hui que c'est déjà trop tard (rire de monsieur et madame — l'auteur). Mais quel charmant bambin, délicieux vraiment et si spontané! Et quel sort tragique que celui de cette jeune femme qui, à trente ans, avait déjà si l'on peut dire perdu trois maris, ainsi que son frère, son père et sa mère... et si fière avec ça! C'est précisément sa fierté qui m'a ôté tout courage de retourner la voir. Nous avons encore correspondu avec elle en 55 quand, accompagnant Adenauer à Moscou, mon mari a réussi à retrouver là-bas, au ministère soviétique des Affaires étrangères, un fonctionnaire qu'il avait autrefois connu à Berlin et à l'interroger entre deux portes sur les Koltowski. Le résultat fut hélas! totalement négatif : le grand-père et la grand-mère du petit Lev étaient morts et l'on avait perdu toute trace de sa tante Lydia. »

M. X : « Il n'est pas exagéré de dire que si Boris est mort, la faute en incombe aux Alliés occidentaux. Je ne fais en l'occurrence allusion ni à cette folle et funeste histoire de livret militaire allemand ni au fait qu'il ait péri dans un accident de mine. Non, là n'est pas la question. La faute des Alliés occidentaux a été de m'arrêter, moi, et de m'interner pour sept ans... oui, mon cher, j'ai passé sept ans sous les verrous, et même si lesdits verrous n'étaient pas d'une solidité à toute épreuve, ça fait long, croyez-moi!... Il était pourtant entendu avec Erich von Kahm qu'il m'alerterait dès que ça commencerait à sentir le roussi pour mon jeune protégé, mais la désertion en bloc des gardes du camp l'a pris de court. Remarquez qu'il n'en a pas moins, vu les circonstances, pris le meilleur parti possible, celui d'envoyer Boris sur le front de l'Erft d'où il aurait pu saisir la première occasion de passer sans mal de l'autre côté. Pourtant, notre projet initial était tout autre : Kahm devait lui procurer un uniforme anglais ou américain et l'introduire dans un camp de prisonniers de guerre anglo-saxons... avant que la supercherie ne soit découverte, la guerre aurait pris fin. C'était bien sûr une véritable folie de lui coller un livret militaire et un uniforme allemands, et avec une prétendue blessure par-dessus le marché. Pure folie, croyez-m'en. Ni Kahm ni moi ne pouvions naturellement nous douter qu'il y avait là-dessous une histoire de femme. Quand j'y songe... un enfant en route et les bombes qui pleuvaient sur la ville ! Quelle folie ! Plus tard, quand j'ai fait la connaissance de cette jeune femme, je n'ai pu tirer grand-chose d'elle. En apprenant que c'était grâce à moi que Boris avait été envoyé à l'établissement horticole, elle m'en a remercié mais... comment dire... à la façon dont une petite fille tout juste bien élevée vous remercie pour une tablette de chocolat. Elle n'imaginait ni les risques que j'avais pris, ni l'aide que m'aurait apportée le témoignage de Boris au procès de Nuremberg. Si bien que je m'y suis couvert de ridicule en déclarant devant mes coaccusés que j'avais sauvé la vie d'un certain Boris Lvovitch Koltowski, tel âge, tel stalag, etc. L'avocat général soviétique a aussitôt réagi : « Eh bien, « puisque vous pouvez nous fournir tant de préci- « sions, a-t-il dit, nous allons nous efforcer de « retrouver ce Boris Lvovitch Koltowski. » Mais un an après et pour cause, on ne l'avait toujours pas retrouvé ! Ce fut un ignoble coup bas, voilà ce que j'en pense. Si Boris avait vécu et qu'on l'y eût auto-risé, il eût pu témoigner en ma faveur. A Nuremberg on m'a imputé les propos les plus abominables, pro-pos qui ont été effectivement tenus au cours de conférences auxquelles j'assistais, mais par d'autres que moi. Me croiriez-vous donc capable de déclara-tions comme celles-ci ? (Tirant son carnet de sa poche, il lut à haute voix :) « Même à l'égard d'un « prisonnier de guerre soviétique docile et désireux « de travailler, la douceur n'est pas de mise. Il la « prendrait pour de la faiblesse et en tirerait les « conséquences. » De même que, soi-disant, lors d'une conférence tenue en septembre 41 chez le ministre de l'Armement, j'aurais proposé de loger huit cent quarante prisonniers au lieu de cent cinquante dans les baraquements du RAD (Reichsarbeitsdienst[1] – l'auteur), ceci en tassant très étroitement les châlits superposés. On a dit aussi que dans l'une de mes usines, les Russes arrivaient le matin le ventre vide et sans tenue de travail, que les ouvriers allemands eux-mêmes mendiaient du pain et que nous avions des cachots. Il n'empêche que c'est moi qui en mars 42 me suis plaint de ce que les Russes employés dans nos usines fussent si affaiblis par la déplorable nourriture du camp qu'ils n'étaient même plus en état de serrer un écrou à fond. Lors d'une conférence chez le général Reinecke, grand responsable de tous les prisonniers de guerre, j'ai personnellement protesté contre le mélange prescrit pour la confection du prétendu « pain russe », lequel devait comporter 50 p. 100 de farine de seigle, 20 p. 100 de rognures de betterave sucrière, 20 p. 100 de farine de cellulose et 10 p. 100 de paille hachée ou de fane. Je suis arrivé à imposer, du moins pour nos usines et à leurs frais, que le pourcentage de farine de seigle soit porté à 55 p. 100 et celui des rognures de betteraves à 25 p. 100 ce qui diminuait d'autant la proportion des exécrables autres composants, farine de cellulose et paille hachée ou fane. On oublie trop facilement la complexité des problèmes qui se posaient alors à nous. J'ai attiré l'attention du secrétaire d'Etat au Ravitaillement, Backe, et de Moritz, son chef de cabinet, sur le fait qu'envoyer des hommes travailler dans les usines d'armement ne signifiait pas nécessairement signer leur arrêt de mort mais que bien au contraire le travail dans cette industrie exigeait des hommes vigoureux. Et c'est encore moi finalement qui ai fait adopter les « jours de bouillie » qui devaient ensuite devenir célèbres. J'ai eu les pires

1. Service du Travail (N.d.T.).

ennuis avec Sauckel qui me cassait les oreilles avec ses histoires de décrets émanant du haut commandement de la Wehrmacht ou des services de sécurité du Reich et m'a même menacé de prison. Et comme toute cette barbare affaire d'alimentation des prisonniers devait rester ignorée de la population allemande, j'ai volontairement commis les indiscrétions nécessaires à la divulgation en Suède de toutes informations utiles. J'ai donc pris des risques considérables pour alerter l'opinion mondiale, et qu'ai-je récolté en guise de remerciements ? Deux ans de réclusion, plus cinq ans de prison en tant que responsable de nos filiales de Königsberg qui ne relevaient même pas de ma compétence. Oui, je sais bien que d'autres ont été exécutés ou ont subi un traitement pire que le mien et qu'en fin de compte je me retrouve en bonne santé et pas tellement lésé (??? En quoi ? — l'auteur). Oublions le passé et toutes les ténébreuses machinations de ce procès où l'on m'a fourré sous le nez des documents et attribué des propos qui n'étaient pas les miens. J'ai tant souhaité faire sortir Boris indemne de cette guerre ! Mais je n'y ai pas réussi. Pas plus que je n'ai réussi à retrouver ses parents ni sa sœur. Et là où j'ai complètement échoué, c'est à exercer la moindre influence sur l'éducation de son fils. Et pourtant, la façon dont j'avais dirigé les lectures de Boris s'était somme toute révélée satisfaisante. Qui, sinon moi, lui avait fait connaître Trakl, Kafka et plus tard Hölderlin ? Et n'est-ce pas grâce à moi finalement que cette jeune femme si peu cultivée a pu introduire ces auteurs dans son maigre bagage littéraire pour les transmettre ensuite à son fils ? Etait-il vraiment trop présomptueux de ma part de considérer de mon devoir d'accorder mon parrainage à cet unique descendant des Koltowski ? Je suis persuadé que Boris n'aurait pas refusé une offre faite d'aussi grand cœur. Et fallait-il vraiment m'éconduire avec un tel dédain ? Je pense en particulier à cette insolente personne — j'ai oublié son nom — qui vivait alors avec Léni et qui m'a grossièrement injurié avant de me pousser dehors. Or j'ai entendu dire que cette femme, qui professait d'ailleurs des idées socialistes d'une grande vulgarité, n'avait pas trop bien réussi avec ses fils et qu'elle vivait plus ou moins en asociale, sinon même au bord de la prostitution. Quant à M. Gruyten, le père de l'étrangement silencieuse Léni, devenu par la suite l'amant de cette rouge et insolente semi-prostituée, il n'a pas été non plus pendant la guerre un agneau de Dieu ! Ce que je veux dire par là, c'est qu'on n'avait aucune raison de me mettre à la porte avec une telle arrogance, ni de prendre pour argent comptant les jugements d'un tribunal dont le caractère suspect ne fait plus de doute pour personne. Non vraiment, en fait de gratitude, je n'ai rien récolté. »

M. X avait débité son propos sans élever la voix, d'un ton plus offensé qu'agressif, et dès qu'elle voyait se gonfler les veines de son cou, Minette lui prenait la main pour le calmer... « Mandats-poste retournés, lettres laissées sans réponse, conseils dédaignés, tel fut mon lot. Quant à cette insolente personne — celle dont j'ai oublié le nom —, elle m'a carrément écrit pour finir : « Ne voyez-vous pas que « Léni ne veut rien avoir à faire avec vous ? » Je suis donc dès lors resté à l'écart, mais tout en continuant à me faire tenir au courant de ce qu'il advenait du fils de Boris par certains informateurs, car je désirais le savoir. Et qu'est-il devenu ? Je ne dirai pas : un criminel, ne désirant pas m'abaisser à prendre au pied de la lettre les termes de la jurisprudence provisoirement en vigueur. N'ai-je pas été moi-même décrété criminel, coupable d'avoir de mon propre chef augmenté de 5 p. 100 la teneur en farine de seigle et en rognures de betterave du pain russe et diminué d'autant sa teneur en farine de cellulose et en fane afin de le rendre plus digeste ? Or pareille initiative aurait pu me valoir le camp de concentration. Et n'ai-je pas été aussi déclaré criminel, simplement d'une part pour avoir eu des intérêts dans un certain nombre d'usines et de l'autre — conséquence d'un réseau compliqué d'alliances à la fois économiques et familiales — pour avoir fait partie d'un grand patronat dont l'empire ou plus exactement le domaine est devenu si vaste que nul ne peut plus aujourd'hui le connaître en détail ? Bref, on m'a suffisamment qualifié de criminel aux époques les plus diverses pour que je me refuse à appliquer la même épithète au jeune Lev, mais ce que je puis dire, parce que cela ne fait aucun doute, c'est qu'il a mal tourné. Quelle absurdité — reposant d'ailleurs sur une éducation absurde — d'avoir voulu à vingt-trois ans, en falsifiant des documents, rétablir quelqu'un dans ses anciens droits de propriété sur un immeuble dont l'acquisition par l'actuel propriétaire — fût-elle due à... comment dire... à une habileté sans doute assez féroce — n'en était pas moins inexorablement légale ! Ce qui est légué est légué, ce qui est vendu est vendu. Du point de vue psychanalytique, ce garçon souffre d'une dangereuse fixation à la mère et d'un traumatisme du père. Cette femme ne s'est certainement pas doutée de ce qu'elle allait provoquer avec son Kafka : elle ignorait également que des écrivains aussi opposés que Kafka et Brecht, ingérés à trop forte dose, ne pourraient engendrer qu'un magma parfaitement indigeste... et par là-dessus l'extrême pathos d'un Hölderlin et le fascinant lyrisme décadent d'un Trakl ! Elle en a abreuvé l'enfant alors qu'il commençait tout juste à entendre et à parler. Quant à ce matérialisme corporel traversé de courants mystiques... eh bien, je suis moi aussi opposé aux tabous, mais croyez-vous vraiment qu'il était bon de se livrer à pareille glorification de tous les organes du corps humain et de leurs fonctions ? Après tout, si l'homme n'est pas un ange, il n'est pas non plus qu'une bête... Quant au reste, s'il est déjà bien amer de se voir refuser son aide, il est plus cruel encore de se voir repousser soi-même. »

C'est alors que se produisit un événement que l'auteur n'eût jamais cru possible : des *larmes* coulèrent sur le visage de M. X, conséquence de *pleurs*, eux-mêmes conséquence d'une *souffrance* cachée... Au même instant deux chiens arrivèrent en courant sur le magnifique gazon, de superbes afghans racés qui, après avoir une seconde flairé puis jugé l'auteur manifestement trop vulgaire, le délaissèrent pour aller lécher les larmes de leur bon maître. Bon sang, qu'est-ce qui pouvait donc les rendre tous aussi sentimentaux, Pelzer, Bogakov et le personnage haut placé ? Les yeux de Lotte elle-même n'avaient-ils pas brillé de façon suspecte, Marja van Doorn n'avait-elle pas ouvertement pleuré et Margret n'était-elle pas une perpétuelle fontaine, alors que Léni accordait à ses yeux juste ce qu'il fallait d'humidité pour les tenir clairs et ouverts ?

Les adieux furent des plus cordiaux. Les voix de Minette et de son époux étaient encore empreintes de mélancolie lorsqu'ils prièrent l'auteur de se faire si possible leur interprète auprès de Léni pour lui confirmer qu'ils étaient encore et toujours prêts à aider le fils de Boris à reprendre pied, précisément parce que fils de Boris et petit-fils de Lev Koltowski.

La situation physico-psychique, géographique et politique de Grundtsch à la fin de la guerre demeurait encore imprécise, voire obscure. Mais l'auteur n'eut aucun mal à convenir avec lui d'une nouvelle entrevue : un coup de téléphone et rendez-vous fut pris. Grundtsch l'attendait, après l'heure de fermeture du cimetière, devant la grande grille rouillée qu'on n'ouvre plus ensuite que pour évacuer les débris de fleurs et couronnes artificielles dont la matière plastique ne peut servir à fabriquer du compost. Toujours aussi hospitalier et ravi de sa visite, Grundtsch prit l'auteur par la main pour lui faire éviter certains passages particulièrement glissants. Ses conditions de vie au cimetière s'étaient ces derniers temps considérablement améliorées. En possession depuis peu d'une clef lui ouvrant l'accès aux toilettes publiques d'une part et aux douches des employés du cimetière de l'autre, possesseur d'un transistor et d'une télévision, il se réjouissait pleinement du boom qu'il considérait comme imminent sur les hortensias pour le dimanche de Quasimodo (on était alors aux environs de Pâques — l'auteur). Cette soirée de mars, beaucoup trop fraîche pour la passer assis sur un banc, permit en revanche une paisible promenade à travers le cimetière, et cette fois jusqu'à l'allée principale que Grundtsch appelait la grand-rue. « Notre meilleur quartier résidentiel, fit-il en gloussant, nos terrains les plus chers ! Et au cas où vous seriez tenté de ne pas croire ce que vous a raconté notre petit Walter, je vais vous montrer une ou deux choses qui vous prouveront qu'il a dit vrai. Sachez d'ailleurs qu'il ne ment jamais, pas plus qu'il n'a jamais été un monstre ! » (Gloussement.) Grundtsch montra à l'auteur les débris de la ligne électrique qu'en février 45 il avait posée avec Pelzer : fragments de fil noirâtre de mauvaise qualité, entre l'établissement horticole et un chêne couvert de lierre, puis de là vers un sureau (sur lequel on aperçoit encore des pontets de fixation aujourd'hui rouillés) pour aboutir enfin, par-delà une haie de troènes, à la concession à perpétuité de la famille von der Zecke. Sur le mur extérieur de ce vénérable tombeau, encore des pontets retenant des fragments de fil électrique noirâtre de mauvaise qualité... et l'auteur se trouva soudain (non sans un léger frisson, convenons-en) devant l'austère porte de bronze qui en son temps donnait accès au paradis soviétique des caveaux, porte hélas fermée en cette âpre soirée d'un début de printemps. « C'est par ici qu'on entrait, dit Grundtsch, et de ce premier caveau on atteignait d'abord celui des Herriger puis celui des

387

Beauchamp. » Le caveau des von der Zecke, tout comme d'ailleurs celui des Herriger, était parfaitement entretenu avec son entourage de mousse, de pensées et de roses. Grundtsch, à ce propos : « Oui le petit Walter m'a repassé les deux abonnements ; la guerre finie, il a fait murer les passages qu'il avait ouverts, travail confié au père Gruyten qui l'a malheureusement pas mal salopé. Mais lorsqu'un peu plus tard le mur a commencé à se lézarder et son crépi à s'écailler, Pelzer a mis ça sur le compte des bombes, et ce n'était pas tellement un mensonge, car j'aime mieux vous dire que pendant la journée du 2 le cimetière avait salement dégusté. Vous pouvez encore voir là derrière un ange avec un éclat de bombe dans la tête, comme si après avoir asséné son coup, l'assaillant n'avait pas réussi à retirer sa hache d'armes du crâne de sa victime. » (Ayant pu, malgré le crépuscule, apercevoir l'ange en question, l'auteur certifie donc la véracité du témoignage de Grundtsch.) « Et comme vous pouvez le voir aussi, pas mal de saint-sulpiceries ont écopé tant chez les Herriger que chez les von der Zecke. Les Herriger les ont fait restaurer et les von der Zecke moderniser, tandis que les Beauchamp ou plus exactement *le* Beauchamp laisse son caveau se dégrader bien gentiment. Ce gamin — remarquez qu'il doit bien avoir aujourd'hui dans les soixante-cinq ans, mais au début des années 20, je le voyais souvent venir pleurer et prier ici en costume marin — ce gamin avait un drôle d'air ; bien que déjà un peu trop âgé pour porter un costume marin, il refusait pourtant, paraît-il, de s'en défaire. Et qui sait, peut-être se balade-t-il encore attifé comme ça dans sa maison de repos de Meran, au Tyrol ! Son notaire lâche de temps à autre quelques sous pour qu'on arrache au moins le plus gros des mauvaises herbes. Il veille surtout à défendre mordicus le droit de sépulture du drôle de vieux monsieur en costume marin qui vit toujours des revenus de sa fabrique de papier à cigarettes. Sans quoi il est probable que la ville nivellerait tout le truc. Procès en règle autour d'une tombe! (Gloussement de Grundtsch — l'auteur.) Comme si, le moment venu, on ne pouvait pas tout aussi bien enterrer le gamin là-bas dans son Tyrol! Et voici la chapelle, dont la porte est tombée en pourriture; si ça vous dit, vous pouvez y entrer pour voir si par hasard Léni et Boris n'y auraient pas laissé un peu de leur bruyère. »

L'auteur pénétra alors dans la petite chapelle fort délabrée dont il examina non sans inquiétude les fresques nazaréennes[1] en train de s'écailler dans leurs conques aux contours délicats. L'intérieur de la chapelle était froid, humide et sale. L'auteur se permit alors de gratter quelques allumettes (pourra-t-il les inclure dans ses frais généraux, rien n'est moins sûr car, grand fumeur, il en fait par ailleurs une importante consommation, et il faudra que des experts — grassement payés — vérifient s'il peut ou non inclure la valeur de treize à seize allumettes dans ses frais professionnels), l'auteur donc gratta quelques allumettes pour examiner l'autel dont tous les ornements avaient été volés. Derrière celui-ci, il découvrit une fine poussière rouge violacé d'origine végétale, étrangement scintillante et qui pouvait fort bien résulter de la décomposition de la bruyère. Quant à la pièce de lingerie féminine — généralement portée sous la robe ou le pull-over et emboîtant le buste — l'auteur, profondément troublé par sa découverte, s'en fit expliquer la provenance par son ami Grundtsch qui l'attendait tranquillement devant la chapelle en fumant sa pipe. « Ma foi, c'est probablement là que se réfugient les couples d'amoureux qui viennent de temps à autre s'égarer dans ces parages parce que, n'ayant ni pied-à-terre, ni de quoi s'offrir une chambre d'hôtel, ils

---

1. Les nazaréens : groupe de peintres allemands du début du XIXᵉ siècle (N.d.T.).

ne savent où aller. Eux non plus, bien sûr, ne craignent pas les morts. »

Ce fut une belle et fructueuse promenade, destinée à s'achever, par cette fraîche soirée, devant un verre de kirsch dans le logis de Grundtsch.

« Eh oui, dit celui-ci, quand j'ai appris que la guerre faisait rage du côté de chez nous, ça m'a affolé et j'y suis aussitôt parti pour revoir ma mère et lui venir éventuellement en aide. Elle avait près de quatre-vingts ans et je ne l'avais pas revue depuis vingt-cinq ans. Et même si elle avait passé sa vie à courir derrière les curetons, ce n'était pas sa faute mais bien celle de certaines... (gloussement) structures. Aller là-bas si tard était certes une folie, mais je comptais sur ma parfaite connaissance de la topographie des lieux pour m'en sortir. Enfant, j'y ai gardé les vaches et emprunté quasiment tous les chemins forestiers du coin. Mais ces imbéciles m'ont mis la main dessus juste derrière Düren, collé un brassard et un fusil dans les pattes, puis expédié dans les bois avec un détachement de gamins tout juste sortis de l'enfance. Sous prétexte d'effectuer une patrouille de reconnaissance — un putain de truc appris au cours de la première guerre mondiale — j'ai emmené les mômes avec moi. Mais ma connaissance du terrain ne m'a plus été d'aucune utilité car tout était bouleversé : partout des trous d'obus, des souches d'arbres déracinées, des mines... et si les Américains ne nous avaient pas presque aussitôt agrafés — eux connaissaient les chemins non minés — probable que nous aurions tous sauté. Le bon côté de l'affaire, c'est que les gosses ont du coup sauvé leur peau, et moi la mienne avec, même si ma captivité a duré un certain temps... quatre mois sous la tente à souffrir de la faim, du froid et de la crasse. Non, croyez-moi, ça n'était pas la belle vie chez les Ricains et j'y ai attrapé des rhumatismes pour le restant de mes jours. Quant à ma mère, je ne l'ai jamais revue. Ces abrutis d'Allemands l'avaient descendue parce qu'elle avait hissé le drapeau blanc... son patelin s'était trouvé pendant un certain temps entre les lignes, passant sans cesse des mains des uns à celles des autres. Et comme la pauvre vieille — elle n'avait pas loin de quatre-vingts ans, je vous l'ai dit — refusait de quitter sa maison, un vaillant soldat l'a abattue d'un coup de PM, probablement un de ces salopards auxquels on élève aujourd'hui des putains de monuments; et dire que les curetons ne font rien contre eux!... Croyez-moi, j'étais rudement mal en point quand, au mois de juin, les Ricains m'ont enfin relâché avec les agriculteurs. J'avais beau appartenir en fait à leur catégorie, ça n'a tout de même pas été sans mal. Car, voyez-vous, cette histoire de libération anticipée des agriculteurs, les chouchous du père Kolping l'avaient tenue secrète, ne refilant le tuyau qu'à leurs copains. Bref, j'ai dû faire le siège de ce sacré curé, jouer les bons chrétiens et débiter quelques pieuses paroles, grâce à quoi j'ai finalement obtenu d'être libéré dès le mois de juin. En arrivant ici, j'ai retrouvé ma petite exploitation en parfait état de marche. Liane Hölthohne, qui s'en était chargée, l'avait admirablement gérée. Elle me l'a restituée dès mon retour après m'avoir régulièrement versé un loyer durant toute mon absence. Je n'ai jamais oublié la correction avec laquelle cette femme a agi envers moi et aujourd'hui encore je lui cède mes fleurs au prix coûtant... Le petit Walter ne m'a pas demandé, à moi, de certificat Persil, car je l'aurais volontiers laissé croupir quelques mois en prison, lui qui avait réussi à traverser toutes les épreuves sans la moindre égratignure. Simplement en guise de thérapeutique, voyez-vous, je l'aurais laissé mariner un peu, ça ne lui aurait sûrement pas fait de mal. Remarquez qu'il a été très chic envers moi : il m'a arrondi ma part et consenti du crédit pour me permettre d'avoir enfin ma propre boutique. Nous nous sommes partagé les abonnements et il m'a joliment dépanné en m'offrant des semences... mais quelques mois de détention lui auraient quand même fait le plus grand bien. »

L'auteur passa encore un bon moment (une heure et demie environ) avec Grundtsch qui, s'abstenant quant à lui de prendre le genre larmoyant, observa dès lors un silence bienfaisant. Une fin de soirée bien agréable avec bière et kirsch, et d'autant plus agréable que dans son logis Grundtsch permit à l'auteur ce qu'il lui avait interdit dans le cimetière (« Le bout incandescent d'une cigarette se voit à des kilomètres ») : il l'autorisa à fumer. En le reconduisant à la grille du cimetière non sans l'aider une fois encore à éviter les endroits glissants, Grundtsch dit à l'auteur d'une voix non certes étranglée par les larmes mais néanmoins très émue : « Il faut absolument tout faire pour tirer le jeune Lev, le fils de Léni, de prison. Ce qu'on a à lui reprocher, ce ne sont jamais que des enfantillages. Il voulait simplement obtenir à sa façon réparation pour sa mère du dommage que lui avait causé ce salopard de Hoyser. C'est un garçon merveilleux, tout le portrait de ses parents... et puis, voyez-vous, il est né là où j'habite à présent et a travaillé trois ans chez moi avant de se faire embaucher dans les services du cimetière puis dans ceux du nettoiement urbain. Un merveilleux garçon, beaucoup plus communicatif que sa mère. Il faut faire quelque chose pour lui. Quand il était petit, il venait jouer ici pendant que Léni nous aidait, Pelzer d'abord, puis moi, au plus fort de la saison. Si besoin était, je le cacherais là où son père s'est caché. Personne ne l'y trouverait et lui au moins, il n'a pas peur comme moi des souterrains ni des caveaux. »

Prenant cordialement congé de son hôte, l'auteur lui promit — promesse qu'il a l'intention de tenir — de revenir le voir. Il lui promit en outre, si le jeune Gruyten réussissait d'aventure à s'évader de prison, de lui refiler ce que Grundtsch appelait « le tuyau du cimetière »... « Et dites-lui, cria encore Grundtsch à l'auteur qui s'éloignait, que chez moi il aura toujours son café, sa soupe et son tabac. Toujours ! »

Il conviendrait à présent de rassembler ici les rares déclarations de Léni dont l'authenticité ait été confirmée par les divers témoins auxquels elles étaient adressées :

— [elle irait au besoin] faire le trottoir (pour sauver son piano de la saisie)

— [croit l'espace peuplé] d'êtres animés

— cette petite danse imprudente (avec Erich Köppler)

— le moment venu, je voudrais qu'on m'enterre dedans (son peignoir de bain)

— bon sang ! qu'est-ce que c'est que ce truc qui me sort de par-là ? (petite fille à propos de ses excréments)

— étendue sur le dos dans un total abandon... [entièrement] offerte... [l'impression à la fois d'être] prise [et de se] donner (première expérience dans la bruyère)

— je vous en prie, donnez-moi donc tout de suite ce pain de la vie ! Pourquoi me le faire attendre si longtemps ? (déclaration qui entraîna le refus d'Erich Brings de lui faire faire sa première communion)

— mais alors quand on m'a posé sur la langue ce truc si mince, desséché, incolore et sans saveur, j'ai été à deux doigts de le recracher ! (déclaration relative à sa première communion)

— [cette] affaire de muscles [l'amusait] (à propos de sa faculté de se passer de papier après l'accomplissement de ses fonctions organiques)

— [l'homme] que je désire aimer, auquel je souhaite me donner sans restrictions et pour le plaisir duquel j'imagine déjà d'audacieuses caresses — car nous devrons nous dispenser mutuellement de la joie (à propos de son « futur »)

— l'absence de tendresse des mains de ce type (premier rendez-vous amoureux)

— pour pleurer un peu toute seule dans le noir (au cinéma)

— si merveilleusement bon et gentil (son frère Heinrich)

— il me faisait un peu peur avec son immense savoir, aussi ai-je été très surprise de voir comme il était gentil, extraordinairement gentil (son frère Heinrich)

— [qui lui permit de] se maintenir confortablement à la surface... [il s'occupa en outre de travaux de] démolition (à propos de la situation de son père après 1945)

— [elle] était vraisemblablement alors pour son père la vivante image de la séduction, ce qui ne veut pas dire *séductrice* (au sujet de Lotte H.)

— c'était vraiment moche (à propos des repas pris en commun avec son frère Heinrich)

— nos deux jeunes poètes ont été les plus courageux des vidangeurs (après qu'elle eut débouché les cabinets de Margret, à propos d'Erhard et Heinrich)

— cela ne devrait pas se passer dans un lit, mais dehors. En plein air, en plein air! Nous mettre ensemble au lit n'est pas ce que je souhaite (considérations, en présence de Margret, sur un processus communément qualifié de commerce sexuel)

— si bien qu'il était mort pour moi avant de s'être fait tuer (au sujet de son mari Aloïs Pfeiffer après qu'il l'eut contrainte à renouveler le processus susmentionné)

— elle est morte de consomption, et aussi de faim, malgré la nourriture que je lui apportais régulièrement; alors elles l'ont aussitôt enfouie dans le jardin sans pierre tombale ni rien. Lors de ce qui devait être ma dernière visite, j'ai tout de suite senti qu'elle n'était plus là, et Scheukens m'a dit : « C'est « inutile, ma petite dame, inutile... à moins que vous « ne vouliez gratter la terre? » Je suis alors allée trouver la supérieure pour en avoir le cœur net, mais elle m'a déclaré que Rachel était partie en voyage et quand je lui ai demandé où, elle m'a jeté un regard inquiet avant de me dire : « Voyons, mon « enfant, auriez-vous perdu la raison ? » (au sujet de la mort de Rachel)

— indescriptiblement pénible (à propos de son aventure avec Aloïs)

— le spectacle de ces liasses de billets de banque imprimés de frais [lui lève le cœur] (à propos de son activité au bureau de son père pendant la guerre)

— vengeance (le motif qui selon elle aurait pu pousser son père à commettre le « scandale des âmes mortes »)

— immédiatement enflammés (dès qu'elle eut posé sa main sur celle de Boris)

— [une expérience] infiniment plus belle que cette histoire de bruyère que je t'ai racontée un jour (voir plus haut)

— [bien qu'] à ce moment précis une maudite salve d'honneur eût éclaté dans un effroyable vacarme (lors de la déclaration d'amour de Boris)

— union (formule de Léni pour caractériser un processus généralement qualitié de façon plus grossière)

— je ne cesse d'avoir devant les yeux le panneau : « Attention, danger de mort ! » (déclaration à Margret, après sa première union avec Boris)

— pourquoi aurais-je dû le savoir plus tôt ? Nous avions des informations bien plus importantes à échanger, comme pour moi de lui apprendre par exemple que mon vrai nom était Gruyten et non celui de Pfeiffer inscrit sur mes papiers (Léni à Margret au sujet d'un entretien avec Boris)

— [les Américains qui] n'avançaient pas

— ça ne fait jamais que quatre-vingts ou quatre-vingt-dix kilomètres, alors pourquoi leur faut-il tout ce temps-là ? (toujours à propos des Américains)

— pourquoi cet arrêt des bombardements de

jour ? Quand les reprendront-ils donc ? Pourquoi les Américains n'avancent-ils pas ? Pourquoi leur faut-il tant de temps pour venir jusqu'à nous, ils ne sont pourtant pas si loin ? (à propos des attaques aériennes et de la progression, trop lente à son gré, des Américains)

— [le] mois du glorieux rosaire (pour qualifier le mois d'octobre 44 au cours duquel de nombreux bombardememts de jour permirent à Léni et Boris de s'unir)

— je le dois à Rachel et à la Vierge Marie qui n'ont pas oublié l'amour que je leur porte (à propos du mois glorieux)

— l'un et l'autre des poètes, vois-tu, l'un et l'autre (au sujet de Boris et d'Erhard)

— enfin, enfin... quand son songe au temps qu'il leur aura fallu ! (de nouveau à propos de la progression des Américains)

— [pour ce qui était des visites, rapports ou corps à corps] il ne pouvait plus en être question (au cours des derniers mois de sa grossesse)

IX

L'auteur ne serait que trop volontiers passé sur un épisode de la vie de Léni auquel certains informateurs ont déjà fait une vague allusion : sa brève activité politique après 45. En l'espèce, l'auteur se sent soudain privé, non de son pouvoir d'imagination mais tout bonnement de conviction. Ne doit-il pas cependant croire des témoignages dignes de foi ? Le fameux « dilemme de l'auteur », thème aussi prisé des professionnels que des non-professionnels, apparaît ici dans toute son acuité !... Que Léni ne soit pas indifférente à la politique, Hans et Grete Helzen qui regardent souvent la télévision en sa compagnie le certifient avec une assurance telle que pas un notaire, pas un reporter n'oseraient refuser de sanctionner leur témoignage. Ayant depuis près de deux ans passé de nombreux moments avec Léni devant son poste de télévision en noir et blanc, les Helzen affirment que celle-ci préfère par-dessus tout « regarder les visages de ceux qui discutent politique » (une des rares citations directes de Léni !). L'auteur ne peut cependant se permettre de reproduire ici le jugement qu'elle porte sur Barzel, Kiesinger et Strauss : il lui en coûterait vraiment trop cher. Non, un tel luxe est au-dessus de ses moyens et il se trouve, vis-à-vis de ce trio, dans la même situation qu'avec le personnage haut placé. Sans doute pourrait-il, en se retranchant derrière son devoir de chroniqueur, citer les propos de Léni à laquelle incomberait alors la responsabilité de fournir à un tribunal éventuel les preuves de ses affirmations; néanmoins, si convaincu soit-il qu'elle ne laisserait ni les Helzen ni lui-même dans la mélasse, il préfère, au lieu de la citer, s'en tenir à une vague allusion, et ce pour une très simple raison : il lui serait franchement pénible de voir Léni à la barre. Il estime en effet qu'elle a déjà bien assez d'ennuis comme ça avec : son fils unique et bien-aimé en prison; l'incertitude où la laisse sa crainte d'être « enceinte du Turc » (Léni, d'après Hans et Grete H.), ce qui prouve d'ailleurs qu'elle est encore tout à fait femme; la menace d'être envoyée à la chambre à gaz (menace dont personne ne sait si elle pourrait encore être mise à exécution) proférée par un fonctionnaire en retraite du voisinage dont on peut citer plusieurs vaines tentatives d'approche (assiduités des plus grossières sous la voûte obscure de l'immeuble, frôlements indiscrets à la boulangerie, plus un cas précis d'exhibitionnisme, toujours sous la voûte obscure de l'immeuble); et enfin la jungle des saisies et menaces de saisie — en particulier sur son piano — que « même à la machette on ne réussirait pas à débroussailler » (Lotte H.). Faudrait-il alors par-dessus le marché la contraindre à répéter à la barre des remarques savoureuses certes mais néanmoins accablantes sur Barzel, Kiesinger et Strauss ? Seule réponse possible à cette question : non, non et encore non.

Mais arrêtons là nos digressions. Oui, Léni a bel et bien « participé » aux activités du P.C. (terme employé à la fois par Lotte H., Margret, Hoyser sen., Marja van Doorn et un ancien cadre du parti). Cela dit, qui ne connaît ces annonces sur lesquelles on peut lire « avec la participation de... » ? Or il s'agit le plus souvent de personnalités de premier plan qui ne se manifestent jamais, qui n'ayant même pas été sollicitées n'ont donc rien promis, mais dont le nom est censé devoir attirer les foules. Léni était-elle censée représenter une telle force d'attraction ? Manifestement oui, fût-ce à tort. L'ancien cadre du parti en question, âgé de cinquante-cinq ans environ, fort sympathique (à l'auteur du moins), qui pour l'heure tient un kiosque à journaux admirablement situé en plein centre de la ville et se qualifie lui-même de « soixante-huitard », lui parut résigné pour ne pas dire aigri. Prié d'expliquer ce qu'il entendait par cette formule assez ambiguë de « soixante-huitard », il déclara simplement : « Eh bien, depuis 68 je n'en suis plus. Terminé ! » Quant au témoignage — qu'on lira plus loin — de cet informateur qui, tout comme le personnage haut placé, souhaite conserver l'anonymat, il ne fut débité que par bribes, les gens qui venaient acheter leur journal n'ayant cessé de l'interrompre. L'auteur put ainsi s'initier à la politique de vente extrêmement personnelle du « soixante-huitard », lequel en un peu moins d'une demi-heure répondit une quinzaine de fois d'un ton tranchant sinon hargneux aux gens qui lui demandaient des ouvrages porno : « Je ne tiens pas ce genre d'article ! » L'auteur eut même l'impression que le « soixante-huitard » ne délivrait qu'à contrecœur des publications relativement anodines telles que magazines, quotidiens sérieux ou frivoles et journaux illustrés divers sans caractère particulier. S'étant alors hasardé à suggérer timidement qu'une telle politique de vente risquait de compromettre la rentabilité du kiosque, il s'attira cette réponse immédiate : « De toute façon, dès le jour où je commencerai à toucher ma pension de retraite, je fermerai boutique. Je n'ai droit pour le moment qu'à une petite rente au titre des réparations et d'ailleurs, lorsqu'elle m'a été attribuée, j'ai très bien senti combien ces messieurs étaient déçus que j'aie réussi à sauver ma peau. Ils n'auraient pas été fâchés de réaliser une économie à mes dépens!... Mais, voyez-vous, bien qu'on s'efforce de m'y contraindre sous prétexte qu'un « kiosque aussi bien situé doit tenir à la disposition de ses clients potentiels l'éventail complet des publications existantes » (citation tirée de la requête d'un conseiller municipal C.D.U.), je me refuse à vendre cette saloperie de presse inféodée à la bourgeoisie impérialiste. Non, je ne marche pas. Qu'on vende donc ces ordures aux emplacements adéquats, les portes des églises par exemple, en même temps que ces virulentes feuilles cléricales avec leurs boniments hypocrites sur la chasteté. Mais moi, rien à faire! Que les Nannen, Kindler et consorts continuent donc à me tarabuster en me déclarant suspect, je n'en continuerai pas moins à exercer ma propre censure. Non je vous jure, leur saloperie de presse porno inféodée à la bourgeoisie, plutôt crever que de la vendre!... »

Peut-être conviendrait-il d'ajouter que cet informateur, fumeur invétéré, a le teint et les yeux d'un hépatique, d'épais cheveux gris, des verres de myope, des mains tremblantes et porte, gravée sur le visage, un expression de mépris si concentrée que l'auteur ne saurait même pas se permettre l'illusion d'être exclu d'un tel mépris.

« J'aurais déjà dû me méfier lorsque j'ai appris, bien après, que les fascistes de Vichy avaient extirpé Werner, l'homme d'Ilse Kremer, de son camp de réfugiés pour le livrer aux nazis. Personne ne saurait imaginer ce que nous avons souffert pendant les dix-huit mois qu'a duré le pacte germano-soviétique! Bref, Werner a été fusillé, et nos gens se sont efforcés de nous faire avaler que c'était un traître fasciste et que pour se débarrasser des traîtres fascistes on pouvait sans vergogne se servir des fascistes eux-mêmes. Une connerie à laquelle j'ai cru jusqu'en 68! Du moins le prolétariat ne s'est-il pas sali les mains dans cette histoire. Bien. Mais moi, je ne marche plus. En 54, j'aurais dû écouter Ilse. Au lieu de quoi, j'ai continué à militer pendant vingt-trois ans dans la légalité ou la clandestinité, sans cesse dénoncé, arrêté, espionné et bafoué. Mais sitôt que j'aurai fermé boutique, j'irai m'installer en Italie où il reste peut-être encore quelques types un peu moins lèche-cul que chez nous... Ah! oui, l'histoire de cette Léni Pfeiffer, ou Gruyten! Bien qu'alors aussi dogmatique encore que dix-sept cardinaux réunis, je l'ai moi-même à l'époque vraiment trouvée pénible. Nous venions d'apprendre que dans des conditions extrêmement périlleuses elle avait entretenu une liaison avec un homme de l'Armée Rouge auquel elle avait refilé des vivres, des cartes, des journaux, des bulletins d'information, et dont elle avait même eu un enfant baptisé d'un prénom russe. Nous avons voulu la présenter comme une grande résistante, or savez-vous ce que ce membre de l'Armée Rouge lui avait enseigné? La prière! Une véritable histoire de fou! Mais cette jeune femme était une splendide créature qui donnait un peu d'éclat à nos minables manifestations où il nous fallait lutter contre les aberrations commises en Prusse Orientale et ailleurs par une armée prétendument socialiste. Si seulement j'avais écouté Ilse qui me disait : « Voyons, « Fritz, reconnais donc que ça ne va plus, vraiment « plus. Ce n'est pas cela que nous avons voulu en 28, « même si à l'époque nous avons dû soutenir Teddy « Thälmann pour des raisons d'ordre tactique. « Reconnais donc enfin que Hindenburg avait gagné « la partie, et en 45 aussi. Alors fichez donc la paix à « cette brave fille à laquelle vous ne causerez que « des ennuis, sans en tirer le moindre profit. » Or, bien qu'issue d'une bougeoisie dépravée, cette jeune femme était tout de même une ouvrière, une vraie, et si en raison de sa timidité maladive nous avons dû presque la soûler pour arriver à nos fins, elle n'en a finalement pas moins défilé une fois ou deux avec nous à travers la ville en brandissant le drapeau rouge. Une fois ou deux aussi elle a accepté de prendre place à mon côté sur la tribune pendant que je parlais... une présence vraiment très décorative! Aujourd'hui encore je ne peux penser à toute cette histoire sans un profond malaise. » (Le visible assombrissement de sa peau, pourtant déjà naturellement sombre, dénotait-il une soudaine érubescence? La question demeure en suspens. Cela dit, Fritz est un prénom fictif; mais l'auteur, qui connaît le véritable prénom dudit « Fritz », tient à respecter son désir d'anonymat.) « Cette femme était si merveilleusement prolétarienne... tout à fait incapable de faire sienne ou de pratiquer la notion bourgeoise de profit. Mais Ilse avait raison : nous lui avons fait du tort sans en tirer le moindre avantage, car les rares fois où elle a accepté de répondre aux questions des reporters qui l'interrogeaient sur Boris et sur ce qu'elle avait appris de lui « dans la clandestinité », ce fut pour déclarer invariablement : « Il m'a appris à prier. » Impossible de lui en faire dire plus, et quelle aubaine naturellement pour la presse réactionnaire qui ne s'est pas fait faute de nous consacrer un article intitulé : « Apprenez à « prier avec le P.C.! Une blonde de Delacroix se « révèle cheval de Troie! » Elle s'était alors inscrite au parti, bien inutilement d'ailleurs, mais omit ensuite de s'en faire radier; si bien que lorsque nous avons été frappés d'interdiction, elle a eu droit illico à une visite domiciliaire. Du coup, par défi, elle a refusé de rompre avec le parti. Et savez-vous ce qu'elle m'a répondu le jour où je lui ai demandé pourquoi elle avait collaboré avec nous? « Parce que l'Union soviétique a produit des « hommes comme Boris. » Il y a vraiment de quoi devenir dingue si l'on songe que, d'une façon très complexe, cette femme était effectivement des nôtres, sans que nous soyons pourtant des siens. Oui, c'est à vous donner le vertige, car vous comprenez alors pourquoi le mouvement ouvrier international a complètement échoué en Europe occidentale.

Ah ! laissons cela. Je vais filer en Italie... mais je suis désolé d'apprendre que cette femme se trouve dans un tel pétrin. Si je n'étais persuadé qu'elle n'a pas la moindre envie de se souvenir de moi, je vous prierais de lui transmettre mes salutations. J'aurais mieux fait d'écouter Ilse et aussi le père Gruyten qui s'est contenté de rire et de secouer la tête quand sa fille a défilé avec le drapeau rouge. »

« Peut-être conviendrait-il d'ajouter qu'à tour de rôle Fritz et l'auteur s'offraient des cigarettes, tandis qu'avec un mépris presque sadique Fritz vendait ces journaux qu'il honnissait. N'importe quel client un tant soit peu susceptible aurait pu s'offenser de la façon dont on lui tendait la publication demandée. Commentaire de Fritz : « Visez-moi ces « quidams qui vont s'empresser d'avaler tous leurs « bobards, tout cet affreux baratin qu'il suffit de « parcourir pour y sentir la condescendance de ses « auteurs. Ces gens-là se gorgent de sexe et de has-« chisch comme ils se gorgeaient autrefois des boni-« ments de leurs curetons; et regardez-moi les filles « porter leurs mini et maxi aussi docilement qu'au-« trefois leurs pudiques corsages de nonne. Je vais « vous donner un bon conseil : votez donc pour Bar-« zel ou Köppler, ça vous permettra d'obtenir de « première main leur immonde blabla. Quant à moi, « j'apprends le langage des hommes, l'italien, et je « propage ce slogan : Le haschisch est l'opium du « peuple. »

Bien que soulagé d'un grand poids à l'idée d'avoir quelque peu réussi à éclaircir ce pénible épisode de la vie de Léni, l'auteur n'en a pas moins essuyé par ailleurs un cuisant échec auprès d'autres informateurs en puissance. Car avant même de lui avoir laissé franchir le pas de leur porte, tous l'ont accueilli par cette question : « Etes-vous pour ou contre 68 ? » Tiraillé entre les motivations et les sentiments les plus contradictoires, n'ayant en outre pas compris, la première fois du moins, pourquoi on lui demandait de se déclarer pour ou contre toute une année du XXᵉ siècle, il n'a que trop longtemps médité sur l'an 1968 avant de se décider — cédant ainsi, il le reconnaît sincèrement, à son esprit de contradiction — à se déclarer finalement « contre », ce qui lui a définitivement fermé toutes les portes en question. Il a néanmoins réussi à dénicher parmi certaines archives un exemplaire du journal dont Fritz lui avait parlé à propos de Léni. Journal confessionnel de l'année 46 dans lequel l'auteur a pu vérifier la parfaite exactitude de la citation du soixante-huitard. Il y a aussi trouvé deux éléments intéressants qui méritent selon lui d'être retenus : primo, le texte in extenso de l'article dont Fritz n'avait donné que le titre et secundo, la photo d'une tribune ornée de drapeaux et d'emblèmes du P.C. sur laquelle on reconnaît dans une pose étudiée un Fritz sans lunettes et d'une stupéfiante jeunesse (guère plus de vingt-cinq ans). A l'arrière-plan on aperçoit Léni tenant un fanion à emblèmes soviétiques incliné au-dessus de la tête de Fritz, en un geste qui ne manque pas de rappeler à l'auteur le rôle joué dans certaines fêtes liturgiques par les drapeaux qu'on incline aux instants les plus solennels. La vue de Léni sur ce cliché provoqua chez l'auteur une double réaction : voilà une femme sympathique certes, mais pas du tout à sa place (pour ne pas dire ce qui ne saurait l'être à la légère : dans une situation mensongère). L'auteur préférerait de beaucoup pouvoir, grâce à une lentille encore à découvrir, concentrer sur cette photo toute son acuité visuelle jusqu'à y brûler l'image de Léni. Par bonheur le cliché est si mauvais que seuls les initiés peuvent y reconnaître la jeune femme; il reste à espérer que son négatif ne traîne pas aussi dans quelque recoin d'archives... Peut-être conviendrait-il à présent de reproduire tex-tuellement l'article considéré. Sous le titre déjà cité par Fritz on peut y lire : « Une jeune femme chrétiennement élevée s'est vu enseigner la prière par les hordes rouges! C'est à peine croyable mais pourtant vrai : une jeune femme dont je ne sais si je dois la désigner de préférence sous le nom de Mlle G. ou de Mme P. prétend qu'un membre de l'Armée Rouge lui a rappris à prier. Mère d'un enfant naturel, elle proclame non sans fierté qu'il a pour père un soldat soviétique avec lequel elle a noué une liaison deux ans seulement après que, sur le sol russe, son mari fut tombé au champ d'honneur. Conduite aussi illégitime que délictueuse. Et elle n'a pas honte de faire de la propagande pour Staline. Point n'est besoin de mettre nos lecteurs en garde contre une telle aberration, mais peut-être peut-on se demander si de telles manifestations de pseudo-naïveté ne devraient pas être classées dans la catégorie des crimes politiques. Nous savons où apprendre à prier : au catéchisme et à l'église, et nous savons aussi pour quoi nous prions : pour un Occident chrétien. Peut-être ceux de nos lecteurs auxquels cette histoire aura donné à réfléchir devraient-ils de temps à autre prier pour Mlle G. alias Mme P. qui en a grand besoin. Toujours est-il que la prière de notre ancien premier bourgmestre, le docteur Adenauer, a pour nous plus de force de persuasion que ne pourrait en receler le petit doigt de cette femme (demoiselle?) égarée, sinon même détraquée, issue, dit-on, d'une bonne famille malheureusement tombée bien bas. »

L'auteur souhaite ardemment qu'en ce temps-là Léni ait été une lectrice de journaux aussi peu assidue qu'elle l'est de nos jours. Il serait navré qu'elle eût souffert d'une offense formulée dans ce style chrétien.

L'auteur a pu entre-temps vérifier un autre détail important : la série de traits de crayon que Marja van Doorn prétendait avoir tracée sur le panneau de la porte lorsque les Pfeiffer vinrent demander aux Gruyten la main de Léni pour leur fils Aloïs a été découverte par Grete Helzen. Le mot « honneur » avait bel et bien été soixante fois prononcé. Ce qui prouve d'une part que Marja van Doorn est une informatrice absolument sûre et de l'autre que depuis lors, c'est-à-dire depuis trente ans, aucun nouveau trait de crayon n'a été tracé sur le panneau de ladite porte.

L'auteur (retardé d'ailleurs dans son enquête par le combat de boxe Clay-Frazier) éprouva des scrupules de conscience à propos du financement de ses recherches et du préjudice qu'en l'occurrence il pourrait causer à l'administration des Finances. Devait-il retourner à Rome pour essayer d'y glaner des renseignements sur Rachel-Aruspice dans les archives de la maison mère de l'ordre ? Ses précédentes entrevues avec les deux pères jésuites, tant à Rome qu'à Fribourg, précieuses certes sur le plan humain mais parfaitement stériles sur celui de l'information et qui avaient entraîné d'importants débours (frais de téléphone, télégramme, port et voyage) avaient finalement constitué un investissement improductif. Elles ne lui avaient guère rapporté plus que l'image d'un saint, alors que ses visites à Margret (clouée dans son lit d'hôpital par le mauvais fonctionnement de ses glandes exocrines et endocrines) qui ne lui coûtaient jamais par-ci par-là qu'un bouquet de fleurs, un petit flacon de gin et quelques cigarettes (pas même un taxi puisque pour des raisons d'hygiène il faisait le plus souvent le trajet à pied), ces visites donc lui avaient rapporté sur Heinrich Gruyten force renseignements inattendus et substantiels. En outre, la question financière n'était pas seule en cause, certaines considérations humaines méritant aussi d'être pesées avec soin : ce voyage à Rome ne risquerait-il pas de valoir des ennuis à la charmante sœur Cécile, de mettre sœur Sapience dans l'embarras et d'entraîner pour Scheukens (peu sympathique, il est vrai) une nouvelle mutation à titre de sanction?

Pour pouvoir réfléchir en paix à tous ces problèmes, l'auteur commença par aller visiter un village du Rhin inférieur. Dans un compartiment de deuxième classe d'un train sans wagon-restaurant où l'on ne pouvait même pas se procurer une boisson, il traversa le lieu de pèlerinage nommé Kevelaer, puis le village natal de Siegfried pour arriver peu après dans la ville où Lohengrin perdit le contrôle de ses nerfs. De là, parcourant encore cinq kilomètres environ en taxi, il traversa le lieu de naissance de Joseph Beuys, avant d'atteindre enfin un village d'aspect déjà très hollandais. Fatigué et même un peu irrité par cet inconfortable voyage de près de trois heures, l'auteur décida de commencer par se sustenter. Il s'arrêta donc devant une friterie où une jeune femme blonde lui servit avec beaucoup de prévenance des boulettes de hachis (chaudes) accompagnées de frites et de mayonnaise puis l'envoya prendre son café au bistrot d'en face. Le temps était brumeux, humide, et il paraissait dès lors évident que Siegfried n'avait pas fait que traverser Nifelheim pour se rendre à Worms, mais en était parti. Chaleur et calme régnaient dans le bistrot. Un patron somnolent servait du schnaps à deux clients non moins somnolents appuyés au comptoir; il en versa aussi une bonne rasade à l'auteur en disant : « Par ce temps-là, c'est ce qu'il y a de mieux; ça chasse les frissons et puis c'est nécessaire pour faire descendre les frites à la mayonnaise. » Sur quoi, il se remit à bavarder tranquillement avec ses deux clients en un dialecte guttural aux consonances bataves. Bien qu'à une centaine de kilomètres seulement de son port d'attache, l'auteur se faisait comparativement l'effet d'un méridional. Il éprouva un certain agrément à susciter la légère curiosité des

407

deux clients et du patron qui déjà faisait glisser vers lui sur le comptoir un deuxième verre d'alcool. La conversation des trois hommes paraissait rouler sur la « Kerk[1] », tant au sens concret et architectonique qu'abstrait et presque métaphysique. Nombreux hochements de tête, quelques grognements puis un mot ou deux au sujet d'un « Paapen[2] » qui n'avait certainement rien à voir avec le fâcheux ex-chancelier du Reich que ces respectables citoyens n'auraient probablement même pas jugé digne d'une mention. L'un de ces trois hommes qui — fait exceptionnel — bien qu'allemands et réunis dans un bistrot ne parlaient pas de la guerre, avait-il connu Alfred Bullhorst? Probablement tous les trois. Il y avait même de fortes chances pour qu'ils se fussent assis avec lui sur les bancs de l'école et eussent avec lui pris leur bain du samedi pour aller ensuite, cheveux bien peignés et encore mouillés, se confesser en vue de communier ensemble à la messe le lendemain. Sans doute avaient-ils aussi tous ensemble, galoches aux pieds, fait des glissades sur la glace, participé de temps à autre au pèlerinage de Kevelaer et passé en fraude des cigarettes hollandaises. D'après leur âge, tous trois devaient avoir connu celui qui, fin 44, était mort à l'hôpital de Margret après une double amputation et dont le livret militaire avait été subtilisé pour — provisoirement du moins — conférer une identité a un soldat soviétique. Refusant un troisième verre de schnaps, l'auteur, pour ne pas céder à l'agréable somnolence qui menaçait de l'envahir, demanda un café. Par un même temps brumeux, ici à Nifelheim, Lohengrin avait-il perdu le contrôle de ses nerfs lorsque Elsa l'avait interrogé? Etait-ce dans ces parages qu'il avait enfourché le cygne que ses cadets ont ensuite jugé bon de s'approprier au bénéfice d'une marque

1. Kerk pour Kirche = l'église (N.d.T.).
2. Paapen pour Papst = le pape (N.d.T.).

de margarine? Le café, très bon, fut servi à l'auteur par une femme dont il ne put voir que les bras roses et potelés, tandis que le patron entassait obligeamment des morceaux de sucre dans une soucoupe; le petit pot joint contenait de la crème et non du lait. « Kerk » et « Paapen », légère irritation des voix toujours assourdies. Pourquoi, pourquoi Bullhorst n'était-il pas né trois kilomètres plus à l'ouest[1] et, dans ce cas, quel autre livret militaire Margret eût-elle dû subtiliser ce jour-là pour Boris?

Ayant suffisamment retrouvé ses forces, l'auteur se dirigea d'abord vers l'église où, en guise d'annuaire, il consulta la plaque commémorative des morts de guerre : la liste comportait quatre Bullhorst mais un seul Alfred, mort — disait l'inscription — à vingt-deux ans en 1945, et non en 1944. C'était vraiment troublant. Ne s'agissait-il pas dans son cas, comme dans celui de ce Keiper pour le compte duquel Schlömer était mort une seconde fois, d'un double décès? Avisant alors le bedeau qui sans la moindre gêne sortait de la sacristie la pipe au bec pour procéder à de quelconques préparatifs liturgiques — les linges d'autel entr'aperçus étaient-ils verts, violets ou rouges? — l'auteur décida de le consulter. Aussi peu doué que possible pour le mensonge ou l'invention (fâcheusement tributaire des faits, comme chacun l'aura depuis longtemps compris), il bredouilla vaguement quelques mots au sujet d'un certain Alfred Bullhorst qu'il avait rencontré une fois pendant la guerre. Sur quoi le bedeau, incrédule mais sans méfiance, lui raconta aussitôt que « leur » Alfred, prisonnier de guerre en France, avait péri dans un accident de la mine et était enterré en Lorraine; que sa famille avait souscrit pour sa tombe à Saint-Avold un abonnement d'entretien; que sa fiancée, « une belle jeune fille blonde, douce et intelligente », était entrée au cou-

1. C'est-à-dire en Hollande (N.d.T.).

vent; que les parent d'Alfred étaient d'autant plus inconsolables que la mort l'avait surpris alors que la guerre était déjà terminée... « Il travaillait à l'usine de margarine. C'était un brave garçon, calme et réfléchi, qui aurait préféré ne jamais endosser l'uniforme. Mais où donc l'avez-vous rencontré? » Toujours sans méfiance mais soudain curieux, le bedeau chauve fixait l'auteur d'un regard si pénétrant que celui-ci, bâclant sa génuflexion, se hâta de prendre congé. Il ne souhaitait ni corriger la date de la mort d'Alfred, ni révéler à ses parents que leur abonnement de Saint-Avold profitait aux ossements, aux cendres et à la poussière d'un soldat soviétique et ce, non point parce qu'il considérait ces ossements, ces cendres ni cette poussière comme indignes d'une telle faveur, non certes, mais parce que les gens aiment bien savoir que celui qu'ils supposent dans une tombe y repose réellement. Or ce n'était manifestement pas le cas. Mais le plus inquiétant de l'affaire : la bureaucratie allemande avait visiblement fait preuve d'impéritie. C'était vraiment troublant. Quant au bedeau, l'auteur avait de toute façon suffisamment déjà semé le trouble dans son esprit.

Inutile de s'étendre ici sur la difficulté de trouver un taxi, sur la longue attente à Clèves et le voyage de retour de près de trois heures dans un train extrêmement inconfortable qui passa de nouveau par Xanten et Kevelaer.

Margret, priée le soir même de s'expliquer, jura « ses grands dieux » que cet Alfred Bullhorst était mort dans ses bras : un garçon blond et triste, amputé des deux jambes et qui réclamait un prêtre. Mais avant de signaler son décès, elle s'était dès le départ du personnel précipitée au secrétariat dont elle avait ouvert l'armoire à glissière avec un passe-partout en vue d'y dérober le livret militaire d'Al-

410

fred qu'elle avait caché dans son sac à main. Et c'est seulement alors qu'elle avait signalé son décès... Oui, il lui avait parlé de sa fiancée, une belle et douce jeune fille blonde, et de son pays natal — celui précisément que, pour l'amour de la vérité, l'auteur venait de visiter au prix de grandes fatigues —, mais il se pouvait fort bien que dans la précipitation générale — l'hôpital étant alors en instance d'évacuation vers l'est — on eût oublié les formalités, c'est-à-dire non l'enterrement mais l'envoi à la famille de l'avis de décès.

Reste alors à se demander si la bureaucratie allemande a réellement fait preuve d'impéritie et si l'auteur aurait dû aller trouver les parents Bullhorst pour leur assener la vérité sur ces ossements qu'ils honorent tous les ans à la Toussaint par la plantation de bruyères ou de pensées. Aurait-il dû leur demander si la présence parfois sur cette tombe d'un gros bouquet de roses rouges (celui que Léni et son fils Lev y déposent de temps à autre) ne les avait jamais surpris ? A moins que l'auteur n'eût peut-être trouvé chez les parents Bullhorst le formulaire rouge que Boris avait dû remplir pour leur annoncer qu'il était en bonne santé et prisonnier des Américains ? Autant de questions qui doivent rester sans réponse. On ne peut pas toujours tout tirer au clair. Et l'auteur reconnaît sincèrement avoir — comme Elsa de Brabant ou Lohengrin — perdu le contrôle de ses nerfs sous le regard incrédule et inquisiteur d'un bedeau de village du Rhin inférieur, à quelques kilomètres de Nimègue.

Si surprenant que cela puisse paraître, l'auteur n'eut aucun mal à éclaircir, sinon la mort de Rachel-Aruspice, du moins une partie de son passé et, sinon ses propres projets d'avenir, celui du moins que d'autres sont en train de lui forger. Le voyage à Rome qu'il décida finalement d'entreprendre se révéla des plus fructueux. Pour ce qui est de la ville elle-même, l'auteur renvoie le lecteur aux guides et prospectus en tous genres, aux films français, anglais, italiens, américains et allemands qui y ont été tournés, ainsi qu'à l'abondante littérature écrite sur l'Italie mais à laquelle il n'a pas l'intention d'ajouter un mot. Il voudrait simplement dire que — même à Rome — il a compris les désirs formulés par Fritz, qu'il a pu y étudier la différence entre un couvent de jésuites et un couvent de femmes, qu'il y a été reçu par une religieuse absolument ravissante, tout au plus âgée de quarante et un ans et qui accueillit avec un sourire non point condescendant mais au contraire avisé et bienveillant les propos flatteurs qu'il lui tint sur les sœurs Colombe, Prudence, Cécile et Sapience. Ayant fait allusion à Léni, l'auteur eut la surprise d'apprendre qu'on la connaissait dans cette maison mère si merveilleusement située sur une colline du nord-ouest de Rome. Qu'on imagine donc cela : Léni connue dans un couvent romain cerné de palmiers et de pins parasols ! Imaginez qu'au cœur d'une pièce fraîche tout marbre et cuivre d'une remarquable élégance, assise comme son interlocuteur dans un fauteuil club de cuir noir, le thé (tout à fait correct) servi sur la table, ignorant non pas intentionnellement ni même complaisamment mais bien *réellement* la cigarette allumée et posée sur le bord de la soucoupe de son visiteur, une ravissante religieuse qui après avoir passé son doctorat avec une thèse sur Fontane est en passe de soutenir sa thèse d'agrégation sur Gottfried Benn (!!!), bref une germaniste extrêmement cultivée (à qui son simple habit religieux sied à merveille) ait entendu parler de Léni !

Il faut se représenter la scène : Rome. Ombre des pins parasols. Chant des cigales. Ventilateurs, thé, macarons, cigarettes. Six heures du soir environ. Une femme aussi séduisante par son physique que par son esprit qui, lorsque l'auteur évoqua la « Marquise d'O... », ne montra pas le moindre soupçon de gêne; qui, lorsqu'il alluma sa deuxième cigarette après avoir sans façon écrasé le mégot de la première dans sa soucoupe (du faux Meissner, mais fort bien imité), murmura soudain avec une inflexion rauque dans la voix : « Sapristi! offrez-m'en donc une... ce tabac de Virginie, je ne peux résister à son parfum! » puis, inhalant la fumée d'une manière qu'on ne saurait qualifier autrement que d'« impie », murmura encore mais cette fois avec une vraie voix de conspirateur : « Si sœur Sophie entre, c'est la vôtre. » Ainsi donc cette personne installée au centre du monde, en plein cœur de la catholicité, connaissait Léni, non seulement sous le nom de Gruyten mais aussi sous celui de Pfeiffer, et voilà que se mettant à fouiller avec l'esprit méthodique d'une érudite dans un carton vert bouteille — format standard A4 de dix centimètres de haut environ — et ne recourant qu'occasionnellement pour se rafraîchir la mémoire aux liasses de papiers qu'il contenait, cette femme sublime se lança dans un rapport sur « sœur Rachel Maria Ginzburg, originaire des pays baltes; née aux environs de Riga en 1891, baccalauréat à Königsberg en 1908; études supérieures à Berlin, Göttingen et Heidelberg. Licence de biologie à Heidelberg en 1914. Emprisonnée à plusieurs reprises au cours de la première guerre mondiale comme socialiste pacifiste d'origine juive. En 1918 thèse de doctorat sur l'approche de l'endocrinologie chez Claude Bernard, ouvrage difficile à faire patronner en raison de ses dimensions à la fois médicales, théologiques, philosophiques et morales, mais finalement accepté pour son caractère médical par un spécialiste des maladies glandulaires. Exercice de la médecine dans des quartiers ouvriers du bassin de la Ruhr. Conversion en 1922. Conférences dans des cercles animés par des jeunes. Entrée au couvent après bien des difficultés dues à son âge plus qu'à son enseignement pseudomatérialiste... Toujours est-il qu'en 1932 elle avait déjà quarante et un ans et, pour employer un euphémisme, n'avait pas entretenu que des relations platoniques. Intervention d'un cardinal en sa faveur. Mais interdiction d'enseigner six mois seulement après son entrée au couvent. La suite... » (la ravissante sœur Clémentine saisit sans façon le paquet de cigarettes de l'auteur et s'en fourra une dans le bec – l'auteur), « ma foi vous la connaissez plus ou moins. Il me faut simplement corriger l'éventuelle impression qu'elle aurait été terrorisée au couvent de Gerselen. Au contraire : ses consœurs l'y ont cachée. Elles avaient signalé son « évasion », et la sollicitude peut-être légèrement homoérotique de Mlle Gruyten – ou Mme Pfeiffer – à son égard constituait en fait un grand danger tant pour celle-ci que pour sœur Ginzburg et même le couvent tout entier. Scheukens, le jardinier, a de son côté fait montre d'une grande légèreté en laissant Mme Pfeiffer pénétrer dans le couvent. Enfin !... tout cela, c'est du passé, nous avons surmonté l'épreuve, fût-ce douloureusement, fût-ce avec une amertume réciproque, et comme vous devez avoir, je le suppose, une certaine compréhension dialectique des motivations, je n'ai pas besoin de vous expliquer comment, pour préserver quelqu'un du camp de concentration, on est amené à le faire vivre dans des conditions proches de celles dudit camp. Conditions cruelles, il est vrai; mais n'eût-il pas été plus cruel encore de l'abandonner à son sort? Sœur Rachel n'était pas aimée, d'où des chicanes et des piques, toujours réciproques d'ailleurs car c'était une femme très obstinée. Mais, comme je vous le disais, tout cela appartient au passé, et c'est maintenant que les choses se gâtent vraiment. Me croirez-vous, si je vous dis que notre ordre n'a pas la moindre envie de produire une bienheureuse ou une sainte, mais qu'en raison de certains... comment dire... de certains phénomènes qu'il préférerait pourtant étouffer, il se trouve quasiment contraint de s'engager dans une voie qui est loin d'avoir ses préférences. Me croirez-vous ? » Cette question dans la bouche d'une religieuse qui inhale la fumée du tabac de Virginie de façon impie, qui remarque certainement, chaque fois qu'elle se regarde dans la glace, les arcs parfaits de ses sourcils bruns, sa coiffe si seyante à son type de beauté, la ligne extrêmement séduisante de sa bouche ferme et sensuelle, qui a conscience aussi de l'effet produit par ses mains absolument ravissantes et qui enfin, bien que vêtue avec la plus extrême pudeur, laisse « deviner » sous son habit une poitrine parfaite... cette question donc parut à l'auteur tout à fait déloyale ! Dans une telle conjoncture une simple question comme « Irons-nous nous promener ensemble ? » ou « Allez-vous me demander ma main ? » est certainement permise, mais pas celle de savoir si quelqu'un *croira* ce qu'il n'a pas encore entendu...! L'auteur eut la faiblesse de faire un signe d'assentiment et même, parce qu'invité par le regard pressant de son interlocutrice, à le confirmer par une promesse verbale, de murmurer un « oui » comme seuls d'habitude en murmurent devant l'autel de futurs époux. Mais que pouvait-il faire d'autre ? Toujours est-il que dès cet instant la preuve était faite du succès de ce voyage à Rome, car ce oui murmuré sous la contrainte allait permettre à l'auteur de pénétrer les hautes qualités d'un érotisme platonique parfaitement discipliné dont sœur Cécile n'avait pu lui donner qu'un bref aperçu. Sœur Clémentine elle-même parut sentir qu'elle était allée un peu trop loin : elle effaça une grande partie du charme qui émanait de son regard; sa bouche vermeille prit — il faut l'avouer — un pli amer, et les propos qu'elle tint alors firent sur l'auteur l'effet d'une douche psychologique sciemment administrée. Non sans battre des cils — bien au contraire ses cils courts et drus qui, si surprenant et décevant que cela fût, faisaient penser aux poils d'une brosse, battirent fortement — elle dit : « D'ailleurs, quand nous discutons aujourd'hui la problématique de la « Marquise d'O... », nos élèves nous déclarent froidement que, même veuve, elle aurait dû prendre la pilule. C'est ainsi que la poésie d'un écrivain de la classe de Kleist est ravalée au piteux niveau des journaux illustrés... Mais je ne veux pas chercher d'échappatoire. Ce qu'il y a de grave, voyez-vous, dans l'affaire Ginzburg, ce n'est pas, comme vous le supposez peut-être à tort, la manipulation du miracle ! C'est bien au contraire que nous n'arrivions pas à nous débarrasser de lui ! Car nous n'arrivons pas à nous débarrasser des roses qui poussent en plein hiver sur la tombe de sœur Rachel ! Si nous vous avons certes empêché d'approcher sœur Cécile et Scheukens — pour lequel, soit dit en passant, vous n'avez aucun souci à vous faire car il est casé au mieux — ce n'est donc pas parce que nous manipulons le miracle, mais bien parce que le miracle nous manipule. Si nous nous efforçons de tenir à l'écart tous ceux qui risquent de vouloir donner une regrettable publicité à cette affaire, ce n'est pas que nous souhaitions un procès de béatification mais qu'au contraire nous n'en voulons pas ! Croyez-vous à présent ce que vous m'avez promis de croire ? » Avant de lui répondre, l'auteur posa cette fois sur sœur Clémentine un regard pensif et « scrutateur » : elle lui parut soudain — il n'y a pas d'autre expression possible — terriblement fanée, et nerveuse aussi car d'un geste brusque elle repoussa sa coiffe, révélant ainsi — c'est hélas ! également vrai — la masse superbe de ses cheveux acajou. Elle saisit une nouvelle cigarette dans le paquet de l'auteur, cette fois du même geste las et routinier que celui d'une étudiante, fumeuse invétérée, qui vers quatre heures du matin s'aperçoit avec désespoir que l'exposé sur Kafka qu'elle doit faire six heures plus tard est complètement raté, puis versa du thé dans la tasse de l'auteur, y ajouta du lait et du sucre dans l'exacte proportion qu'il préfère et fit même fondre le sucre avant de poser la tasse devant lui en le regardant — seule formule possible — d'un air implorant. Qu'on se représente bien la situation : Rome au printemps, fin d'après-midi ensoleillée, parfum des pins parasols, stridulation déclinante des cigales, son de cloches, marbres, fauteuils de cuir, jardinières plantées de pivoines tout juste écloses, le tout vibrant de cette catholicité dont parfois rêvent les protestants; la beauté de sœur Clémentine, épanouie quelques instants plus tôt et soudain flétrie; sa remarque dégrisante sur la Marquise d'O..., et la voici qui tire en soupirant du carton vert bouteille des liasses et des liasses de papiers maintenues par des trombones ou des élastiques, cinq, six, dix, dix-huit... vingt-six liasses en tout. « Chaque année le rapport est toujours le même : des roses sortent brusquement de terre en décembre, des roses qui ne faneront que lorsqu'au printemps d'autres roses commenceront normalement à fleurir! Nous avons recouru aux moyens les plus extrêmes qui vous paraîtront sans doute macabres : nous l'avons exhumée pour transférer ses... eh bien ses restes (qui en étaient au stade de décomposition correspondant au temps écoulé depuis sa mort) dans un autre cimetière du couvent. Ces affreuses roses ayant fleuri là aussi, nous l'avons de nouveau exhumée pour la réinhumer dans sa première tombe, puis exhumée une fois de plus pour la faire incinérer, l'urne étant finalement déposée dans la chapelle où n'existe vraiment pas la moindre trace de terre arable. Eh bien, des roses ont jailli de l'urne et envahi la chapelle! Nous avons alors enterré ses cendres et de nouveau des roses ont fleuri sur sa tombe. Je suis sûre que si nous faisions larguer l'urne par un avion au-dessus de l'océan ou du désert, des roses trouveraient encore moyen d'y pousser! Tel est notre problème : non pas de répandre la nouvelle, mais bien de la garder secrète! Et voilà pourquoi nous avons dû vous empêcher d'approcher sœur Cécile et envoyer Scheukens chez le régisseur d'un domaine agricole des environs de Würzbourg. Voilà pourquoi aussi Mme Pfeiffer nous inquiète, non pas parce qu'elle contesterait le... disons le phénomène, mais parce que d'après tous les renseignements que j'ai sur elle et que vous venez de compléter, elle considérerait probablement comme tout à fait normal le fait que chaque année vers la mi-décembre un épais buisson de roses, comme il n'en existe à ma connaissance que dans le conte de la Belle au Bois dormant, jaillisse des cendres de sa chère Aruspice. Si seulement cela se passait ici en Italie, nous n'aurions même pas à y redouter les communistes ! Mais en Allemagne !... Enfin, rendez-vous compte, ce serait un recul de je ne sais combien de siècles ! Qu'adviendrait-il alors de la réforme liturgique, de la reconnaissance de la plausibilité physiobiologique des prétendus miracles ? Et qui pourrait en outre garantir que les roses continueraient de fleurir une fois l'affaire ébruitée ? De quoi aurions-nous l'air si le phénomène cessait alors soudain ? Même les cercles romains les plus réactionnaires nous engagent, avec la politesse de rigueur, à classer le dossier. Nous avons demandé à des botanistes, des biologistes et des théologiens d'étudier le phénomène tout en observant, il va sans dire, la plus absolue discrétion. Or, savez-vous quels sont ceux qui se sont montrés le plus impressionnés, jusqu'à faire entrer le surnaturel en jeu ? Les botanistes et biologistes, mais non les théologiens ! Alors songez un peu aux dimensions politiques de l'affaire : une juive convertie puis entrée au couvent mais qui devait presque aussitôt se voir privée du droit d'enseigner pour ensuite — ne mâchons pas nos mots — mourir dans des conditions navrantes, et des cendres de laquelle des roses jaillissent et fleurissent chaque année depuis 1943 ! Sorcellerie ? Magie ? Mystique ? Et il faut que ce soit justement à moi, à moi, auteur de l'étude critique du biologisme de Gottfried Benn, qu'on confie le dossier ! Savez-vous ce qu'hier un prélat m'a dit en ricanant au téléphone ? « Paul nous propose bien assez « de miracles comme ça, alors n'en rajoutons pas, je « vous en prie ! D'ailleurs, petite fleur bleue comme « il est, il rend superflu tout surcroît de fleurs ! » Alors puis-je compter sur votre silence ? » L'auteur se garda bien cette fois d'incliner la tête, il la secoua au contraire énergiquement, accompagnant ce mouvement d'un « non » prononcé à haute et intelligible voix. Souriant alors d'un air las, sœur Clémentine utilisa le paquet de cigarettes vide en guise de chiffon pour faire passer ses mégots de sa soucoupe dans celle de l'auteur puis, sans se départir de son sourire las et toujours avec le paquet vide comme chiffon, elle alla vider le tout dans une corbeille à papier en plastique bleu ; cela fait et sans cesser de sourire, elle resta debout, donnant ainsi le signal du départ. De telle sorte que l'auteur ignore si, tout en ayant prétendu le contraire, elle ne souhaiterait pas la manipulation d'un miracle.

Parlant littérature sur le ton de la conversation, sœur Clémentine accompagna l'auteur jusqu'au portail. Cela faisait un bon bout de chemin, quatre cents mètres environ à travers le vaste domaine. Cyprès, pins parasols, lauriers-roses... on connaît ça. De l'autre côté du portail, d'où l'on découvrait la Ville Eternelle aux tons ocres, l'auteur glissa à sœur Clémentine son paquet de cigarettes de réserve inentamé qu'elle cacha en souriant dans la manche de son habit. Et là, tandis qu'il attendait l'autobus qui le ramènerait dans le centre, via le Vatican, l'auteur jugea le moment venu de rompre ce charme platonique : entraînant sœur Clémentine entre deux jeunes cyprès, il l'embrassa sans façon sur le front, la joue droite, puis la bouche. Loin de lui résister, elle soupira simplement : « Eh oui ! » Puis, le sourire aux lèvres, elle se tut un instant avant de l'embrasser à son tour sur la joue. Et lorsqu'elle entendit l'autobus approcher, elle murmura : « Revenez me voir... mais je vous en conjure, pas avec des roses ! »

Que l'auteur ait jugé ce voyage profitable, chacun le comprendra aisément. Que, pour éviter de mettre trop rapidement certaines personnes en situation de conflit, il n'ait pas voulu retarder son départ, voilà qui se comprend aussi. Et comme pour lui le « hâte-toi lentement » est une formule creuse, il a choisi de rentrer chez lui par la voie des airs, profondément déchiré — et ce jusqu'à ce jour — par la question de savoir si, et dans l'affirmative jusqu'à quel degré, ses frais professionnels et personnels se sont confondus à l'occasion de ce voyage; déchiré en outre, ne fût-ce qu'à moitié, par un problème tant professionnel que personnel : Clémentine avait-elle subtilement cherché à obtenir une *publicité* pour le miracle des roses de Gerselen ou, avec une égale subtilité, souhaité l'éviter ? Et quelle serait son attitude à lui au cas où il réussirait à lire ce qu'elle désire sur les lèvres de celle qui est devenue sa bien-aimée ? Objective, c'est-à-dire conforme à son devoir, ou subjective, c'est-à-dire conforme à son penchant et à son désir d'être agréable à Clémentine ?

Préoccupé par ce quadruple problème, nerveux, irrité même, l'auteur se sentit, au sortir du printemps romain, durement atteint par l'hiver du pays natal : Nifelheim sous la neige, rues verglacées et chauffeur de taxi de mauvais poil qui ne songeait qu'à rosser, aplatir, fusiller ou gazer les gens, puis — amère déception — un accueil désagréable à la porte du couvent de Gerselen où une religieuse d'un certain âge, revêche et laconique, l'éconduisit sans ménagement en ces termes pour lui surprenants : « Nous en avons par-dessus la tête des journalistes ! » Seule consolation qui lui restât : faire le tour du mur d'enceinte du couvent (périmètre d'un carré de cinq cents mètres de côté environ) et jouir de la vue sur le Rhin. L'église du village était fermée (celle précisément dont, en leur temps, les enfants de chœur s'étaient délectés jusqu'à l'exaltation de la peau de Margret). C'était là, au couvent de Gerselen, que Léni avait séjourné, qu'Aruspice avait été enterrée, déterrée, réenterrée, redéterrée, incinérée... mais nulle part, nulle part la moindre brèche dans le mur d'enceinte du couvent ! L'auteur dut alors se rabattre sur l'auberge du village où il ne retrouva ni la somnolence, ni la quiétude rencontrées dans le bistrot du village natal d'Alfred Bullhorst. La salle débordait d'étrangers bruyants qui le dévisagèrent aussitôt avec méfiance, mais dont l'appartenance à une espèce bien définie ne faisait aucun doute : celle des journalistes; et lorsqu'il demanda une chambre à l'aubergiste, sarcastiques, tous s'écrièrent en chœur : « Une chambre ici même, aujourd'hui même et surtout (plus sarcastiques encore) avec vue sur le parc du couvent, n'est-ce pas ? » Et comme il asquiesçait naïvement, l'auteur déclencha les hurlements assourdissants, les hahaha ! et hohoho ! de tous ces individus des deux sexes vêtus à la mode du jour. Et comme, n'ayant pas senti l'ironie de leur propos, il leur confirmait son désir d'avoir en effet une chambre donnant sur le parc enneigé du couvent, ils le classèrent définitivement dans la catégorie des demeurés. Mais tandis que l'aubergiste servait de la bière et tirait au tonneau, tirait au tonneau et servait de la bière, soudain beaucoup plus gentils, ils entreprirent de le mettre au courant : ne savait-il donc rien de ce dont tout le monde parlait ? Ignorait-il qu'on avait découvert que dans le parc du couvent une source thermale avait fait fleurir un vieux buisson de roses ? Que les sœurs, fortes de leur droit de propriété, avaient de leurs propres mains édifié une palissade

autour du lieu de leur découverte ? Qu'eux-mêmes,
l'accès au clocher de l'église leur étant barré, avaient
dépêché quelqu'un dans la ville universitaire voisine
(celle précisément où B.H.T. avait eu ses tête-à-tête
avec Aruspice — l'auteur) pour y emprunter une
échelle coulissante de vingt-cinq mètres de portée
qui leur permettrait de « lorgner les nonnes dans
leur marmite. » Ils faisaient tous cercle autour de
l'auteur qui ne savait plus lui-même s'il était naïf ni
dans quelle mesure... les gens de l'U.P.I., du D.P.A.,
de l'A.F.P. et même un correspondant du Novosti
bien décidé, de concert avec celui du C.T.K., à
démasquer le fascisme clérical et à déjouer cette
manœuvre électorale de la C.D.U. « Savez-vous,
poursuivit le correspondant du Novosti tout en
offrant aimablement une chope de bière à l'auteur,
qu'en Italie les madones pleurent au moment des
élections ! Et voici qu'en Allemagne Fédérale des
sources thermales jaillissent dans des parcs de couvent, que des roses fleurissent sur les tombes de
nonnes dont on veut nous faire croire qu'elles
auraient été violées lors de l'occupation de la Prusse
orientale. On prétend en tout cas que les communistes auraient été dans le coup, mais qu'auraient-ils
pu faire à des nonnes, à part les violer ? » Mieux
informé que la plupart des personnes présentes,
l'auteur (qui cinq heures auparavant sur une colline
de Rome d'où l'on découvrait toute la ville avait
déposé un baiser sur une joue dont la peau était
tout sauf parcheminée) décida d'abandonner la partie et d'attendre les comptes rendus des journaux.
Aucun espoir ne subsistait de découvrir sur place la
vérité... Avait-on sournoisement mêlé Léni à cette
affaire ? Aruspice s'était-elle transformée en chaleur ?... L'auteur quitta l'auberge mais, avant de
refermer la porte derrière lui, entendit l'une des
journalistes entonner d'une voix moqueuse la
chanson : *Une rose a fleuri...* »

Dès le lendemain matin, dans la première édition du journal qu'il a déjà cité une fois, l'auteur trouva un compte rendu destiné à mettre fin à toute spéculation : « Il appert que cet étrange événement, que la presse de l'Est a seule par dérision qualifié de « miracle thermal des roses », doit être attribué à des causes naturelles. Comme le prouve déjà le nom même du village dans lequel se dissimule le mot germanique « geysir[1] » (il se pourrait fort bien que Gerselen se soit autrefois appelé Geysirheim), dès le IVe siècle après J.-C. on signale à Gerselen des sources d'eau chaude, et c'est pourquoi d'ailleurs au VIIIe siècle un petit château impérial y fut édifié puis abandonné lors du tarissement des sources. Les religieuses du couvent déclarent expressément — ainsi que nous l'a confirmé sœur Sapience, leur mère supérieure, dans une interview exclusive — n'avoir jamais songé à un miracle, ni propagé aucune rumeur de cet ordre. Il se pourrait que le terme de miracle ait été introduit dans les communiqués par la faute d'une ancienne élève du collège de Gerselen dont le comportement y fut incontestablement ambigu et qui devait plus tard entretenir des relations plus ou moins étroites avec le P.C. Il s'agirait en réalité, selon les experts, de la réapparition soudaine et certes inattendue de sources d'eau chaude qui auraient effectivement fait fleurir quelques rosiers. Mais rien, absolument rien, déclara sœur Sapience avec la lucidité d'une religieuse moderne à l'esprit ouvert et éclairé, rien ne permet de croire à une intervention surnaturelle. »

Alors qu'il n'hésita pas un seul instant à parler à Margret du miracle thermal des roses et des dessous de l'affaire (rayonnante de joie, elle crut abso-

1. Geyser.

lument tout et le conjura de ne pas abandonner Clémentine), alors qu'il ne craignit pas de s'exposer aux sarcasmes de Lotte qui, bien entendu, qualifia toute l'histoire de foutaise et le rangea dans la pénible catégorie des lécheurs de nonne (« tant réellement que symboliquement » — Lotte), l'auteur hésita en revanche à informer Léni des étranges événements de Gerselen et à lui communiquer, ne fût-ce qu'à demi-mot, le résultat des recherches qu'il venait d'entreprendre à Rome. B.H.T avait lui aussi le droit — du moins était-ce l'avis de l'auteur — de connaître l'effet attribué vingt-sept ans plus tard encore aux cendres de celle qu'il continuait certainement de vénérer. Même si des géologues renommés, épaulés par quelques prospecteurs d'une société pétrolière (laquelle exploita sans scrupule l'événement à des fins publicitaires), avaient confirmé de façon péremptoire le caractère « exclusivement naturel » du phénomène, une partie de la presse d'Europe de l'Est ne s'en tint pas moins opiniâtrement à une version selon laquelle « l'appui électoral que l'affaire de Gerselen devait fournir aux forces réactionnaires s'étant effondré sous l'inlassable pression des forces socialistes, ladite réaction s'était alors rabattue sur de pseudo-naturalistes entièrement inféodés au capitalisme. Nouvelle preuve de la façon dont la science capitaliste se laisse aisément circonvenir ».

Il se pourrait qu'ici l'auteur n'ait pas été à la hauteur des circonstances. Sans doute aurait-il dû — aidé du chauve B.H.T. peut-être — escalader le mur d'enceinte du couvent de Gerselen pour y cueillir quelques roses afin d'aller ensuite les déposer devant la porte de Léni. Ces fleurs auraient assurément fourni une décoration aussi exquise qu'appropriée au tableau auquel elle travaillait alors d'arrache-pied, « partie de la rétine de l'œil gauche de la Vierge Marie, nommée Rachel ».

En se précipitant, les événements empêchèrent à cette époque l'auteur de céder à la nostalgie qui l'attirait vers Rome. Le devoir en effet l'appelait, il l'appelait sous les espèces de Herweg Schirtenstein qui battait le rappel en vue de fonder une sorte de comité d'assistance à Léni chargé de la soutenir moralement et financièrement contre la pression croissante des Hoyser, certains moyens de coercition de caractère politique n'étant même pas exclus. Au téléphone, Schirtenstein lui parut très excité mais résolu, et sa voix, dont la vibration lors d'entretiens antérieurs était aussi fine que du bois de placage, rendait cette fois un son métallique. Après avoir demandé à l'auteur de lui communiquer les adresses de tous ceux qui s'intéressaient à « cette femme étonnante » (demande satisfaite), Schirtenstein décida d'organiser une conférence pour le soir même, ce qui laissait néanmoins à l'auteur le temps de s'introduire enfin dans le quartier général de la partie adverse, ceci afin d'éviter autant que possible au nom de l'objectivité, de la justice et de la vérité, une prise de position purement émotionnelle, mais aussi pour l'amour de son devoir de chroniqueur. Or, désireux justement d'exposer leur point de vue dans cette malheureuse affaire, car ils redoutaient d'éventuelles actions concertées, les Hoyser se déclarèrent prêts à rencontrer immédiatement l'auteur, « même au détriment de très urgentes affaires en cours ». Seule difficulté : le choix du lieu de réunion. Ce choix pouvait notamment se faire entre l'appartement du vieux Hoyser (dans la maison de repos mi-asile de vieillards mi-hôtel de luxe déjà mentionnée), l'appartement ou le bureau de Werner (propriétaire d'une agence de paris), l'appartement ou le bureau de Kurt, « directeur général des bâtiments » (citation exacte de son titre, tel qu'il le décline lui-même — l'auteur) et enfin la salle du conseil de HOYSER, S.A.R.L. en commandite simple... « où nous gérons conjointement nos intérêts et investissements ». (Toutes citations extraites des informations fournies au téléphone par Kurt Hoyser.)

La curiosité poussa l'auteur à proposer la salle du conseil de HOYSER, S.A.R.L. en commandite simple, au douzième et dernier étage d'un immeuble dressé au bord du Rhin et qui offre — les initiés le savent, mais l'auteur l'ignorait encore — une vue sensationnelle sur la ville et ses alentours. L'auteur s'y rendit le cœur battant : en présence du faste, son âme de petit-bourgeois se fait craintive, et ses origines extrêmement petites-bourgeoises font qu'il s'y sent bien quoique pourtant étranger. Le cœur toujours battant, il pénétra dans le hall de cet immeuble de bureaux dont les étages supérieurs sont du genre *Penthouse* qui connaît une telle vogue. Un portier qui sans uniforme ni même livrée produisait néanmoins l'impression de porter à la fois l'un et l'autre, le jaugea non avec mépris mais simplement pour contrôler son apparence, et l'auteur sentit bien que ses chaussures avaient échoué à l'examen. Ascenseur parfaitement silencieux... on connaît ça. Dans la cabine, en guise de table d'orientation pour l'ensemble des douze étages, une série de plaques de cuivre sur lesquelles un rapide coup d'œil — la stupéfiante vitesse de l'ascenseur rendant impossible leur étude approfondie — permettait de conclure que, seuls ou presque, des esprits créateurs étaient ici à l'œuvre : bureaux d'architectes, agences d'édition ou de mode. Une plaque attirait particulièrement l'attention par sa largeur : « Erwin Kelf, contacts créateurs. »

L'auteur en était encore à se demander s'il s'agissait là de contacts physiques ou intellectuels, voire simplement mondains et sans engagement, sinon éventuellement du camouflage d'un cercle de *call-men* ou de *call-girls,* lorsqu'il se retrouva au douzième étage. Derrière la porte qui s'ouvrit silencieusement l'attendait un homme sympathique qui se présenta simplement ainsi : « Kurt Hoyser . » Sans le moindre soupçon de familiarité, de condescendance ni de mépris, mais avec une amabilité d'une agréable neutralité n'excluant nullement, bien au contraire, la cordialité, Kurk Hoyser conduisit l'auteur jusqu'à la salle du conseil qui rappela étonnamment à celui-ci la pièce dans laquelle il s'était assis deux jours plus tôt en face de Clémentine : marbre, portes et fenêtres à encadrement métallique, fauteuil club... et la vue non certes sur la ville Eternelle aux tons ocres, mais sur le Rhin et quelques localités riveraines, au point géographique exact où la voie d'eau, toujours majestueuse, entre dans sa phase la plus sale, donc de soixante-dix à quatre-vingts kilomètres avant que le fleuve allemand d'immondices ou, si l'on préfère, les immondices du fleuve allemand ne se déversent sur les innocentes villes hollandaises d'Arnhem et de Nimègue.

La pièce qui, mobilier compris, produisait une impression extraordinairement agréable, avait la forme d'un secteur de cercle. Elle ne contenait que quelques tables et des fauteuils club, frères de ceux de la maison mère de l'ordre à Rome. Peut-être voudra-t-on bien concéder à l'auteur que sa nostalgie ait trouvé là un nouvel aliment, d'où un trouble qui l'immobilisa quelques instants. On lui assigna la meilleure place avec vue sur le Rhin et cinq ponts environ. Sur une table dont le galbe élégant rappelait celui de la fenêtre, étaient disposés diverses boissons alcoolisées, des jus de fruit, du thé dans une théière-thermos, des boîtes de cigarettes dont le nombre et l'assortiment étaient assez raisonnablement modérés pour ne pas tomber dans une vulgarité de nouveau riche, la définition la plus adéquate en l'occurrence étant celle de « présentation soignée ». Le vieux Hoyser et son petit-fils Werner parurent à l'auteur infiniment plus sympathiques qu'il ne se l'était imaginé. Aussi s'empressa-t-il, fidèle à son devoir professionnel, de corriger ses idées préconçues pour considérer l'inquiétant Kurt Hoyser, qu'il rencontrait pour la première fois, comme un homme sympathique, paisible et modeste qui savait donner à sa mise, pourtant très soignée, un brin de négligence assortie à sa voix calme de baryton. Il ressemblait étonnamment à Lotte, sa mère : même plantation de cheveux, mêmes yeux ronds. Avait-il réellement été ce nourrisson né en de dramatiques circonstances dans cette chambre à présent occupée par une famille portugaise de cinq personnes, et que sa mère avait refusé de faire baptiser ? Avait-il réellement, dans le paradis soviétique des caveaux et de concert avec son frère Werner — maintenant âgé de trente-cinq ans et d'aspect beaucoup plus rude —, offert au vieux Pelzer ses propres mégots roulés de frais, lequel aujourd'hui encore en ressent une telle amertume ?

Il y eut quelques instants de gêne en raison de ce que l'auteur, manifestement tenu par ses hôtes pour une sorte de parlementaire, dut donner quelques explications indispensables destinées à bien préciser la raison de sa venue. Dans le but de *s'informer,* ceci *en toute objectivité...* Suivit un exposé succinct montrant qu'il ne s'agissait nullement en l'occurrence de sympathie ni de tendances, pas plus que de propositions ni de contre-propositions, mais que seuls importaient les faits et non point une quelconque idéologie ou défense d'intérêt; que lui — l'auteur — n'avait reçu aucun mandat d'aucune sorte et ne le souhaitait d'ailleurs pas; qu'il n'avait encore jamais été confronté avec la « personne en cause », l'ayant seulement aperçue deux ou trois fois dans la rue, sans lui avoir jamais adressé la parole; que son désir était de mener une enquête sur la vie de cette femme, enquête qui sans doute risquait d'être fragmentaire mais dont il souhaitait qu'elle le fût le moins possible; qu'il ne tenait sa mission d'aucune instance terrestre ni supraterrestre, mais qu'elle était purement *existentielle...* Découvrant alors sur le visage des trois Hoyser — qui ne lui avaient jusque-là accordé, au prix d'un effort évident, qu'un minimum d'attention polie — quelque chose comme de la curiosité, et cela parce qu'ils avaient sans nul doute flairé dans le mot « existentiel » un intérêt exclusivement matériel, l'auteur se vit contraint de leur exposer *tous* les aspects de l'existentiel. Kurt Hoyser lui ayant alors demandé s'il était idéaliste, il le nia énergiquement. Etait-il donc réaliste, matérialiste ? Il le nia avec la même énergie. Il se vit alors inopinément soumis à une sorte d'interrogatoire mené de front par le vieux Hoyser, Kurt et Werner qui lui demandèrent à tour de rôle s'il avait fait des études supérieures, s'il était catholique, protestant, rhénan, socialiste, marxiste, libéral, pour ou contre la vague de sexualité, la pilule, le pape, Barzel, l'économie de marché, l'économie dirigée. Comme, avec autant de constance que de conviction, il répondait non à toutes ces questions — on l'eût cru parcourant du regard un panorama depuis une table d'orientation, obligé qu'il était de tourner sans cesse la tête pour faire face à son interrogateur —, une secrétaire entrée à l'improviste par une porte demeurée jusque-là invisible lui versa une tasse de thé, approcha de lui la tarte au fromage, ouvrit une boîte de cigarettes puis, appuyant sur un bouton, ouvrit un placard à glissière jusque-là parfaitement hermétique d'où elle retira trois dossiers qu'elle déposa sur la table devant Kurt Hoyser en même temps qu'un bloc-notes, quelques feuilles de papier et une pipe, ensuite de quoi elle disparut par la même porte (personnage d'une joliesse inexpressive, blonde, poitrine moyenne, et dont le comportement faisait penser à la diligence pragmatique avec laquelle, dans certains films, les filles de joie expédient leurs clients). L'interrogatoire terminé, le vieux Hoyser prit le premier la parole tout en frappant légèrement les dossiers de sa canne qu'il laissa ensuite reposer sur la pile et qui allait lui servir à

ponctuer de temps à autre ses propos. « Ainsi »,
dit-il d'une voix non exempte d'une certaine mélancolie, « ainsi s'achève l'histoire d'une alliance, d'une
union même qui m'a étroitement attaché aux Gruyten soixante-quinze années durant. Comme vous le
savez, c'est à quinze ans que je suis devenu le parrain de Hubert Gruyten... et maintenant mes petits-fils et moi rompons définitivement avec ce passé,
nous coupons tous les ponts... » L'auteur se voit
exceptionnellement contraint d'abréger car, à vrai
dire, le vieux Hoyser remonta plus ou moins au
déluge, à partir des pommes qu'à l'âge de six ans —
vers 1890 — il avait cueillies dans le jardin des
parents de Hubert, décrivant ensuite par le menu les
deux guerres mondiales, insistant sur ses principes
démocratiques, évoquant les diverses erreurs et sottises de Léni (d'ordre politique, moral et financier),
rappelant le curriculum vitae de presque tous les
témoins déjà présentés... bref, un exposé d'une
heure trente environ et passablement fastidieux
pour l'auteur déjà informé du tout, fût-ce d'une
manière différente. La mère et le père de Léni, le
jeune architecte avec lequel celle-ci était une fois
partie en week-end, son frère et son cousin, les
Ames Mortes, tout y passa... et l'auteur eut l'impression que les deux petits-fils n'écoutaient pas non
plus d'une oreille très attentive. Furent également
évoquées — d'un ton non pas unidimensionnellement agressif mais plutôt défensivo-agressif, un peu
dans le style du personnage haut placé — « certaines transactions absolument légales ». Ce terrain
déposé dans le berceau de Kurt... (du coup l'auteur
dressa l'oreille) « lorsqu'il l'a acheté en 1870 à un
agriculteur désireux d'émigrer, le grand-père de
Mme Gruyten l'a payé un groschen le mètre
carré, et encore par pure bonté d'âme, car il aurait
très bien pu l'avoir pour quatre pfennigs, mais ces
gens-là avaient toujours besoin de jouer les généreux, et parce que le vieux était piqué, il a même

arrondi la somme en allongeant deux mille thalers au lieu de cinq mille marks, ce qui mettait le mètre carré à douze pfennigs. Mais est-ce notre faute si ce terrain vaut aujourd'hui trois cent cinquante marks le mètre carré? Et croyez-moi, si l'on profitait d'une certaine tendance inflationniste, à mon avis passagère, on pourrait même en tirer cinq cents marks, et encore compte non tenu de la valeur des constructions certainement égale à celle du terrain. Sachez pourtant que même si vous m'ameniez demain un acheteur prêt à poser cinq millions sur cette table, je... nous ne lâcherions pas le morceau! Et maintenant, approchez-vous et jetez un coup d'œil par la fenêtre... » Usant alors sans façon de sa canne comme d'un grappin, il happa la veste assez lâche de l'auteur (qui craint toujours d'ailleurs pour ses boutons plus ou moins branlants) et non sans une certaine brutalité, non sans aussi — soyons juste — un hochement de tête désapprobateur de ses petit-fils, l'attira vers lui pour l'obliger à regarder les immeubles de six, sept et huit étages qui les entouraient. « Savez-vous, poursuivit le vieux Hoyser d'une voix dangereusement douce, savez-vous comment se nomme ce quartier? » Signe de dénégation de l'auteur qui n'observe pas toujours de très près les transformations topographiques. « Ce quartier se nomme Hoyseringen... il couvre un terrain laissé soixante-dix ans inemployé, jusqu'à ce qu'il soit gracieusement déposé dans le berceau de ce jeune homme » (canne brandie en direction de Kurt et ton désormais sarcastique), « et c'est moi, moi qui ai veillé à ce qu'il ne reste pas dans cet état, conformément à la devise que prêchaient déjà nos aïeux : « Soumettez la terre à votre volonté. »

Arrivé à ce point de son long monologue, le vieux monsieur commença à produire une impression d'instabilité. Bien que nettement agressif lui-même

1. Thaler = pièce de trois marks (N.d.T.).

en cet instant, il considéra en effet comme une agression l'essai de l'auteur de se libérer de la canne-grappin, et ce malgré la délicatesse et la retenue dont le malheureux faisait preuve dans l'espoir de sauver ses boutons. Soudain rouge comme une écrevisse, Hoyser sen. arracha bel et bien un bouton et avec lui, hélas! un morceau du tweed passablement usé; puis, d'un geste menaçant, il brandit sa canne au-dessus de la tête de sa victime qui, bien que toujours prête à tendre la joue gauche, se considérant cette fois en état de légitime défense esquiva en courbant l'échine, ne réussissant néanmoins qu'à grand-peine à surmonter dignement cette pénible épreuve. Kurt et Werner intervinrent alors pour calmer leur grand-père, tandis que sans doute appelée par la pression de quelque invisible bouton, la blonde machine expéditrice entrait en action. L'air indescriptiblement et inimitablement pisse-froid, elle attira le vieux hors de la pièce en lui murmurant quelque chose à l'oreille, épisode que les deux petits-fils commentèrent en chœur par ces mots : « Trude, vous êtes vraiment notre meilleure polyvalente. » Avant de quitter la pièce, le vieux eut le temps de s'écrier « Hubert Gruyten, ton rire te coûtera cher, et rira bien qui rira le dernier! »

MM. Werner et Kurt Hoyser ne parurent affectés par cet événement que sur le plan strictement matériel de l'assurance, ce qui occasionna une pénible discussion triangulaire au sujet de la veste détériorée. L'élan spontané de Werner pour dédommager l'auteur de sa perte par le versement immédiat d'une somme rondelette fut en quelque sorte étouffé dans l'œuf par un regard fulgurant de Kurt. Il n'empêche que Werner, ayant déjà amorcé le geste bien connu de porter la main à son portefeuille, dut la laisser retomber d'un air surpris. Suivirent des déclarations telles que : « Bien que n'y étant nullement tenus, nous vous rembourserons de sa valeur à l'état neuf », et des mots tels qu'« indemnité » et

« supplément pour préjudice moral ». On cita des compagnies d'assurances et des polices avec leur numéro avant de convoquer finalement l'inquiétante Trude qui, après avoir demandé à l'auteur sa carte de visite et appris qu'il n'en possédait pas, prit pour noter son adresse sur son bloc de sténo un air aussi profondément dégoûté que si on l'eût contrainte à s'occuper d'immondices particulièrement fétides.

L'auteur voudrait pour une fois parler un instant de lui-même : il n'avait pas la moindre envie d'une veste neuve, fût-elle même deux fois plus belle que l'ancienne. Il voulait ravoir sa vieille veste car, cela dût-il passer pour de la sensiblerie, il y tenait vraiment. Il exigea donc la remise en état de son bien. Tandis que, pour l'en dissuader, les deux Hoyser attiraient son attention sur le déclin du métier de tailleur, il attira la leur sur l'existence d'une stoppeuse qui plusieurs fois déjà lui avait réparé sa veste... Chacun connaît des gens qui tout à coup, sans que personne pourtant leur interdise ni ne songe à leur interdire de prendre la parole, s'écrient : « Je voudrais bien à mon tour dire quelque chose » ou « Pourrais-je parler à mon tour ? » L'auteur qui à ce stade des pourparlers avait du mal à conserver son objectivité se trouvait dans la même situation. Il se résigna pourtant à ne faire aucune allusion à l'âge de sa veste, ni aux voyages entrepris avec elle, ni aux nombreux bouts de papier fourrés dans ses poches puis retirés d'elles, ni enfin à la menue monnaie et aux miettes de pain qui s'étaient glissées dans la doublure. Et devait-il faire remarquer à ces messieurs qu'à peine quarante-huit heures plus tôt la joue de Clémentine avait reposé, ne fût-ce qu'un bref instant, sur son revers droit ? Devait-il se rendre suspect de sentimentalité alors qu'il s'agissait en vérité de cet attachement aux choses si typiquement occidental que Virgile a traduit par la formule *lacrimae rerum* ?

L'ambiance avait depuis quelques instants perdu de son harmonie qu'elle aurait pu cependant conserver si les deux Hoyser avaient seulement essayé de comprendre qu'on peut préférer une vieille chose à une neuve et qu'en ce monde il ne faut pas tout envisager du seul point de vue matériel des assurances. « Si quelqu'un après avoir embouti votre vieille Volkswagen, dit enfin Werner Hoyser, et alors qu'il n'est tenu de vous verser que le prix de l'Argus, vous offre au contraire une VW neuve et que vous la refusiez, je ne vois pas comment votre réaction pourrait recevoir un autre qualificatif que celui d'anormale. » La simple supposition que l'auteur pût posséder une vieille VW constituait déjà en soi un véritable affront, fût-il même inconscient, car cette façon de sous-entendre un niveau de revenus et un goût médiocres revêtait, sinon objectivement du moins subjectivement, le caractère d'une humiliation. Comment tenir dès lors rigueur à l'auteur d'avoir abandonné son objectivité pour déclarer tout crûment primo qu'il emmerdait toutes les VW, vieilles ou neuves, et secundo qu'il tenait en tout et pour tout à se voir restituer sa veste détériorée par une vieillard lubrique... Une telle polémique ne pouvait évidemment mener à rien. Mais comment expliquer à quelqu'un qu'on tient à sa vieille veste et qu'on ne peut l'ôter comme on le lui demande (afin d'évaluer le dommage causé) parce que... crénom de nom, ce sont des choses qui arrivent dans la vie !... on a un trou dans sa chemise ou plus exactement un accroc (causé dans l'autobus par l'hameçon d'un jeune Romain) et qu'en outre ladite chemise n'est plus très propre parce que, toute la journée par monts et par vaux à prendre des notes au crayon et au stylo à bille pour l'amour de la vérité, on se jette le soir sur son lit, complètement fourbu, sans même prendre la peine de la retirer ? Restitution est-il donc un mot si difficile à comprendre? Il se peut que des gens, dont le quartier qu'ils ont édifié sur leur propre terrain porte le nom, entrent dans une colère quasi métaphysique quand force leur est de constater que certaines choses, ne serait-ce même qu'une veste, ne peuvent être remplacées par de l'argent. Il se pourrait aussi qu'ils voient dans ce refus d'indemnisation une déplorable provocation. Mais le lecteur qui aura jusqu'ici tenu pour plus ou moins crédible la stricte objectivité de l'auteur devra croire ceci qui peut pourtant paraître incroyable : c'est lui, l'auteur, qui dans cette discussion fit preuve de calme, de correction et en tout cas de réalisme, alors que les deux Hoyser, de plus en plus irréalistes, discouraient d'un ton coléreux, nerveux, offensé et sans cesser — même Kurt vers la fin de cette pénible scène — de lever la main vers l'endroit où l'on avait tout lieu de présumer la présence de leur portefeuille... comme s'ils avaient pu en tirer une veste, une veste bien-aimée, vieille de douze ans et que l'on préfère à sa propre peau parce que plus difficilement remplaçable, car si la peau peut en effet subir une greffe, il n'en est pas de même d'une veste... une veste à laquelle on tient *sans* niaise sentimentalité, uniquement parce que l'on est un Occidental imprégné de l'idée des *lacrimae rerum*.

Fut également ressenti comme une provocation le fait que l'auteur se traîna à genoux sur le parquet à la recherche du morceau d'étoffe arraché avec le bouton (mais ne le lui faudrait-il pas pour aller chez la stoppeuse?). Qu'il renonçât enfin à toute espèce de compensation et proposât de faire stopper sa veste à ses dépens — qu'il pourrait peut-être décompter dans ses frais professionnels, puisqu'il était là à ce titre — voilà qui fut aussi ressenti comme une offense (« Nous ne sommes pas des pingres », et autres formules analogues). Oh! quelle succession de malentendus! Ne peut-on donc nous croire lorsque nous déclarons tout bonnement souhaiter garder notre veste, rien que notre veste? Doit-on aussitôt nous soupçonner de sentimentalisme fétichiste? Et ne devrions-nous pas bénéficier en fin de compte d'une économie mieux comprise interdisant à quiconque de jeter une veste que le ravaudage et le stoppage permettent encore d'utiliser (et que son propriétaire trouve encore plaisir à porter) quand n'existent d'autres raisons pour justifier un tel gâchis que la possession d'un portefeuille bien garni et l'horreur des ennuis?

A l'issue de ce fâcheux intermède qui altéra considérablement l'harmonie initiale, on en vint tout de même au fait, c'est-à-dire au dossier de Léni manifestement constitué par les trois classeurs posés sur la table. Il convient, cette fois encore, de résumer tout le déballage relatif au laisser-aller de tante Léni, au comportement irréaliste de tante Léni, aux erreurs pédagogiques de tante Léni et aux fréquentations de tante Léni... « et pour que vous n'alliez pas nous imaginer bégueules, rétrogrades ou réactionnaires, sachez que ce qui nous préoccupe, ce n'est pas qu'elle ait des amants, fussent-ils turcs, italiens ou grecs, mais bien le fait que la rentabilité de l'immeuble soit inférieure de près de 65 p. 100 à ce qu'elle devrait être. Bien que le produit de sa vente, habilement réinvesti, soit susceptible de produire à lui seul un revenu mensuel de quarante à cinquante mille marks, sinon même davantage, nous souhaitons par loyauté fonder la discussion sur la limite inférieure. Or que nous rapporte cet immeuble? Une fois déduits le montant des réparations, les frais de gestion et les conséquences de l'occupation du rez-de-chaussée non seulement par tante Léni mais aussi par des éléments asociaux dont la présence effaroucherait de meilleurs locataires — cassant ainsi les prix de location —, que rapporte l'immeuble? Pas même quinze mille : treize ou quatorze à peine »... Ainsi parla Werner Hoyser.

Prenant alors la relève, Kurt Hoyser précisa (résumé dont on peut au besoin vérifier l'exactitude d'après les notes de l'auteur) que s'il n'était pas question d'hostilité ni d'aucune forme de préjugé racial à l'égard des travailleurs étrangers, il fallait tout de même être conséquent! Car si tante Léni voulait bien sous-louer à des prix normaux, on pourrait à la rigueur envisager de mettre la totalité des appartements à la disposition des travailleurs étrangers en les leur louant par chambre et même par lit, la gérance de l'immeuble étant alors confiée à tante Léni, moyennant une allocation en plus d'un logement gratuit et d'une indemnité mensuelle. Mais que faisait-elle? Elle prenait à l'ensemble de ses sous-locataires — folie pure en contradiction formelle avec les lois de l'économie, même socialiste — exactement le montant de son propre loyer. Or, si on lui avait maintenu à 2,50 le prix du mètre carré, c'était uniquement par égard pour elle et non pour que d'autres en tirent profit. Ainsi la famille portugaise payait-elle 125 marks pour 50 mètres carrés, plus 13 marks pour l'utilisation de la salle de bain et de la cusine; les trois Turcs (« dont l'un dort toujours chez elle, si bien qu'ils ne sont en réalité que deux à occuper leur chambre ») payaient 87,50 marks pour 35 mètres carrés; enfin les deux Helzen 125 marks pour 50 mètres carrés, plus 13 marks chacun pour usage de la salle de bain et de la cuisine... « et cela dit, elle est assez folle pour s'appliquer à elle-même un double supplément pour la jouissance de la cuisine et de la salle de bain sous prétexte qu'elle garde inoccupée la chambre de Lev, logé pour l'heure aux frais de la princesse... » Et la goutte d'eau qui avait fait déborder le vase était qu'elle sous-louait ses pièces meublées au même tarif que si elles étaient vides. Il ne s'agissait donc pas en l'occurrence d'une expérience plus ou moins anodine d'anarcho-communisme, mais bien de sabotage délibéré du marché si l'on considère qu'il ne serait nullement abusif de demander trois à quatre cents marks de loyer par chambre avec disposition de la salle de bain et de la cuisine. Etc. Kurt Hoyser parut tout de même trouver un peu pénible d'en venir alors à une question... « qu'au nom de l'objectivité je me dois d'aborder ». Seuls sept lits sur les dix étaient la propriété effective de tante Léni, les trois autres appartenant l'un au grand-père, le second à Heinrich Pfeiffer et le troisième aux parents Pfeiffer « dont les cheveux se dressent sur la tête lorsqu'ils songent à tout ce qui peut bien se passer dans leur lit ». Léni enfreignait donc de façon flagrante non seulement des lois économiques mais aussi des droits de propriété, si bien que les Pfeiffer, devant l'impossibilité de traiter directement avec Léni, avaient confié la défense de leurs intérêts à HOYSER, S.A.R.L. en commandite simple. Il ne s'agissait donc pas seulement là pour eux de défendre leurs propres intérêts mais aussi ceux de tiers qui leur avaient délégué leurs pouvoirs, ce qui donnait à toute l'affaire une dimension supplémentaire puisque les principes mêmes y étaient en cause. Sans doute le lit de Heinrich Pfeiffer lui avait-il été offert pendant la guerre par la mère de tante Léni alors qu'il attendait chez elle son appel sous les drapeaux, mais « donner c'est donner », et du point de vue du législateur tout don constitue un transfert définitif de propriété... Et puis enfin, quelle idée absconse — il ne craignait pas de le dire — de n'avoir pour locataires ou plus exactement pour sous-locataires que des éboueurs et des balayeurs de rues ! Là, l'auteur intervint pour protester en faisant remarquer à son interlocuteur que les Helzen n'étaient ni éboueurs ni balayeurs de rues, puisque M. Helzen était agent technique des Ponts et Chaussées, son épouse exerçant, elle, l'honorable profession d'esthéticienne, tandis que la Portugaise, Ana-Maria Pinto, travaillait au comptoir du restaurant self-service d'un grand magasin de fort bonne réputation où il avait personnellement déjeuné de boulettes de viande, de tarte au fromage et de café; c'était d'ailleurs à Mme Pinto qu'il avait réglé son dû et tout s'était fort bien passé. Kurt Hoyser entérina d'un signe de tête cette mise au point, mais ajouta qu'il était un autre domaine de l'économie où Léni se conduisait tout aussi incorrectement car, en parfaite santé et apte au travail pour environ dix-sept ans encore mais n'écoutant que les folles suggestions de son farfelu de fils, elle avait abandonné son travail pour s'occuper des trois enfants portugais auxquels elle chantait des chansons et enseignait l'allemand, les faisant collaborer à son « barbouillage » et les soustrayant beaucoup trop souvent — c'était prouvé — à leurs obligations scolaires, comme elle l'avait d'ailleurs déjà fait pour son fils. Elle s'était donc rendue coupable d'une foule de manquements, or — contre cela on ne pouvait rien — lorsqu'une personne entrait en conflit avec la loi, son milieu la jugeait aussitôt fort peu recommandable. On ne pouvait empêcher non plus que l'enlèvement des ordures ménagères et le balayage des rues fussent tenus pour des occupations tout à fait subalternes, d'où le peu d'attrait exercé par l'immeuble sur d'éventuels locataires et par contrecoup la modicité des prix de location.

Le tout, exposé d'un ton calme avec arguments raisonnables à l'appui, paraissait clair comme l'eau de roche. Kurt Hoyser avait depuis belle lurette oublié l'irritation suscitée par l'affaire de la veste; elle ne couvait encore qu'en l'auteur qui, palpant machinalement son cher vêtement, constata non seulement une importante détérioration de la doublure mais aussi un élargissement de l'accroc fait à sa chemise par le jeune Italien. En compensation, du bon thé, une tarte au fromage, des cigarettes, une vue superbe à travers la fenêtre galbée et aussi un certain apaisement dû au fait que Werner Hoyser entérinait sans désemparer les déclarations de son frère par des hochements de tête cadencés, scandant presque exactement chaque virgule, point-virgule, point et tiret, d'où un mélange très lénifiant d'effet psychédélique et d'effet de jazz.

Il convient aussi de rendre hommage à la sensibilité de Werner Hoyser qui devait avoir subodoré que l'auteur, bien que dominé par une motivation d'ordre aussi petit-bourgeois que la discrétion, aurait néanmoins volontiers abordé un sujet qui lui brûlait la langue : Lotte Hoyser, la propre mère après tout de ces deux jeunes messieurs de si solide apparence.

Et ce fut en effet Werner qui le premier parla sans la moindre gêne de « cette regrettable et hélas totale distanciation », ajoutant qu'il ne fallait pas se leurrer de mots mais analyser objectivement un état de choses, autrement dit procéder à une intervention psychique, fût-elle douloureuse en raison de ce que des contacts existaient — il ne l'ignorait pas — entre sa mère et l'auteur, voire même un courant de sympathie, alors qu'à la suite d'un incident fâcheux certes mais somme toute secondaire, le courant de sympathie qui s'était d'abord établi entre lui-même, son frère, son grand-père et l'auteur n'était déjà plus aussi ferme. Il tenait cependant à préciser qu'il se sentait absolument hors d'état de comprendre que quelqu'un pût préférer une vieille veste de tweed visiblement prête à rendre l'âme et sortant tout aussi visiblememt d'une maison de troisième ordre à une veste flambant neuve de première qualité, mais qu'il saurait, selon les bons principes qu'on lui avait inculqués, faire preuve de tolérance; qu'il se sentait également hors d'état de comprendre l'antipathie aussi manifeste de l'auteur pour une voiture si populaire et largement répandue que la VW, qu'il en avait lui-même offert une à sa femme et en offrirait certainement une autre d'ici six à sept ans à son fils Otto dès que celui-ci, aujourd'hui âgé de douze ans, commencerait ses études supérieures après le bachot ou ferait son service militaire. Cela dit, il en venait à sa mère. Elle avait commis une faute très grave, non pas exactement celle d'altérer l'image d'un père tombé au champ d'honneur, mais de minimiser grossièrement le contexte historique de sa mort en le qualifiant de connerie. « Même des garçons aussi débrouillés que nous l'étions, Kurt et moi, avons un jour souhaité posséder une image de notre père. » Elle ne la leur avait pas refusée, le leur ayant même dépeint sous les traits d'un homme bon et sensible qui avait néanmoins plus ou moins raté sa vie, sur le plan professionnel s'entend. Si elle n'avait jamais suscité chez eux le moindre doute sur son amour pour lui, elle n'en avait pas moins systématiquement détruit chez ses fils, fût-ce même inconsciemment, l'image de leur père par l'emploi constant du mot « connerie » appliqué à tout ce contexte historique de l'époque. Mais pire que cela : elle avait eu des amants. Gruyten... passait encore, bien que l'illégitimité de ce lien leur eût valu bon nombre de désagréments et de sarcasmes, mais elle avait ensuite reçu jusqu'à des Russes dans son lit, plus de temps à autre quelque Américain plaqué par cette horrible Margret. Enfin, son fanatisme antireligieux et anticlérical — deux choses fort différentes certes, il le savait — avait eu d'effroyables conséquences car chez elle les deux fanatismes ayant « coïncidé de façon absolument meurtrière », elle avait exigé qu'ils allassent en classe à l'école laïque, à quoi s'ajoute qu'après la mort accidentelle de « grand-père Gruyten » son aigreur et sa hargne, privées de contrepoids, n'avaient fait que s'exacerber. Contrepoids qu'eux-mêmes toutefois — il le reconnaissait — avaient trouvé chez tante Léni à qui ils en savaient aujourd'hui encore infiniment gré. Elle s'était toujours montrée gentille, affectueuse et généreuse, leur chantant des chansons, leur racontant des histoires et n'ayant quant à elle jamais porté atteinte à l'image de son... ma foi, peut-être pouvait-on tout de même dire de son mari, tout soldat de l'Armée Rouge qu'il fût, s'étant par ailleurs toujours abstenue de faire chorus pour déblatérer avec leur mère contre toutes ces prétendues « conneries ». Des années durant, oui, des années durant, « les mains tout écorchées par les épines de roses », elle les avait emmenés avec le petit Lev s'asseoir au bord du Rhin. Et tandis que Lev, lui, avait été baptisé à sa naissance, Kurt ne le fut qu'à l'âge de sept ans chez les religieuses, une fois que grand-père Otto eut, « Dieu merci », réussi à les sortir de « ce milieu »; oui, Dieu merci, car si tante Léni était formidable pour des tout-petits, en revanche chantant trop et ne parlant pas assez, c'était du poison pour de plus grands enfants... sans contester toutefois l'influence salutaire de sa réelle chasteté, « alors que notre mère rencontrait en douce ses amants et que chez cette effroyable Margret, on se serait cru au bordel... »... En termes élogieux Werner Hoyser évoqua ensuite Marja van Doorn, trouvant même un mot gentil pour Bogakov, « bien qu'il ait eu lui aussi tendance à trop chanter ». Bref, ils avaient finalement emprunté le bon chenal, le chenal chrétien; on leur avait alors inculqué les notions de rendement, de responsabilité et fait faire des études supérieures, à lui du droit et à Kurt de l'économie politique, « pendant que grand-père administrait ses biens de façon si « géniale » — le mot n'est pas trop fort — que nous avons pu dès le départ utiliser nos connaissances dans nos propres entreprises ». Peut-être son agence de paris, qui n'était d'ailleurs qu'une entreprise annexe, pouvait-elle paraître une affaire commerciale peu sérieuse; or c'était en réalité son violon d'Ingres, tout juste une occupation lui permettant de satisfaire sa passion du jeu... Mais, pour en revenir à tante Léni, force était de constater qu'elle se révélait, tout compte fait, plus dangereuse que sa mère qui n'était après tout qu'« une pseudo-socialiste frustrée » bien incapable de provoquer le moindre malheur. Selon lui, tante Léni était en effet réactionnaire au sens le plus véridique du terme. Son refus instinctif, obstiné, inexprimé mais conséquent, non point d'approuver — ce qui aurait nécessité une formulation — mais simplement d'admettre tacitement toute manifestation de la notion de profit, était véritablement inhumain, monstrueux. Il émanait d'elle un pouvoir de destruction, d'autodestruction même où il fallait sans doute voir un trait caractéristique des Gruyten que son frère possédait déjà et son père davantage encore... et Werner Hoyser de conclure alors qu'il n'avait rien d'un monstre, était ouvert au monde, libéral jusqu'à l'extrême limite tracée par son éducation, partisan déclaré de la pilule et de la vague de sexualité sans cesser pour autant de se considérer comme un bon chrétien. Il était en quelque sorte un « fanatique de l'aération », et c'était bien là le problème avec tante Léni : il aurait fallu pouvoir l'aérer. Le monstre, ce n'était pas lui mais elle, car un sain désir de profit et de propriété — les théologiens l'avaient prouvé et les philosophes marxistes le certifiaient chaque jour un peu plus — était dans la nature de l'homme... Enfin, et c'était ce qu'il pouvait le moins lui pardonner, Léni avait le sort d'un homme sur la conscience, d'un homme que lui, Werner, n'avait jamais cessé d'aimer : « Lev Borisovitch Gruyten, mon filleul, qui m'a été confié en de si dramatiques circonstances ! Je m'estime investi d'une mission, car eussé-je même temporairement considéré la chose avec un certain cynisme, je n'en suis pas moins bel et bien le parrain de Lev, état non seulement métaphysique et socio-religieux, mais aussi juridique et que j'ai bien l'intention de faire valoir. » On avait pris pour une manifestation de haine le fait que son frère et lui eussent fait poursuivre, condamner et coffrer le jeune Lev « à la suite de quelques bêtises évidemment douteuses, juridiquement parlant ». Or ç'avait été au contraire de leur part un acte d'amour destiné à ramener ce garçon à la raison et à lui faire passer « ce qui est somme toute considéré comme le péché majeur : sa fierté, son orgueil... » Il se souvenait encore parfaitement du père de Lev, homme calme, bon et délicat qui n'aurait certainement jamais voulu que son fils devînt ce qu'après quelques détours il était finalement devenu : conducteur de benne à ordures. Non pas qu'il — Werner — songeât à contester l'importance de l'enlèvement des ordures ménagères ni son rôle social essentiel, mais Lev était indubitablement « appelé à de plus hautes fonctions ». (Les guillemets sont de l'auteur qui n'a pu déterminer si Werner Hoyser citait, récitait ou transposait simplement une citation dans son propre langage. La question de savoir si lesdits guillemets se justifient devant être considérée comme non résolue, ceux-ci ne constituent donc qu'une simple hypothèse.)

Il convient de se représenter que près de trois heures — de quatre à sept — s'étaient déjà écoulées. Il s'était passé et dit bien des choses ! La blonde polyvalente n'avait plus reparu, dans la théière-thermos sa concentration donnait au thé un goût affreusement amer et dans cette pièce un peu surchauffée la tarte au fromage avait perdu de sa fraîcheur en devenant caoutchouteuse. Bien qu'il se fût déclaré fanatique de l'aération, Werner Hoyser ne prit aucune disposition pour alimenter en air frais la pièce saturée de fumée de tabacs divers (Werner Hoyser : pipe, Kurt Hoyser : cigare, l'auteur : cigarette). Et lorsque l'auteur avança la main vers la partie médiane de la fenêtre galbée dont un châssis de cuivre indépendant et une poignée indiquaient qu'elle pouvait être ouverte, Kurt Hoyser s'y opposa avec une douce violence accompagnée d'un sourire, expliquant que la complexité du système de climatisation n'autorisait une aération individuelle spontanée qu'une fois déclenché le signal lumineux émis par l'appareil de contrôle des conditions climatiques de tout l'immeuble. Comme l'heure présente, poursuivit Kurt d'une voix aimable, celle de la fermeture imminente des bureaux et rédactions, était précisément l'heure critique, il fallait compter n'obtenir que dans une heure et demie environ l'allumage de l'œil magique (fixé dans le linteau de la fenêtre) autorisant l'aération individuelle; et pourtant le climatiseur était trop surchargé pour pouvoir envoyer seul un volume d'air frais suffisant. « Nous sommes ici dans un immeuble comprenant quarante-huit — douze fois quatre — complexes de bureaux, tous considérablement surchargés à cette heure par la dictée du courrier, les coups de téléphone décisifs et les plus importantes tractations. Si vous comptez quarante-huit ensembles de quatre bureaux et pour chaque bureau une moyenne de deux fumeurs et demi (d'après les statistiques : un fumeur de cigarettes, un fumeur de cigares et un demi-fumeur de pipe), vous avez à cette heure une moyenne de quatre cent quatre-vingts personnes en train de fumer dans cet immeuble... mais j'ai interrompu mon frère, et il me semble que nous devrions conclure car votre temps lui aussi est certainement limité. »

Non, reprit alors Werner Hoyser (compte rendu très résumé), ce n'était pas, comme seuls pouvaient le penser des observateurs superficiels au nombre desquels il ne comptait évidemment pas l'auteur, une question d'argent. Ils avaient offert à tante Léni un appartement gratuit et en parfait état, oui gratuit; ils s'étaient déclarés prêts à aider Lev — dont la libération était imminente — à suivre des cours du soir où préparer son bachot, puis à entreprendre des études supérieures. Toutes offres qu'on avait déclinées sous prétexte qu'on se sentait bien dans ce milieu d'éboueurs, qu'on se refusait à faire le moindre effort d'adaptation, qu'on n'était pas attiré par le confort, qu'on tenait à son fourneau démodé, à ses poêles à charbon et à ses habitudes... il était donc facile de discerner qui en l'occurrence représentait l'élément réactionnaire. Or ce qui était en jeu, c'était le « progrès » — mot qu'il employait en sa double qualité de chrétien empruntant le chenal chrétien d'une part, de juriste et d'économiste tolérant au courant des dispositions légales de l'autre — « et celui qui progresse doit nécessairement passer par-dessus certaines gens. Il n'y a plus de place pour le romantique « quand nous marchons côte à côte » que notre mère nous a chanté jusqu'à satiété. Nous ne pouvons pas non plus faire tout ce que nous voulons; nous ne pouvons même pas, vous le voyez bien, ouvrir nos fenêtres à notre gré dans notre immeuble... » Il n'était évidemment pas possible de mettre à la disposition de tante Léni deux cent onze mètres carrés dans l'un des immeubles neufs de HOYSER, S.A.R.L., ce qui correspondrait à une perte de loyer de près de deux mille marks, pas plus qu'il n'était possible d'y tolérer ni poêles, ni fenêtres « ouvrables à tout instant »; il faudrait en outre, bien entendu, fixer à tante Léni « certaines petites limites d'ordre social » relativement à ses locataires, sous-locataires ou amants. « Mais bon sang » (et pour la première fois Werner Hoyser manifesta, ne fût-ce qu'un instant, une véritable agressivité), « je voudrais bien avoir la vie aussi facile qu'elle ! » Pour cette raison et d'autres encore, mais avant tout au nom d'intérêts supérieurs, la machine apparemment impitoyable devait donc se mettre en branle.

À cet instant, l'auteur aurait volontiers amorcé une discrète tentative de rapprochement. Il aurait même été disposé à reconnaître la relative insignifiance du dépit engendré par cette histoire de veste, eu égard aux problèmes considérables de ces hommes tourmentés qui n'avaient seulement pas le droit d'ouvrir leur fenêtre dans leur propre immeuble; bref, ce n'était en fin de compte pas aussi important qu'il l'avait cru tout d'abord. Celui qui l'empêcha toutefois de prononcer un mot en faveur, sinon d'une réconciliation — puisque entre ses deux informateurs et lui aucun conflit n'existait en fait — du moins d'une compréhension, fut... Kurt Hoyser. C'est en effet lui qui décida en quelques sorte du dénouement en barrant la route à l'auteur — il ne s'agissait certes pas d'une menace mais bien plutôt d'une requête — quand celui-ci, manteau et casquette à la main, voulut prendre congé et se diriger vers la porte.

Au sujet de Kurt, l'auteur avait dû corriger pas mal d'idées préconçues. Fort de toutes les informations reçues, ne se l'était-il pas représenté comme un mélange de hyène et de chacal, comme un affairiste extrêmement brutal ? Or, vu de près, Kurt H. avait vraiment des yeux très doux qui ressemblaient à ceux de sa mère par leur forme, mais non leur expression. Dans ses doux yeux ronds et bruns, des yeux de biche vraiment, la dureté moqueuse de Lotte et son aigreur quasi désespérée étaient en effet tempérées par des éléments qui ne pouvaient lui venir que de son père Wilhelm, en tout cas de la branche paternelle, dût-on en excepter son grand-père Otto. Si l'on songe que l'hérédité de tant de personnes touchant directement Léni a pour origine le triangle géographique Werpen-Tolzem-Lyssemich, on est bien obligé d'adresser un éloge à ces champs de betteraves, eussent-ils même accessoirement commis l'erreur de produire aussi les Pfeiffer. Aucun doute : Kurt Hoyser était un homme sensible, et il fallait lui fournir l'occasion, même si le temps pressait, d'exprimer sa sensibilité.... Il ne craignit pas de poser la main sur l'épaule de l'auteur, et son geste cette fois encore n'impliquait ni familiarité ni condescendance, mais seulement une certaine fraternité qui ne devrait jamais être refusée à personne. « Allons, dit-il d'une voix douce, vous ne devez pas partir avec l'impression qu'en ce qui concerne tante Léni un brutal mécanisme historique

447

est en marche, sorte d'impitoyable processus de destruction de structures sociales archaïques auquel nous serions nous-mêmes soumis. Il en serait certes ainsi, si dans cette affaire d'expulsion nous agissions de manière inconsciente et irréfléchie. Mais c'est loin d'être le cas. Nous agissons en pleine connaissance de cause, après avoir longuement scruté notre conscience. Je ne conteste pas la pression exercée sur nous par les propriétaires des terrains et immeubles avoisinants. Mais nous serions assez forts pour y résister ou tout au moins pour obtenir des délais. Je ne contesterai pas davantage que notre grand-père soit l'objet d'une violente impulsion de caractère émotionnel, mais nous pourrions une fois encore la contrer; pour éviter les frictions nous pourrions aussi, comme nous le faisons depuis des années, près d'une décennie, continuer à combler de notre poche le déficit du compte loyer de tante Léni. Car enfin, lui devant beaucoup, nous l'aimons, et sa bizarrerie nous paraît plus sympathique que désagréable. Je vous promets, et vous pouvez lui transmettre le contenu de cette promesse, que demain l'expulsion une fois exécutée et l'appartement vidé, Werner et moi solderons aussitôt son compte en suspendant du même coup toutes les exécutions de saisie. Nous tenons déjà à sa disposition, dans l'un de nos grands ensembles, un appartement tout à fait charmant mais où elle ne pourra bien sûr plus loger dix sous-locataires. Ça non. Elle aura toutefois assez de place pour son fils et même son amant dont nous ne cherchons nullement à la séparer. Il y va de tout autre chose, de quelque chose que je n'ai pas honte d'appeler une mesure pédagogique, une affectueuse mise au pas qui doit hélas utiliser de brutaux moyens d'exécution. Que voulez-vous, il n'existe pas de pouvoir exécutif privé. Mais les choses se passeront vite et sans douleur. Vers midi tout sera terminé et si elle veut bien ne pas se monter la tête, ce qui est hélas à redouter, elle logera le soir même dans l'appartement que nous tenons à sa disposition. Tout est prêt aussi pour dégager ou racheter en temps utile les vieux meubles auxquels elle tient tant. Plus encore que d'une question de principe, il s'agit pour nous d'une œuvre pédagogique, affectueusement pédagogique. Peut-être sous-estimez-vous les connaissances sociologiques d'un groupe comme celui des propriétaires de biens immobiliers, mais je puis vous révéler ceci : on a découvert depuis belle lurette que c'est précisément dans ces vieux immeubles relativement bon marché et néanmoins dotés d'un certain confort que se forment les cellules qui déclarent la guerre à notre société fondée sur le rendement. Voyez-vous, les hauts salaires des travailleurs étrangers ne peuvent se justifier sur le plan économique que si les loyers en absorbent une bonne partie qui reste ainsi dans le pays. Nos trois Turcs gagnant ensemble un peu plus de deux mille marks, il est absolument inadmissible qu'ils n'en consacrent qu'une centaine au paiement de leur loyer, utilisation de la salle de bain et de la cuisine incluse. Cette somme représente en effet 5 p. 100 de leurs revenus, donc loin des 20 à 40 p. 100 qu'un salarié normal doit débourser à ce titre. Les Helzen de leur côté paient pour leurs deux pièces *meublées* un loyer de cent quarante marks environ alors que leurs revenus s'élèvent à près de deux mille trois cents marks. Même chose pour les Portugais. Le marché concurrentiel en est tellement faussé que si, telle une maladie contagieuse, cet exemple se propageait, il saperait, éviderait, désagrégerait l'un des principes fondamentaux et de notre société basée sur le rendement et de l'Etat constitutionnel démocratique et libéral. C'est une atteinte à l'égalité des chances, comprenez-vous ? Ajoutons enfin qu'un tel anti-processus économique se double — et c'est bien là le pire — d'un anti-processus moral. Voyez-vous, des conditions comme celles qui règnent dans l'appartement de tante Léni encouragent les illusions communales — pour ne pas dire communistes —, illusions dévastatrices, non pas en tant que telles mais en tant qu'utopies; elles encouragent aussi, sinon exactement la promiscuité, du moins un « promiscuitivisme » qui lentement mais sûrement désagrège la pudeur, corrompt les mœurs et tourne l'individualisme en dérision. Je pourrais vous présenter encore bien d'autres aspects de la question, une bonne demi-douzaine sans doute, tous aussi éloquents. Pour nous résumer, n'y voyez donc pas une mesure personnelle contre tante Léni, car il ne s'agit ni de haine ni de vengeance, mais au contraire de sympathie et, pour ne rien vous cacher, d'une certaine nostalgie de cet aimable anarchisme sinon même, je l'avoue, d'un rien de jalousie. Mais, voyez-vous, le nœud du problème, c'est que ce genre de cohabitation — jugement basé sur des analyses précises de notre fédération — est le foyer de... eh bien disons-le froidement, d'un « communalisme » qui encourage l'idylle utopique et le « paradisisme »... Je vous remercie de votre patience et si vous rencontriez jamais quelque difficulté en matière de logement, sachez que, sans aucune condition liée au cas présent mais uniquement par tolérance et sympathie, nous serions à votre entière disposition. »

X

Dans l'appartement de Schirtenstein, les choses se passaient comme elles avaient dû se passer en octobre 1917 à Saint-Pétersbourg dans les dépendances du Smolny. Divers comités siégeaient dans les différentes pièces. Mme Hölthohne, Lotte Hoyser et le docteur Scholsdorff constituaient le « comité financier » chargé de mesurer l'étendue du dénuement de Léni, d'examiner les procès-verbaux de saisie, les procédures d'expulsion, etc. Les Helzen, le Turc Mehmet et le Portugais Pinto étaient arrivés à mettre la main sur un paquet de lettres que Léni avait eu le tort de fourrer, sans même les ouvrir, dans le tiroir de sa table de nuit d'abord, puis, lorsque celui-ci fut comble, dans la case inférieure du petit meuble. Pelzer faisait aussi partie de ce comité financier mais en qualité, pourrait-on dire, de chef d'état-major. Quant à Schirtenstein, Hans Helzen, Grundtsch et enfin Bogakov que Lotte était allée chercher en taxi, ils formaient le « comité d'action sociale ». Marja van Doorn, chargée d'assurer la subsistance des congressistes, se consacrait à la préparation de tartines de pain beurré, de salade de pommes de terre, d'œufs et de thé. Comme tant de profanes en matière de samovar, elle croyait que le thé se préparait *dans* le récipient, aussi Bogakov dut-il l'initier à la fonction de cette gigantesque bouilloire que Schirtenstein avait, dit-il, reçue un beau jour d'un donateur anonyme, le petit mot joint, tapé à la machine, disant simplement : « Pour les milliers d'interprétations de Lili Marlène. Une de vos connaissances. » Comme beaucoup de femmes de sa génération, Marja van Doorn ne connaissait pas grand-chose à la préparation du thé, aussi fallut-il presque user de violence pour l'obliger à quadrupler au moins la dose de thé qu'elle entendait utiliser. Cela dit, elle se montra absolument admirable car, à peine eut-elle pris une avance confortable dans la préparation des victuailles que, s'emparant de la veste de l'auteur et après avoir longtemps cherché en vain mais finalement avec succès, grâce au concours de Lotte, une trousse de couture dans la commode de Schirtenstein, elle se mit en devoir de panser les douloureuses plaies tant internes qu'externes de ladite veste, sans lunettes et avec une dextérité telle que, même en l'absence chez elle de tout diplôme, on pouvait vraiment parler d'un stoppage exécuté dans les règles de l'art. L'auteur passa dans la salle de bain de Schirtenstein, dont les fastueuses dimensions et la gigantesque baignoire le ravirent tout autant que son stock d'ingrédients parfumés. Avant même qu'il ait pu l'en empêcher, Lotte ayant découvert l'accroc fait à sa chemise, Schirtenstein s'empressa de lui en prêter une qui, en dépit d'une certaine différence d'encolure et de tour de poitrine, ne lui en parut pas moins fort agréable à porter. L'appartement de Schirtenstein méritait en tous points l'épithète d'idéal : immeuble ancien, trois pièces sur cour dont l'une contenait la bibliothèque, un piano à queue plus un bureau, et la seconde, qu'on pourrait presque qualifier de gigantesque (dimensions mesurées, non avec un mètre à ruban, mais par enjambées : sept sur six), le lit de Schirtenstein, une armoire-penderie, des commodes et, éparpillés de-ci de-là, des classeurs renfermant l'ensemble de ses critiques musicales; sans être trop grande, la troisième pièce, la cuisine, était néanmoins suffisamment spacieuse; et enfin la salle de bain qui, comparée à celle des immeubles modernes, paraissait luxueuse par ses dimensions et ses accessoires, sinon même fastueuse. A travers les fenêtres grandes ouvertes, on apercevait dans la cour des arbres de quatre-vingts ans au moins et un mur couvert de lierre. Tandis que l'auteur savourait son bain, un silence soudain, réclamé par un énergique chut! chut! de Schirtenstein, s'établit dans les autres pièces. Ce que l'auteur entendit alors détourna momentanément ses pensées de Clémentine ou plus exactement les enfonça profondément en lui, presque douloureusement. Un merveilleux événement était en train de se produire : une femme chantait... qui ne pouvait être que Léni. Celui dont la jeune et belle fée Lilo[1] n'a jamais éveillé l'imagination ferait peut-être mieux de sauter les lignes qui vont suivre, mais que celui dont cette jolie fée a tant soit peu stimulé l'imagination créatrice sache qu'elle ne peut avoir chanté autrement. C'était une voix de jeune fille, une voix de femme, mais qui sonnait comme un instrument de musique. Et quel chant déversait-elle dans la cour par sa fenêtre ouverte ?

> *J'ai pour ma romance confectionné*
> *Une houppelande brodée*
> *De haut en bas*
> *De vieilles légendes.*
> *Des fous s'en sont emparés*
> *Et l'ont portée au vu de tous*
> *Comme s'ils l'avaient*
> *Eux-mêmes tissée.*
> *Qu'ils la portent donc,*
> *Il faut tellement plus de courage*
> *Pour aller nu.*

Du point de vue existentiel, l'effet de cette voix qui déversait son chant dans la cour comme elle l'avait

---

1. Naïade d'un poème d'Agnès Miegel (N.d.T.).

probablement déjà fait plus de quarante ans auparavant — inécoutée, inentendue —, l'effet de cette voix était tel que l'auteur eut du mal à réprimer ses *larmes* mais décida finalement — car pourquoi toujours vouloir les refouler ? — de les laisser librement couler. Oui, il succomba aux *pleurs* non sans en éprouver pourtant une grande *félicité*. Et comme il ne peut que difficilement réprimer des arrière-pensées littéraires, il se mit soudain à nourrir de sérieux doutes sur la précision de l'inventaire des livres de Léni. Avait-on cherché avec tout le soin requis, fouillé consciencieusement armoires, bahuts et tiroirs ? N'avait-on pas omis quelques ouvrages rescapés de la collection de Mme Gruyten, préférant taire le nom de leur auteur de crainte de le mal prononcer ? La bibliothèque de Léni comptait certainement encore des pièces rares, des trésors enfouis que sa mère avait lus, jeune fille, dès 1914 ou au plus tard en 1916.

Alors que pour sa part le comité financier n'avait pas encore réussi à clarifier la situation, le comité d'action sociale était parvenu à établir que les mesures d'expulsion entreraient en application dès le lendemain matin sept heures trente tandis que les bureaux où l'on pourrait peut-être obtenir leur suspension ouvraient beaucoup plus tard, qu'il était en outre pratiquement impossible — tous les membres de la magistrature et du barreau auxquels Schirtenstein avait téléphoné étaient catégoriques sur ce point — et donc exclu d'obtenir pendant la nuit la suspension desdites mesures. Se posait alors une question quasi insoluble : comment gagner assez de temps pour repousser jusque vers neuf heures trente l'évacuation forcée des lieux ? Mettant à la disposition du comité d'action sociale sa vieille expérience et ses nombreuses relations, Pelzer téléphona à plusieurs commissionnaires et agents d'exécution de sa connaissance, membres de son comité de carnaval « petit bouquet de pervenches », et, comme il faisait en outre partie — ce que tout le monde avait jusqu'alors ignoré — d'une chorale masculine... « où pullulent les hommes de loi », il la contacta aussi pour constater, hélas! qu'une suspension légale immédiate était quasiment impossible à obtenir. Téléphonant alors à un certain M. Jupp, il lui soumit l'idée d'une panne de moteur... « je ne regarderai pas à la dépense... », mais le dénommé Jupp — manifestement le commissionnaire mandaté — refusa de mordre à l'hameçon, attitude que Pelzer commenta avec amertume par ces mots : « Il n'a toujours pas confiance en moi et me croit incapable d'agir pour des motifs purement humanitaires. » Mais, à peine la formule « panne de moteur » prononcée, Bogakov eut une idée quasi géniale. Lev n'était-il pas conducteur d'une benne à ordures, le Turc Kaya Tunç et le Portugais Pinto ne l'étaient-ils pas également, et les conducteurs de bennes à ordures n'éprouvaient-ils pas un sentiment de solidarité vis-à-vis de leur camarade incarcéré et de sa mère? Pinto qui, en raison de ce qu'on semblait n'avoir besoin de lui dans aucun des deux comités, épluchait des pommes de terre à la cuisine, et Tunç qui surveillait le samovar et assurait la distribution du thé — tous deux avec leur bon air paysan — demandèrent à quoi pourrait servir leur seule solidarité. Devraient-ils donc — ton offensé et méprisant — la manifester par le biais de la phraséologie bourgeoise (ils employèrent une autre tournure : « Par des mots, des mots, rien que des mots, comme font les bourgeois »), alors que dix personnes dont trois enfants allaient être victimes d'une expulsion légale? Secouant énergiquement la tête et obtenant le silence d'un geste laborieux voire douloureux du bras, Bogakov expliqua alors qu'au temps où il était jeune écolier à Minsk il avait vu comment les forces réactionnaires avaient été empêchées d'emmener des prisonniers. Une demi-heure avant le moment prévu pour le départ, on avait sonné l'alerte au feu et veillé bien entendu à ce que les voitures de pompiers fussent conduites par des camarades sûrs. Ils s'étaient tous alors dirigés vers l'école dans laquelle étaient enfermés les prisonniers puis, simulant un carambolage, avaient parfaitement réussi à tout bloquer, même le trottoir. Le temps ainsi gagné avait permis à d'autres camarades de faire sortir les prisonniers — tous soldats et officiers accusés de désertion et de mutinerie armée, donc passibles de la peine de mort — par la porte de derrière. Pinto et Tunç, Schirtenstein et Scholsdorff (accouru de la pièce où siégeait le comité financier) n'ayant toujours pas compris la manœuvre, Bogakov leur mit les points sur les i : « Les bennes à ordures sont des engins assez lourds, rarement convenants pour la circulation; elles provoquent un peu partout des embouteillages. Si seulement deux ou mieux encore trois bennes se heurtaient ici au carrefour, tout le quartier serait bloqué pendant cinq heures au moins, si bien que le dénommé Jupp n'arriverait même pas à cinq cents mètres de l'immeuble avec son camion, et comme pour s'en approcher autrement il lui faudrait emprunter deux sens interdits, tels que je connais les Allemands, on ne les verrait certainement pas arriver avant que nous ayons obtenu des autorités la suspension de l'expulsion. Mais pour le cas où, en raison de l'urgence de sa mission, il obtiendrait l'autorisation d'emprunter le sens interdit, il faudrait que deux autres bennes se tamponnent aussi à l'autre coin de rue. » Schirstenstein fit alors remarquer que des travailleurs étrangers risqueraient gros à se lancer dans pareille aventure, si bien qu'il valait mieux essayer de s'assurer le concours de conducteurs autochtones. Tandis qu'on envoyait Salazar prendre les contacts nécessaires à cet égard, Bogakov, muni par les soins de Scholsdorff d'un crayon et d'une feuille de papier, entreprit avec Helzen de dessiner un plan du quartier sur lequel figuraient tous les sens uniques. Il résulta de son étude que la collision de deux bennes suffirait à créer un embouteillage monstre dans lequel le camion de Jupp resterait désespérément bloqué à un kilomètre environ de l'immeuble. Après avoir travaillé avec Bogakov au schéma de l'opération, Helzen, qui en sa qualité d'agent technique des Ponts et Chaussées était assez au fait des statistiques de la circulation et connaissait fort bien la dimension et le tonnage d'une benne à ordures, en vint à la conclusion qu'une seule benne heurtant tel réverbère ou tel arbre suffirait presque à créer le bouchon nécessaire, étant entendu qu'il serait plus sûr encore de provoquer une collision entre deux bennes. « Avec la police et tout le bazar, il y en aura pour quatre ou cinq heures. » Sur ce, Schirtenstein embrassa Bogakov en lui déclarant qu'il serait heureux de pouvoir satisfaire un de ses désirs. Bogakov lui répondit alors que son vœu le plus cher, et peut-être le dernier car il se sentait vraiment très mal parti, serait d'entendre une fois encore *Lili Marlène*. Comme il rencontrait Schirtenstein pour la première fois, on ne pouvait voir là aucune malice de sa part mais seulement une certaine naïveté typiquement russe. Schirtenstein blêmit mais prouva qu'il était un gentleman en allant immédiatement s'asseoir à son piano et, pour la première fois sans doute depuis une quinzaine d'années, jouer *Lili Marlène.* Exécution fort correcte. Outre Bogakov ému jusqu'aux larmes, Tunç, Pelzer et Grundtsch y prirent grand plaisir. Et tandis que Lotte et Mme Hölthohne se bouchaient les oreilles, on vit Marja van Doorn sortir en ricanant de la cuisine.

Une fois redescendu sur terre, Tunç déclara qu'il se chargerait de provoquer l'accident. N'ayant à la grande satisfaction de la municipalité jamais eu le moindre accrochage en huit ans de service, il pouvait donc s'offrir un accident mais devrait pour ce faire changer d'itinéraire ou plus exactement échanger le sien contre celui d'un collègue, ce qui serait assez difficile sans être toutefois insurmontable.

Entre-temps le comité financier était arrivé à tirer l'affaire au clair. « Mais, dit Mme Hölthohne, ne nous leurrons pas, le résultat est loin d'être brillant. Les Hoyser ont tout raflé, ils ont même racheté les dettes exigibles par des tiers, dont la compagnie du gaz et celle des eaux. Le montant total s'élève — tenez-vous bien — à six mille soixante dix-huit marks et trente pfennigs! Cela dit, ce déficit coïncidant presque exactement avec le manque à gagner dû à l'incarcération de Lev, j'y vois la preuve que Léni aurait parfaitement les moyens d'équilibrer son budget; d'où la nécessité de lui accorder, non un versement à fonds perdu, mais un prêt pur et simple. » Mme Hölthohne tira son carnet de chèques de son sac, le posa sur la table et libella un chèque en disant : « Voici toujours douze cents marks. Je ne puis faire davantage pour l'instant car je viens de me ruiner en fleurs italiennes à longue tige... Pelzer, vous savez ce que c'est! » Avant de tirer lui aussi son chéquier, Pelzer ne put s'empêcher de se montrer quelque peu sentencieux : « Si Léni m'avait vendu sa maison, elle n'aurait jamais eu tous ces ennuis, mais je verse quinze cents marks. Et puis... (coup d'œil en coin à Lotte) j'espère que ce n'est pas seulement quand on a besoin de mon argent qu'on cesse de me traiter en paria. » Sans relever l'allusion de Pelzer, Lotte déclara simplement qu'elle était hélas complètement fauchée. Schirtenstein assura — en toute évidente bonne foi — qu'avec la meilleure volonté du monde il ne pouvait offrir plus de cent marks. Helzen et Schosdorff versèrent respectivement trois cents et cinq cents marks, Helzen se déclarant toutefois prêt à contribuer ensuite au remboursement du prêt par le paiement d'un loyer plus élevé. Quant à Scholsdorff, il déclara tout rougissant qu'en tant que responsable indubitable, même si partiel, de la détresse financière de Mme Pfeiffer, il se sentait tenu de fournir en sus le reliquat. Mais à cause d'un vice qui réduisait sans cesse ses disponibilités, celui de collectionner des manuscrits russes et en particulier des autographes (il venait précisément d'acquérir quelques lettres de Tolstoï auxquelles il attachait un grand prix), il lui faudrait solliciter le lendemain matin dès l'ouverture des guichets une avance sur son traitement avant d'entreprendre les démarches officielles voulues pour, grâce à ses relations, obtenir un sursis d'exécution immédiat facilité par la remise entre les mains des autorités qualifiées de la totalité des sommes dues. Le cas échéant d'ailleurs, il lui suffirait certainement de n'en remettre que la moitié s'il promettait de verser le reste avant midi. Il était somme toute un fonctionnaire connu pour son intégrité : n'avait-il pas, dès la fin de la guerre, offert à plusieurs reprises à M. Gruyten de le dédommager personnellement, offre que celui-ci avait toutefois toujours déclinée. Or voilà que se présentait pour lui l'occasion d'expier des péchés philologiques dont il n'avait découvert que trop tard la dimension politique... Il fallait voir Scholsdorff ! Le type même de l'érudit faisant plus ou moins penser à Schopenhauer... avec des *larmes* indubitables dans la voix ! « Sachez toutefois, mesdames et messieurs, qu'il me faut un délai minimum de deux heures. Sans approuver le coup des bennes à ordures, je l'accepte néanmoins dans cet état de légitime défense où nous sommes, si bien qu'en dépit du cas de conscience que me pose ici mon serment de fonctionnaire, je garderai le silence. Je vous prie de croire que j'ai moi aussi des amis et de l'influence. Près de trente années d'un service irréprochable, ne correspondant peut-être pas à mes goûts mais certainement conforme à mes dons, m'ont valu l'amitié de personnages haut placés qui hâteront la délivrance du sursis à exécuter. J'ai seulement besoin d'un peu de temps. »

On promit à Scholsdorff de lui ménager le temps nécessaire. Alors qu'il était sur le point de prendre à son tour la parole, Schirtenstein s'interrompit lui-même par un énergique chut! chut!... Léni s'était remise à chanter.

> *Comme ton ventre si joliment arrondi,*
> *La vigne mûrit, dorée, au flanc de la colline.*
> *Au loin brille le miroir de l'étang*
> *Et la faux siffle dans le champ.*

Commentaire de Pelzer, après un silence presque solennel, seulement interrompu par le rire moqueur de Lotte : « C'est donc vrai qu'elle est bel et bien enceinte de lui. » Ce qui tendrait à prouver que même la haute poésie peut délivrer un message compris par la masse.

C'est alors que pour la première fois l'auteur viola sa neutralité : avant de quitter la réunion, il versa son obole au fonds d'aide à Léni.

Le lendemain matin, dès dix heures trente, Scholsdorff informa l'auteur qu'il avait obtenu le sursis à l'exécution. Le lendemain parut dans un journal local sous le titre « Faut-il donc que ce soient toujours des étrangers ? » le compte rendu suivant : « Sabotage, hasard, répétition du happening des ordures déjà si controversé ou autre chose encore... ? Toujours est-il qu'hier matin, peu avant sept heures, une benne à ordures conduite par un chauffeur portugais qui à cette heure-là aurait dû assurer son service dans la Brucknerstrasse, est entrée en collision au croisement de l'Oldenburger-strasse et de la Bitzerathstrasse, c'est-à-dire trois kilo-mètres plus à l'ouest, avec une autre benne à ordu-res conduite par un chauffeur turc qui, à cette même heure, aurait dû assurer son service dans la Kreck-mannstrasse, donc cinq kilomètres plus à l'est. Et comment se fait-il qu'au volant d'une troisième benne un conducteur allemand, sans tenir aucun compte du panneau de sens interdit, ait pénétré à son tour par l'autre extrémité dans la Bitzerath-strasse pour y emboutir un réverbère ? Certaines sphères économiques, dont la réputation n'est plus à faire et qui ont bien mérité de notre ville, ont informé notre rédaction de ce qu'il s'agirait bel et bien d'un coup monté. N'est-il pas étrange en effet que le Turc et le Portugais habitent tous deux un même immeuble mal famé de la Bitzerathstrasse qui aurait dû être évacué hier matin en plein accord avec les services sociaux et la police des mœurs ? Par un « prêt » d'une ampleur excessive, les « protecteurs » d'une certaine dame ayant la réputa-tion de distribuer ses faveurs ont fait surseoir à l'évacuation, laquelle avait été entre-temps sabotée par un indescriptible embouteillage (voir photo). Peut-être serait-il bon de soumettre à une enquête rigoureuse les deux chauffeurs étrangers d'ailleurs qualifiés par leurs ambassades respectives d'élé-ments politiquement douteux. N'a-t-on pas récem-ment vérifié et à plusieurs reprises que de nom-breux étrangers se livraient chez nous au proxéné-tisme ? Et, tel un *ceterum censeo,* nous répétons notre question : Faut-il donc que ce soient tou-jours des étrangers ? L'enquête sur cette scandaleuse affaire se poursuit. On présume qu'un inconnu, qui sous des prétextes cousus de fil blanc s'était intro-duit en qualité d'« existentialiste » dans les sphères économiques susmentionnées et auquel furent com-muniquées en toute bonne foi un certain nombre d'informations, serait à l'origine de toute l'affaire. Selon les premières estimations, les dommages matériels avoisineraient six mille marks. On ne peut en revanche évaluer la quantité de travail perdu que cet embouteillage de plusieurs heures a entraînée. »

L'auteur s'enfuit alors, non par lâcheté mais par nostalgie... et non à destination de Rome, mais de Francfort afin d'y prendre la correspondance pour Würzbourg où Clémentine, soupçonnée de lui en avoir trop appris sur l'affaire Rachel Ginzburg, avait été transférée à titre de sanction. Mais après un court délai de réflexion, Clémentine décida d'abandonner le voile pour mettre en valeur ses beaux cheveux cuivrés.

Peut-être conviendrait-il quand même d'énoncer ici une grande banalité, à savoir que l'auteur, en dépit de ses efforts pour, tel un certain médecin, parcourir ses sentiers tortueux « avec une voiture terrestre et des chevaux non terrestres[1] » n'est jamais qu'un être humain, qu'il entend certes le soupir de nostalgie qu'exhalent certains ouvrages littéraires : « Partir avec Effi au bord de la Baltique[2] » mais que, sans le moindre remords puisqu'il n'a pas d'Effi avec qui aller au bord de la Baltique, il part simplement avec Clémentine pour — disons — Veitshöchheim où ils discuteront ensemble de problèmes existentiels. Il se refuse à l'appeler « sienne » parce qu'elle refuse de l'épouser. Elle souffre manifestement d'un complexe : après dix-huit ans ou presque passés sous le voile, elle n'en veut plus porter d'autre quel qu'il soit et tient donc pour déshonnête ce que l'on est convenu d'appeler une proposition honnête. Cela dit, ses cils sont plus longs et plus souples qu'ils ne l'avaient un instant paru à Rome. Accoutumée depuis tant d'années à se lever à l'aube, elle savoure maintenant les longues nuits, le petit déjeuner au lit, la promenade, la sieste, et tient d'assez longs discours (qu'on pourrait

1. Citation du « Médecin de campagne » de Franz Kafka (N.d.T.).
2. Citation du roman « Effi Briest » de Théodor Fontane (N.d.T.).

tout aussi bien qualifier de méditations ou de mono-
logues) sur les raisons qui lui font redouter de franchir le Main avec l'auteur en direction du nord. Elle
ne lui parle pas de sa vie antérieure à leur rencontre. « Suppose que je sois veuve ou divorcée, je
ne voudrais pas davantage te parler de mon ex-vie
conjugale. » Agée de quarante et un ans, elle se
nomme de son vrai nom Carola, sans s'opposer toutefois à ce que l'on continue de l'appeler Clémentine. A y regarder de plus près, on s'aperçoit assez
rapidement qu'elle a somme toute jusqu'à présent
vécu comme une enfant gâtée : jamais le moindre
souci de logement, d'habillement, de ravitaillement
ni d'approvisionnement en livres... d'où sa peur de
la vie; le prix d'un simple goûter à Schwetzingen
peut-être ou au Nymphenburg l'effraie et la seule
vue d'un porte-monnaie la fait tressaillir. Les sempiternelles mais nécessaires communications téléphoniques avec ceux d'*outre-Main,* comme elle dit, l'aga-
cent parce qu'elle considère comme une fiction tout
ce qu'elle entend dire de Léni. Non pas Léni elle-
même bien sûr, dont les dossiers de l'ordre lui ont
amplement prouvé la réalité. Sans doute n'a-t-elle pu
se procurer ni donc lire la fameuse dissertation de
Léni sur *La Marquise d'O...,* mais sœur Prudence lui
en avait précisé par écrit le contenu et la forme. La
moindre allusion à Rachel Ginzburg la rend nerveuse et lorsque l'auteur l'a invitée à l'accompagner
à Gerselen pour y cueillir quelques roses, elle l'a
refusé d'un geste bref de la main en coup de patte
de chat... « Je ne veux plus entendre parler de
miracles. » Peut-être pourrait-on se permettre ici de
lui faire remarquer qu'elle méconnaît la différence
entre croyance et savoir. Il est certain que Gerselen
se propose de devenir une station thermale; l'eau y
sort à 38 ou 39 degrés, température qui passe pour
idéale. Il est non moins certain (rapport téléphonique de Schirtenstein) que Scholsdorff s'est engagé
à fond, puisque par voie légale il a sommé le journal

local plus haut cité de retirer les formules « immeuble mal famé » et « dame ayant la réputation de distribuer ses faveurs », la seule difficulté rencontrée ayant été de convaincre la justice de ce qu'en dépit de son aimable apparence la seconde formule devait être considérée comme injurieuse. Autre nouvelle : Lotte habite provisoirement la chambre de Lev tandis que les deux Turcs Tunç et Kiliç prendront probablement son appartement (à condition toutefois d'obtenir l'accord de son propriétaire qui passe pour haïr les Levantins), ceci parce que Léni et Mehmet ont décidé de vivre ensemble, seule formule applicable, lui étant déjà marié. Il est vrai que, musulman, ses propres lois l'autorisent à prendre une seconde femme, mais non celles de son pays d'accueil, à moins encore que Léni n'embrasse la religion musulmane, ce qui n'est pas nécessairement exclu, puisque le Coran fait lui aussi une place à la Vierge. Entre-temps la question des emplettes a été résolue : c'est l'aînée des enfants portugais, la jeune Manuela âgée de huit ans, qui va chercher les petits pains. L'administration qui l'emploie exerce sur Helzen « une pression pour l'instant légère encore » (toujours d'après Schirtenstein). Confrontée avec le « comité d'assistance à Léni », celle-ci (pour la quatrième fois de sa vie sans doute — l'auteur) a rougi « de plaisir, mais de honte aussi ». Sa grossesse lui ayant été confirmée par un gynécologue, elle passe son temps à courir les médecins pour se faire examiner en long, en large et en travers, parce qu'elle souhaite (ce sont ses propres termes, selon Schirtenstein) « offrir au bébé le meilleur havre possible ». Les résultats des examens effectués par le cardiologue, le dentiste, l'orthopédiste et l'urologue sont à 100 p. 100 satisfaisants. Seul le psychiatre fait quelques réserves : il a en effet constaté une détérioration de la conscience de soi absolument dénuée de fondement ainsi qu'un traumatisme provoqué par son environnement; il pense néanmoins que tout rentrera dans l'ordre sitôt Lev sorti de prison. Elle devra toutefois... « et c'est comme si je lui prescrivais un traitement » (le psychiatre, d'après Schirtenstein)... se promener bras dessus bras dessous ouvertement et aussi souvent que possible avec son fils Lev et Mehmet Sahin. Ce dont le psychiatre n'a pas compris le sens, pas plus d'ailleurs que Schirtenstein, ce sont les cauchemars au cours desquels Léni se voit visitée par une herse, une planche, un dessinateur et un officier, et ceci même lorsqu'elle s'est endormie dans les bras protecteurs de Mehmet. De façon par trop simplette et d'ailleurs tout à fait inexacte — l'auteur a pu s'en assurer — on a voulu attribuer ces rêves à un « complexe du veuvage » joint aux circonstances dans lesquelles Léni a conçu puis enfanté Lev. Or — Clémentine en est sûre — ils n'ont absolument rien à voir avec les caveaux, les attaques aériennes ni les étreintes pendant leur déroulement.

Petit à petit, par étapes successives prudemment échelonnées avec une première halte à Mayence, une seconde à Coblence et une troisième à Andernach, l'auteur réussit enfin à entraîner Clémentine *outre-Main*. Tout comme elles l'avaient été avec les paysages, les rencontres avec les individus furent ensuite savamment dosées. Leur première visite fut pour Mme Hölthohne, à cause de sa bibliothèque, de sa culture et de l'atmosphère quasi monastique dans laquelle elle se complaît. Les gens cultivés ont droit eux aussi à des égards. Entrevue fort réussie que Mme Hölthohne clôtura par un « félicitations » (de quoi ? — l'auteur) murmuré d'une voix rauque. La visite suivante fut pour B.H.T. qui se distingua par une fantastique soupe à l'oignon, un steak grillé et une exquise salade à l'italienne. Il écouta avec avidité tous les détails relatifs à Rachel Ginzburg, Gerselen, etc. Car méprisant la lecture des journaux, il ignorait tout du scandale depuis lors étouffé et, au moment des adieux, murmura à l'oreille de l'auteur : « Heureux homme. » Grundtsch, Scholsdorff et Schirtenstein eurent tous trois un succès fou auprès de Clémentine, le premier par son comportement si naturel et en outre parce que la séduisante mélancolie des vieux cimetières ne manque jamais son effet; Scholsdorff, tout bonnement parce qu'il est un si grand charmeur que nul ne peut lui résister, d'autant qu'il s'est merveilleusement décontracté depuis qu'une solide raison lui permet de venir en aide à Léni. Or, comme en leur qualité de philologues Clémentine et lui sont confrères, ils s'engagèrent très vite, tout en buvant du thé agrémenté de macarons, dans une discussion passionnée sur une certaine école littéraire russo-soviétique que Clémentine qualifiait de formaliste et Scholsdorff de structuraliste. Schirtenstein en revanche fut un peu moins brillant. Il se plaignit à l'excès du goût de l'intrigue et du wagnérianisme de certains compositeurs pseudo-modernes puis, avec un regard douloureux vers Clémentine et plus douloureux encore vers la cour, de ne s'être jamais attaché à aucune femme, ni aucune femme à lui. Puis, pris d'un subit accès de masochisme, maudissant le piano et la musique, il alla à son instrument pour y marteler à pleines mains *Lili Marlène* en une sorte de tentative d'autodestruction; ensuite de quoi, il s'excusa et demanda avec des sanglots dans la voix qu'on le « laissât seul avec sa souffrance ». La nature de cette souffrance se manifesta plus clairement lors de l'inévitable visite à Pelzer qui entre-temps — en l'espace des quelque cinq journées passées par l'auteur et sa compagne entre Veitshöchheim, Schwetzingen et Nymphenburg — avait terriblement maigri. Il reçut ses visiteurs en présence de sa femme Eva qui décidément ne faisait pas vrai dans son sarrau de peintre pourtant couvert de taches. Elle servit le café et les gâteaux avec une mélancolique mais agréable lassitude, hasarda quelques remarques résignées d'ordre général, parla avec des accents élégiaques de Beuys, d'Artmann, de « la signifiante absurdité de l'art », citant copieusement à ce propos un quotidien sérieux, mais dut bientôt retourner à son chevalet... « Je vous prie de m'excuser, mais c'est une absolue nécessité ! » Pelzer avait une mine inquiétante. A sa façon de regarder Clémentine, on eût dit qu'il pensait : « Mieux vaut tenir que courir. » Un peu plus tard, lorsque pour une raison évidente et urgente Clémentine, qui entre trois et six avait bu quatre tasses de thé chez Scholsdorff, trois chez Schirtenstein et pour l'heure deux tasses de café chez Pelzer, disparut quelques instants, celui-ci murmura à voix basse : « J'ai d'abord pensé que c'était le diabète, mais mon taux de glycémie est tout à fait normal, et pour le reste... rien. Croyez-moi et riez-en si bon vous semble, je sens pour la première fois que j'ai une âme et qu'elle souffre. Pour la première fois je sens qu'une seule et unique femme est capable de me guérir. Ce Turc, je pourrais l'étrangler ! Que lui trouve-t-elle donc à ce rustre qui non seulement pue l'ail et le suint mais encore a dix ans de moins qu'elle ?... Quand je pense que cet homme, déjà en possession d'une femme et de quatre enfants, a encore eu le culot de lui en faire un de plus à elle !... Je vous en prie, aidez-moi ! » L'auteur qui s'était pris d'une certaine sympathie pour Pelzer lui fit alors remarquer que dans ce genre d'infortune la médiation d'un tiers — l'expérience le prouvait — risquait de faire chou blanc, sinon même d'aller à l'encontre du but recherché et qu'il s'agissait là de la sorte d'affaire dont la victime devait se tirer toute seule. « Cela dit, reprit Pelzer, je colle chaque jour une douzaine de cierges à la madone et — d'homme à homme — cherche vainement à me consoler auprès d'autres femmes; je bois et fréquente les tripots mais tout ce que je puis vous dire, c'est que *rien ne va plus* [1]... d'ailleurs vous le voyez bien ! » Si l'auteur déclare à présent que l'homme était émouvant, il n'y faut voir nulle trace d'ironie, d'autant que Pelzer fit lui-même de son état une analyse fort pertinente : « Je n'ai jamais de ma vie été amoureux, jamais; j'ai fréquenté des femmes vénales... oh ! j'ai pas mal forniqué certes; quant à ma femme, j'avais beaucoup d'affection pour elle et en ai toujours autant; aussi longtemps que je vivrai, je veillerai à ce que rien de fâcheux ne lui arrive... mais je n'ai jamais été amoureux d'elle, jamais. Quant à Léni que j'ai désirée dès notre première rencontre, il y a toujours eu des étrangers pour venir se fourrer entre elle et moi; je n'étais cependant pas amoureux d'elle alors, ne l'étant que depuis notre dernière rencontre, la semaine passée. Je... je ne suis absolument pas responsable de la mort de son père, et je... je l'aime. Voilà bien la première fois que j'en dis autant d'une femme... » Clémentine revint à cet instant et fit adroitement comprendre à l'auteur qu'elle souhaitait prendre congé. Son commentaire fut relativement dédaigneux, froid et réaliste en tout cas : « Appelle ça comme tu voudras... affection pelzérienne ou schirtensteinienne. »

L'excursion à Tolzem-Lyssemich permit de faire d'une pierre deux coups : Clémentine d'abord qui, toujours fière de sa qualité de montagnarde bavaroise, n'admet donc qu'à contrecœur l'existence outre-Main d'éléments plaisants put à l'occasion de cette randonnée se familiariser avec le charme, voire l'envoûtement exercé par ce plat pays qu'on lui avait peut-être vanté avec un excès d'enthousiasme. Elle reconnut n'avoir encore jamais vu d'aussi vastes étendues de plaines susceptibles de la faire

1. En français dans le texte.

songer à la Russie... « si je ne savais qu'ici elles ne dépassent pas trois à quatre cents kilomètres alors que là-bas ça va par milliers... avoue donc que cela fait penser à la Russie ! » Elle refusa de tenir compte de la mention restrictive de l'auteur « clôtures en moins », écartant de même comme trop « littéraire » son assez longue méditation sur les clôtures, haies et lignes de démarcation de tous ordres, puis comme trop « raciale » son allusion à leur origine celtique. Mais, fût-ce encore à contrecœur, elle se plut finalement à reconnaître : « Alors que chez nous, en Bavière, on se sent aspiré à la verticale, ici c'est à l'horizontale; on a toujours le sentiment de nager, même en voiture et sans doute aussi en chemin de fer, d'où la crainte de ne jamais atteindre le rivage... et d'ailleurs ce rivage existe-t-il seulement ? » Une discrète allusion aux contreforts visibles de l'Eifel ne lui arracha qu'un sourire condescendant.

Ensuite la visite à Marja van Doorn fut en revanche un franc succès. Une tarte aux prunes nappée de crème fouettée (commentaire : « Apparemment vous ne manquez jamais par ici une occasion de manger de la crème fouettée ») et un café — « comme il se doit » grillé et moulu de frais — qui fut déclaré irrésistible... « extraordinaire, le premier vrai café que j'aie jamais bu, je sais enfin ce qu'est du vrai café », etc. etc. Puis : « Sans doute êtes-vous des jouisseurs. » A l'heure des adieux, un commentaire de Marja van Doorn à l'adresse de l'auteur : « Un peu tard, mais pas trop tard, et que Dieu vous bénisse ! » Puis à voix très basse : « Elle saura faire votre éducation. » (Rectification, toujours à voix basse et en rougissant : « Je veux dire... pour l'ordre et tout ça. ») Et enfin avec des larmes : « Vieille fille j'étais et vieille fille je demeure »...

La disparition de Bogakov de son asile y fut consignée par cette mention assez inattendue : « Parti sans laisser d'adresse. » Il n'avait en effet laissé qu'un petit mot disant : « Ne pas se lancer à ma recherche, merci d'avance, ferai parvenir de mes nouvelles. » Mais quatre jours plus tard, il n'avait toujours pas donné signe de vie. Belenko pensait qu'il était « retombé dans la fornication », alors que de l'avis de Kitkine il était probablement parti remplir une de ses missions d'« espion rouge ». Quant à la charmante infirmière, tout en reconnaissant franchement que Bogakov lui manquait, elle déclara sans émoi qu'il en était ainsi presque chaque année au printemps. « Il éprouve soudain le besoin de partir, mais ça devient de plus en plus hasardeux à cause des injections dont il a besoin. Pourvu au moins qu'il reste au chaud ! »

D'avoir directement ou indirectement appris sur Léni une quantité de choses qui ne pouvaient manquer de lui confirmer la réalité de son existence n'empêcha pas Clémentine de désirer absolument la voir en chair et en os. L'auteur, non sans appréhension toutefois, demanda donc à Hans Helzen d'arranger une entrevue. Il fut convenu qu'en raison de la nervosité de Léni, ne seraient admis à cette réunion que Lotte, Mehmet et « quelqu'un dont la présence vous surprendra ».

« Ses premières promenades avec Mehmet l'ont tellement agitée, dit Hans Helzen, qu'elle ne peut supporter la présence de plus de cinq personnes à la fois. Aussi ma femme et moi ne paraîtrons-nous pas. Ce qui la rend particulièrement nerveuse, c'est l'amour qu'elle suscite et la tension érotique qui en découle, telle que Pelzer et Schirtenstein l'irradient, telle que Scholsdorff lui-même la laisse deviner. »

Clémentine ayant pris ombrage de la nervosité de l'auteur, celui-ci lui en expliqua la raison : alors que d'elle, Clémentine, il ne savait presque rien, il savait

470

quasiment tout de Léni; et justement sa longue et minutieuse enquête lui ayant révélé tous ses problèmes, même les plus intimes, il se faisait l'effet d'un traître ou d'un complice. Et alors qu'elle — Clémentine — lui était si proche, Léni en dépit de la sympathie qu'elle lui inspirait lui demeurait étrangère.

L'auteur le reconnaît franchement : il était heureux de la présence de Clémentine à son côté, heureux aussi de sa curiosité tant philo- que socio-logique, car sans elle — dont il était somme toute redevable à Léni et Aruspice — il eût certainement couru le danger d'être à son tour atteint de l'incurable affection pelzérienne ou schirtensteinienne.

Par bonheur, la surprise qui l'attendait chez Léni relâcha sa tension nerveuse. Qui trouva-t-il en effet assis sur le divan, tenant la main d'une Lotte Hoyser délicieusement rougissante? Bogakov soi-même, dont le sourire gêné tirait plutôt sur le rictus. Une chose était sûre : la charmante infirmière de l'asile dont il s'était enfui n'avait aucun souci à se faire : il était bien au chaud ! Et si quiconque a pu mettre en doute la capacité de Lotte d'irradier de la chaleur, qu'il se détrompe. Assis dans un fauteuil, le Turc Mehmet avait l'air si peu oriental que c'en était presque décevant. D'allure paysanne, raide mais non emprunté, portant complet bleu, chemise empesée et sage cravate (marron clair), la main de Léni dans la sienne, il avait l'air d'un homme assis, disons en l'an 1889, devant le volumineux appareil d'un photographe d'art qui, après avoir introduit sa plaque, réclame l'immobilité totale pour presser la poire en caoutchouc qui déclenchera l'ouverture du diaphragme. Quant à Léni enfin, l'auteur hésita un long moment, tant était grande son appréhension, avant d'oser la regarder de front. N'oublions pas que tout au long de son inlassable enquête, il ne l'avait aperçue que deux fois dans la rue, un bref instant et seulement de profil, jamais de face, surtout frappé alors par la fierté de sa démarche. Mais il n'était plus à présent question de tergiverser, il fallait regarder la réalité en face et s'il est permis d'user ici d'une litote : la chose en valait la peine! Il était heureux que Clémentine fût là, sinon l'auteur n'eût peut-être pas pu réprimer un sentiment de jalousie à l'égard de Mehmet; il lui en restait d'ailleurs quelque chose, un léger picotement... le regret que Léni rêvât de herse, de dessinateur et d'officier dans les bras du Turc et non dans les siens. Avec ses cheveux coupés et légèrement teintés de gris, on pouvait facilement ne lui donner que trente-huit ans. Le regard limpide de ses yeux sombres n'était pourtant pas dénué de tristesse; elle paraissait nettement plus grande que son mètre soixante et onze, et ses longues jambes musclées prouvaient qu'elle n'était certes pas une beauté sédentaire. Elle entreprit avec grâce de servir le café tandis que Lotte plaçait une tranche de gâteau sur chaque assiette et que Mehmet offrait à chacun selon son désir (« une cuillerée? deux? trois? ») l'inévitable crème fouettée. L'auteur put alors s'en convaincre : Léni n'est pas seulement une femme silencieuse et discrète, mais franchement taciturne et d'une timidité que trahit un sourire éternellement craintif. Il nota avec joie et fierté qu'elle posait sur Clémentine un regard à la fois bienveillant et satisfait. Interrogée par celle-ci sur Aruspice, Léni lui montra l'imposant tableau mural d'un mètre cinquante au carré — non pas bariolé, mais coloré — accroché au-dessus du divan et qui, bien qu'inachevé, irradie à la fois une énergie cosmique et une indescriptible tendresse. Elle en a disposé les éléments en huit couches et, sur les six millions de cônes prévus, doit en avoir pour l'instant logé trente mille environ, plus, sur les cent millions de bâtonnets, quatre-vingt mille peut-être. Pour éviter à son œuvre tout caractère de coupe transversale, elle l'a conçue horizontale, telle une plaine infinie sur laquelle on avance à la rencontre d'un horizon encore invisible. Léni : « C'est elle, Rachel. Une fois terminé, mon tableau représentera peut-être le millième de sa rétine. » Et soudain presque loquace, elle ajouta : « Mon grand professeur, ma grande amie ! » Elle n'en dit pas plus au cours des cinquante-trois minutes que dura la visite. Mehmet paraissait plutôt dénué d'humour; même quand il offrait de la crème, de sa main libre il ne lâchait pas celle de Léni qui se voyait à son tour obligée de servir le café d'une seule main. Attitude si contagieuse que Clémentine finit elle aussi par prendre la main de l'auteur comme pour lui tâter le pouls. On ne pouvait en douter : Clémentine était profondément émue. Plus aucune trace de son orgueil d'universitaire. On sentait bien qu'en dépit de tout ce qu'elle avait pu apprendre au sujet de Léni elle n'avait pas jusque-là cru en elle. Sans doute Léni figurait-elle dans les dossiers de l'ordre, mais qu'elle existât réellement, c'est cela qui était bouleversant. Clémentine poussa un profond soupir et transmit à l'auteur l'accélération de son pouls.

Le lecteur impatient aura-t-il remarqué l'accumulation des « happy ends » ? Par exemple, qu'on se tient les mains, contracte des alliances, renoue de vieilles amitiés — voir Lotte et Bogakov — tandis que d'autres, tels Pelzer, Schirtenstein et Scholsdorff restent sur leur faim ? Et qu'un Turc semblable à un paysan de l'Eifel a conquis la belle alors qu'il a laissé chez lui une femme et quatre enfants, mais en vertu de ses droits à la polygamie (qu'il n'a encore pu faire valoir) sans en éprouver l'ombre d'une mauvaise conscience, ayant peut-être même déjà informé une quelconque Souleika de la tournure des événements ? Un homme qui, astiqué de haut en bas, avec plis de pantalon et cravate, produit par comparaison avec Bogakov ou l'auteur une impression de propreté quasi agressive et auquel sa chemise empesée procure une joie sans mélange parce qu'elle convient selon lui à la solennité de l'événement? Un homme aussi immobile sur son siège que si le photographe imaginaire de l'an 1889, peintre manqué d'Ankara ou d'Istambul avec feutre à larges bords et cravate lavallière, tenait toujours la poire de caoutchouc dans le creux de sa main? Un éboueur — qui roule, soulève et fait basculer des tonnes d'ordures — lié par amour à une femme qui pleure la mort de trois hommes, a lu Kafka et connaît Hölderlin par cœur tout en étant à la fois chanteuse, pianiste, peintre, amante, mère et future mère, une femme enfin qui fait battre de plus en plus vite le pouls d'une ancienne religieuse dont toute la vie a consisté à se débattre avec le problème de la réalité dans la littérature?

Lotte, pourtant habituée à ne pas mâcher ses mots, observa une très grande réserve, probablement sous l'effet d'une profonde émotion. D'une voix hésitante, elle évoqua l'imminente libération de Lev et les problèmes de logement qui en résulteraient, son propriétaire refusant de loger des éboueurs turcs et les Helzen ne pouvant se priver de leur seconde pièce dans laquelle Grete exerçait le soir son métier d'esthéticienne pour se faire un petit supplément, alors qu'on ne pouvait davantage songer à entasser les cinq amis portugais dans une seule pièce; elle-même enfin souhaitait, devait rester avec Bogakov (qu'elle appela sans façon « mon Piotr ») aux côtés de Léni pour faire front à son beau-père et à ses fils... « Ce n'est encore qu'un répit et non la fin. » Elle conclut en se déclarant toute disposée à passer devant le maire avec Bogakov et lui de même sinon qu'il n'était ni divorcé ni en mesure de prouver la mort de son épouse.

Léni finit quand même par fournir sa petite contribution à la conversation en murmurant, les yeux d'abord humides puis pleins de larmes : « Margret, Margret, ma pauvre Margret! » Jusqu'à ce qu'enfin, par un mouvement indéfinissable qui le redressa encore un peu plus sur son siège, Mehmet donnât clairement à entendre qu'il considérait l'audience comme terminée.

Les adieux — « pas définitifs, je l'espère », dit Clémentine à Léni qui lui répondit par un délicieux sourire — se prolongèrent de la façon habituelle : quelques remarques aimables sur les photos, le piano, l'installation en général, puis quelques réflexions enthousiastes sur le tableau et enfin une petite pause dans le vestibule où Léni murmura : « Il nous faut essayer de poursuivre notre route avec une voiture terrestre et des chevaux non terrestres... », allusion que Clémentine elle-même, dont la culture semble donc présenter certaines lacunes, ne comprit pas.

Une fois dehors, dans la très banale Bitzerath-strasse, Clémentine retomba dans son incorrigible travers littéraire en disant : « Oui, elle existe et en même temps n'existe pas. Elle n'existe pas tout en existant. » Scepticisme selon l'auteur très au-dessous du niveau intellectuel de Clémentine qui ajouta néanmoins : « Elle consolera un jour tous ces hommes qui souffrent par elle et les guérira tous. »

Peu après elle ajouta encore : « Je me demande si Mehmet apprécie autant que Léni les danses occidentales modernes. »

XI

L'AUTEUR constate avec soulagement que pour parfaire sa chronique il ne lui reste plus guère qu'à citer certains documents : l'expertise d'un psychologue, la lettre d'un infirmier et le procès-verbal d'un agent de police. Tenu au secret professionnel, il ne peut dévoiler la façon dont il est entré en possession desdits documents. Il reconnaît néanmoins n'avoir pas toujours respecté la légalité ni agi avec toute la discrétion voulue, sinon que ces légères atteintes à la légalité et à la discrétion avaient pour seul et unique but de servir la sacro-sainte objectivité. Quelle importance en vérité si d'aventure — dans le cas de l'expertise psychologique qui ne contient d'ailleurs rien de discriminatoire — une employée de bureau des Hoyser (pas la polyvalente !) a rapidement photocopié quelques feuillets dactylographiés ? Le dommage ainsi causé aux Hoyser (qu'on se souvienne en revanche des cinq millions qui ont coûté un bouton à l'auteur !) n'excède pas 2 marks 50, compte non tenu bien sûr des frais généraux correspondants. Mais une boîte de chocolats à 4 marks 50 ne compense-t-elle pas largement ce déficit ? Quant à la lettre de l'infirmier, c'est l'infatigable Marja van Doorn qui l'a procurée à l'auteur en lui laissant le temps d'aller la photocopier lui-même dans un grand magasin au prix de 0,50 la page. Coût global (y compris les cigarettes offertes à Marja van Doorn en remerciement du service rendu) : 8 marks environ. En ce qui concerne enfin le procès-verbal de l'agent de police, l'auteur l'a obtenu gratuitement. Ce document ne contenant aucun secret, pas plus policier que politique, et ne constituant somme toute — fût-ce sans que son auteur l'ait voulu — qu'une sorte d'étude assez réussie de la société, les scrupules d'ordre théorique et non pratique qui auraient éventuellement pu tourmenter l'auteur furent vite effacés par les quelques verres de bière que le jeune agent de police tint d'ailleurs à lui offrir, désir compréhensible que l'auteur s'empressa de satisfaire. Il veilla même à ne pas dévaluer le geste généreux du policier par l'envoi d'un bouquet de fleurs à son épouse ou d'un joli jouet à son petit garçon d'un an et demi qu'à la vue de sa photo il avait pu sans la moindre hypocrisie déclarer « adorable ». (Aucune photo de l'épouse ne lui fut montrée. Il lui eût d'ailleurs été difficile de qualifier d'« adorable » la femme d'un autre en sa présence.)

Voyons tout d'abord l'expertise psychologique. Les coordonnées de l'expert (âge, formation, etc.) sont restées dans l'ombre, la jeune employée de bureau s'étant contentée de déclarer que ce psychologue était aussi estimé des fonctionnaires de la D.G.B.[1] que du Conseil des prud'hommes.

L'expert soussigné connaissait déjà Lev Borisovitch Gruyten (que par souci de simplification nous désignerons désormais par ses seules initiales L.B.G.) avec lequel, quatre mois avant son incarcération, il avait pris contact à la demande du chef du personnel de l'entreprise municipale de nettoiement. Au cours de leur premier entretien il fut question de l'éventuelle promotion de L.B.G. au sein de l'administration de l'entreprise où il pourrait exercer la double activité d'homme de confiance des nombreux travailleurs étrangers et de conseiller en matière de fixation

1. Deutsches Gewerkschaftsbund : fédération des syndicats allemands (N.d.T.).

des horaires. Or, malgré l'avis favorable de l'expert, L.B.G. refusa cet avancement. Les données existant à cette époque ne permirent qu'une analyse superficielle de l'évolution psychologique de L.B.G. mais, par la suite, l'administration pénitentiaire ayant eu l'obligeance d'accorder à l'expert quatre entretiens d'une heure avec le détenu, un examen beaucoup plus sérieux fut alors possible bien qu'insuffisant encore pour permettre l'analyse véritablement scientifique d'un cas aussi complexe. L.B.G. mériterait pourtant de faire l'objet d'une étude approfondie et circonstanciée. Le psychologue, depuis lors chargé de cours à la faculté, songe d'ailleurs à recommander à l'un de ses élèves de prendre le cas de L.B.G. comme sujet de sa thèse de doctorat.

Le psychogramme que nous allons tenter d'effectuer ici, dût-il même donner de L.B.G. une image relativement correcte, n'en doit pas moins être accueilli avec la réserve de rigueur quant à sa possible utilisation scientifique. Il ne pourra guère servir que, d'une part, à faciliter les rapports futurs entre le sujet et l'administration qui l'emploie et, de l'autre, sans oublier la réserve susmentionnée, à tenter d'expliquer la motivation des actes « criminels » dudit sujet.

L.B.G. a grandi dans des conditions extrêmement favorables sur le plan familial, mais extrêmement défavorables en revanche sur le plan extra-familial. S'il est vrai que le mot « favorable » utilisé dans le premier cas nécessite lui aussi une réserve que le terme de « gâterie » caractériserait assez bien, cette « gâterie » n'en constitue pas moins l'un des motifs pour lesquels, en dépit de la tension évidente de ses rapports sociaux, il faut considérer le jeune homme de vingt-cinq ans qu'est aujourd'hui L.B.G. comme un membre utile et même fort agréable de notre société.

Les conditions extrêmement défavorables ont consisté en cela, qu'enfant illégitime privé de père, L.B.G. n'a pu revendiquer l'état d'orphelin, si important pour l'évolution psychologique, ni à plus forte raison d'orphelin de guerre. Le décès de son père ne saurait fournir à un enfant illégitime l'argument qui lui permettrait de se déclarer orphelin. En outre, s'étant copieusement entendu traiter, tant à l'école que dans la rue, lui de « fils de Russki » et sa mère de « putain à communistes », il se voyait donc reprocher (non formellement mais implicitement sans doute) comme une chose particulièrement répugnante et avilissante le fait de n'avoir pas été conçu à la suite d'un viol mais d'un libre consentement. Et comme les circonstances dans lesquelles il avait été conçu auraient pu valoir à son père et à sa mère une peine sévère, voire même capitale, il devenait en sus *ipso facto* un rejeton de « délinquants »; si bien que tous les autres enfants, même illégitimes, pouvaient se considérer comme socialement supérieurs à lui. Or — exprimé en langage courant — les choses pour L.B.G. ne firent qu'empirer : il tomba en effet sous la coupe de cette institution douteuse (comme l'a démontré l'expert dans plusieurs de ses publications) nommée école confessionnelle. Sans doute L.B.G. avait-il reçu le baptême, et même le baptême catholique ainsi qu'entre autres devait le confirmer un certain Pelzer dont il allait être plus tard l'apprenti; mais les autorités religieuses tenaient à remplacer ce baptême d'urgence par un baptême authentique célébré dans les règles. Les recherches minutieuses, voire tatillonnes, entreprises à ce propos valurent à L.B.G. un nouveau sobriquet fort macabre, celui de « fils du cimetière » ou d'« enfant des caveaux », parce que conçu et mis au monde parmi les morts. Or sa mère refusa tout nouveau baptême, le souvenir de celui auquel le père de L.B.G. avait assisté lui étant trop précieux pour qu'elle acceptât de le laisser effacer « par n'importe qui ». Ce qui ne l'empêchait pas de refuser aussi d'envoyer son fils à l'école laïque, distante à l'époque d'une quinzaine de kilomètres, et plus encore de l'envoyer chez les protestants (dont on ignore d'ailleurs s'ils n'auraient pas exigé eux aussi un nouveau baptême). Et c'est ainsi que L.B.G. se vit affligé de la pire des tares : ne pas savoir s'il était « chrétien », « catholique » ou rien du tout.

Dans un tel contexte, le terme de « gâterie » acquiert une relativité qui l'annule quasiment. Il n'en demeure pas moins vrai qu'autour de lui L.B.G. avait beaucoup de femmes pour le « gâter », à commencer par sa mère, imitée par un nombre appréciable de « tantes » : tante Margret, tante Lotte, tante Liane et tante Marja. Il avait en outre des « oncles » et des « cousins » (substituts de père et de frère) : les oncles Otto et Piotr, les cousins Werner et Kurt. Il avait enfin le souvenir de son grand-père maternel en compagnie duquel il était si souvent allé s'asseoir au bord du Rhin. On peut après coup considérer comme une réaction instinctive parfaitement saine le fait qu'aussi souvent que possible, fût-ce même parfois sous des prétextes cousus de fil blanc, sa mère l'ait tenu à l'écart de l'école. Même si L.B.G. a quant à lui manifesté une étonnante force d'âme en s'éloignant volontairement d'un nid familial par trop douillet pour aller jouer dans la rue sans crainte de recevoir ni de donner des coups, on peut douter qu'il eût supporté la pression quotidienne qui, à l'école, n'eût pas manqué de s'exercer sur lui. Si L.B.G. — ce n'est là bien sûr qu'une hypothèse — avait été un enfant tant soit peu malingre ou déficient, il n'aurait pu résister au-delà de sa quatorzième année aux pressions de toutes sortes exercées sur lui par son environnement, avec pour conséquence une neurasthénie incurable ou une agressivité criminelle sinon même un suicide. Or L.B.G. a surmonté maintes déceptions et en a ravalé tout autant. Mais ce qu'il n'a pu ni surmonter ni ravaler, c'est le fait que son « oncle » Otto, jusqu'alors si amical, l'ait brutalement privé de la compagnie de ses deux « cousins » Werner et Kurt qui, respectivement de dix et cinq ans ses aînés, constituaient pour lui une protection naturelle à laquelle il pouvait entièrement se fier. L'abîme social qui s'est alors creusé entre L.B.G. et ses cousins lui a inspiré un désir de défi et de vengeance qui explique clairement une action « criminelle » matérialisée par la maladroite falsification de deux traites. Cinq entrevues successives avec L.B.G. n'ont pas permis à l'expert de déterminer si cette insigne maladresse devait être interprétée comme une provocation consciente ou inconsciente à l'égard de son oncle et de ses cousins. Pourtant ces faux réitérés (quatre en tout) ayant été camouflés à trois reprises pour ne faire l'objet d'une plainte qu'à la quatrième alors que tous comportaient la même erreur (dans le libellé de la somme en toutes lettres), on est tenté de croire à une provocation consciente qui s'expliquerait par le fait que L.B.G. venait d'apprendre que pendant la guerre un certain transfert anormal de capital avait eu lieu entre les Gruyten et les Hoyser.

Comment L.B.G., enfant puis adolescent, a-t-il compensé ces blessures ? Qu'une compensation au sein de sa famille (par ce que nous avons qualifié de « gâterie ») ne pût lui suffire, qu'il lui fallût aussi faire preuve d'initiative personnelle, qu'il ne pût, surtout après le retrait des deux « cousins », compter uniquement sur sa mère et ses « tantes », voilà ce qu'il a sans doute instinctivement ressenti, de même qu'en raison de la faiblesse et de la vulnérabilité de sa mère, il a dû prendre assez tôt conscience de la nécessité d'assumer le rôle d'« homme de la maison ».

Il convient à présent d'introduire dans notre analyse du cas L.B.G. la notion capitale du « refus de rendement » (que, pour simplifier, nous désignerons ci-après par les initiales RR). Pour commencer, RR à l'école où L.B.G. fut périodiquement menacé d'un transfert dans une classe de rattrapage. En dépit de son intelligence et de ses dons indubitables, il adopta l'attitude qu'une société aux réactions automatiques attendait d'un garçon présentant de telles caractéristiques asociales. Il fut un élève bien inférieur à ce qu'il aurait dû être, allant même parfois jusqu'à simuler une certaine faiblesse d'esprit. Il n'évitait de redoubler sa classe que lorsque le risque devenait trop grand d'être envoyé à l'école de rattrapage, et ce uniquement par égard pour sa mère qui appréhendait le long chemin qu'il aurait alors à parcourir. Il avoua d'ailleurs à l'expert qu'il serait volontiers allé à l'école de rattrapage mais qu'à l'époque celle-ci se trouvait dans un faubourg trop éloigné de son domicile; or, sa mère étant retenue au-dehors par ses activités professionnelles, il s'était très tôt chargé de certains travaux ménagers qu'un aussi long trajet de retour l'eût empêché d'accomplir correctement.

Parallèlement à ce RR scolaire se développa une augmentation de rendement (que nous désignerons par les initiales AR) correspondant au besoin de défi cité plus haut, mais dont sur le plan scolaire il ne retirait pourtant aucun profit. A l'âge de treize ans, grâce à la complaisance d'un ami de sa mère — et de feu son grand-père — qui lui donnait trois leçons de russe par semaine, L.B.G. lisait et écrivait couramment cette langue : qu'on le note bien, celle de son père ! On voudrait pouvoir dire que sa connaissance de la poésie russe, de Pouchkine à Blok, étonna ses professeurs mais, vu l'état d'esprit fondamental du pédagogue moyen d'alors, il faut hélas constater qu'elle les irrita, et ce d'autant plus qu'en même temps ses notions de grammaire allemande demeuraient à un niveau nettement insuffisant. Ces messieurs les professeurs durent en outre considérer comme une véritable provocation la façon dont ce garçon de treize ans (qui n'était encore qu'en sixième !) les confrontait sans y avoir été invité avec Kafka, Trakl, Hölderlin, Kleist et Brecht ainsi qu'avec les poèmes d'un écrivain de langue anglaise non identifié mais probablement d'origine irlandaise.

Mais trêve d'exemples. L'expert soussigné constate une

violente polarisation vis-à-vis de la société, polarisation se traduisant d'une part par un RR là où l'effort pourrait être avantageux, c'est-à-dire en classe, et de l'autre par une AR là où l'effort ne peut apporter de bénéfice, c'est-à-dire en dehors de la classe.

Cette polarisation intense joue un rôle déterminant dans la vie de L.B.G. A mesure qu'il prend de l'âge et par une saine réaction se libère de plus en plus des « gâteries » familiales, elle constitue la tension qui nourrit sa force de résistance et sa volonté de survie. Jusqu'à la quatorzième année, le comportement de L.B.G. ne varie guère. Mais cette année-là, peu avant son renvoi de l'école, il commet pour la première fois un acte « criminel » qui s'insère dans un contexte auquel l'expert ne peut malheureusement que se référer car son analyse précise présupposerait une étude approfondie de l'histoire et de la psychologie religieuses. Aussi seules les données de l'expérience seront-elles fournies ici. L.B.G. qui ne suivait que sporadiquement les cours d'instruction religieuse (dans des conditions le plus souvent aussi fâcheuses pour lui-même que pour les prêtres) se vit refuser — et j'utilise ici ses propres termes — « les sacrements de la confession et de la communion, non pas tant en raison de mon baptême à la sauvette que parce que j'étais considéré comme un individu récalcitrant, orgueilleux, présomptueux et manquant en tout cas d'humilité, à quoi il faut ajouter que je m'étais intéressé à la littérature religieuse, en profane bien sûr, mais avec néanmoins un intense désir de m'instruire. Cela irritait mes professeurs — d'instruction religieuse s'entend — qui faisaient dépendre l'administration des sacrements de la seule soumission du sujet ». Et finalement, L.B.G. qui de son propre aveu tenait absolument à les recevoir — ne fût-ce que pour le principe et pour des raisons d'ordre mystique — se procura par « un acte sacrilège, par le vol et très exactement par la profanation de l'autel » des hosties consacrées qu'il avala. La chose fit scandale. Sans l'intervention en sa faveur d'un prêtre éclairé et expert en psychologie, L.B.G. aurait dès cette époque subi la détention dans une maison de redressement. « A dater de là (déclaration textuelle de L.B.G. à l'expert), je n'ai plus communié qu'avec ma mère au petit déjeuner le matin. »

Une autre forme d'AR se manifeste jusqu'à la quatorzième année : un amour de l'ordre et de la propreté toujours plus vif, quasi obsessionnel et lié sans nul doute aux prémices de la puberté. L.B.G. ne se contente pas de nettoyer l'appartement, le jardinet et le trottoir devant l'immeuble mais, même au cours de ses promenades, manifeste son besoin d'ordre et de propreté en ramassant les feuilles. Son entourage essentiellement féminin a beau lui répéter que c'est bon pour les filles, son jouet préféré entre la huitième et la treizième année est et demeure le balai. On pourrait donner une explication complémentaire de ce phénomène en disant que, vis-à-vis d'un monde environnant qui ne cesse de le salir et de l'insulter, il éprouve le besoin — de nouveau comme moyen de polarisation — de pratiquer une ostensible propreté.

Renvoyé de l'école à la fin de la cinquième avec un bulletin fort peu favorable, L.B.G. n'avait aucune chance de pouvoir entrer dans un centre d'apprentissage. Aussi se fit-il embaucher comme manœuvre — manœuvre-balai qui plus est ! — dans l'établissement horticole d'un certain Pelzer et plus tard, dans des conditions identiques, chez un certain Grundtsch. Il entra ensuite dans l'administration du cimetière avant d'être transféré au service municipal du nettoiement, aux frais duquel il passa son permis de conduire. Il y travaille depuis six ans et, abstraction faite de sa tendance à prolonger les week-ends et les congés, mise à part aussi une certaine amertume fort compréhensible suscitée chez son employeur par son évident RR, il donne entière satisfaction à celui-ci. Au cours de ces six dernières années, l'AR de L.B.G. se manifesta exclusivement en faveur de sa mère à qui il conseilla d'abandonner son travail malgré sa relative jeunesse et sa capacité de rendement encore intacte. Il lui trouva des sous-locataires, travailleurs étrangers avec ou sans famille. L'apparente insignifiance du choc émotionnel ressenti par L.B.G. — dont le complexe d'Œdipe est pourtant incontestable — du fait de la liaison de sa mère avec l'un de ces travailleurs demeure éminemment suspecte. Même en apprenant récemment que sa mère était enceinte de cet étranger d'origine orientale, L.B.G. réagit d'une façon que l'expert tient également pour suspecte. « Dieu merci, je vais enfin avoir un petit frère ou une petite sœur ! » s'écria-t-il. Mais pour une oreille exercée, sous cette apparente satisfaction se cachait une certaine nervosité.

Ce serait une erreur d'imputer cette nervosité au seul comple d'Œdipe de L.B.G. Elle s'explique aussi par la crainte compréhensible de nouvelles difficultés avec l'environnement humain, difficultés qu'en vertu de sa propre expérience il redoute non seulement pour sa mère mais aussi pour l'enfant à venir.

On ne saurait évidemment exclure en l'occurrence un sentiment de jalousie, quoiqu'il puisse être considéré comme minime. De diverses enquêtes effectuées tant auprès de camarades de son âge que de ses compagnons de travail, il ressort que L.B.G. non seulement recueille la sympathie des femmes et des jeunes filles mais encore ne cherche pas à se dérober à ses conséquences.

Nous devons admettre le postulat selon lequel les employés du service de nettoiement sont parfois amenés à rendre à la population encombrée par un excès d'ordures ménagères des services particuliers à l'occasion desquels se nouent des contacts imprévus. Ce genre de « délit » qui consiste à enlever — le plus souvent en échange d'un pourboire — les ordures ménagères en excédent est toléré par l'administration en raison de la contenance insuffisante des poubelles.

Si relativement harmonieuse que puisse jusqu'ici paraître l'image de L.B.G., la tension de ses rapports avec la société n'en demeure pas moins évidente, fût-elle même explicable par la polarisation que nécessite son état de légitime défense.

Même pour un profane en matière de psychologie, sont aisément décelables chez L.B.G. : 1. *un complexe de solidarité* qui s'explique par la nécessité permanente d'identification au père et à la mère, que le sujet désormais sorti de l'enfance reporte d'une part sur des étrangers et de l'autre, après trois mois d'emprisonnement, sur ses codétenus. Si l'on admet que les détenus sont aussi des « étrangers dans la cité », ce complexe de solidarité donne tout naturellement naissance à 2. *la xénophilie* qui lui est étroitement apparentée et s'exprime entre autres par 3. *la xénophilologie,* c'est-à-dire le désir d'apprendre la langue des étrangers. (Depuis plusieurs mois déjà L.B.G. suit des cours de turc). Une personne comme L.B.G. (en dépit de certaines considérations, l'expert serait plutôt tenté de parler d'une « personnalité ») dont l'intelligence et la sensibilité très développées ne lui laissaient d'autre choix que l'adaptation entraînant la « trahison » de soi-même et de ses points fixes d'identification, ou l'inadaptation permanente impliquant l'affirmation de soi et de ses points fixes d'identification, une telle personne (personnalité ?) se trouvait donc en état de perpétuel conflit entre ces deux pôles. D'où la nécessité pour L.B.G. de se heurter sans cesse à de nouvelles résistances, au besoin artificielles, pour s'affirmer vis-à-vis de lui-même et de son environnement. Si l'on retire au terme qui va suivre ce qu'à juste titre il sous-entend d'ordinaire, à savoir que l'intéressé en tire avantage (prolongation du séjour à l'hôpital, resquillage d'un congé de convalescence, etc.), L.B.G. est aussi 4. *un simulateur* dont — en exagérant un peu — la simulation ne vise pas à lui procurer des avantages mais à lui attirer des inconvénients destinés à satisfaire son complexe de solidarité et ses penchants xénophiles. En vertu de quoi les falsifications de traites peuvent, dans une certaine mesure, être considérées comme des « simulations » plutôt que comme des « actes criminels ». Et si en fin de compte L.B.G. tire avantage de certaines simulations (par exemple la confiance confinant à la vénération que lui témoignent les travailleurs étrangers), ce processus fait partie de la dialectique d'une telle expérience existentielle à laquelle un certain type de société — un principe de société, comme diraient nos confrères marxistes — donne valeur de « manifeste ».

Il convient encore d'expliquer les motifs du RR de L.B.G. Promu au rang de chef de section (« Je refuse d'aller plus haut ! »), il s'est révélé un organisateur de premier ordre. Une fois familiarisé avec les conditions de la circulation et de l'enlèvement des ordures dans le secteur qu'on lui avait assigné, il a réussi à planifier le travail de telle sorte que, sans forcer, sa section remplissait la tâche imposée en deux et parfois même trois heures de moins que prévu. Ayant été surpris à plusieurs reprises en train d'observer avec sa section de très longues pauses n'entraînant cependant aucune diminution de rendement, L.B.G. fut alors invité à mettre ses dons d'organisateur à la disposition de la direction de la planification. Mais l'irritation suscitée dans la population par les longues pauses des éboueurs, étrangers de surcroît, s'étant ébruitée et ayant même trouvé un écho dans la presse, L.B.G. refusa son concours et rétablit un service conforme aux instructions. Ce comportement fut à l'origine de la première entrevue entre l'expert soussigné et L.B.G. dont les employeurs, après avoir songé à l'assigner devant les prud'hommes, finirent, sur le conseil de l'expert, par y renoncer. (L'expert croit bon d'attirer ici l'attention sur le cas d'un certain

H.M., employé d'dministration, cas dont il eut à connaître et à propos duquel il utilisa pour la première fois la notion du RR, entrée depuis lors dans la littérature du droit du travail. H.M. qui avait abattu en deux heures et demie la besogne qu'on l'avait chargé d'accomplir en huit heures mais qui — contrairement à L.B.G. — avait accepté d'élaborer un programme pour ses collègues, fut de leur part victime de telles brimades qu'il subit une profonde dépression nerveuse. Une fois guéri et transféré dans une autre administration, mais condamné là encore à « l'inaction » six heures et demie sur huit, il déposa une plainte en justice, réclamant que lui soit rendue sa liberté durant les six heures et demie quotidiennes de temps perdu qu'il prétendait avoir le droit de consacrer à ses loisirs. Débouté de sa demande, H.M. retomba malade et plus gravement encore que la première fois. Son affaire ayant cependant fait pas mal de bruit, il fut dès sa guérison embauché dans une entreprise industrielle à l'AR de laquelle il contribue depuis lors avec une grande efficacité. Ainsi donc, dans le cas de H.M., le RR qu'on lui reprochait consistait uniquement en un refus de passer sur son lieu de travail la totalité de l'horaire réglementaire. Le RR est un phénomène de plus en plus répandu et qui va poser de sérieux problèmes à une société basée sur la productivité.)

Dans le cas de L.B.G., le RR consiste dans le fait que, tout en accomplissant la tâche demandée, il refuse — serait-ce même pour un salaire plus élevé — de mettre son intelligence et ses dons d'organisateur à la disposition de son employeur. Sans doute une société basée sur la productivité peut-elle faire calculer par des ordinateurs les rendements minima et maxima, donc aussi le rendement moyen, mais l'analyse d'éléments aussi complexes que ceux qui interviennent dans l'enlèvement des ordures — ne serait-ce que l'interférence des embouteillages et accidents de la circulation, variable selon les secteurs — ne peut être confiée qu'à un collaborateur expérimenté et capable d'abstraction, tel L.B.G. précisément. Si l'on songe en outre aux progrès considérables qui pourraient être accomplis dans la rationalisation de l'enlèvement des ordures au plan non seulement local mais encore régional et même national, il est certain que L.B.G. porte à l'ensemble de l'économie un préjudice pratiquement incalculable. Ce qui explique l'ampleur du RR avec lequel nous nous trouvons confrontés.

Ayant besoin, pour parfaire son analyse, de connaître l'état physique de L.B.G., l'expert fit contrôler par le médecin de la prison sa taille, son poids et toutes ses fonctions organiques. Résultats absolument satisfaisants. Sa consommation d'alcool et de tabac est normale; en tout cas aucun dommage dû aux narcotiques n'a pu être décelé chez lui. Mise à part à l'œil droit une dioptrie minimale de 0,5, le rapport médical est donc excellent. Or comme on devrait normalement découvrir dans le système endocrinien du sujet la trace de son comportement défectueux et de ses conflits avec la société, l'expert s'explique cette absence d'anomalies par la constante et extrême polarisation susmentionnée qui joue dès lors un rôle compensatoire. Si venait à se rompre cet équilibre précaire obtenu au prix de fortes et perpétuelles tensions intérieures, le sujet souffrirait à bref délai de diabète, d'hépatite et probablement de coliques néphrétiques. Aussi l'expert déconseille-t-il formellement une libération anticipée de L.B.G., car sa détention est propice à l'entretien de sa polarisation tout en lui permettant de satisfaire sa xénophilie. Il se pourrait même — on ne saurait en tout cas exclure une telle éventualité — que L.B.G. ait recherché cette situation extrême de l'emprisonnement pour maintenir autour de lui une tension sociale qui avait peut-être tendance à se relâcher. Averti de l'important mouvement de solidarité qui vient de se manifester en faveur de la mère de L.B.G., d'où pour celui-ci une réduction des possibilités de polarisation, l'expert estime que seule, pour l'instant, une détention menée jusqu'à son terme peut se révéler salutaire, d'autant qu'elle évitera l'interruption du processus d'héroïsation en cours chez ses compagnons de travail.

L'expert soussigné ne peut se résoudre à adopter — ni surtout à appliquer à L.B.G. — la nouvelle théorie échafaudée par le professeur Hunx. Il s'agit en l'occurrence d'un phénomème jusqu'ici fort controversé, que le professeur Hunx appelle la « simulation de normalité ». Il l'aurait constatée chez certains sujets qui, selon lui, dissimulent une forte disposition latente à l'homosexualité sous une intense activité hétéro-sexuelle, « basée sur une compensation exercée de manière hystérique » (Hunx). Se fondant sur une nouvelle analyse, scientifiquement exacte, d'anciens rapports de l'Inquisition, Hunx explique la « beauté » des sorcières, leurs « appâts » et leur « art érotique » — dont le raffinement était certainement lié à une connais-

sance très précoce de la sécrétion interne — par cette
« compensation exercée de façon hystérique » qui cachait
leur « vraie nature ».

De l'avis de l'expert, dans le cas de L.B.G. il ne s'agit pas
d'une « simulation de normalité » mais bien plutôt du
refus de normalité chez un sujet de constitution normale.
Le fait que L.B.G. souhaite exercer la seule profession
d'éboueur prouve qu'il a instinctivement cherché la polarisation qui lui convenait le mieux : un métier passant pour
sale, au service de la propreté.

XII

Lettre de l'infirmier Bernhard Ehlwein (cinquante-cinq ans) à Léni Pfeiffer :

« Chère madame, la lettre que vous avez adressée au professeur Kernlich m'est tombée par hasard entre les mains alors que, suivant ses instructions, je mettais de l'ordre sur son bureau et classais les papiers dont il allait avoir besoin pour rédiger un certain nombre de rapports avant de me les dicter. En répondant à votre lettre, je commets un abus de confiance qui pourrait me coûter cher si vous n'observiez la plus rigoureuse discrétion — que je vous prie instamment de respecter — tant à l'égard du professeur Kernlich que de mes collègues et aussi des religieuses officiant dans cet établissement. Mais je sais pouvoir compter sur vous. Cela dit, c'est bien à contrecœur que je viole un secret professionnel dont le respect, après plus de douze ans d'activité dans ce service de dermatologie, m'est devenu une seconde nature. Si je m'y résous néanmoins, ça n'est pas seulement en raison de la profonde douleur qui s'exprime dans votre lettre, douleur que j'ai pu également observer durant les obsèques de Mme Schlömer, mais encore parce que je me sens tenu d'exécuter une sorte de mission ou encore les dernières volontés de la défunte qui durant les quinze jours ayant précédé sa mort a beaucoup souffert de l'interdiction des visites, mesure que son état

— il faut le souligner — rendait pourtant indispensable. Vous devriez vous souvenir de moi, car j'ai eu deux ou trois fois l'occasion de vous conduire auprès de la malade, quand elle était encore autorisée à recevoir des visites. Mais si vous ne vous souvenez plus de moi en tant qu'infirmier — voilà en effet plus d'un an que je travaille presque exclusivement dans le bureau du professeur Kernlich où je l'aide à réunir les éléments nécessaires à la rédaction de ses rapports et expertises — peut-être vous rappellerez-vous en revanche un homme d'un certain âge gros et chauve, vêtu d'un burberry marron foncé et qui est resté un peu à l'écart durant les obsèques de Mme Schlömer, mais dont les sanglots ont pu vous paraître intempestifs. Peut-être m'aurez-vous pris pour quelque ancien amant de la défunte ignoré de vous. Non, il n'en est rien, et si j'ajoute un « hélas! » sans conviction qui ne vient pas du fond du cœur, n'y voyez, je vous prie, ni une offense envers votre chère disparue, ni un manque de déférence à votre égard. Je n'ai à vrai dire jamais trouvé de compagne durable; j'ai pourtant plus d'une fois noué des liens avec les intentions les plus pures, et s'ils se sont rompus — je veux être franc avec vous — ça n'étais pas seulement à cause de la bassesse de l'élue du moment mais aussi en raison de ma profession (qui me met en contact permanent avec les vénériens) et des nombreuses gardes de nuit dont je me chargeais volontairement.

M. le professeur ne répondra pas à votre lettre parce que vous n'êtes pas apparentée à la défunte et même le seriez-vous d'ailleurs qu'étant tout comme moi lié par le secret professionnel, rien ne l'obligerait à vous fournir, comme vous le souhaitez, de plus amples renseignements sur la mort de Mme Schlömer. Je vais déjà commettre une indiscrétion, ne fût-elle que relative, en vous communiquant quelques détails sur les derniers jours de votre amie, et c'est bien la raison pour laquelle je vous prie instamment de ne faire en aucun cas état de la présente lettre. La cause du décès, telle qu'elle figure sur l'acte officiel, est naturellement exacte : défaillance cardiaque avec ralentissement brutal de la circulation sanguine. Mais comment les choses en sont-elles venues là alors que l'affection aiguë dont souffrait Mme Schlömer était en bonne voie de guérison ? C'est précisément ce que je voudrais vous expliquer. En premier lieu, il a été prouvé que la grave infection ayant nécessité l'hospitalisation de votre amie lui avait été transmise par un homme d'Etat étranger. Vous savez probablement mieux que moi que depuis deux ans déjà votre amie avait renoncé à la vie légère menée depuis tant d'années puisque, après avoir hérité de ses parents, elle s'était retirée à la campagne pour y terminer dignement sa vie dans le deuil et le recueillement. Et vous savez sûrement mieux que moi que Mme Schlömer n'était par nature ni une prostituée ni même une demi-mondaine, mais seulement la perpétuelle victime d'un certain désir masculin. Elle ne savait pas dire « non » lorsqu'elle se sentait en mesure de dispenser de la joie. Si je m'estime autorisé à formuler ainsi les choses, c'est que, au cours de la nuit qui a précédé sa mort, Mme Schlömer m'a conté presque toute sa vie non sans me décrire par le menu les étapes de sa « chute ». Douze ans d'activité dans un service de dermatologie ni surtout les événements que je vais vous relater ne m'inclinent guère à idéaliser la prostitution ni à l'entourer d'une aura romanesque, tant je sais bien que la plupart des femmes qui exercent ce métier finissent dans la misère, la crasse et la maladie avant de mourir le blasphème à la bouche. Elles sont en général si avariées que pas un seul de nos plaisants petits journaux érotiques n'oserait les faire figurer sur leur page de couverture. C'est la mort la plus misérable qu'on puisse imaginer : dénuement, solitude, pourriture et désespoir. Voilà pourquoi j'ai si souvent assisté aux obsèques de ces pauvres femmes, d'ordinaire seulement accompagnées à leur dernière demeure par une assistante sociale et un prêtre officiant en l'espèce par simple routine.

Comment, sans me livrer à de nouvelles digressions, aborder un sujet extrêmement délicat qui, même si, comme je le pense, vous êtes une femme moderne large d'idées et sûrement au fait de certains détails que je vais évoquer, n'en revêt pas moins un caractère pénible? Sachez que j'ai fait mes études de médecine sans avoir pourtant jamais réussi à devenir médecin. La guerre mais aussi, je l'avoue, ma terreur panique des examens m'ont relégué dans le service sanitaire. J'ai pu cependant faire une telle moisson d'expériences, acquérir tant de connaissances dans les hôpitaux militaires allemands d'abord puis russes durant ma captivité, qu'à mon retour de Russie — en 1950, c'est-à-dire à l'âge de trente-cinq ans — j'ai eu la stupidité de me faire passer pour docteur en médecine et d'exercer comme tel, avec succès d'ailleurs, jusqu'en 1955 où je fus condamné pour exercice illégal de la médecine. Je passai alors plusieurs années en prison jusqu'au jour où le professeur Kernlich, avec qui j'avais déjà travaillé comme étudiant en 1937, obtint ma libération anticipée et me fournit un emploi dans son service. C'était en 1958. Je sais donc ce que c'est que de vivre avec une réputation entachée. Cela dit, pendant les cinq années où j'ai illégalement exercé la médecine, aucune faute professionnelle n'a jamais pu m'être reprochée. Du moins savez-vous maintenant à qui vous avez affaire. Voilà déjà une bonne chose de faite! Mais comment vous parler du reste? Je vais essayer de prendre le taureau par les cornes! Votre amie Margret avait si bien progressé sur la voie de la guérison qu'on pouvait envisager sa sortie de l'hôpital dans un délai de six à huit semaines. Les visites la fatiguaient pourtant, même celles de cet homme impénétrable mais sympathique qui dans les derniers temps vint assez souvent la voir (!!! — l'auteur). Après avoir pensé tout d'abord qu'il s'agissait d'un de ses anciens amants, nous avons cru voir ensuite en lui un proxénète puis plus tard un membre du protocole et donc celui auquel était venue la funeste idée de l'aboucher avec cet homme d'État étranger que Mme Schlömer devait, selon ses propres termes, « mettre en humeur » de conclure un traité, après qu'un certain nombre d'autres dames s'y furent en vain efforcées.

Mais voilà que peu avant la date prévue pour sa sortie de l'hôpital, se produisit une chose bizarre, paradoxale même. Bien qu'habitué, après tant d'années d'étude et d'« exercice » de la médecine, au jargon des carabins, j'ai de la peine à communiquer par écrit à une dame comme vous des détails qu'il me serait d'ailleurs encore plus difficile de lui donner de vive voix. Bref il s'agit, chère madame, de ce muscle aux fonctions et réactions si complexes tant sur le plan physique que biochimique et psychique, communément appelé le membre viril. (Quel soulagement d'avoir enfin réussi à écrire le mot !) Je ne vous surprendrai pas en vous disant que pour qualifier cet attribut les femmes qui d'ordinaire peuplent nos services n'usent pas de termes particulièrement discrets. Elles l'ont toujours de préférence affublé d'un prénom masculin alors que des épithètes franchement vulgaires, fussent-elles pénibles à entendre, s'harmoniseraient du moins avec le milieu ambiant en gardant pour ainsi dire un caractère clinique qui les rendrait finalement moins vulgaires que des termes apparemment plus « nobles ». Or, à l'époque précisément où l'état de votre amie commençait à s'améliorer, cette stupide mode tendant à doter ledit attribut de prénoms masculins envahit soudain notre service. Il faut vous dire, chère madame, qu'un tel déferlement périodique d'inepties n'a guère son pareil que dans les pensionnats de jeunes filles, ce qui chez nous n'empêche pas nos infirmières et même nos surveillantes de se laisser prendre au jeu. D'ailleurs, comme j'ai pu m'en apercevoir au cours de mes trois années de prison, cette « contamination dialectique » s'exerce aussi entre détenus et gardiens. Quant aux religieuses, déjà enclines par nature à la niaiserie, elles emboîtent volontiers le pas, en service de dermatologie surtout. On ne saurait à vrai dire les en blâmer, car la chose s'apparente chez elles à une sorte de légitime défense. Certaines, après trente ou quarante ans passés auprès de femmes atteintes de maladie vénérienne, ont bien souvent — légitime défense! — adopté leur jargon et même contribué à son extension. Or, les religieuses étaient particulièrement gentilles avec votre amie, fermant souvent les yeux sur les cadeaux (alcool et cigarettes) que lui apportaient ses visiteurs. Il faut à présent que je vous fasse part d'un fait très étrange et qui vous surprendra peut-être, mais devrait plutôt selon moi vous confirmer dans votre sentiment, à savoir que Mme Schlömer était une femme très pudique. Elle commença par subir les taquineries de ses compagnes parce qu'elle ne comprenait pas pourquoi celles-ci se tordaient de rire chaque fois que, dans le contexte susmentionné, elles invoquaient « Gustav Adolf », « Egon », « Friedrich » ou tout autre. Enorme plaisanterie qui dura des jours et des nuits, avec même la participation des religieuses. Ce jeu cruel se limita d'abord à des prénoms typiquement protestants : « Gustav Adolf t'a trop souvent visitée » ou « Tu as trop aimé Egon », etc. Mais lorsque « pour lui extirper sa maudite innocence » (selon les propres termes d'une malade, K.G., maquerelle de plus de soixante ans), ces dames rendirent leurs allusions assez claires pour que Mme Schlömer dût les comprendre, celle-ci se mit à rougir violemment chaque fois qu'un prénom masculin frappait ses oreilles. Ces fréquentes et violentes érubescences lui valurent d'être traitée de mijaurée et d'hypocrite, tandis que le jeu cruel redoublait d'intensité pour atteindre au sadisme le plus pervers, c'est-à-dire à l'emploi de prénoms féminins dans le contexte correspondant. Ces dames donnaient leur préférence à l'association d'un prénom typiquement protestant avec un prénom typiquement catholique, formule dénommée par elles : « mariage mixte ». Tant et si bien que Mme Schlömer ne cessait plus de rougir, au point de ne pouvoir même plus s'en empêcher lorsque, sans la moindre arrière-pensée, quelqu'un dans le couloir lançait le prénom d'un visiteur, d'une infirmière ou d'une religieuse. Une fois le processus de la cruauté bien engagé, et bien ancrée aussi l'indignation suscitée par une pudibonderie que l'on refusait d'admettre de la part de Mme Schlömer, ces dames se lancèrent carrément dans le blasphème, ne parlant plus que de saint Aloïs (qui fut d'ailleurs jadis le patron des chastes), de sainte Agatha, etc. Il ne s'agissait même plus alors de simple sensibilité psychologique lorsque la malheureuse non seulement rougissait mais hurlait de douleur en entendant parler de « Heinrich » ou de « saint Heinrich ».

Vous n'ignorez pas, chère madame, que l'érubescence est un phénomène médicalement contrôlable. Elle résulte de l'irrigation, soudain accrue, des vaisseaux capillaires de la peau du visage sous l'effet de sentiments tels que le plaisir, la colère ou la confusion (ce dernier cas étant celui de Mme Schlömer), ceci par l'entremise du système nerveux végétatif. Inutile de mentionner ici d'autres causes d'érubescence, tel le surmenage par exemple, qui n'interviennent pas dans ce cas précis. La perméabilité des capillaires de Mme Schlömer s'étant de ce fait accrue, des hématomes (en langage populaire des « bleus ») apparurent bientôt, accompagnés de purpura (*vulgo :* « rougeurs »). Et c'est de cela, chère madame, que votre amie est morte. A la fin —

l'autopsie l'a prouvé — son corps était littéralement couvert d'hématomes et de purpura, son système nerveux végétatif étant de son côté surmené, sa circulation sanguine ralentie et son cœur défaillant. L'érubescence se mua en une effroyable névrose, si bien que Mme Schlömer rougit encore le dernier soir, quelques heures avant sa mort, en entendant les religieuses chanter dans la chapelle la litanie de tous les saints. Je sais que je ne pourrai jamais prouver scientifiquement ma théorie ou plus exactement mon assertion, mais je crois néanmoins de mon devoir de vous informer que l'érubescence est cause de la mort de votre amie.

Après être devenue trop faible pour prononcer encore des paroles cohérentes, elle ne cessa plus de murmurer : « Heinrich, Heinrich, Léni, Rachel, Léni, Heinrich »... Il m'eût été facile de lui faire administrer les derniers sacrements, j'y ai pourtant finalement renoncé, car la torture eût été trop cruelle ! L'escalade dans le blasphème avait en effet pris des proportions telles, dans le contexte que vous savez, que ces dames en étaient arrivées à ne plus parler que du « bon Sauveur » et du « petit Jésus », ou de la « très sainte Vierge Marie » et de la « Rose mystique ». Si bien qu'un texte liturgique récité à son lit de mort l'eût certainement plus torturée que consolée.

J'estime de mon devoir d'ajouter qu'en plus de ceux dont elle répétait sans cesse le nom (Heinrich, Léni et Rachel), Mme Schlömer a aussi parlé en termes amicaux, presque chaleureux même, de « l'homme qui vient parfois me voir ». Sans doute s'agissait-il de ce visiteur, sinon mystérieux, du moins obscur.

Si je signe cette lettre en vous priant d'agréer l'expression de mes sentiments distingués, n'y voyez pas, je vous prie, le désir de me réfugier dans une formule de politesse conventionnelle. Faute de pouvoir me permettre un « affectueusement » que vous pourriez considérer comme une privauté, permettez-moi pourtant d'ajouter

Cordialement vôtre

Bernhard EHLWEIN. »

XIII

Après un assez long temps de réflexion, Clémentine, qui intervient désormais énergiquement dans les travaux de l'auteur, décida que plutôt que de citer textuellement le rapport de l'agent de police, mieux valait le présenter en style indirect. Il s'ensuit naturellement une considérable mutation stylistique et la perte de maint joli détail, telle la dame à la tête couverte de bigoudis qui apparut en compagnie d'un monsieur en gilet de corps à la poitrine « aussi velue que celle d'un ours », ou « le chien qui geignait à fendre l'âme » ou encore la description de l'homme chargé du recouvrement des créances échelonnées — tous victimes d'une iconoclastie dont l'auteur n'est pas du tout partisan, victimes en somme de sa passivité. S'agit-il chez lui d'un RR ou seulement de P (passivité)? La question reste en suspens. Quoi qu'il en soit, usant hardiment de son inséparable crayon rouge, Clémentine raya tout ce qui lui paraissait superflu. Ne subsiste dès lors que « l'essentiel » (Clémentine).

1) Voici quelques jours l'agent de police Dieter Wülffen, assis au volant de sa voiture pie garée devant le cimetière sud, fut abordé par une certaine Mme Käthe Zwiefäller qui lui demanda de faire forcer la porte de l'appartement de Mme Ilse Kremer, au n° 5 de la Nurgheimer Strasse. A la question de savoir pourquoi elle jugeait une telle opération

nécessaire, Mme Zwiefäller répondit qu'après de très longues recherches (vingt-cinq ans qu'à vrai dire et de son propre aveu elle n'avait bien entendu pas *uniquement* consacrés auxdites recherches) elle avait enfin réussi à obtenir l'adresse de Mme Kremer. Or, ayant une très importante communication à lui faire, elle s'était aussitôt libérée de ses travaux pour venir la voir. Elle était accompagnée de son fils Heinrich âgé de vingt-cinq ans et comme elle cultivateur (pour Mme Zwiefäller, il faudrait dire cultiva*trice* — l'auteur). Ils étaient venus en ville dans le but d'apprendre à Mme Kremer comment son fils Erich, décédé fin 1944, avait dans un village situé entre Kommerscheidt et Simmerath tenté de passer chez les Américains, mais que s'étant fait tirer dessus à la fois par les Américains et les Allemands en essayant de franchir le no man's land, il avait cherché et trouvé refuge dans la ferme des Zwiefäller. Sur ce, un grand amour était né entre elle, Käthe Zwiefäller (dix-neuf ans), et Erich Kremer (dix-sept ans). Ils s'étaient « fiancés » et « juré fidélité éternelle », puis d'un commun accord avaient décidé de ne jamais abandonner la ferme au plus fort de la bataille, c'est-à-dire au péril de leur vie puisque ladite ferme se trouvait alors entre les lignes. A l'approche des Américains, Erich Kremer avait voulu, en signe de reddition, coincer dans l'encadrement de la porte un torchon de cuisine (bien qu'à bandes rouges, il était quand même blanc pour l'essentiel) mais, ce faisant, il avait été atteint en plein cœur par un tireur d'élite de la Wehrmacht. Mme Zwiefäller avait même vu le tireur posté sur une éminence entre les lignes, son fusil pointé non vers les Américains mais vers le village où, après ce dramatique épisode, personne bien sûr parmi la demi-douzaine d'habitants qui restaient encore n'avait plus osé hisser le drapeau blanc. Mme Zwiefäller déclara qu'elle avait tiré le cadavre dans la grange où elle lui avait fait un lit de paille. Elle avait beaucoup pleuré son

Erich et, dès la conquête du village par les Américains, l'avait de ses propres mains inhumé « en terre chrétienne ». Peu après elle s'était aperçue qu'elle était enceinte et le 20/9/45, « dans les délais normaux », avait donné le jour à un fils qu'elle avait fait baptiser du nom de Heinrich. Elle vivait seule alors à la ferme et ses parents, évacués, n'étaient jamais revenus ni n'avaient jamais donné le moindre signe de vie; portés disparus, ils avaient probablement été tués pendant leur évacuation par un quelconque bombardement aérien. Comme mère célibataire, seule sur son lopin de terre qu'elle avait néanmoins réussi à faire fructifier, elle n'avait pas eu la vie facile. Mais avec le temps les plaies s'étaient cicatrisées, elle avait élevé son fils qui malgré de bonnes études était cependant devenu agriculteur. Du moins avait-il eu ce dont beaucoup de jeunes étaient privés ; la tombe de son père. Dès (!!) 1948 elle avait essayé de retrouver Mme Kremer puis de nouveau dès (!!) 1952 avant d'abandonner une recherche qui lui paraissait sans espoir. Une ultime tentative en 1960 (!!) avait également échoué. Elle ne savait d'ailleurs pas encore à l'époque qu'Erich Kremer était lui aussi un enfant illégitime, ignorant même jusqu'au prénom et à la profession de sa mère. Enfin, il y avait de cela six mois environ, grâce à un représentant en engrais qui avait eu la gentillesse de prendre énergiquement l'affaire en main, elle s'était procuré l'adresse de Mme Kremer mais avait encore hésité à aller la trouver, ne sachant trop quel accueil lui serait réservé. Finalement et sur l'insistance de son fils, elle s'était décidée à partir avec lui pour la ville. Ils avaient bien trouvé l'appartement de Mme Kremer mais, malgré leurs coups répétés, personne n'était venu leur ouvrir la porte. D'après les renseignements pris chez les voisins (c'était là qu'intervenaient la dame aux bigoudis, le chien qui geignait à fendre l'âme et d'autres encore — tous victimes d'une iconoclastie aussi indigne que la réforme liturgique!), Mme Kremer ne pouvait être partie en voyage, la chose ne lui étant jamais arrivée. Bref, Mme Zwiefäller craignait un malheur.

2) Dieter Wülffen fut alors la proie d'un débat de conscience. Le « péril en la demeure » était-il la seule possibilité légale de faire forcer la porte de Mme Kremer ? Parvenu avec Mme Zwiefäller et son fils au n° 5 de la Nurgheimer Strasse, le policier put s'assurer qu'aucun locataire n'avait vu Mme Kremer depuis une semaine. Un voisin (pas l'homme à la poitrine velue, mais un retraité d'origine rhénane et poivrot notoire) croyait avoir entendu l'oiseau de Mme Kremer pépier lamentablement trois jours durant. Wülffen prit alors la décision de faire crocheter la porte, non parce que la formule « péril en la demeure » lui paraissait applicable au cas présent, mais simplement par pitié. Parmi les voisins se trouvait justement un homme encore jeune (quel dommage d'expédier d'aussi fade manière un personnage si intéressant ! Jugez un peu : repris de justice condamné quatre ou cinq fois pour coups et blessures, proxénétisme et vol avec effraction, bien connu de tout le voisinage et même de l'agent Dieter Wülffen qui l'a décrit avec ses longs cheveux bruns, gras, épais et embroussaillés !), donc un homme encore jeune qui crocheta la porte de l'appartement avec une aisance fort suspecte et ces mots qui en disaient long : « Ce coup-ci, c'est *pour* la police que je le fais ! »

3) Mme Kremer fut trouvée morte, étendue tout habillée sur la banquette de sa cuisine. Elle s'était empoisonnée avec un somnifère. Le processus de décomposition n'était pas encore engagé. Sur un vieux miroir pendu au-dessus de l'évier, elle avait simplement (!! — l'auteur) commencé à conjuguer le verbe « vouloir » avec un reste de ketchup manifestement étalé avec les doigts : « Je ne veux plus. Je ne voulais plus. Je n'ai plus vo... » Sa réserve de ket-

chup avait dû s'épuiser à ce moment-là. L'oiseau mort — une perruche — fut trouvé sous la commode de la chambre à coucher contiguë à la cuisine.

4) Dieter Wülffen reconnut que la police connaissait fort bien Mme Kremer. On savait — grâce au carbone 14 — qu'après avoir milité dans les rangs du parti communiste elle avait cessé toute activité politique à partir de 1932, et ce bien qu'à plusieurs reprises — la police ne l'ignorait pas davantage — et surtout après l'interdiction prononcée contre le P.C. elle eût reçu la visite d'individus venus l'inviter à reprendre du service. (Là, Clémentine avait écrit en toutes lettres le nom de « Fritz », victime cette fois du crayon rouge de l'auteur.)

5) Mme Zwiefäller et son fils émirent alors des prétentions à l'héritage. Dieter Wülffen mit en lieu sûr un porte-monnaie contenant 15 DM 80, un livret de caisse d'épargne créditeur de 67 DM 50 et, seul objet d'une valeur appréciable, un poste de télévision en noir et blanc presque neuf sur lequel Mme Kremer avait collé cet avis : « entièrement soldé ». Accrochée au-dessus de la banquette de la cuisine, une photo encadrée sur laquelle Mme Zwiefäller reconnut Erich Kremer, le père de son enfant. L'autre photo, vu l'étonnante ressemblance, ne pouvait être que celle du père d'Erich. Dans une boîte de fer-blanc décorée de fleurs peintes et portant le nom d'une célèbre marque de café, on découvrit : « une montre-bracelet d'homme sans valeur mais intacte; un anneau d'or usé avec un faux rubis, sans valeur non plus; un billet de dix marks de l'année 1944; un insigne du P.C. dont le soussigné ne peut déterminer la valeur; une reconnaissance du mont-de-piété de 1936 attestant la mise en gage d'un anneau d'or pour la somme de 2 marks 50 et une autre de 1937 attestant la mise en gage d'un col de castor pour la somme de 2 marks; un livret de quittances de loyer parfaitement en règle. » Aucune provision alimentaire de valeur : une bouteille de vinai-

gre à moitié vide, une bouteille d'huile (petit format) presque pleine, cinq tranches de pain complet desséché, une bouteille de lait entamée, du cacao encore dans une boîte de fer-blanc (65 à 80 grammes environ), un verre à moitié plein de café en poudre, du sel, du sucre, du riz, quelques pommes de terre et un sachet inentamé de graines pour oiseaux. Par ailleurs, deux carnets de papier à cigarettes et un paquet entamé de tabac turc. Six romans en édition de poche d'un certain Emile Zola, éculés mais propres et probablement de peu de valeur. Enfin un livre intitulé *Chants du Mouvement ouvrier*. Les voisins, que la curiosité avait attirés sur les lieux mais qui furent aussitôt refoulés, qualifièrent le mobilier de la défunte d'« infâme bric-à-brac ». Après la visite du médecin légiste et conformément au règlement, l'appartement fut placé sous scellés. Pour ce qui était de ses prétentions à l'héritage, Mme Zwiefäller fut priée de s'adresser à l'autorité judiciaire.

6) On proposa à Mme Zwiefäller de la mettre en rapport avec un homme (« Fritz ») éventuellement capable de lui fournir des détails intéressants sur la vie de la défunte et sur le père de feu Erich Kremer. Mais elle refusa en déclarant ne vouloir rien avoir à faire avec des communistes.

XIV

QUAND elle n'est pas en train de jouer du crayon rouge, Clémentine se révèle quasiment irremplaçable. Son incontestable sensibilité germanistique (qui ne faiblit que lorsque ses ambitions rédactionnelles prennent le dessus) et son expérience prolongée des pratiques spiritualistes ne perdent rien de leur efficacité dans le domaine temporel. Car c'est précisément pour s'être d'une certaine manière émancipée qu'elle se jette, avec un zèle si profitable à l'auteur, sur les travaux ménagers (époussetage, cuisine, vaisselle) et qu'elle note avec un froncement de sourcils le prix du beefsteak ou le montant du loyer. Ce qui ne l'empêche pas de rouler volontiers en taxi, non sans rougir parfois en passant devant quelque provocante affiche pornographique. Pour ce qui est de la création intellectuelle, elle s'est en quelque sorte établie à son compte, c'est-à-dire qu'elle ne zèbre plus de son crayon rouge les textes d'autrui mais seulement les siens. Selon ses propres dires, la mort d'Ilse Kremer l'a tellement « bouleversée » (que de larmes déjà versées et encore à venir !) qu'elle a décidé d'écrire une courte biographie de cette malheureuse qui « après cinquante ans de travail assidu ne laisse pour tout héritage qu'un poste de télévision acheté à crédit, une demi-bouteille de vinaigre, un peu de papier à cigarette, un livret de quittances de loyer et autres babioles... Je ne m'en remets pas, vraiment pas ». On ne peut que louer d'aussi bons sentiments et d'aussi bonnes intentions.

Par ailleurs, sans espionner quiconque mais en se contentant d'observer, Clémentine a rendu d'inestimables services à l'auteur. Et alors que celui-ci n'a pas encore réussi à atteindre l'objectif auquel il aspire si ardemment (le total RR), Clémentine est bien près d'atteindre le sien (ne plus faire que ce qui lui plaît). Il lui plaît par exemple de rendre visite à Schirtenstein et à Scholsdorff pour constater qu'ils sont de plus en plus détendus. Les causes de leur décontraction, elle les a peu à peu découvertes, ayant aperçu « Léni et Schirtenstein assis sur un banc du parc Blücher, joue contre joue et main dans la main » et par deux fois surpris Léni imposant les mains à Scholsdorff au café Spertz. Elle a aussi rencontré un jour chez elle un homme qui, d'après sa description, ne pouvait être que Kurt Hoyser. Et bien qu'à peu près certaine que dans son état actuel Léni se refuse à tous rapports intimes, même avec Mehmet, Clémentine considère que sa nouvelle amie est allée assez loin comme ça avec Pelzer qu'« elle a embrassé un soir dans sa voiture, non loin de chez elle ». Clémentine n'ose pas rendre visite à ce dernier, craignant qu'il ne soit « au fond un homme bien peu délicat et parfaitement capable de me demander une consolation érotique tangible ».

Pour Lev Gruyten elle ne se fait aucun souci. « Il va bientôt sortir de prison. » Active comme elle l'est, elle a participé à une manifestation d'éboueurs devant le tribunal correctionnel et même rédigé les textes de leurs pancartes. « La solidarité est-elle un crime ? » « La fidélité est-elle un délit ? » et d'autres plus menaçants, tel celui-ci : « Si vous punissez nos camarades, la ville étouffera sous ses ordures ! » Cette intervention lui a valu sa première manchette dans une gazette locale : « Une ci-devant nonne aux cheveux roux, passionaria des éboueurs ! » Mais là ne se limite pas sa fructueuse activité. Elle donne aussi dans l'appartement de Léni des leçons d'allemand aux enfants portugais, elle s'y entretient avec Bogakov de l'état actuel de l'Union Soviétique, s'y fait prodiguer des soins de beauté par Grete Helzen et aide toutes sortes de Turcs et autres Italiens à remplir des formulaires destinés à leur obtenir la restitution de l'impôt prélevé sur leurs salaires. Elle s'entretient par téléphone avec le procureur de la République (au sujet du procès en cours contre les chauffeurs de bennes à ordures), décrit au chef de service concerné (toujours par téléphone) le chaos qu'engendrerait une grève de ses éboueurs. Etc. Qu'elle verse parfois encore une larme sur *La Marquise d'O...*, plusieurs sur *Le Médecin de campagne* et *La Colonie pénitentiaire,* quoi de plus naturel ? Mais en dépit de toutes ces larmes, elle n'a pas encore compris le sens de la formule « avec une voiture terrestre et des chevaux non terrestres ». Elle s'est peut-être trop brutalement, trop radicalement éloignée de tout ce qui n'était pas terrestre. Ce n'est pas elle qui a entraîné Léni à Gerselen mais bien Léni qui a tenu à l'y emmener sitôt l'annonce de l'ouverture en cet endroit d'une station thermale. Est-il besoin de préciser à qui sera confiée la direction de la station ? A Scheukens bien sûr qui y déploie déjà une activité fébrile, courant en tous sens, des photocalques à la main, lançant par téléphone ses ordres aux architectes et ouvriers. Il a trouvé un moyen infaillible d'endiguer « cette maudite invasion de roses ». Dans un rayon de cinquante mètres autour de la « source irremplaçable », il a installé un système de conduites dans lesquelles circule un produit toxique dont la diffusion a effectivement interrompu la pousse des roses. La poignée de cendres qui avait nom Rachel Ginzburg ne peut évidemment rien contre cela. Toujours est-il que Bogakov a déjà pu constater avec plaisir « la convenance de la source pour ma maudite arthrite ». Depuis que, sur son instigation, Lotte est elle aussi devenue une adepte du RR, tous deux vont souvent se promener dans le parc de la station thermale.

Seule de toutes les personnes jusqu'ici mentionnées (y compris Mehmet) Clémentine — douée d'une obstination et d'une endurance que les ci-devant religieuses partagent avec les non ci-devant — après avoir passé en silence des heures auprès de Léni à la regarder travailler à son œuvre picturale, et à l'aider de son mieux en lui faisant du café, en lui nettoyant ses pinceaux et en ne lui ménageant pas ses éloges, a réussi à obtenir l'autorisation d'assister à l'apparition de la Vierge Marie sur son écran de télévision. Son commentaire est d'une platitude telle qu'on ose à peine le transcrire : « C'est elle, Léni, qui s'apparaît à elle-même par suite d'un phénomène de réflexion qui reste à élucider. » Il n'empêche que le « mystère de la réflexion » subsiste et que subsistent aussi à l'arrière-plan de sombres nuées d'orage qui ne présagent rien de bon : la jalousie de Mehmet et son aversion notoire pour la danse.

DU MÊME AUTEUR

Aux Éditions du Seuil :

RENTREZ CHEZ VOUS, BOGNER! *roman*, 1954.
LES ENFANTS DES MORTS, *roman*, 1955.
OÙ ÉTAIS-TU, ADAM? *roman*, 1956.
LA MORT DE LOHENGRIN, *nouvelles*, 1958.
LES DEUX SACREMENTS, *roman*, 1961.
LE PAIN DES JEUNES ANNÉES, *roman*, 1962.
LA GRIMACE, *roman*, 1964.
LOIN DE LA TROUPE, *nouvelles*, 1966.
FIN DE MISSION, *roman*, 1968.
JOURNAL IRLANDAIS, *nouvelles*, 1969.
PORTRAIT DE GROUPE AVEC DAME, *roman*, 1973.
L'HONNEUR PERDU DE KATHARINA BLUM, *roman*, 1975.

« Composition réalisée en ordinateur par IOTA »

IMPRIMÉ EN FRANCE PAR BRODARD ET TAUPIN
7, bd Romain-Rolland - Montrouge - Usine de La Flèche.
LE LIVRE DE POCHE - 12, rue François Iᵉʳ - Paris.
ISBN : 2 - 253 - 02026 - 5

◈ 30/ 5170/ 3